D1629740

Ernst Moser · POLITISCHE GEISTESMENSCHLICHKEIT

THE QUEEN'S COLLEGE
LIBRARY
OXFORD

Ernst Moser

POLITISCHE GEISTES-MENSCHLICHKEIT

Verlag ARISTARCH AG Chur

Gesamtherstellung: MZ-Verlagsdruckerei GmbH, Memmingen (Bayern)
Printed in Germany

VORBEMERKUNGEN

Im Folgenden wird das in der früheren Veröffentlichung VOM GEISTESMENSCHLICHEN SEIN (1967) — ergänzt durch GEISTESMENCHLICHKEIT IM ALLTAG (1971) und GEISTESMENSCHENTUM (1974) — Dargelegte auf das Staatliche und Politische angewandt und damit in Richtung auf das, notwendigerweise gegenwartsbezogene, Sozialpraktische aktualisiert. Auch hier seien aus der ersten Veröffentlichung die maßgebenden Zielideen und die wichtigsten Begriffe wiederholt:

(23.11) Unzweifelhaft wirklich ist eine kultur- und geistesgeschichtliche Entwicklung, in welcher der Mensch durch Entfaltung und allmählich weiter werdende Anwendung seiner Geistesvermögen als Lebewesen stärker und erfolgreicher wurde, so daß er jetzt wahrhaft der Herr der Erde ist.

Alles, was zur Erhöhung der menschlichen Lebenskraft beitrug oder beiträgt, war oder ist dieser Entwicklung gemäß. Daraus läßt sich nun ein erster Maßstab für die Beurteilung des Zielsetzens, Verwirklichens und Wertens ableiten: entwicklungsgemäß und unter dem Gesichtspunkt der Entwicklungsgemäßheit richtig ist das die menschliche Lebenskraft Fördernde, Steigernde. Entscheidend sind in dieser Richtigkeitsbeurteilung letztlich die Vitalziele, — man kann das hier angewandte Richtigkeitsprinzip abkürzend die »Vitalrichtigkeit« nennen.

(23.12) Neben der aufsteigenden Entfaltung der der menschlichen Lebenskraft dienenden Vermögen und Erreichnisse verläuft aber, und zwar seit den frühen Hochkulturen, eine zweite: Ausbildung und Wichtigwerden von geistigen Selbstzwecken, durch diese bestimmter Kulturaufbau und -ausbau, Entstehen von durch sie geprägten Menschentypen.

Alles, was zur Erweiterung und Erhöhung der selbstzweckhaften geistigen Verwirklichungen beitrug oder beiträgt, war oder ist dieser zweiten Entwicklung gemäß. Daraus läßt sich ein zweiter

Maßstab für die Beurteilung des Zielsetzens, Verwirklichens und Wertens ableiten: entwicklungsgemäß und unter dem Gesichtspunkt der Entwicklungsgemäßheit richtig ist das Geistig-Selbstzweckhafte und das es Fördernde. Entscheidend ist hier die Geistigkeit, die Spiritualität, — man stellt sich unter ein Richtigkeitsprinzip, das man abkürzend die »spirituelle Richtigkeit« nennen kann.

(24.12) Aus dem in jahrmillionenlanger Lebensentwicklung entstandenen naturhaften Wesen des Menschen und aus der sich über Jahrtausende erstreckenden Entwicklung der durch Vitalbedürfnisse bestimmten Kulturwirklichkeit ergibt sich, daß viele Einzelne — mehr oder weniger deutlich bewußt — der Vitalrichtigkeit den Vorzug geben: in ihren Zwecke-und-Werte-Strukturen sind Vitalzwecke und -werte vorherrschend. Hier ist das Geistige nur der Vitalzweckverwirklichung dienend oder höchstens Beiwerk zu dieser.

Unter dem modernen Praktischen Materialismus ist diese Einstellung weit verbreitet. Verstärkend wirkt dabei, daß die Schwächung der Religion viele moderne Menschen der Bindung an geistige Ziele und Werte, die für Gläubige selbstverständlich ist, beraubt hat.

(24.13) Anderseits ist als Ergebnis der Hochkulturentwicklungen in vielen Menschen die strukturhafte Überzeugung wirksam, daß die spirituelle Richtigkeit das richtige Prinzip des Sicheinstellens ist.

In andern ist wenigstens eine strukturhafte Neigung zugunsten des Geistigen wirksam: sie sind der die spirituelle Richtigkeit bejahenden Belehrung zugänglich.

(24.14) Neben den vielen Innerlich-Festgelegten sind aber einige, die in innerer Freiheit zwischen den beiden Richtigkeitsprinzipien wählen können.

In freiem Entscheiden wird der eine der Vitalrichtigkeit den Vorzug geben: weil er das naturhafte Leben als das Hauptsächliche auffaßt und im Geistigen nur eine dienende Kraft, vielleicht sogar ein vom Wesentlichen Wegführendes sieht, — der andere dagegen der spirituellen Richtigkeit: weil die selbstzweckhaft-geistigen Verwirklichungen einen Seinsreichtum bedeuten, von dem die bloße Vitalerfüllung weit entfernt bleibt.

(24.15) Zwischen den beiden Richtigkeitsauffassungen — Bejahung der Vitalrichtigkeit dort, der spirituellen Richtigkeit hier — besteht ein tiefer Gegensatz im Prinzipiellen.

Jedoch braucht sich das im Praktischen nicht störend auszuwirken: weil jeder für sich seinen eigenen Weg gehen kann, ohne dem Andersdenkenden in den Weg zu treten.

Auch kann sich eine praktische Verbindung beider Auffassungen in dem Sinne ergeben, daß jeder Vertreter einer Richtigkeitsauffassung den zwar zweitrangigen, aber noch positiven Wert des als untergeordnet-wichtig eingestuften Bereiches voll anerkennt (. . .).

(24.16) An diesem Punkt des Überlegungsganges ist — in subjektiver Stellungnahme — zwischen den beiden Richtigkeitsprinzipien zu wählen: entschieden wird im Sinne der Bejahung, Annahme, Anerkennung, Befürwortung und Anwendung der spirituellen Richtigkeit.

Die den Inhalt der folgenden Darlegungen bestimmende Überzeugung, daß die spirituelle Richtigkeit das richtige Richtigkeitsprinzip ist, liegt in der Linie der geistigen Entwicklung, deren wichtigste Träger und mächtigste Förderer die Geistig-Großen aller Kulturbereiche waren oder sind. Sie hat Ziele und Werte zum Inhalt, welche von vielen durch diese geistige Entwicklung Innerlich-Bestimmten aus ihrer Zwecke-und-Werte-Struktur hochgehalten, von andern, Innerlich-Nichtfestgelegten, in freiem Entscheiden angenommen werden.

Aber sie entspricht nur einer, nicht »der«, objektiv-wichtigen Kulturentwicklung, und sie ist den sie Ablehnenden gegenüber nicht beweisbar.

(24.18) Die Überzeugung, daß die spirituelle Richtigkeit das richtige Richtigkeitsprinzip ist, ist auf das Menschliche überhaupt und im allgemeinen gerichtet: also auf alle Menschen, und insbesondere auch auf jene, für welche die geistig-selbstzweckhafte Verwirklichung eine vorläufig nicht oder kaum genutzte Möglichkeit bildet. Es folgt hieraus, daß die geistige Verwirklichung des einen nicht die Möglichkeiten der geistigen Verwirklichung anderer ungebührlich behindern darf.

Praktisch heißt dies, daß aus der spirituellen Richtigkeit die allgemeine Menschlichkeit zu bejahen und zu vertreten ist.

(25.1) Unter der spirituellen Richtigkeit ergeben sich Verwirklichungen, die
— erstens inhaltlich durch geistige Selbstzwecke bestimmt sind,
— zweitens unter der Gewißheit des Vorranges dieser besonderen geistigen Selbstzwecke oder des Geistig-Selbstzweckhaften im allgemeinen stehen.

Verwirklichung dieser Art sei im folgenden »geistesmenschliche Verwirklichung« genannt.

(25.2) Die Verwirklichungen, die ein Mensch vollzieht, gehören zu seinem Sein, d.h. zu der durch artspezifische, kollektive und individuelle Inhalte gekennzeichneten Geschehenswirklichkeit, in welcher das Leben besteht.

Insofern ein Mensch geistesmenschliche Verwirklichung vollzieht, hat er »geistesmenschliches Sein«.

(25.3) Der Begriff »geistesmenschlich« geht vom Vorstellungsbild »Geistesmensch« aus: dieser ist der Mensch, dessen Sein wesentlich sehr weitgreifende (und dabei in jedem Falle zumindest erheblich tiefe, also nicht nur oberflächliche), sehr tiefdringende (und dabei wenigstens einige Weite erreichende) oder zugleich sehr weitgreifende und sehr tiefdringende, dazu sehr intensive Verwirklichung von hohen Anspruch stellenden geistigen Selbstzwecken ist, wobei wiederum die Bewußtheit des Vorranges dieser besonderen Selbstzwecke oder des Geistig-Selbstzweckhaften im allgemeinen besteht. Im Geistesmenschen ist das Nicht-geistig-Selbstzweckhafte auf das Unentbehrliche beschränkt und es ist, abgesehen von unmittelbarer Not oder Bedrohung, zweitrangig.

Die meisten Menschen, die Geistesmenschliches verwirklichen, sind nicht Geistesmenschen: ihre geistig-selbstzweckhafte Verwirklichung ist zuwenig weitgreifend oder tiefdringend, zuwenig intensiv, zuwenig anspruchsvoll.

Der Geistesmensch ist aber eine tatsächliche Möglichkeit, und es gibt Einzelne, die Geistesmenschen sind. Darüber hinaus ist er eine leitbildhafte Idealvorstellung.

(25.4) Das geistesmenschliche Sein des Geistesmenschen ist etwas Seltenes, Besonderes: um es vom übrigen geistesmenschlichen Sein abzuheben, sei es hier »Geistesmenschentum« genannt.

(25.5) Schließlich kann es nötig sein, die auf das geistesmenschliche Sein gerichtete Einstellung als solche zu kennzeich-

nen: hiefür sei der Ausdruck »Geistesmenschlichkeit« verwendet.

(25.6) Aus der hier vertretenen Überzeugung, daß die spirituelle Richtigkeit der richtige Beurteilungsmaßstab sei, ergibt sich die Hochschätzung

- *der geistesmenschlichen Verwirklichung und des geistesmenschlichen Seins als der wertvollsten Erfüllung,*
- *der Geistesmenschlichkeit als der richtigen Einstellung,*
- *des Geistesmenschen als des Trägers des höchsten für Menschen erreichbaren Seins,*
- *des Geistesmenschentums als dieses höchsten Seins.*

(25.7) Wenn aber das Geistesmenschentum das höchste geistesmenschliche Sein ist, so heißt dies, daß es geistesmenschliches Sein von weniger hoher Stufe gibt, wobei die Rangunterschiede mehr oder weniger groß sein können.

Und aus dem Noch-im-Nichthöchsten-Stehen kann, mit dem Blick auf das Geistesmenschentum als Ideal, die innere Pflicht abgeleitet werden, fortschreitend zu höherer Verwirklichung aufzusteigen und nach Möglichkeit dem Idealen näher zu kommen.

Daß jene Rangunterschiede bestehen und diese Pflicht zum Aufstieg wirksam sein kann, wird bei der folgenden Behandlung der einzelnen Inhaltsgebiete des geistesmenschlichen Seins vorausgesetzt.

(25.8) Aus der Bejahung des geistesmenschlichen Seins ergibt sich, daß die Behinderung und erst recht die Verhinderung von geistesmenschlichem Streben und Verwirklichen negativ zu werten sind.

Grundsätzlich ist also insbesondere die geistesmenschliche Verwirklichung, welche sich auf das geistesmenschliche Sein anderer Menschen störend oder hindernd auswirkt, mit negativem Wert belastet; ist die Störung erheblich, so müssen auch hier die Ansprüche und Rechte der Einzelnen gegeneinander abgewogen werden.

Diese Einschränkung ist im folgenden ebenfalls vorausgesetzt.

Da hier die ins Gesellschaftliche gehenden spiritualpolitischen Bestrebungen und Verwirklichungen zu diskutieren sind, kann auf die in GEISTESMENSCHENTUM gegebenen Differenzierungen verzichtet werden; immerhin sei auf sie hingewiesen.

I. STAAT UND GEISTIGKEIT

I.I Gesellschaftsbedingtheit der Geistigkeit, Geistigkeitsbedingtheit der Gesellschaft

I.II Geistesmenschlichkeit — Einstellung auf das geistesmenschliche Sein, das heißt auf die Verwirklichung von Selbstzweckhaft-Geistigem, verbunden mit der Bewußtheit, daß dieses mit seinem besonderen Inhalt oder daß das Geistig-Selbstzweckhafte allgemein die Haupterfüllung ist und sein soll — ist Geistigkeit, also konkret gegebenes oder zu setzendes, zu erstrebendes, zu erreichendes Durch-Geistiges-Bestimmtsein, Sich-in-Geistigem-Verwirklichen. Geistigkeit aber steht immer in der Kulturwirklichkeit, ist Teil von ihr; die Kultur ihrerseits ist immer gesellschaftlich bedingt, wirkt aber anderseits eigenständig und spontan auf die Gesellschaft; zudem wirkt Gesellschaftliches auch aus vor- und unterkulturellem Wesen auf Persönlich-Geistiges, also auf Geistigkeit.

Die Gesellschaftsbedingtheit der Geistigkeit — direkt oder über gesellschaftlich-bedingtes Kulturelles, das seinerseits Geistiges bedingt — ist vierfach: Gesellschaft kann Geistiges erstens ermöglichen, zweitens bestimmen, drittens fördern, viertens behindern oder verhindern. Alle vier Beeinflussungsweisen können auf Geistiges und Geistigkeit in entweder allgemeiner oder aber spezieller Fassung gehen, wobei vielleicht das Geistige allgemein bejaht und doch einzelnes, besonderes Geistiges verneint wird.

Damit wird die Geistigkeit von der Besonderheit der Gesellschaft und der gesellschaftlich bedingten Kultur abhängig, und es lassen sich nach der Art der Geistigkeitsbeeinflussung Gesellschafts- und Kulturtypen bilden. Beispiele: Gesellschaft und Kultur, welche der religiösen (praktisch einer bestimmten religiösen, etwa der christlichen oder islamischen) oder der wissenschaftlich-technischen Geistigkeit einen weiten Entfaltungsraum bieten, und entsprechende Verwirklichungsinstitutionen schaffender und betreibender oder wenigstens indirekt fördernder Staat. Solches ist immer auch Beeinflussung der Geistesmenschlichkeit als einer Sonderausprägung der allgemeineren Geistigkeit.

Die Einsicht in die Sozialbedingtheit der Geistigkeit und des Geistigen überhaupt muß, wenn diese für wichtig gehalten werden, ein geistigkeitsbestimmtes Interesse an der Gesellschaft und an der Gesellschaftskräfte weitertragenden Sozialkultur wecken. Dieses Interesse wird erstens feststellend sein, indem zunächst einmal die Tatsachen zu beschreiben und zu analysieren sind, zweitens das Gegebene und auch das erst Mögliche von Wert- und Zielauffassungen aus beurteilend und damit kritisch, drittens postulierend, also Neues verlangend und es vielleicht praktisch planend, viertens ausführend, das Gutgeheißene und vielleicht Postulierte verwirklichend.

Schon aus diesem ersten Überblick ergeben sich zwei Fragengruppen: Welches sind, abstrakt und konkret, die Beziehungen zwischen Gesellschaft und Sozialkultur einerseits, Geistigkeit und geistigem Verwirklichen anderseits? Wie sollen diese Beziehungen, wiederum abstrakt und konkret zu fassen, richtigerweise sein? Und beide Fragegruppen betreffen sowohl die Geistigkeit und das Geistige überhaupt und allgemein als auch die Geistesmenschlichkeit und das Geistesmenschliche im besondern.

1.12 Geistigkeit, die, von ihrem Träger aus gesehen, nach außen aktiv wird, hat fast immer ein gesellschaftliches Aktionsfeld: ihr Ziel ist Soseiendes in einer Gruppe, Gesamtheit, Gemeinschaft, Organisation und meistens wirkt sie in einem Sozialgebilde, soziale Mittel und Verfahrensweisen anwendend. Gegenstand und Inhalt solcher Aktion ist häufig ebenfalls gesellschaftlichen Wesens (wie in der Schaffung von Organisationen und Institutionen, in der Rechtssetzung), kann aber auch außergesellschaftlich sein (nämlich Religiöses, Wissenschaftliches, Technisches, Künstlerisches, usw. betreffend). Das soziale Aktionsfeld kann gebietsmäßig klein oder groß, nach dem Inhalt einheitlich oder vielfältig, dazu entweder bereits bestehend oder erst postuliert und erstrebt sein. Geistigkeit, die auf gesellschaftlichem Feld aktiv wird, ist ein Haupttypus der politischen, als der das politische Wollen und Handeln bestimmenden und auch antreibenden

Kräfte: der Politisch-Handelnde handelt meistens aus seiner Geistigkeit, — aber aus welcher?, und welches wäre die seinsollende?

Entsprechend hat auch die Geistesmenschlichkeit, die nach außen wirksam wird, großenteils die Gesellschaft zum Aktionsfeld und Gesellschaftliches zum Gegenstand. Dabei kann sich das besondere geistesmenschliche Wesen, das Geistig-selbstzweckhaft-Sein und das Als-Haupterfüllung-verstanden-Werden, zweifach ausprägen, erstens darin, daß das Subjektive der Aktion geistesmenschlich ist (so kann für den Politiker schon die kämpferische Auseinandersetzung als solche freudvolle Erfüllung sein), zweitens darin, daß ihr Objektives als der entscheidende Gehalt der geistesmenschlichen Erfüllung verstanden wird: das für die Gesellschaft als Ganzes oder Teilbereiche der Gesellschaft zumindest Nützliche und vielleicht mehr als nur nützliche Wertvolle, das der Leistende selbstverantwortlich erreicht oder dem er wenigstens als Untergeordneter dient. Man könnte die erste Art der sozialaktiven Geistesmenschlichkeit egoistisch, die zweite altruistisch nennen; auch in der zweiten wirkte aber die egoistische Komponente, Aktionsfreude im besondern. Man wird das Thema »Politische Geistesmenschlichkeit« vor allem im zweiten Sinne auffassen, vom »altruistischen« Interesse am sozialobjektiven Geistesmenschlichen aus: das oberste Allgemeinziel ist hier ja, daß die Gesellschaft in ihrem sachlichen Wesen, in ihren Strukturen und Prozessen, so beeinflußt, ja gestaltet werde, daß sie ein reich durchgebildetes, starkes Trägerwerk des Geistigen gesamthaft und des Geistesmenschlichen im besondern werde.

Die sozialaktive Geistigkeit, und die sozialaktive Geistesmenschlichkeit im besondern, wird weitgehend durch Bedürfnisse und Ansprüche bestimmt, die in der Gesellschaft gegeben sind und die der Leistende als maßgebend übernimmt, um sie durch seine Leistung befriedigen und durchsetzen zu helfen. Möglich ist aber auch die selbständige, ja schöpferische Aufstellung von Zielen und zielbestimmenden Werten; erstrebt wird dann, daß dank der sozialaktiven Leistung Geistigkeit neuer Art in der Gesellschaft Geltung erlange und verwirklicht werde. Verbindend steht zwischen beidem, daß der aus seiner eigenen Geistigkeit Sozialaktive die geltenden Bedürfnisse und Ansprüche in ihrem Wesen untersucht, aus der so erlangten Kenntnis wertet und daraus eine Änderung der bisherigen Zieleinstellung empfiehlt oder verlangt. — Woher nimmt ein Ziele-Vorschlagender das Recht, mit seinen eigenen Auffassungen in die Gesellschaft zu wirken? Dieses Recht ist in Grundwesen der Kultur begründet: sie ist von Gesellschaft und Einzelnen zugleich getragen, und wenn auch die Einzelnen weitgehend von dem zu ihrer Zeit geltenden Gesellschaftlichen bestimmt sind, so kann sie sich doch nur dank der Initiative von schöpferischen, und in einem innersten Kern ihres Schöpferischseins gesellschaftsfreien, Einzelnen fortbilden; weil der ständige Ausbau der Kultur für die Gesellschaft unbedingt gefordert ist, *müssen* die Einzelnen an ihn ihren persönlichen Beitrag leisten, also auch in der Gesellschaft die Freiheit und das Recht dazu haben.

Zum Sozialaktivwerden der Geistigkeit gehört, daß aus dieser zunächst das im Zusammenhang mit der vertretenen Idee wichtige Bestehende, zumal das ihr Widerstrebende, kritisiert, weiter das Befürwortete anerkennungsuchend vertreten und nach Möglichkeit verwirklicht werde (oft wird die Bemühung schon dann erfolgreich sein, wenn die Verwirklichung auch nur eingeleitet wird). Zu fragen ist da immer erstens nach der Richtigkeit der bestimmenden Werte und verfolgten Ziele und zweitens nach der Zweckmäßigkeit des den richtigen Werten und Zielen entsprechenden Handelns. Für die Beantwortung der ersten Frage wird man nur dann auf Objektives abstellen können, wenn festzustellen ist, welches in einem gegebenen Möglichkeitenfeld das Optimale sei; geht die Besinnung dagegen auf das Endzielhafte, das vom Menschen allgemein, von der Gesellschaft oder in speziellem Sozialbereich, oder von den Einzelnen zu erstreben sei, so ist letztlich Wert- und Zielgefühl entscheidend, und zwar entweder solches von Einzelnen oder solches, das in Gruppen, Gesamtheiten, Organisationen und Institutionen anerkannt und bestimmend ist, wobei natürlich dasjenige der Einzelnen sozial bedingt, das in Sozialgebilden geltende von Einzelnen beeinflußt ist, — die sozialaktive Geistigkeit ist unter beiden Gesichtspunkten zu untersuchen. Für die Beantwortung von Zweckmäßigkeitsfragen hingegen ist ganz auf das Objektive abzustellen, wobei aber die Prüfung der Wert- und Zielrichtigkeit der Zwecke an sich und allenfalls auch von Nebenwirkungen des zweckmäßigen Tuns vorzubehalten ist.

1.13 Gesellschaft beeinflußt Geistigkeit und bedingt sie; Geistigkeit ist sozialaktiv und beeinflußt Gesellschaftliches. Somit ist die geistigkeitbeeinflussende Gesellschaft ihrerseits geistigkeits-, die auf die Gesellschaft wirkende Geistigkeit ihrerseits gesellschaftsbedingt: zwischen beiden bestehen mannigfache Wechselwirkungen. Fürs Überlegungspraktische ist hieraus zu folgern, daß sich das einseitige Abstellen auf die gesellschaftlichen Tatsachen oder auf Ideen und Ideologien verbietet.

Die sozialen Wirkungen aufs Geistige gehen konkret nicht von der Gesellschaft als Ganzem aus, sondern von speziellem Gesellschaftlichem, und im gesellschaftlich beeinflußten Geistigen ist meistens die Sozialbedingtheit in einigem stärker als in anderm. Anderseits wirkt die sozialaktive Geistigkeit nicht auf die Gesellschaft als Ganzes, sondern auf einzelnes Gesellschaftliches, dessen Schichten und Teilbereiche erst noch verschieden stark beeinflußt werden; und das wirkende Geistige wirkt wahrscheinlich in und mit einem Teil seines Wesens stärker als dem übrigen. Und im geistigkeitlich bedingten Gesellschaftlichen, das seinerseits auf Geistigkeit wirkt, mag der wirkende vom bedingten Wesensbereich verschieden sein; ebenso brauchen im zugleich sozialbedingten wie sozialaktiven Geistigen das Bedingte und das Aktive nicht identisch zu sein.

Wenn ein Gesellschaftliches ein Geistiges beeinflußt, so mag es von diesem rückwirkend beeinflußt werden; zumeist aber geht die Wechselwirkung Gesellschaft-Geistigkeit-Gesellschaft so, daß ein erstes Gesellschaftliches auf das Geistige wirkt und dieses dann seine sozialaktive Kraft auf ein zweites Gesellschaftliches richtet. Das gleiche gilt für den Zusammenhang Geistigkeit-Gesellschaft-Geistigkeit: zwar gibt es auch hier die Rückwirkung des Beeinflußten auf das Beeinflussende; aber wichtiger ist, daß das von einem ersten Geistigen beeinflußte Gesellschaftliche sich bedingend auf ein zweites, wenigstens zum Teil wesensverschiedenes Geistiges auswirkt. Das Ganze der Wechselbeziehungen zwischen Gesellschaft und Geistigkeit ist höchst komplex und nicht in allen Einzelverbindungen erfaßbar.

Was hier für die Beziehungen Gesellschaft-Geistigkeit-Gesellschaft und Geistigkeit-Gesellschaft-Geistigkeit festgestellt wird, gilt auch für die Beziehungen Sozialkultur-Geistigkeit-Sozialkultur und Geistigkeit-Sozialkultur-Geistigkeit: die Überlegung geht dabei auf einen Teilbereich der Gesellschaft, nämlich den ausgeprägt kulturhaften, dazu aber auch auf das an sich außersoziale Kulturhafte, das mit Sozialem verbunden ist.

1.14 Das praktisch wichtigste Teilgebiet des die Geistigkeit und das Geistige, damit auch die Geistesmenschlichkeit und das Geistesmenschliche, bedingenden und beeinflussenden Gesellschaftlichen ist der Staat; ebenso ist das praktisch wichtigste Teilfeld des geistigkeitsbedingenden Sozialkulturellen das Staatskulturelle, nämlich erstens der Staat überhaupt und jedes einzelne, spezielle Staatliche, zweitens das direkt staatsabhängige Kulturelle, drittens das unter indirektem, aber wesensbestimmendem Einfluß von Staatlichem stehende Kulturelle. Zu beachten ist, daß der Staat mit dem größten Teil seines Wesens zur Kultursphäre gehört, dagegen in der Gesellschaft die Vitalzwecke und das von ihnen geprägte Menschliche erhebliches Gewicht haben (das Vitalgesellschaftliche verlangt Raum auch im Staat, aber indem es staatlich wird, nimmt es weitgehend, wenn auch nicht notwendigerweise in allem, kulturhaftes Wesen an). Die Staatsbedingtheit der Geistigkeit und des einzelnen Geistigen verlangt unsere besondere Aufmerksamkeit.

Geistigkeit wird durch den Staat häufig direkt bedingt und beeinflußt: Geistiges wird dann unmittelbar durch Staatliches ermöglicht, bestimmt, gefördert oder behindert. Die Beeinflussung kann anderseits in dem Sinne indirekt sein, daß Staatliches auf nichtstaatliches Gesellschaftliches und erst durch dieses auf das Geistige wirkt. Und die vom Staat ausgehende Wirkung kann mehr allgemein sein oder mehr auf besondere Inhalte gehen; im ersten Fall werden hauptsächlich allgemeine Voraussetzungen und Bedingungen geschaffen, im zweiten eher sachbesondere.

Nach der Stellung des Staates zur Geistigkeit lassen sich wiederum Typen bilden: abzustellen ist hiebei auf die staatsideologischen und -technischen Sonderweisen der sich auf das Geistige auswirkenden staatlichen Aktionen.

Aus dem Interesse an der Geistigkeit kommt aktives Interesse an dem sie bedingenden Staat: feststellendes und beschreibendes, beurteilendes und kritisches, postulierendes und politisch-forderndes, konkret planendes und ausführendes. Welches sind die tatsächlichen und welches die möglichen Beziehungen zwischen Staat und Geistigkeit? Wie sollen diese Beziehungen richtigerweise sein? Welches dieses Richtigen ist innerhalb der gegebenen Möglichkeiten in Hinsicht auf die praktische Verwirklichung zu fordern? Welche staatspraktischen Maßnahmen sind darauf gestützt einzuleiten? Die ersten beiden Fragen betreffen Hauptthemen der spiritualen, das heißt das Geistige als das Höchstrangige des Menschen auffassenden, Staats- und Politikphilosophie; dabei zeigt die zweite Frage, daß diese Philosophie auch wertend und zielsetzend sein muß, also nicht nur wissenschaftlich sein kann: wertend und zielsetzend vor allem in allgemeiner Haltung, nämlich auf in vielen, der Endidee nach in allen Staaten erreichbares Wesen gehend, aber doch speziell gefaßt darin, daß von jetzigen Sozial- und Kulturgegebenheiten ausgegangen wird, — die Thesen zur staatlichen und politischen Geistigkeitsförderung müssen in diesem Sinne aktuell sein. Die dritte und die vierte Frage machen dem Denkenden, und dem Philosophierenden insbesondere, bewußt, daß die geistigkeitspolitischen Postulate im sozialen Hier-und-Jetzt zu verwirklichen sind.

1.15 Ist die Gesellschaft ein Hauptaktionsfeld der Geistigkeit, so ist in diesem der Staat das wichtigste Teilgebiet: Geistigkeit, die Gesellschaftliches beeinflussen, erhalten, ausbauen, neugestalten, reformieren will, muß ihr Bemühen entweder als solches politisch oder in anderer Weise staatsspezifisch fassen oder zumindest in Studiums- und Diskussionsinteresse auf Staatliches richten. Aktivwerden beider Arten hat innerhalb des staatlichen Ganzen mehrere große Sonderfelder: Politik im engeren Sinne als das Zielsetzen und kämpferische Zieledurchsetzen, Gesetzgebung als die Aufstellung von Rechtsnormen, Regierung als das machtausübende Handeln des die staatlichen Gesamtgeschäfte bestimmenden obersten Staatsorgans, Verwaltung als die Ausführung der von der Politik bestimmten und von der Regierung angeordneten konkreten Maßnahmen, Justiz als die Anwendung der Rechtsnormen in Zweifels- und Streitfällen, damit auch als Gesetzesinterpretation und allenfalls -ergänzung, Militär als die Aufstellung, Ausbildung und allenfalls kriegerische Anwendung der staatlichen Waffengewalt, — wobei die verschiedenen Gebiete gemeinsame Grenzzonen haben.

Gleicherweise wird, innerhalb der so aktiven Geistigkeit, die Geistesmenschlichkeit im Staate handelnd, leistend, schaffend, auf allen erwähnten Gebieten, nicht nur demjenigen der Politik, sondern auch auf den andern, — wobei sie jedoch auf die andern großenteils über die Politik einwirkt. Bei vielen Tätigen liegt das Spezifisch-Geistesmenschliche freilich nur im Aktivsein als subjektiver Erfüllung, bei manchen, und seien sie eine Minderheit, aber auch und sogar vorwiegend im objektiven Gehalt, indem die Leistung an sich staatliche Förderung von Geistigem ist oder ihr dient. Im zweiten sind richtungweisend entweder die im Staate bereits gegebenen und anerkannten Ziele, Werte, Auffassungen, Ansprüche und Bedürfnisse, oder aber solche, die erst durch Leistung, vor allem politische, vertreten und nach Möglichkeit zur Geltung gebracht werden; die hier bestimmenden Ideen sind entweder ganz oder überwiegend auf das Staatliche beschränkt oder allgemeineren Inhaltes, nämlich zumindest das Gesellschaftliche überhaupt, vielleicht noch weitergreifend die Gesamtkultur und damit das Menschsein gesamthaft betreffend.

Auch in bezug auf die im Staate aktive Geistigkeit sind die Fragen nach der Richtigkeit der bestimmenden Ziele und Werte und nach der Zweckmäßigkeit des den richtigen Zielen dienenden Handelns zu stellen. Man mag die erste Frage in drei Unterfragen aufgliedern: Welches sind, allgemein und auf den praktisch wichtigen Sondergebieten, die richtigen Ziele und Werte der staatsaktiven Geistigkeit?; Sind die von der aktuell-konkret staatsaktiven Geistigkeit vertretenen Ziele und Werte richtig oder ist ihre Umbildung, damit vielleicht auch ihre Bekämpfung zu verlangen?; In bezug auf welche staatlichen und gesellschaftlichen Ziele und Werte müßte Geistigkeit neu oder jedenfalls stärker als bisher staatsaktiv werden?

1.16 Geistigkeit, zumal Geistesmenschlichkeit, ist durch den Staat bedingt und beeinflußt, wirkt aber anderseits im Staate und auf Staatliches. Hieraus ergeben sich vielerlei Wechselwirkungen zwischen den beiden Bereichen, wobei die allgemeineren Zusammenhänge zwischen Geistigkeit und Gesellschaft ihre besonderen staatsspezifischen Wesenszüge erhalten.

Staat-Geistigkeit-Staat: Der Staat beeinflußt Geistigkeit und diese wirkt auf Staatliches, – soweit dies zutrifft, wirkt Staatliches auf Staatliches auf dem Umweg über Geistigkeit, die aber nicht einfach ein mechanisch wirkendes Zwischenglied ist, vielmehr Kraftquell selbständiger und vielleicht schöpferischer Einflußnahme auf Struktur und Prozeß des Staates, vor allem auf Um- und Ausbau des Staatlichen. Auch wenn die Geistigkeit in ihren Zielen und Werten vom Staate stark beeinflußt ist, bleibt sie neuer Ziel- und Wertsetzung fähig und damit neuer, vom gegebenen Staatlichen freier Stellungnahme zu diesem; diese Autonomie soll ihrerseits Thema und Postulat der Besinnung einerseits auf das richtige Geistige und anderseits auf das richtige Politische sein.

Geistigkeit-Staat-Geistigkeit: Geistigkeit, als das nach seiner je besonderen Wesensart ausgebildete geistige Wesen von Einzelnen und Gruppen, beeinflußt Staatliches und dieses wirkt auf Geistiges und damit letztlich auf Geistigkeit zurück, sei es auf die erstbeeinflussende (Rückwirkung), sei es auf andere; im zweiten Fall wirkt Geistigkeit auf Geistigkeit auf dem Umweg über Staatliches, ist der Staat ein Teilfeld des gesamtgeistigen Prozesses. Aber das auf Geistigkeit wirkende Staatliche ist nicht nur ein Geistig-Bedingtes, sondern auch ein Eigenständiges, Staatsspezifisches: die Wirkungen, welche die Geistigkeit vom Staat her erfährt, kommen vielfach aus den rein staatlichen Tatsachen.

Aber die hier skizzierten Dreiergruppen sind nur Ausschnitte aus viel längeren Zusammenhangslinien und viel komplexeren Verbindungsnetzen. Das Staatliche, das über Geistiges auf anderes Staatliches wirkt, ist seinerseits geistig bedingt und das am Ende dieser Dreierreihe stehende Staatliche wirkt auf anderes Geistiges weiter; Geistigkeit, die über Staatliches auf Geistigkeit wirkt, ist bereits staatlich bedingt und die von ihr indirekt beeinflußte Geistigkeit wird ihrerseits staatsaktiv.

1.17 Neben dem, was hinsichtlich der Wirkungszusammenhänge mit dem Staatlichen allgemein für Geistigkeit und Geistiges gilt, ist gegebenenfalls das herauszuarbeiten, was im besondern die Geistesmenschlichkeit und das Geistesmenschliche betrifft — oder aber andere Sonderfelder von Geistigkeit und Geistigem. Sogleich erweist sich das so umrissene Besondere als ein höchst vielfältiges und komplexes Gesamthaftes und Allgemeines, innerhalb dessen engere Sonderfelder in speziellerem Interesse zu untersuchen sind.

1.18 In Gesellschaft und Staat aktiv ist die Geistesmenschlichkeit schon dadurch, und zum Teil nur dadurch, daß in ihr die Geistigkeit und das Geistige grundsätzlich bejaht werden, woraus sich ein entsprechendes Fordern gegenüber dem Staat ergibt. Das ist eine ihrer praktisch wichtigsten politischen Wirkungen: weil die Geistesmenschlichkeit, zumindest wenn sie klar bewußt sein soll, eine Minderheits- und sogar eine Eliteneinstellung ist, weshalb die sie Vertretenden wenn nicht Gleich- so doch Ähnlichgesinnte in weniger speziell bestimmten Gesinnungslagern suchen müssen; oft wird sogar um solchen Resonanzfindens willen der einigermaßen allgemeinen Förderung des Geistigen der Vorrang zu geben und auf Höchstanspruch zu verzichten sein. Letzteres ist aber weder immer nötig noch immer angezeigt: Aufgabe der politischen Geistesmenschlichkeit kann sein, daß gerade das Spezifisch-Geistesmenschliche — oder ein fachlich spezielles Geistesmenschliches — zur staatsaktiven Kraft ausgebildet werde; auch wird in der staatsaktiven Geistigkeit immer wieder diejenige der Hochstufe, also die staatsaktive Geistesmenschlichkeit, die weniger anspruchsvolle stimulieren.

Gesellschaftliches und Staatliches mag durch staatsaktive Geistesmenschlichkeit beeinflußt werden, ohne daß deren Träger solchen Einfluß bewußt erstreben würden (so mag geistesmenschlicher Aufklärungswille, der vor allem auf das Individuelle geht, zur gesellschaftsreformerischen politischen Kraft werden). Zumeist wird aber einigermaßen deutlich das Bestreben ausgebildet sein, auf Gesellschaft und Staat zu wirken, um in ihnen dem befürworteten Geistigen eine feste Grundlage zu schaffen; aus der Vielfalt des Geistigen und des mit ihm verbundenen Staatlichen ergibt sich inhaltliche Vielfalt dieses Bestrebens: mancher wird in geistesmenschlicher Grundeinstellung über Gesellschaft und Staat denken, publizieren und lehren, ohne konkreter staatsaktiv zu werden, mancher wird dagegen konkret fordernd und leistend ins Staatsgeschehen eingreifen, und beides kann sich entweder im mehr Allgemeinen halten oder auf Inhaltlich-Besonderes gehen, wobei praktisch sehr viele inhaltlich-spezielle Sachfelder zu bearbeiten sind.

Die verschiedenen Inhaltstypen der Geistesmenschlichkeit haben in Hinsicht auf das Sozial- und Staatsaktivwerden ihre inhaltlichen Besonderheiten, allgemein schon aus dem Grad ihrer Staatsnähe (diese kann größer oder kleiner sein: das Denken eines Staatsphilosophen wirkt sich der Idee nach stärker auf das Staatliche aus als das Schaffen eines Stadtplaners) und spezieller aus ihrer Fachlichkeit (so wird die Leistung des politischen Publizisten in anderer Weise staatsaktiv als diejenige des Verwaltungsbeamten oder des Richters).

Und verschieden sind die tatsächlichen Möglichkeiten, die der aktionswilligen Geistigkeit und insbesondere Geistesmenschlichkeit auf den fachlich abgegrenzten Inhaltsfeldern geboten werden: neben Feldern mit vielen Aktionsgelegenheiten sind andere, die kaum mehr als wenig anspruchsvolle Routinearbeit erfordern; maßgebend sind hiefür auch die hierarchischen und regionalen Strukturen: überall sind an die Führenden und Experten höhere Ansprüche gestellt als an die Untergeordneten, und meistens sind im Gesamtstaat und in den Zentralen weitergreifende Aufgaben zu lösen als im Regionalen und Lokalen und auf Außenposten.

1.19 Die Wechselwirkungen zwischen Geistesmenschlichkeit einerseits, Gesellschaft und Staat anderseits sind teils gleich wie bei aller Geistigkeit, teils durch Sonderwesen des Geistesmenschlichseins geprägt oder bestimmt; das zweite ist genauer zu überlegen.

Wird Geistesmenschlichkeit von Sozialem beeinflußt, so vielleicht von solchem, das bereits geistesmenschliche Qualität hat (etwa durch Institutionen der Religion, der Wissenschaft, der Kunst, durch Hoch- und Fachschulen, Museen, Theater); wahrscheinlich liegt immer Einfluß dieser Art vor, denn der Träger der Geistesmenschlichkeit steht in der Nachfolge von Lehrern, Schriftstellern, Künstlern. Großenteils aber ist das bedingende Soziale nicht-geistesmenschlich: alle Teilbereiche der gesellschaftlichen Wirklichkeit wirken auf den in ihr stehenden Einzelnen, und dieser wird vielleicht gerade durch Mangelhaft-Geistiges, Ungeistiges, ja Geistfeindliches dazu gebracht, Spiritualität hohen Ranges zu fordern und sozialaktiv zu fördern. Würde gefragt, welches beeinflussende Gesellschaftliche wichtigst sein solle, so wäre sicherlich auf gegebenes Hochspirituales hinzuweisen, zumindest ergänzend auch auf anderes, und hier in erster Linie auf Technisches und Wirtschaftliches, das in der näheren Zukunft voraussichtlich den Ausbau der Sozialkultur bestimmen und darum den stärksten Einsatz der sozialen Gestaltungskräfte verlangen wird. Das mag zur weiteren Frage führen, welches die richtige Schulung der Geistesmenschlichkeitsträger, zumal der sich auf Sozialaktivität vorbereitenden, sei: ihnen ist zwar hohe Spiritualität und erst noch hohe Fähigkeit zu deren Ausbau zu vermitteln, aber auch das kenntnisreiche, kritische, leistungsbereite und insbesondere reformfreudige In-der-Gesellschaft-Sein, und es kann für sie fruchtbarer werden, sich in Gegebenheit und Problematik etwa der Betriebswirtschaft oder des Wirtschaftsrechtes einzuarbeiten als in die antike Philosophie. Damit wird deutlich eine Grenze des Elitarismus, der allerdings in der Hochgeistigkeit unvermeidlich ist, sichtbar: stellt man ausschließlich auf das Nurgeistige, zumal das Hochgeistige ab, so vernachläßigt man wahrscheinlich manches Kulturelle, das für die jetzige und zukünftige geistigkeitliche Aktion grundlegend werden sollte; gerade von den Geistigen ist, um ihres Beitrages an Kulturaufbau und Zukunftsvorbereitung willen, die intensive Befassung mit dem Aktuell-Sozialwichtigen, das meistens nicht ein Hochgeistiges ist oder jedenfalls vom vorherrschenden, in bisherigem Geistigem gründenden Wertstandpunkt aus noch nicht als solches anerkannt wird, zu verlangen oder, besser, aus eigener spontaner Einsicht zum Ziel zu setzen. — In beiden Fällen, bei geistesmenschlicher oder anderer Qualität des Sozialen, trägt der soziale Einfluß zur Verwandlung von, individueller oder kollektiver, Geistesmenschlichkeit bei, die immer eine sowohl eigenständige als auch gesellschaftsbedingte Kulturmacht ist.

Wird Gesellschaftliches von Geistesmenschlichkeit beeinflußt, so wird es unter spezifisch geistesmenschlichen Anspruch gebracht. Vielleicht werden hiebei Forderungen gestellt, die zwar für Hochfähige, die erst noch intensiv interessiert sein müssen, wichtig, für andere dagegen übersteigert oder unerheblich sind: schon hieraus folgt für die Vertreter der sozialaktiven Geistigkeit und insbesondere Geistesmenschlichkeit das Gebot, daß die freie

Entscheidung der Aufnehmenden strengst zu achten sei: Geistesmenschlichkeit ist eine in der Politik tatsächlich mögliche und nach Auffassung ihrer Träger wertvolle, ja höchstrangige Einstellung zum Persönlichen und Gemeinschaftlichen, aber diese Wertung ist für andere nicht verbindlich: jene dürfen diesen zwar Rat geben, aber nicht sie unter geistigen Zwang bringen; dies ergibt sich vor allem aus den Ideen des modernen Wert- und Zielpluralismus, für den entscheidend ist, daß die moderne Auffassung von Welt und Mensch kein objektiv-allgemeinverpflichtendes Sollen kennt, und es ergibt sich weiter aus der Einsicht ins Grundwesen des Geistesmenschlichen, seine höchste Erfüllung erst in der freien Selbstgestaltung der Einzelnen und Gesamtheiten zu finden. — Wirkt solcherweise beeinflußtes Gesellschaftliches, zumal Staatliches, auf Geistiges weiter, so braucht dabei die Geistesmenschlichkeitskomponente nicht bestimmend zu sein; vor allem die ausgedehnte Wirkung wird oft auf nicht sehr anspruchsvolles Geistiges gehen und das kann gerade von hohem Spiritualstandpunkt aus vordringlich sein: zunächst das für viele erreichbare Geistige fördern, damit der Aufbau des Höheren, dem sich, in freier Selbstbestimmung, ja nur ein kleiner Teil der an sich Fähigen zuwenden wird, ein breites Fundament erhalte. Aber bei diesem Weiterwirken hat auch das Gesellschaftliche als solches seine Eigenständigkeit: der aus der Sphäre des Geistesmenschlichen aufgenommene Impuls wird durch soziale Gegebenheiten verändert und zudem werden ihn, wenn er vom Sozialen wiederum auf Geistiges wirkt, nichtspirituale soziale Komponenten ergänzen.

Auch hier sind die genannten Dreiergruppen nur Ausschnitte aus größeren, komplexeren Zusammenhangsreihen und -netzen. Das Gesellschaftliche, das über beeinflußte Geistesmenschlichkeit auf anderes Gesellschaftliches wirkt, ist bereits durch früheres Geistiges und darunter wahrscheinlich auch durch früheres Geistesmenschliches bedingt, und das nachfolgend beeinflußte Gesellschaftlichte wirkt auf Geistesmenschliches weiter. Die Geistesmenschlichkeit, die über ein Soziales anderes Geistiges beeinflußt, ist ihrerseits sozial bedingt, und das von ihr aus sozial beeinflußte Geistige strahlt auf späteres Gesellschaftliches aus.

Solche lange Abhängigkeitsreihen bestehen aber nicht in jedem Falle: im Geistigen, und enger gefaßt, im Geistesmenschlichen, wie im Sozialen ist Spontaneität möglich; sie zeigt sich praktisch darin, daß jeder nächste Schritt von Menschen bestimmt ist, die aus individuellem Fürrichtighalten oder aus sozialer Zweckmäßigkeit selbständig entscheiden.

1.2 Sozialpassive Geistigkeit

1.21 Wie verhalten sich die Einzelnen in ihrer Geistigkeit zu der diese bedingenden und beeinflussenden Gesellschaft? Manche von ihnen aktiv, zumindest beurteilend und kritisierend, vielleicht, und das wäre ein Höheres, sachkundig postulierend und handelnd (wobei meistens das Handeln höheren Anspruch stellt als das Postulieren, mitunter aber gerade das Postulieren schwierigst ist). Viele dagegen nehmen ihre Abhängigkeit von der Gesellschaft und das Sozialbedingtsein der eigenen Geistigkeit passiv hin, meistens wohl, ohne beides klar zu erkennen: der geistige Mensch ist es dann zufrieden, geistig in der Weise zu sein, die dem gesellschaftlich Gutgeheißenen entspricht. Dies läßt verstehen, warum in manchen Kulturen das Einmalerreichte sowohl der Sozialkultur als auch der individuellen Geistigkeit während langer Zeit, während Jahrhunderten gleichblieb, Neues kaum vertreten und noch weniger aufgenommen wurde; allerdings ist hier auch festzuhalten, daß in der modernen Kultur allgemein und in der Gegenwartskultur besonders die Sozialpassivität der geistigen Menschen abgenommen hat und weiter abnimmt, indem die Gesellschaft für sehr viel mehr Einzelne das Feld einigermaßen sachkundiger und häufig auch freier Betätigung geworden ist (es gibt dabei sachkundige Aktion, die nicht frei, aber auch freie Aktion, die nicht sachkundig ist).

Die Sozialpassivität der Geistigkeit, und auch der Geistesmenschlichkeit, hat ihren stärksten Grund darin, daß die Einzelnen und Gruppen das Gesellschaftliche und das sozialbedingte Sosein des Geistigen für selbstverständlich und damit ohne klare Prüfung auch für gut halten; dafür ist nicht einmal nötig, daß man privilegiert und darum an der Erhaltung des Bisherigen interessiert sei, — es gibt das passive Denken auch bei den Unteren, um so mehr als bei ihnen das klare kritische Denken verhältnismäßig selten ist und ganz allgemein das vorgezogen wird, was geringere Anstrengung erfordert. Staatlicher und anderer gesellschaftlicher Druck verstärkt oft die Unterordnung der meisten unter das Geltende: er hat zur Folge, daß für ein Abweichendes mehr Energie eingesetzt und wohl auch ein größeres Risiko eingegangen werden muß. — Bewußte Hochwertung des Geltenden kann dazu führen, daß es zumindest in Meinungsstreit verteidigt wird; anfänglich sozialpassive Geistigkeit kann so allmählich sozialaktiv werden.

1.22 Die Sozialpassivität geistiger Menschen bezieht sich zunächst auf die Gesellschaft als Ganzes, indem diese, so wie sie ist, als die Verwirklichungsmöglichkeiten der Einzelnen und Gruppen bestimmendes Gesamtfeld angenommen und vielleicht auch gutgeheißen wird; die Gesellschaft ist hieraus das in seinem Wesen selbstverständliche Fundament und Rahmenwerk des individuellen und kollektiven Tuns.

Diese allgemeine Einstellung ist immer auch von der Besonderheit der gegebenen Sozialkultur abhängig. Stark ist da zunächst der Einfluß von konservativer, traditionalistischer Mentalität: wenn das Bestehende als gut verstanden wird, erscheint die Suche nach Neuem als zumindest überflüssig, wohl auch als gefährlich und unerlaubt, überdies als schädlich für den, der sich durch sie zum Außenseiter stempeln würde. Solche Mentalität wird durch die Erziehung in Familie, Schule und Kirche in den Einzelnen angelegt und gesamthaft weitergetragen: aus traditionalistischer Erziehung kommen traditionalistische Erzogene, es sei denn, der Heranwachsende habe große eigene Kraft zur Selbständigkeit oder die Tradition stehe tatsächlich in leicht einsehbarem Gegensatz zu neuen Kulturentwicklungen und Sozialbedürfnissen. Stärkst traditionalistisch ist meistens die Erziehung in unteren Volksschichten, für die es eine einigermaßen anspruchsvolle Schulbildung noch nicht gibt: sie beschränkt sich auf die Weitergabe seit langem angewandter Verhaltensmuster, die wenigstens das Überleben sichern; die so Erzogenen geraten unter den inneren und gesellschaftlichen Zwang, im Überlieferten zu verharren, weil sie alle wesentlichen Änderungen für gefährlich halten müssen. — Sodann der das Aktivwerden hemmende Einfluß von statischem Gesellschafts- und Kulturwesen als solchem: wo nicht Neues wird, sehen die meisten nur die bisherigen Möglichkeiten und ist kaum Ansporn, Neues zu überlegen, vorzuschlagen, zu planen und verwirklichend zu unternehmen. — Schließlich der Konformismus, den es ja in allen Gesellschaften mehr oder weniger ausgeprägt gibt und der bedeutet, daß aus dem herrschenden Kollektiven einigermaßen deutlicher Einfügungsdruck auf die Einzelnen, Gruppen, Gesamtheiten, Organisationen und Institutionen ausgeht: was neu ist, ist immer auch nichtkonformistisch und wird dadurch erschwert.

1.23 Passivität in bezug auf das Ganze der Gesellschaft be-Alltägliche annimmt und gutheißt, zumindest sich ihm fügt, es die Beziehung zum gesellschaftlichen Nahbereich passiv ist. Wird die Gesellschaft als Ganzes angenommen, so wahrscheinlich auch das nähere, kleinere Gesellschaftliche, das die soziale Umwelt des Einzelnen ist oder bestimmt und mit dem er in täglichem Kontakt steht, in Kontakt, der inbesondere seine Geistigkeit beeinflußt.

Passivität im Nahbereich besteht vor allem darin, daß man das Bisherige annimmt und gutheißt, zumindest aber sich ihm fügt, es also höchstens in vorsichtiger Kritik angreift. Das heißt in bezug auf das geistigkeitbestimmende Nahgesellschaftliche: daß man mit dem einverstanden ist oder sich zumindest nicht aktiv gegen das wendet, was das Geistige sozial so bestimmt, wie es tatsächlich geschieht; für die meisten ist es schon innerlich schwierig, sich gegen Nahgesellschaft und -gemeinschaft zu stellen, denn diese prägen grundlegendes Fühlen und Denken und darum würde die Gesellschaftsablehnung zum Streit gegen sich selbst.

Jedoch ist Geistigkeit, die in bezug auf das Gesellschaftsganze passiv ist, nicht in jedem Fall auch passiv in bezug auf das Nahgesellschaftliche, denn trotz Passivität der ersten Art erhebt sich mitunter Aktivität im Nahbereich, und das vielleicht sogar, um durch Kleinreformen das Ganze vor tiefgreifenderem Wandel zu bewahren.

1.24 Passivität in bezug auf das Gesellschaftsganze ist auch Passivität in bezug auf das Staatsganze. Allerdings nehmen die Bürger an Wahlen und vielleicht auch an Sachabstimmungen teil, aber das erfordert nicht ein persönliches Sicheinsetzen, in dem der Einzelne aktiv im Sinne eines in die Gesellschaft wirkenden individuellen Leistungsbeitrages würde, — und überdies bezweckt die Stimmabgabe bei vielen, das Bestehende jedenfalls im Grundwesen zu bewahren. Staatliches, das Geistiges beeinflußt, ist damit weitgehend zumindest der direkten Rückbeeinflussung von diesem her enthoben.

1.25 Die Passivität dem Gesamtstaat gegenüber erstreckt sich oft auch auf die für den Einzelnen alltagsnahen Sachfelder des Staatlichen (etwa: Schulwesen, Verkehrspolitik, Kirchenpolitik, Medienpolitik); auch hier nimmt der Großteil der Bürger die vom Öffentlichen ausgehende Lebens- und insbesondere Geistigkeitsbeeinflussung ohne aktive Reaktion und zumeist auch ohne sorgfältige sachliche Kritik hin.

Doch gibt es trotz Passivität dem Gesamtstaat gegenüber vielfach Aktivität in Sachbesonderem: sie richtet sich auf Einzeldinge, die im Rahmen des für richtig gehaltenen, darum nicht in Frage gestellten Gesamten umzuformen oder neuzuschaffen sind; sehr oft ist sie in Inhalt und Intensität kaum anspruchsvoll, man wird sie dann als im Übergangsfeld zwischen Staatspassivität und -aktivität befindlich auffassen.

1.26 Auch wenn die, immer sozialbedingte, Geistigkeit sozialpassiv ist, kann durch sie neues Kulturelles entstehen, das seinerseits zur gesellschaftsverändernden Kraft wird: indem Kulturelles umgebildet oder neugeschaffen wird, durch das neue für das Soziale wichtige und es beeinflussende Voraussetzungen, Interessen, Ansprüche, Fähigkeiten, Leistungsweisen und -mittel entstehen (so: indirekte Auswirkung neuer philosophischer oder theologischer Lebenslehre, indirekte volkswirtschaftliche und damit gesamtgesellschaftliche Auswirkung physikalischer Forschung).

1.27 Sozialaktivität auf dem einen Sachfeld geht unvermeidlich mit Passivität in andern Verwirklichungsbereichen einher: keiner kann mit all seinen geistigen Fähigkeiten sozialaktiv sein, und das um so weniger, je mehr die praktische Sozialaktivität fachmännische Ausbildung und Fähigkeit verlangt. Letzteres trifft insbesondere auf die moderne Kultur zu (in der vormodernen war das nichtfachmännische öffentliche Wirken eher möglich), aber anderseits sind in ihr die Typen der Sozialaktivität sehr zahlreich und vielfältig, so daß dieser jetzt viel mehr Verwirklichungsmöglichkeiten geboten sind als früher.

1.3 Sozialaktive Geistigkeit

1.31 Geistigkeit wird gesellschaftsaktiv darin, daß ihre Träger — Einzelne, Gruppen, größere Gesamtheiten, Organisationen und Institutionen — bewußt auf die Gesellschaft als ganze oder auf teilhaftes Gesellschaftliches einzuwirken trachten. Bedingung ist hiebei, daß ein Inhaltliches gesehen wird, das zu erreichen als wichtige Aufgabe verstanden ist.

Gesellschaftsaktiv wird die Geistigkeit von Einzelnen, indem diese mit ihrer persönlichen Bewußtheitskraft das sie interessierende Gesellschaftliche erkennen, erklären, deuten, werten und auf die Möglichkeiten und Wünschbarkeiten von Änderungen hin prüfen, indem sie weiter in schöpferischem Denken und Vorstellen Ziele setzen und Verwirklichungsweisen entwerfen und indem sie schließlich handlungsstark auf gesellschaftliche und auch gesellschaftlich wichtige andere Dinge einwirken; dabei handelt der Einzelne entweder ganz oder hauptsächlich allein oder im Rahmen einer Organisation oder Institution, die in Ziel und Tätigkeit seinen Ansichten entspricht oder von der er sich in seinem eigenen Wollen bestimmen läßt. Da die sozialpraktischen Wirkungsmöglichkeiten für den Einzelnen mit der Komplizierung des modernen Soziallebens immer mehr eingeengt werden, liegt das auf das Gesellschaftliche gerichtete und insbesondere das politische Zielsetzen und -verwirklichen überwiegend und zunehmend bei den Kollektivgebilden und wird vom Sozialaktiven immer mehr die Einfügung in ein Überindividuelles verlangt; das bedeutet für den Einzelnen praktisch den Verzicht auf manches Persönlich-Bevorzugte, jedoch auch, zumal bei verantwortlicher Funktion in einem großen Leistungsapparat, die erhebliche Steigerung des Wirkenkönnens. Für die theoretische Betrachtung ist hieraus zu folgern, daß man »Geistigkeit« und insbesondere »sozialaktive Geistigkeit« immer auch in ihrem überindividuellen, kollektiven Wesen sehen soll, natürlich ohne das individuelle, persönliche Wesen zu vernachlässigen.

Und gesellschaftsaktiv sind die Organisationen und Institutionen als solche. Bestimmt wird ihr Wille und getragen wird ihr Handeln zwar letztlich immer von Einzelnen, aber jedenfalls in den Großgebilden ist das Individuelle, auch der Führenden und Mächtigen, unter die verpflichtenden Organisations- und Institutionsaufgaben gestellt und meistens auch zu mancherlei Kompromiß zwischen den Vertretern verschiedener Meinungen und Interessen gezwungen. Das gilt auch für die in Kollektivitäten gegebene und sozialaktive Geistigkeit: sie ist wenigstens zum Teil überindividuell, dies nicht etwa aus metaphysischem Wesen, vielmehr aus dem Typus ihres Humanwirklichseins.

Handelt der sozialaktiv-geistige Einzelne in einem Kollektivgebilde, so ist es, wenn sein Leistungswille stark ist, für ihn wichtig, sich selbst an eine Stelle zu bringen, zu einer Funktion emporzuarbeiten, ja emporzukämpfen, in welcher er sein Individuelles zu starker Auswirkung bringen kann; zum organisationshaften Sozialaktivwerden gehört unvermeidlich der Wettbewerb um die höheren und höchsten Leistungsposten, — und das auch für die Geistiges-Wollenden.

1.32 Leistungsinhalt der sozialaktiven Geistigkeit kann die Gesellschaft als Ganzes sein: der Tätige will dann »die Gesellschaft« oder »den Staat« beeinflussen oder beeinflussen helfen, — umgestaltend, ausbauend, reformierend, vielleicht sogar durch Revolution, oder aber bewahrend, verteidigend, Umgestaltung abwehrend oder nach Möglichkeit beschränkend (im zweiten Fall ist die Einstellung zum gegebenen Sozialen oft passiv, aber aktiv dafür diejenige gegenüber den das Bestehende Angreifenden).

Da für die meisten Einzelnen, auch die kleineren und mittelgroßen Gruppen und Gesamtheiten und alle sachspezialisierten Organisationen und Institutionen, das Gesellschaftsganze zu groß oder sachlich zu weit ist, als daß es Gegenstand konkreter Aktion werden könnte, überwiegt hier das Schaffen, Darlegen und Verbreiten einigermaßen allgemeiner Ideen, aus denen das konkrete Sozial- und Staatspraktische erst später und meistens von andern Leistenden abzuleiten ist; jedoch können seltene Besonders-Starke auf das Gesellschaftsganze direkten konkreten Einfluß nehmen (hervorragende Staatsmänner, Politiker, Gesellschaftstheoretiker).

Auf das Gesellschaftsganze gerichtete sozialaktive Geistigkeit wird oft zum Ziel haben, daß in ihm das individuelle und kollektive geistige Sein, das Geistige der Sozialkultur zu fördern sei; dabei ist zu überlegen, ob diese Förderung direkt oder indirekt, im Geistigen als solchen oder in Technik, Wirtschaft, Rechtswesen, usw., die sich auf nachgeordnetes Geistiges auswirken, erfolgen solle. Vielleicht geht sie aber auf das Gesellschaftliche ohne Rücksicht auf ein auszubauendes oder neuzuschaffendes Geistiges: der sozialaktive Geistige mag in seiner Geistigkeit so individualistisch oder exklusiv, das heißt wohl auch elitär sein, daß er dem Gemeinwohl, für das er seine Denk- und Tatkraft einzusetzen bereit ist, keine spirituale Bedeutung hohen Ranges beimißt; das wäre jedoch eine Beschränkung aufs Nur-Soziale, die von der politischen Geistesmenschlichkeit zu überwinden wäre, denn in dieser muß als Allgemeinaufgabe verstanden werden, für eine Gesellschaft zu wirken, ja sie schaffen zu helfen, die entweder als solche in hohem Maße geistig-kulturhaft ist oder der geistigkeitlichen Sozialkultur, und damit der Geistigkeit möglichst vieler Einzelner und Gruppen, als Rahmenwerk und durch Kollektivmittel dient.

1.33 Häufiger aber ist ein Teilbereich der Gesamtgesellschaft das Aktionsgebiet der sozialaktiven Geistigkeit, — innerhalb der Gesellschaft ein mehr oder weniger deutlich abgegrenzter Sonderbereich, wobei die Abgrenzung sachlich, organisationshaft und institutionell, oder geographisch sein kann. Die geistigkeitliche Aktion auf einem Sachgebiet (so: Arbeit in der staatlichen Wirtschaftslenkung, im Justizwesen) bezweckt, Gegebenes umzugestalten oder aber, in gegen dessen Widersacher aktiver Haltung, vor Änderung zu schützen. Ist sie organisationshaft oder institutionell abgegrenzt (wie diejenige des Parlamentariers, des Verwaltungsbeamten, des Journalisten), so sind Ziele maßgebend, auf die hin die Organisation oder Institution gebildet wurde und zu deren Verfolgung die in ihr Tätigen verpflichtet sind. Und auf eine

Region beschränkt, wird sie durch die in dieser zu lösenden Aufgaben bestimmt.

Auch die in einem Teilbereich der Gesamtgesellschaft aktive Geistigkeit wird oft ideenschaffend, -vertretend, -verbreitend sein, dazu kritisierend oder kritikabwehrend, weiter organisierend, Sachmaßnahmen planend, einleitend und ausführend, Bestimmungen anwendend, usw.; sie kann in ihrem vollen Geistigkeitscharakter auch in sehr speziellem Aufgabenbereich wirksam werden. Eher als unter inhaltlich umfassenden, zumal allgemeinen Zielen können aber hier konkrete Leistungen unternommen werden und finden Handelnde, deren Interesse auf das Sachspezielle geht, ihre auf die Gesamtheit bezogene persönliche Erfüllung.

Die auf einem Teilgebiet der Gesellschaft vollzogene geistigkeitliche Verwirklichung ist objektiv-geistesmenschlich, wenn ihr —gebietsspezifischer—Inhalt geistesmenschlich-kulturhaft (etwa: Förderung von Grundlagenforschung, Kunstschaffen, auch von hochrangigem Bewußtseiend-Teilhaben) oder in weiterem Sinne geistig-kulturhaft (damit Grundlage für in engerem Sinne Geistesmenschliches bildend) oder in bezug auf Geistiges mittelhaft, dienend ist.

1.34 Wichtigster Typus der sozialaktiven Geistigkeit ist die staatsaktive: ihr Leistungsfeld ist der Staat, hier aufgefaßt als die Gesamtheit der Gemeinwesen und Körperschaften, die mit öffentlichrechtlicher Macht ausgestattet sind, das heißt, mit der Befugnis, erzwingbare Anordnungen (eigentliche Rechtsnormen, aber auch Regierungs- und Verwaltungsmaßnahmen, Gerichtsurteile, Verfügungen von beauftragten Organisationen und Institutionen) zu erlassen. Gesamtheit von Gemeinwesen und Körperschaften: der das gesamte Staatsgebiet umfassende und über das ganze Staatsvolk die Herrschaft ausübende Zentralstaat und die zentralstaatlichen Sonderorganisationen, die regionalen Staatsgebilde (Gliedstaaten, Provinzen und entsprechende Sonderinstitutionen), weiter die lokalen Institutionen und die fachlich-spezialisierten staatlichen Organisationen, — in der modernen Kultur muß der Staat (abgesehen vom Kleinststaat) als vielbezirkiges und vielschichtiges Institutionengefüge durchgebildet und dabei durch rationale Organisation zu möglichst hoher Leistungskraft gebracht sein.

Die staatsaktive Leistung ist häufig von der Herrschaftsqualität des Staates her bestimmt: die Aufgaben des Parlamentes und der Parlamentarier, der Regierung und der Regierungsmitglieder, des Gerichtswesens und der Richter, des Militärs und der Berufsoffiziere, auch manches Zweiges der Staatsverwaltung und der darin tätigen Beamten, sind nur-staatlich in dem Sinne, daß sie im Staat und durch den Staat für die Gesellschaft sehr wichtig, dagegen außerhalb des Staates nicht gestellt sind. Andere staatsaktive Leistungen sind in einer Weise sachbezogen, die sie als gleichartig wie sachlich entsprechende Leistungen außerhalb des Staates erscheinen lassen (so: Gleichartigkeit der Leistungen von Ingenieuren in staatlichen und privaten Verkehrsbetrieben und Industrien, von Ärzten in staatlichen und privaten Spitälern, von Lehrern in staatlichen und privaten Schulen). Daß eine Leistung, weil sie im Staat vollzogen wird, unmittelbarer auf das soziale Ganze wirkt als manche private, kann sowohl ihre Anziehungskraft auf den Leistenden und dessen Hingabe an sie als auch ihre Erfolgsaussichten erhöhen.

Nach dem Leistungsinhalt, bedingt durch Sachgebiet und Kompetenzrang, bestehen sehr viele verschiedene Arten des Staatsaktivwerdens der Geistigkeit. Herauszuheben ist für die vorliegende Betrachtung das *Politisch*-Aktivwerden der Geistigkeit, die, eben indem sie politisch-aktiv wird, als politische Geistigkeit zu bezeichnen und von der übrigen staatsaktiven oder allgemeiner sozialaktiven Geistigkeit zu sondern ist: Geistigkeit, deren soziale Aktivität in der Diskussion, Postulierung, Vertretung, Befürwortung, Durchsetzung des Fürrichtiggehaltenen und auch in der Diskussion, Kritik, Ablehnung und Bekämpfung des entgegengesetzten Fürunrichtiggehaltenen besteht, beides soweit, und nur soweit, das Fürrichtig- oder Fürunrichtighalten für die Willensbildung von staatlichen Organisationen und Institutionen bestimmend ist oder von nach Einfluß und Macht strebenden Einzelnen und Gruppen an den Staat heran- und in ihn hineingetragen wird oder werden soll, — immer sind Ziele und Werte, die im Staat gelten oder gelten sollen, der spezifische Inhalt der politisch-aktiven, kürzer: der politischen Geistigkeit.

Hieraus ergibt sich auch der Begriff der politischen Geistesmenschlichkeit: diese ist Geistesmenschlichkeit, also Einstellung auf das — allgemein- oder besondersgefaßte — geistesmenschliche Sein, das innerhalb des Politischen oder mit politischen Mitteln erstrebt wird. Bei weiter Fassung des Begriffs läßt sich auch die nur subjektiv-geistesmenschliche politische Aktivität einschließen, nämlich diejenige, die eben aus der Eigenart des Politisch-Aktivseins geistesmenschliche Qualität hat, wobei der Leistungsinhalt nicht in Zusammenhang mit direkter oder indirekter Förderung von hochrangigem Gesellschaftlich-Geistigem gesehen ist. Der enger gefaßte Begriff geht auf objektiv-geistesmenschliche politische Leistung: es soll in der staatlich beeinflußten Gesellschaft und Kultur durch politisches Handeln wertvolles und insbesondere für andere Menschen geistesmenschliches Sein ermöglichendes Sozial-Geistiges bewahrt, ausgebaut und vielleicht neugeschaffen werden.

1.35 Innerhalb der gesamten gesellschaftlichen Wirklichkeit ist der Staat nur ein Teilbereich, denn manches sozialaktive Wirken ist nicht oder nur am Rande staatsbezogen; aber er ist so ausgedehnt, so vielfältig und komplex, dazu dem privaten Sozialbereich gegenüber so mächtig, daß die Einzelnen und die kleineren Gruppen, Gesamtheiten und Organisationen vor ihm als vor einem Sehr-Großen stehen, dem sie sich, ohne es in Wesentlichem beeinflussen zu können, ein- und unterordnen müssen. Immerhin wird dieses Sicheinfügen von vielen auf das Nötigste beschränkt, indem sie sich zwar stark für Außerstaatliches, aber kaum für den Staat interessieren (in autoritären Staaten, die kein oppositionelles Interesse am Staat aufkommen lassen wollen, verstärkt, indem Außerstaatliches — »Brot und Spiele« — in den Vordergrund geschoben wird, wozu sich die modernen Informationsmittel vorzüglich eignen).

Und trotzdem kann der Staat, auch als das Staatsganze, Gegenstand der politischen Geistigkeit und insbesondere der politischen Geistesmenschlichkeit sein. Für die im Staat und auch in mächtigen Parteien und Wirtschaftsverbänden Führenden, und die entsprechenden Staatsorgane und Organisationen als Sozialgebilde, geht diese Aktivität dahin, daß von Entscheidungsstellen aus das gesamtstaatliche Geschehen bestimmt oder zumindest stark beeinflußt wird; für andere dahin, daß das Staatsganze betreffende Ideen geschaffen und zur Diskussion gestellt werden: Staatstheoretiker, Publizisten, auch Informationsmedien als Organisationen. Objektiv-geistigkeitlich und vielleicht objektiv-geistesmenschlich wird die Aktivität jener oder dieser Art, indem für das Staatsganze objektiv-geistiges Sosein postuliert und nach Möglichkeit verwirklicht wird.

1.36 Jedoch ist für die meisten, die aus ihrer Geistigkeit im Staat oder auf den Staat hin tätig werden, das konkrete Tätigkeitsfeld nur ein Teil des Gesamtstaates: sei es eine besondere gesamtstaatliche Behörde, Institution oder, in der politischen Auseinandersetzung, Problemgruppe, sei es ein regionales oder lokales Untergebilde oder Sachfeld, je in mehr oder weniger weitgehender Differenzierung des Gesamten. — In der Regel ist hier das politisch-geistigkeitliche und insbesondere das politisch-geistesmenschliche Denken und Handeln konkreter als in der aufs Staatsganze gehenden Zielsetzung.

1.37 Auf den meisten Tätigkeitsfeldern stehen der staatsaktiven Geistigkeit mehrere Weisen des Aktivwerdens offen: Probleme und Möglichkeiten untersuchen, darlegen und diskutieren, Ziele und Ausführungsweisen festlegen, befürworten und zur Anerkennung bringen, das Beschlossene planen, vorbereiten, einleiten, durchführen, über Organisation und Mittelbeschaffung entscheiden oder diskutieren. Bei den meisten dieser Typen der staatsaktiven ist insbesondere die politische Aktion möglich: überall dort, wo direkt oder indirekt auf die staatliche Willensbildung eingewirkt wird oder ein Führender oder eine Führungsgruppe den staatlichen Willen kraft Entscheidungsmacht selbst bestimmt (mitunter stehen die tatsächlich Mächtigen außerhalb der verantwortlichen Entscheidungsstellen, hinter den institutionell Befugten); solches Politisches ist bis hinunter zum Lokalen und zu den speziellen Sachproblemen zu leisten.

1.38 Die staatsaktive und zumal die politische Geistigkeit ist immer gesellschaftlich und im besondern staatlich bedingt; sie wirkt daraus in vorgegebener Sozialprägung auf das von ihr beeinflußte Staatliche. Es gibt solche Aktivität, die einfach sozial-reaktiv ist, aber alle einigermaßen bedeutende ist trotzdem in ihrem Hauptwesen spontan-kreativ, indem Autonomgesetztes, sei es aus persönlichem oder kollektivem Ideenschaffen bestimmt, gewollt und verwirklicht wird: das Wollen der Aktiven ist so jedenfalls in beschränktem Sinne ein ursprüngliches. In Hinsicht auf die Wechselwirkung Staat-Geistigkeit-Staat ist immer zu vermuten, daß das Mittelglied, die Geistigkeit, trotz Sozial- und Staatsbedingtheit in Wesentlichem eine selbständige Kraft sei.

1.39 Die politische Geistesmenschlichkeit ist gegenüber dem Staatlichen autonom und spontan-aktiv erstens aus dem subjektiven Wesen der Tätigen, zweitens aus dem objektiv-sachlichen Gehalt. Aus dem subjektiven Wesen, weil der Einzelne oder, bei teamhaftem Handeln, eine Gruppe das Gegebene, Mögliche oder Vorgeschlagene selbständig beurteilt und, wichtiger, das Zuerstrebende selbständig bestimmt (man mag ungenau auch von Spontaneität von Organisationen sprechen, aber sie ist letztlich immer eine solche von Einzelnen oder Gruppen, also von Personen). Aus dem objektiv-sachlichen Gehalt, insofern neue Sachauffassung das Bisherige schöpferisch fortbildet, wobei der spirituale Kraftquell natürlich ebenfalls in Personen liegt, aber der sachliche Inhalt auch als solcher, in seinen nursachlichen Zusammenhängen zu sehen ist (so: eine schöpferische rechtspolitische Zielsetzung in ihrem Sachlich-Neuen und damit in ihrer Qualität, gegenüber dem bisherigen Recht oder der bisherigen Rechtspolitik eine erheblichneuartige und damit in ihrem Inhalt schöpferische Weiterbildung zu sein).

1.4 Geistigkeitsförderung als Staatsaufgabe

1.41 Der Staat bedingt und beeinflußt Geistigkeit, — Geistigkeit beeinflußt den Staat, und sie kann ihn im besondern so beeinflussen, daß durch ihn Geistigkeit zu fördern sei, also Geistigkeitsförderung Staatsaufgabe werde.

Vorbedingung solcher spiritualer (das heißt allgemein: geistigkeitlicher, und spezieller: geistigkeitsbedingt-geistigkeitfördernder) Staatstätigkeit ist, daß der zu fördernden Geistigkeit hoher Wert beigemessen werde. Das bezieht sich zunächst auf diese als solche, in ihrem besondern und konkreten Inhalt verstanden, — oft auch, vielleicht weniger deutlich, auf weiter, ja ganz allgemein gefaßte Geistigkeit. Immerhin gibt es Hochschätzung von besonderem Geistigem, die sich nur auf dieses richtet und alles andere Geistige, auch verwandtes, ausschließt, — zu starke Selbstbeschränkung ist eine Gefahr auch für die Geistigkeit und das spirituale Tätigwerden.

Jene Wertschätzung muß, damit aus ihr Geistigkeitsförderung komme, im Staate wirksam werden, und das bei einer genügend starken Gruppe von im Staate Führenden. Diese wiederum sind zumeist von außerhalb des Staates stehenden Ideenschöpfern und -vertretern beeinflußt (vor allem von Staats- und Sozialphilosophen und an sie anschließenden Ideologen, auch von religiösen Denkern und Lehrern), — immerhin nicht in jedem Falle, denn mitunter ist gerade der im Staate Mächtige Schöpfer politischer Ideen, durch die den Bürgern der Weg zu kulturell anspruchsvoller und damit spiritualer Erfüllung gewiesen wird.

Da aber im Staat, jedenfalls im freiheitlichen und für alle Ideen offenen, die politische Geltung suchenden, oft um sie kämpfenden Ideen vielfältig sind, stellt sich sofort die Frage nach der Berechtigung des Verschiedenen und sogar Gegensätzlichen; sie ist im Sinne des Ideenpluralismus, der prinzipiellen Gleichberechtigung der Ideen zu beantworten, denn alle Ideensetzung und -vertretung ist letztlich in subjektiver menschlicher Stellungnahme begründet, entbehrt also des Verpflichtendseins aus Objektivem von Mensch, Gesellschaft und Kultur, oder von Welt und Überwelt.

1.42 Im Staat wird Geistigkeit besondern, konkreten Inhaltes zum Ziel gesetzt und verwirklicht; oft ist das Inhaltliche ein besonderes, konkretes Geistiges, das von der Geistigkeit, in der es bejaht wird, zu unterscheiden ist. Das konkrete Geistige ist das inhaltlich und oft auch nach der Verwirklichungsweise je besondere Denken, Forschen, Darlegen, Lehren, Werkschaffen, Anwenden oder andersartige Leisten (etwa: theoretisches Beschreiben und auf praktischen Nutzen gerichtetes Forschen des Geologen); die damit verbundene Geistigkeit dagegen ist die Einstellung und das geistige Gesamtwesen, aus denen das Verwirklichen wird und auf die es zurückwirkt (also im genannten Beispiel: Wissen, Können und Interesse des sich mit der Erdwirklichkeit theoretisch und praktisch befassenden Naturwissenschaftlers). Die staatliche Förderung betrifft am unmittelbarsten das konkrete Geistige, kann aber auch den Aufbau einer für sozial wichtig erachteten Geistigkeit bezwecken, sei es als praktisch wichtiges Geistiges vorbereitend und ermöglichend, sei es aus einer speziellen Sicht der eigentlichen Ziele des Menschseins (so: staatliche Förderung der Religiosität, sofern Glaubensziele als höchstrangig anerkannt sind, des kritisch-wissenschaftlichen Denkens bei Vorherrschen realistischer, und vielleicht atheistischer, Rationalität), — im zweiten Fall wird der Staat gegenüber einem Allgemeingeistigen dienend, meistens in inhaltlich beschränkter Festgelegtheit, aber nicht notwendigerweise, denn denkbar ist, daß der allgemeine Geistigkeitsaufbau als eine der großen Pflichten des Staates verstanden wird.

Bei allgemeiner Geistigkeitsförderung müßte sich das staatliche Bemühen innerhalb eines weiten, ausgeprägt pluralistischen und freiheitlichen Fürguthaltens auf alles konkrete Geistige richten, von dem nicht eine erhebliche Störung berechtigter Ansprüche andersinteressierter Einzelner oder Gesamtheiten zu erwarten ist (abgelehnt werden müßte etwa die Störung des religiösen Friedens durch aggressive atheistische Propaganda, aber nicht die Infragestellung des religiösen Glaubens durch wissenschaftliche Forschung oder durch zurückhaltende, sachliche atheistische Darlegung); dabei wäre jedes einbegriffene Geistige vorwiegend in seinem kulturobjektiven Gehalt, weniger dem Bezug auf das Subjektive der Interessierten zu sehen. Jenes Bemühen hätte aber auf einer zweiten Leistungsebene den planmäßigen Ausbau der Geistigkeit als einer einzelmenschlichen und auch kollektiven Grundeinstellung anzustreben, und praktisch verlangte das einerseits die Förderung jedes Geistigkeitstypus als solchen, in seiner Besonderheit (soweit sie nicht das Zusammenleben allzustark stört oder die Verwirklicher selbst gefährdet wie etwa beim, an sich erlebenssteigernden, Drogengenuß), anderseits die Anregung und Ausbildung der allgemeinen Geistigkeit, das heißt der Geistigkeit als einer höchstgewerteten allgemeinen Weise des Menschseins. Indessen kann in diesem staatlichen Bemühen wohl kaum je scharf zwischen den beiden Inhaltsebenen unterschieden werden: für das auf Vollständigkeit bedachte Verwirklichenwollen ist mit dem sozialobjektiven Geistigen die entsprechende persönliche Geistigkeit verbunden, und mit der zielbildenden persönlichen Geistigkeit die sie ermöglichenden, ihr Anwendung gebenden konkreten Kulturdinge. Ebenso sind die besondern und die allgemeinen Inhalte von Geistigem und von Geistigkeit nicht immer klar zu trennen: zumeist wird das Besondere unter einigermaßen deutlicher Allgemeinidee und das Allgemeine mit starkem Interesse an bevorzugtem Besonderem gefaßt.

1.43 Ist Geistigkeitsförderung Staatsaufgabe, so bezieht sich das direkt oder — über zielbildende Einstellung von Gesamtheiten und Organisationen — indirekt auf persönliches geistiges Sein, auf Geistigkeit von Einzelnen. Aber der Staat soll sich nicht um die Geistigkeit konkreter Einzelner bemühen, es sei denn auf der untersten Stufe der Maßnahmenanwendung (etwa des Erziehungswesens, der Kunstförderung), vielmehr um die Einzelnen als Kategorien, also nach Gesamtheitenwesen bestimmt; Geistigkeitsförderung ist Förderung der Geistigkeit aller, welche die staatlich festgelegten Voraussetzungen erfüllen.

Ist Ziel besonderes Geistiges oder besondere Geistigkeit, so betrifft die Förderung die besondere Gesamtheit der Einzelnen, welche die entsprechende Fähigkeit haben. Verschiedenheiten nach Inhaltstypen sind da wahrscheinlich, vor allem nach Sachfeldern: jedes Sachgebiet verlangt besondere Fähigkeiten, sodann nach Anspruchsstufen: höchster Rang der Führungsleistung (diese auch im Sinne von Führung in Forschung und Entwicklung verstanden).

Richtet sich die staatliche Förderung im allgemeinen auf Geistiges und Geistigkeit, so sind Nutznießer entweder alle Volksangehörigen (so: Volksschulen) oder Regionsbewohner (so: städtisches Museum, Landestheater) oder die Angehörigen einer Teilgesamtheit (so: die höherer Ausbildung Fähigen).

1.44 Wirkt Geistigkeit auf den Staat mit dem Begehren ein, daß er Geistiges und Geistigkeit zu fördern habe, so ist vielleicht das Sozialpraktische bestimmend, daß nur mit dem Geforderten oder jedenfalls mit ihm besser ein an sich nicht primär geistiges Ziel erreicht werden kann (so: allgemeiner Wirtschaftsausbau, Modernisierung der Industrie, Verstärkung der Militärmacht); allgemein wichtig ist da in erster Linie der Ausbau des der wissenschaftlich-technisch-wirtschaftlichen Leistung dienenden oder unmittelbar zu ihr gehörenden Geistigen. Es kann aber auch eine spirituale Auffassung maßgebend sein, in welcher das Geistige und die Geistigkeit, die postuliert werden, als oberstes Ziel der Gesellschaft und damit auch des Staates gewertet sind: Gesellschaft und Staat, je gesamthaft oder in Teilbereichen, sollen dieses Ziel erreichen helfen, und gleiches wird von Wissenschaft, Technik und Wirtschaft als den wichtigsten Feldern der Sozialkultur verlangt (jede staatliche Förderung von Geistigem läßt sich wissenschaftlich zu größerer Wirksamkeit bringen und erfordert technischen und wirtschaftlichen Aufwand). Wird, was denkbar ist, die zweite Auffassung mit starkem Geltungsanspruch intensiv vertreten, so kann sie zur — spiritualen — Ideologie werden, die sich mit den andern geltungsuchenden Ideologien auseinanderzusetzen hat.

1.45 In diesem Zusammenhang sei eine erste Überlegung über Berechtigung und Grenzen, Wert und Unwert der Ideologie in ihrem Allgemeinwesen angestellt. Ideologie ist hier verstanden als Ideenganzes, welches in politischer Absicht, das heißt mit dem Ziel, auf den Staat und durch ihn auf die Gesellschaft und die Einzelnen zu wirken, als staats- und sozialpraktische Doktrin ausgebildet wurde. Es gehört zum Wesen solchen Ins-Praktische-Wendens, daß der Lehreinhalt eingeschränkt, vereinfacht, popularisiert und mitunter vergröbert wird. Eingeschränkt: auf das, was sozialpraktisch wichtig ist, — das mehr Theoretische kann vernachlässigt werden. Vereinfacht: der Ideologieinhalt soll politisch wirksam sein und muß darum für die im Staate Handelnden, noch mehr aber für Parteimitglieder und Wähler eingänglich gemacht werden. Popularisiert: der postulierte Inhalt soll bei den Einzelnen, Gruppen und Organisation zumindest Beachtung und wenn möglich Unterstützung, die Ideen sollen Gefolgschaft finden, —

das erfordert geschickte Öffentlichkeitsarbeit und insbesondere den Einsatz der Informationsmedien. Mitunter vergröbert: wegen der Konzentration auf die praktische Verwirklichung und die Gewinnung von Anhängerschaft empfiehlt sich häufig der Verzicht auf das Subtilere auch der Praxis (aber natürlich muß es von den Führenden und Experten voll berücksichtigt werden, — keinesfalls dürfen diese sich durch ihre eigene Propaganda zu Denkgrobheit verleiten lassen).

Alle politischen Ideen von staatlich zu förderndem Geistigem und von sozialzielbildender Geistigkeit lassen sich so in Ideologieform bringen. Aber ist nicht die Ideologie als solche verdächtig und zumindest des Geistigen unwert? Ihre Nachteile sind offenkundig und es ist ein zwingendes Gebot, daß auf höherer Stufe des Denkens und Tuns der Gegenstand vollständiger, gründlicher, differenzierender zu erfassen ist, als es auf der Ideologieebene geschehen kann. Dennoch ist sie für das politische Postulieren und Durchsetzen und oft auch für das staatspraktische Handeln unentbehrlich oder zumindest nützlich: auch die spiritualen Politik- und Staatsziele verlangen sie.

1.46 In der Postulierung staatlichen Wirkens zugunsten von Geistigem und Geistigkeit aktiv sind Einzelne, Gruppen, Organisationen und Institutionen. Originelles und vielleicht schöpferisches Denken solcher Art geht vor allem von Einzelnen aus: das Geistige ist letztlich Persönliches, darum schließt sein Ausbau überwiegend an individuelles Wollen von Geistig-Starken an. Aber natürlich sind diese immer gesellschaftlich bedingt und beeinflußt, durch kollektive Selbstverständlichkeiten und Konformismen, aber auch bewußt erfahrene problematische Situationen von Gesellschaftsgruppen, durch Ideen und Interessen, die von Teilgesamtheiten (der Mehrheit oder einer Minderheit) vertreten werden: einige stehen diesem Kollektiven weitgehend selbständig und sogar kritisch gegenüber, andere sind ihm unterworfen, manche so sehr, daß sie sich hauptsächlich als Sprecher und Vertreter von Ideen- oder Interessenlagern verstehen (die oft ihre Organisation haben, aber vielleicht auch nichtorganisiert sind). Gruppen werden im Dienste von Geistigem oder Geistigkeit dadurch sozialaktiv, daß in ihnen sozialspirituale Auffassungen durch soziokulturelle Zustände und Vorgänge bedingt in vielen Einzelnen entstehen oder durch Ideenschöpfer in bewußter Denkarbeit geschaffen und durch Ideenvertreter in bewußter Aufklärungsarbeit verbreitet werden. Gruppenauffassungen beider Arten gehen ins Ideengut der Organisationen und Institutionen ein; diese schaffen die Verbindung zwischen einer vorläufig nicht-mächtigen Gruppe von Befürwortern eines Fürrichtiggehaltenen, vielleicht insbesondere eines Geistigen, und der fürs politische Handeln entscheidenden Mehrheit oder Machtinstitution. Für die in spiritualem Sinne sozialaktive Organisation oder Institution ist das Geistige, das sie vertritt, entweder als solches Hauptzweck oder ein mit andersartigem Wichtigerem verbundener Nebenzweck; im ersten Falle mag sie um eben der erstrebten Spiritualleistung willen geschaffen worden sein.

Es besteht in diesen Dingen eine Stufenfolge von Wirkungsmöglichkeiten. Der Einzelne ist in der Regel dem sozialen Ganzen gegenüber schwach, schon weil er für das von ihm vertretene Neue nur verhältnismäßig wenige Interessierte findet; wer für neue Ideen politische Wirkung sucht, muß durch eine ihn unterstützende (am besten: eine von ihm beherrschte) Organisation Breitenwirkung bekommen. Die Gruppe ist jedenfalls dann wirkungsstärker, wenn sie aus den Sachkundigen besteht, die das diskutierte Problem fachmännisch prüfen und für die erarbeiteten Thesen in der Öffentlichkeit Gefolgschaft gewinnen können; der Erfolg wird sich am ehesten dann sichern lassen, wenn die Gruppenideen oder -interessen von einer leistungsstarken Spezialorganisation bearbeitet und vertreten werden. Bei den Organisationen und Institutionen hängen die Wirkungs- und Erfolgsmöglichkeiten sehr stark von Größe, Finanzkraft, Arbeitsapparat, usw. ab; es gibt da die ganze Stufenfolge von größtem Einfluß, ja eigentlicher Gesellschaftsbeherrschung (der Staat als solcher, zumal der autoritär-zentralistische, die Staatspartei im autoritären Staat) bis zur Einflußlosigkeit kleiner Außenseitergebilde. Indessen bedarf die Organisation oder Institution des Rückhaltes an der Gruppe oder Gesamtheit, deren Auffassungen und Interessen für sie maßgebend sind und deren Wohlgesinntheit sie sich jedenfalls im freiheitlichen Staat immer wieder versichern muß; weiter bedarf sie der Ideenbeiträge Einzelner.

1.47 Spirituale Postulate, die von Einzelnen, Gruppen, Organisationen oder Institutionen vertreten werden, müssen, um politische Wirksamkeit zu erlangen, vom Staat zumindest toleriert, darüber hinaus, meistens in weiteren Sachzusammenhang gestellt und den Realisierbarkeiten angepaßt, aufgenommen und staatlichem Handeln zugrunde gelegt werden. Mitunter ist diese Übereinstimmung von vornherein gegeben oder leicht zu erreichen, mitunter aber besteht Meinungsgegensatz zwischen dem Staat und den ihn bestimmenden Volksgruppen und Parteien einerseits und den für Neues Eintretenden anderseits; auch wird die postulierte Förderung von Geistigem und Geistigkeit häufig durch praktische (vor allem finanzielle und organisatorische) Hemmnisse und konkurrenzierende Bedürfnisse erschwert.

Sowohl das Einiggehen wie die Gegensätze können von der Besonderheit des Staatsaufbaues beeinflußt sein: es gibt geistigkeitsfreundliche, -günstige, aber auch nicht-geistigkeitsfreundliche, geistigkeitsungünstige, sogar geistigkeitsfeindliche Staatstypen (und bei Vergleichen: geistigkeitsgünstigere und geistigkeitsungünstigere). Das wirkt sich auf das spirituale Postulieren so aus, daß eine dem Geistigen möglichst günstige, also oft: eine im Vergleich zur bestehenden günstigere, Staatsstruktur verlangt wird. Jedoch stellt sich in keinem Staat, auch nicht im geistigkeitsgünstigsten, das spirituale Verwirklichen von selbst ein: es kommt immer darauf an, daß die gegebenen, allenfalls auszubauenden oder die neuzuschaffenden Möglichkeiten in zielbewußtem praktischem Handeln genutzt werden. Das Ganze der auf das spiritualrichtige Staatliche und Politische gerichteten Überlegungen ist daher mehrschichtig: zu fordern sind der allgemein-spiritualgünstige Staatstypus, unter ihm die sachlich wichtigen Verwirklichungsmöglichkeiten, unter diesen die (nach Auffassung der Postulierenden) sozial und kulturell dringlichen Staatsmaßnahmen und auf sie hin das zweckmäßigste Planen und Ausführen. Die Politik als solche bewegt sich im nach spiritualer Beurteilung wohlgeordneten Staat am ehesten in der dritten Schicht, sonst auch in der zweiten und vielleicht in der ersten; die vierte, das Planen und Ausführen, ist vorwiegend Domäne von Regierung und Verwaltung.

1.48 Für die die Geistigkeitsförderung verlangenden oder verwirklichenden Einzelnen ist dieses Staatsaktivsein vielleicht vor allem darum wertvoll, weil sie es als Selbstzweck und Haupterfüllung erfahren; in diesem Fall ist es zunächst subjektiv und »egoistisch« geistesmenschlich. Oft aber geht das persönliche Interesse auf das Objektiv-Wertvollsein des befürworteten Sozialen und kann daraus »altruistisch-geistesmenschlich« werden; praktisch ist dieser zweite Typus wohl meistens mit dem ersten verbunden.

Im Handeln der Gruppen, Organisationen und Institutionen kann strenggenommen das subjektive Geistesmenschliche nur von Einzelnen erreicht werden, wobei ihnen häufig das Kollektive Gelegenheit zu Erfüllung gibt, die sie sonst nicht hätten, auch ihr Persönliches dadurch prägt, daß für sie Gemeinschaftseinstellung maßgebend wird; der Noch-nicht-Geistesmenschliche mag zu Geistesmenschlichkeit kommen, indem er sich einem geistigkeitsfördernden Sozialgebilde anschließt. Indem aber die Einzelnen im Kollektiv wirhaft denken, wollen und handeln, wird ihre Bewußtheit gemeinschafts- und gesamtheitsbezogen, — bei entsprechend weiter Begriffsfassung läßt sich jenem überindividuelle Subjektivität zuschreiben; für den eingeordneten Einzelnen zeigt sich das darin, daß er die gemeinschaftliche Verwirklichung, eben das Tun und den Erfolg des Wir, höher wertet als sein eigenes Ichhaftes.

1.49 Wichtiger als das Subjektive des staatlich geförderten — und politisch postulierten — Geistigen und insbesondere Geistesmenschlichen ist dessen Objektives, die Qualität, in Gesellschaft und Kultur ein kollektives Geistiges oder zumindest auf ein solches oder ein größeres Feld von Geistigem hin mittelhaft zu sein. Für die staatsaktive und insbesondere die politische Geistigkeit und Geistesmenschlichkeit ist grundsätzlich dieses Objektive das Eigentlich-Wichtige, — aber natürlich ist es in jedem Einzelfalle berechtigt, daß die Verwirklichenden, indem sie sich für das Objektive einsetzen, auch ihr subjektives, ichhaftes oder wirhaftes, Geistiges aufbauen. — Sozialaktive Geistesmenschlichkeit ohne inhaltlichen Bezug auf sozialobjektives Geistiges, und damit auf ein zumindest mögliches sozialobjektives Geistesmenschliches, wäre unvollständig, also mangelhaft.

1.5 Verhältnis zwischen spiritualem und nichtspiritualem Handeln in Staat und Politik

1.51 Das spirituale, das heißt das auf Geistiges und Geistigkeit gerichtete Handeln in Staat und Politik ist immer nur ein Teil des staatlichen und politischen Gesamthandelns, — der andere, wahrscheinlich viel größere Teil ist nichtspiritual, das heißt weder direkt noch indirekt auf Geistiges oder Geistigkeit gerichtet (im Nichtspiritualen fehlt somit dem Handelnden, dessen Ziel ein Objektives außerhalb von Geistigem und Geistigkeit ist, die Bewußtheit, diesen letzteren wenigstens indirekt zu dienen). Es stellt sich da die Frage nach dem richtigen Verhältnis zwischen spiritualen und nichtspiritualen Zielen, zwischen den nach diesen zu unterscheidenden Aktionsweisen (vom Zielfassen bis zum Abschluß der Zielverwirklichung) und den entsprechenden Typen der Wollenden und Handelnden. Solcherweise zu unterscheiden ist nicht nur in der theoretischen Befassung mit Staat und Politik oder für das Ganze eines konkreten Staates, sondern auch innerhalb von Sachgebieten und von (geographischen) Regionen.

Zwischen dem, was eindeutig spiritual, und dem, was eindeutig nichtspiritual ist, ist mitunter eine Zone des Beides-Zugleich. Manches ist an sich spiritual, hat aber politisches Gewicht auch daraus, daß es Nichtgeistigem nützt, und umgekehrt dient manches Nichtspirituale zumindest indirekt, vielleicht aber auch einigermaßen direkt einem Geistigen.

1.52 Wer aus seiner Geistigkeit auf Geistiges hin staatsaktiv ist, mag sich im Gegensatz zu solchen sehen, die aus anderer Einstellung ein Nichtgeistiges verfolgen. Er wird sich in diesem Falle vergegenwärtigen müssen, daß er ein Ziel vertritt, welchem zwar er selbst hohen Rang beimißt, das aber von andern für weniger wertvoll gehalten wird und auf das hin es keine objektive, aus dem Wesen von Mensch, Gesellschaft, Kultur oder Staat folgende Geltung und Verpflichtung gibt, in der pluralistischen, der Nichtreligiosität grundsätzlich offenen Gesellschaft auch keine göttliche Begründung. Der Geistigkeitlich-Handelnde tritt, eben indem er das für ihn selbst Richtige zu gesellschaftlicher Bedeutung bringen will, in den Widerstreit der Ideen ein und muß sich deren subjektivem Wesen unterziehen, das heißt vor allem: er muß die subjektive Berechtigung auch der gegnerischen Standpunkte anerkennen. Weiter hat er zu bedenken, daß der Mensch zwar nicht vom Brot allein lebt, aber auch nicht von Ideen allein, und erst recht nicht von politischen Ideenprogrammen.

Solche Relativierung darf aber nicht dazu führen, daß der Geistigkeitlich-Handelnde in seinem geistigkeitlichen Wollen und Tun erlahmt. Auf dem Kampffeld der politischen Ideen haben wahrscheinlich auch die von ihm vertretenen Berechtigung und Wert. Und wenn der Mensch nicht von Ideen allein lebt, so jedenfalls mit ihnen, und viele erfahren dies als das Wichtigste des Menschseins, — eine Selbstauffassung, die in der pluralistischen Kultur für jeden ihrer Träger subjektiv richtig ist.

1.53 Gleich wie im spiritualen Wollen und Tun das nichtspirituale als jedenfalls in dessen allgemeinem Wesen berechtigt anzuerkennen ist, so im nichtspiritualen das spirituale; Pluralismus dieses Inhaltes ist ein allgemeines Gebot, und damit, da er eine geistige Einstellung ist, ein allgemein zu postulierendes Spirituales (Qualität dieses Allgemein-Gebotenseins: auch dieses ergibt sich nicht aus objektivem Wesen von Mensch, Gesellschaft, Kultur oder Staat, jedoch ist es eine aus der modernen Vielfalt der Kulturtatsachen, Interessen und Ideen abzuleitende praktische Maxime). Notfalls hat staatsaktive Spiritualität dies als staatspraktischen Sonderanspruch aufzustellen und durchzusetzen.

Die Nichtrespektierung der spiritualen Tendenzen durch Vertreter nichtspiritualer Auffassung kann sich in zwei Schichten bewegen. Erstens kann behauptet werden, das Geistige und die Geistigkeit lägen prinzipiell außerhalb des Staatlichen und damit des Politischen, sie gehörten ganz ins, individuelle oder kollektive, Private; aus spiritualer Auffassung ist dagegen einzuwenden, daß der Staat das Für-viele-Menschen-Wichtige, soweit es unter vom Staat beeinflußbaren Bedingungen steht, fördern solle, also auch das Geistige, denn dieses ist zumindest für eine ansehnliche Minderheit wichtig. Zweitens kann das Geistige als überhaupt, auch im Privaten, nebensächlich abgelehnt werden: dann muß die spirituale Politik seine Berechtigung betonen und durchsetzen.

1.54 Nicht nur sind in der spiritualen Sicht die nichtspiritualen Tendenzen wegen der Relativität der Ideen, Werte und Ziele zu respektieren, vielmehr sind sie — in ihrer Gesamtheit und manchen ihrer konkreten Inhalte, wenn auch nicht in jedem Einzelfall — wegen ihres Nutzens für das Spirituale positiv einzuschätzen: das Geistige ist immer ein Oberes über nichtgeistigem Unterem, und das Ergebnis der nichtspiritualen Staatsaktivität wird vielleicht Grundlage, Rahmen oder Mittel für Geistiges. Der Aufbau eines an sich Nichtgeistigen mag sogar ein nachhaltigerer Beitrag ans, gesamthafte oder einzelne, Geistige sein als manches Direkt-ins-Geistige-Wirken.

1.55 Ähnlich wie die Geistigkeitlichen zu den Nichtgeistlichkeiten können, und sollen, sich diese zu jenen verhalten. Von ihnen ist das Geistige zumindest dann als wertvoll anzuerkennen, wenn es zur Verwirklichung des erstrebten Nichtgeistigen beitragen kann. Und das wird oft zutreffen: insbesondere ist alles, was die geistigen Fähigkeiten der Sozialaktiven erweitert und verstärkt, nützlich für Wirtschaft und Technik, die beiden Hauptfelder der nichtspiritualen Staatsaktivität. Freilich ist solche Einschätzung des Geistigen nicht in jedem Falle spiritual-richtig; der Spiritualpolitiker wird vielleicht ein sehr bestimmtes »Nein, dafür nicht!« aussprechen (etwa, wenn sein Begehren nach Förderung der Wissenschaft vorwiegend der Steigerung der Militärmacht dienen müßte).

1.56 Daß die Nichtgeistigkeitlichen die spiritualen Bestrebungen und ihre Vertreter respektieren, darauf geht ein prinzipieller Anspruch der letzteren. Diese Respektierung ist aber nicht Zustimmung, sondern bloß Nichtstörung, Anerkennung des Rechtes, spirituale Ideen zu haben, auszuarbeiten, zu vertreten, zu propagieren, auch des Rechtes, aus ihnen staatspraktische und insbesondere politische Folgerungen zu ziehen, Vorschläge abzuleiten und für beides im politischen Machtkampf einzutreten, schließlich des Rechtes zur freien Bildung und Tätigkeit spiritualpolitischer Organisationen (Partei, Verband, Verein, Arbeitsgruppe, Forschungsstelle), — praktisch heißt das volle Denk-, Glaubens- und Meinungs-, Rede- und Diskussions-, Presse-, Organisationsfreiheit —

auch in Hinsicht auf jegliche Staatsaktivität —, allerdings unter dem Vorbehalt, daß die öffentliche Ordnung nicht ungebührlich gestört werde (nicht »keinesfalls«: einige Belastung des inneren Friedens muß hingenommen werden und es werden immer einige sie als Ordnungsstörung empfinden). Aber der Anspruch auf Respektierung des Spiritualen schließt nicht ein, daß dieses nicht kritisiert oder wenigstens nicht politisch bekämpft werden dürfe: auch gegen die auf Geistiges und Geistigkeit gerichtete Politik und ihre Vertreter werden sich immer wieder Kritik, Ablehnung der Ideen als solcher und der aus ihnen gezogenen Folgerungen, sogar Kampf erheben; mit ihnen und mit den von ihnen ausgehenden Störungen muß sich abfinden, wer sich in die Arena der Politik begibt, und in allgemeiner Sicht ist das mögliche Positive anzuerkennen, daß das zunächst ideenhafte Spirituale näher an die gesellschaftliche Wirklichkeit gebracht wird.

Wenn so der Kampf der Ideen und Interessen unvermeidlich ist und die Vertreter der verschiedenen Meinungslager relative Machtvorteile zu erlangen hoffen, so ist zu fragen, wer richtigerweise in dieser Auseinandersetzung entscheiden solle. In der pluralistischen Demokratie müssen dies letztlich diejenigen sein, in deren Interesse die politischen Ziele aufgestellt und vertreten werden: wo es um Allgemeinziele geht, das Volk, also die Bürger, welche die Inhaber der Wahlämter bestimmen und über Sachvorlagen zu entscheiden haben. Aber wie sollen die Bürger im Widerstreit der politischen Programme das richtige, beste erkennen? Viele, ja die meisten werden da ganz aus persönlichem Interesse und vorgefaßter Meinung entscheiden, darin bestärkt durch Klassen- und Standesvertreter, denen sie vertrauen; das ist erlaubt, schon darum, weil es kein Objektiv-Geltendes gibt, das es verbieten würde. Andere, sie sind wahrscheinlich nur eine Minderheit, sind bemüht, das in allgemeinerer Sicht Richtige zu erkennen; sie finden auf dem Meinungsmarkt der Politik Anregung und Diskussionsstoff, und denen, die ihnen das geben können, muß die Aufklärungsarbeit voll gestattet sein. Wenn aber die Selbständigsuchenden in Minderheit sind: vielleicht erscheinen sie der Mehrheit der Vorgefaßter-Meinung-Folgenden als verdächtig, — somit ist ein sehr wichtiges spirituales Gebot, daß keiner in seiner Selbstbesinnung, sei sie noch so außenseiterisch, gehindert werde.

1.57 Was hier über die spirituale Staatsaktivität allgemein gesagt wurde, ist im besondern auf die staatsaktive Geistesmenschlichkeit anzuwenden. Zusätzlich zu verlangen ist, daß in dieser jedes Spirituale nicht-geistesmenschlichen Wesens respektiert und daß sie anderseits von allen Vertretern nicht-geistesmenschlicher Einstellung respektiert werde.

1.6 Recht auf Geistigkeit

1.61 Das Prinzip, daß die staatsaktive Spiritualität von allen eine andere Einstellung Vertretenden als berechtigt anzuerkennen sei, hat seinen tiefsten Grund darin, daß unter der allgemeinen Menschlichkeit, welche die oberste Norm aller Gesellschaft sein muß, jeder Einzelne, jede Gruppe, Vereinigung oder Organisation berechtigt ist, selber die zu erstrebenden Ziele zu setzen oder sie nach freiem Entscheid zu übernehmen, selber die Verwirklichungsweisen und -mittel zu wählen, — immer soweit hiedurch nicht das gleiche Recht anderer oder die Wohlfahrt des Ganzen ungebührlich behindert wird. Das schließt allgemein das Recht auf Geistigkeit als Gesamteinstellung und Lebensform, und spezieller das Recht auf ein inhaltlich besonderes geistiges Sein innerhalb der höchst vielfältigen konkreten Variiertheit des Allgemeingeistigen ein, in jedem Falle unter den genannten Einschränkungen, die beim konkreten Geistigen darum wichtig sind, weil in ihm oft die Neigung zur Zwangsausübung, auch gegen anderes Spirituales, wirksam ist.

»Recht auf Geistigkeit« ist, weil Geistigkeit letztlich eine nur philosophisch zu umschreibende, dagegen nicht eine juristisch definierbare Einstellung ist, ein lebensphilosophisch begründeter sozialmoralischer Anspruch: Anspruch eines jeden Einzelnen (der ihn tatsächlich erhebt) gegenüber den andern Einzelnen, gegenüber den Gruppen, Gesamtheiten, Organisationen und Institutionen, schließlich gegenüber dem Staat und der Gesellschaft je als Ganzen, Anspruch sodann des Sozialgebildes, für dessen angeschlossene Einzelne und in dessen kollektivem Verwirklichen das Geistige wichtig ist, gegenüber allen andern Sozialgebilden und auch gegenüber den Einzelnen (von denen einige stark genug sein können, das Kollektive zu stören). Immerhin können sich dort, wo dieses Sozialmoralische auf inhaltlich genau bestimmte gesellschaftliche und staatliche Tatbestände anzuwenden ist, sekundäre Rechtssätze ergeben (vgl. Kapitel 4.4).

1.62 Einige allgemeine Überlegungen zum Wesen des sozialmoralischen Rechtes überhaupt — das Recht auf Geistigkeit ist eine seiner speziellen und konkreten Ausprägungen, aber neben ihm gibt es auch andere (wie etwa Recht auf Sicherheit, Recht auf Wohlfahrt, Recht auf Eigentum) — sind hier angezeigt. Dieses Recht, als ein lebens- und damit auch sozialphilosophischer (denn an jede Lebensphilosophie ist die ihr entsprechende Sozialphilosophie anzuschließen) Anspruch von Einzelnen oder Sozialgebilden, ergibt sich aus einer grundsätzlichen Auffassung und Deutung des Menschseins und damit auch aus dem grundsätzlichen Selbstverständnis derer, die diesem Menschseinsphilosophischen folgen.

»Sozialmoralisches Recht« ist inhaltlich nur allgemein zu umschreiben: als gesellschaftlich anerkannter — und anzuerkennender — Anspruch auf ein wertvolles Sosein der Einzelnen und Sozialgebilde. Was aber ist dieses wertvolle Sosein? Angesichts der inhaltlichen Vielfalt der in der modernen Kultur gegebenen Soseinstypen ist dieser Begriff nur noch allgemein zu fassen: Sosein, das nach allgemeinster, abstrakter Wertnorm als allgemein-wertvoll anzuerkennen ist, und das kann nur die Verwirklichung der Ziele sein, die von den Zielhabenden — Einzelnen, Gruppen, Gesamtheiten, Organisationen, Institutionen — autonom für erstrebenswert gehalten, darum gesetzt und tätig verfolgt werden. Immerhin verlangt das eine Einschränkung wegen der Gefahr von Übergriffen starker oder auch nur rücksichtsloser Verwirklicher gegen schwächere und rücksichtsvolle: zusätzliche oberste Norm ist die allgemeine Menschlichkeit; sie hat zum Inhalt, daß jeder Verwirklichende das Sein, das Verwirklichungsrecht und die Autonomie jedes andern achten, ja in Notfällen über die bloße Respektierung hinaus aktiv fördern soll.

Was das Konkretere ist, das die Zielhabenden autonom verwirklichen wollen, das bestimmt sich wenigstens zum Teil ebenfalls aus lebens- und sozialphilosophischem Anspruch, und zwar aus solchem, der auf inhaltlich bestimmtes, hier wichtigst: auf geistiges, individuelles und kollektives Sosein geht. Jedoch ist nicht jeder dieser Inhalte philosophisch bestimmt, denn mancher ist einfach traditionell-anerkannt und mancher andere ergibt sich aus der menschlichen Triebstruktur; aus dem philosophischen Prinzip, daß die autonome Verwirklichung allgemein-wertvoll sei, darf nicht gefolgert werden, daß sie in ihrem Inhaltlichen philosophisch bestimmt sein solle (somit kann die Philosophie zwar alle diese Inhalte untersuchen und beschreiben, aber nur einen Teil davon philosophisch postulieren). — Soweit aber die maßgebenden Ansprüche philosophisch begründet werden, haben sie ihre Rechtfertigung großenteils, immerhin nicht ausschließlich, in einigermaßen erprobter menschlicher Selbstgestaltung, darin, daß entsprechende Auffassungen entweder von schöpferischen Denkern geschaffen und von Nachfolgenden übernommen und vielleicht weitergebildet wurden, oder sich aus dem Zusammenwirken vieler (ohne daß Einzelne besonders starken Einfluß gehabt hätten) herausbildeten und erst nachträglich ihre philosophische Formulierung erhielten (so: Auffassungen von Gemeinwohl, Demokratie, Ideenpluralismus); denkbar ist freilich auch, daß Ideenschöpfer eben jetzt neue Zielideen zu gesellschaftlicher Geltung bringen wollen und damit einigen Erfolg haben, wobei die gesellschaftliche Erprobung und Bewährung meistens noch aussteht (ein konstruiertes Beispiel hiefür wäre etwa das philosophische Postulat, daß der moderne Mensch, sich in einer unvermeidlichem Wirtschaftszerfall entgegengehenden Menschheit vorfindend, in strengem Konsumverzicht neue metaphysische Meditation als seine höchste Erfüllung verstehen solle). — Da die von Früheren übernommenen Ideen und Normen immer wieder neuen kulturellen Gegebenheiten angepaßt werden müssen und weil in Zukunft mit Sicherheit neue Ideen entstehen werden, gibt es keine endgültige, in sich abgeschlossene Richtigkeit des Lebens- und Sozialphilosophischen, allgemein und in Hinsicht auf die Ziele, Werte und Normen.

1.63 Recht (als moralischer Anspruch) auf Geistigkeit ist Recht auf geistiges Sein: auf Sein geistigen Inhaltes und unter geistigen Zielen und Ideen, damit auch Recht, diese Ziele und Ideen als solche, in ihrer Abstraktheit hochzuhalten, Recht, die eigene Selbstauffassung von ihnen her bestimmen zu lassen. Dies zunächst und grundlegend als Recht des Einzelnen, und zwar jedes Einzelnen, unter den von ihm bevorzugten konkreten Gehalten des Geistigen, sodann Recht der Gruppen, Gesamtheiten, Organisationen und Institutionen auf ihr kollektives Geistiges (wie das Ideenprogramm einer Partei und ihre entsprechende Ideenbezogenheit). Es lassen sich da zwei Gegenbegriffe bilden: Nichtrecht auf Geistigkeit, als verweigertes und abgelehntes Recht dieses Inhaltes, — und Recht zu anderm, nichtgeistigem Verwirklichen (etwa nationalistisch oder wirtschaftsideologisch bestimmtem); der zweite wäre weniger negativ als der erste, denn das Nichtgeistige, zu dem das Recht gegeben wird, kann einem — nicht erwähnten — Geistigen dienen, und insbesondere einem solchen, wie es unter »Nichtrecht auf Geistigkeit« verboten wäre (etwa dem Religiösen).

1.64. Das Recht auf Geistigkeit schließt den Anspruch und damit das Sonderrecht auf Denkfreiheit ein, denn Übernahme, Diskussion, Setzung, Verfolgung, Verwirklichung von geistigen Zielen sind voll nur dann möglich, wenn die Einzelnen und Sozialgebilde fähig sind, ohne jede Gefährdung zu den sozialen und kulturellen Tatbeständen und Problemen selbständig Stellung zu nehmen, auf sie hin neue Vorschläge zu entwerfen und zu vertreten und eigene Verwirklichungen zu unternehmen. Denkfreiheit ist zunächst in ihrem Allgemeininhalt zu postulieren: als Anspruch, der überall gelten und durchgesetzt werden soll, wo Denken wirklich oder auch nur möglich ist, wobei gerade die Denkfreiheit die bloße Möglichkeit in Wirklichkeit verwandeln kann, — und immer als Anspruch nicht nur juristischen, sondern auch moralisch-rechtlichen, somit gesamtgesellschaftlichen Wesens, denn Behinderung der Denkfreiheit wird nicht nur durch Verbot und polizeiliche oder richterliche Verfolgung, sondern auch durch Druck der öffentlichen Meinung oder von Gesinnungskonformismus. Man suche darum die zu rügenden Verstöße gegen die Denkfreiheit nicht nur bei den rechts- oder linksautoritären Regimen, sondern auch in den an sich freiheitlichen Staaten (in denen sie allerdings meistens weniger schwerwiegend sind und leichter behoben werden können), — und nicht nur bei den andern, sondern auch bei sich selbst. Sodann ist sie, als praktische Ausführung des mehr theoretischen Allgemeinen, auf die in der Sozialkultur wichtigen besonderen Inhaltsfelder anzuwenden: auf das, jetzt meistgefährdete, politische Denken, damit die politische Diskussion, die Kritik am Staat und die Opposition gegen ihn, die Auseinandersetzung über die Gesellschaft; weiter auf das religiöse, philosophische und ideologische Denken: jedes Ideenlager muß das volle Recht haben, seine eigenen, besonderen Auffassungen auszuarbeiten und darzulegen; auf das wissenschaftliche Denken, Forschen und Lehren, indem jedem Wissenschaftler die Themenwahl und -behandlung offen sein muß (würde er als Fachmann versagen, so stellte die wissenschaftliche Kritik das schnell fest); auf das künstlerische Denken, das die Grundlage des selbständigen künstlerischen Schaffens ist.

Denkfreiheit ist nur dann voll gegeben, wenn sie in der Gesellschaft — also über den Staat hinaus auch in den nichtstaatlichen Gesellschaftsbereichen — nicht nur als Pflicht eher negativen Inhaltes verstanden wird, nämlich die Andersdenkenden nicht zu behindern, sondern auch und hauptsächlich die positive Gutheißung der Tatsache ist, daß Denkvielfalt das geistige Ganze bereichert. Hieraus ergibt sich das entsprechende Verständnis der Toleranz, als welche von der Gesellschaft aus der Anspruch auf Denkfreiheit erscheint: die Toleranz soll nicht nur das Gewährenlassen von Auffassungen, die man selbst nicht teilt, sein, sondern Gutheißung der Meinungsvielfalt um der geistigen Lebendigkeit willen und Anerkennung auch des gegnerischen Geistigen als eines Allgemeine-Geisteswürde-Habenden.

1.65 Das Recht auf Geistigkeit schließt ein, daß jeder, geleitet von seinem eigenen, freibestimmten geistigen Interesse, mit andern in freie geistige Beziehung treten dürfe, zumindest in freies Übernehmen von Gedanken und Auffassungen, in freies Teilhaben an Darlegungen, Werken und Darbietungen: der Zugang zu Publikationen und Veranstaltungen ist da für die meisten Interessierten viel wichtiger als der persönliche Kontakt mit den Geistig-Schöpferischen, — Öffentlichkeit des Geistigen ist ein oberstes spiritualpraktisches, und damit spiritualpolitisches Gebot, zu erfüllen vor allem im Staat, durch entsprechende Gesetzgebung und -anwendung, aber auch in der Gesellschaft gesamthaft und auf allen außerstaatlichen Gesellschaftsfeldern.

Vom Einzelnen ist gefordert, daß er die Öffentlichkeit des Geistigen tatsächlich in Anspruch nehme, indem er die unter ihr gegebenen Möglichkeiten ausnützt; diese Öffentlichkeit nur als Prinzip gutzuheißen und gegenüber den in ihr geäußerten Meinungen lediglich tolerant zu sein genügt nicht. Jeder muß gegenüber seinen eigenen Beschränkungen und Festgelegtheiten (seien die letzteren konservativ oder progressistisch, — es gibt auch die geistige Enge der Fortschrittlichen) mißtrauisch werden; jeder muß wissen, daß auch sein eigenes Denken nicht abschließend vollständig und richtig ist, nicht außerhalb der inneren Pflicht zum Weiterüberlegen steht.

1.66 Recht auf Geistigkeit muß, praktisch ans Recht auf freies Denken anschließend, auch Recht auf nach außen gerichtetes Handeln geistigen Inhaltes sein: ein großer Teil des Denkens und, weiter gefaßt, der inneren geistigen Aktivität überhaupt zielt auf Ergebnisse, die nach außen bekanntgemacht oder in Äußeres eingebracht werden sollen. Der nach außen wirkende geistige Mensch stört manche seiner Mitmenschen nicht nur in ihrer Bequemlichkeit, sondern auch in ihren Überzeugungen und vielleicht in wohlerworbenen Rechten: dagegen erhebt sich Widerstand, und um ihn nicht übermächtig werden zu lassen, muß gewährleistet werden, daß Neues nicht nur gedacht, sondern auch sozialpraktisch verwirklicht werden darf.

Das Recht auf nach außen aktive Geistigkeit wird unterstützt durch das in der Gesellschaft gesicherte Recht auf freies Zusammenwirken mit andern. Was der Nach-außen-Wirkende in die Gesellschaft einzubringen trachtet, muß von Einzelnen, Gruppen, Gesamtheiten, Organisationen oder Institutionen aufgenommen und angewandt werden; somit müssen die Gebenden und Aufnehmenden ihre persönlichen oder kollektiven Beziehungen in die durch die Sache verlangte Form und Intensität zu bringen berechtigt sein.

1.67 Eine Sonderausprägung des Rechtes auf Geistigkeit ist das Recht auf Geistesmenschlichkeit und geistesmenschliches Sein, also auf geistiges Sein, das als eigenwert und als Haupterfüllung verstanden wird: es bedeutet, daß kein Einzelner und keine Gesamtheit gehindert werden darf, sich innerhalb der allgemeinen Geistesrechte und -freiheiten auf ausgewähltes hochstufiges Geistiges zu konzentrieren. Sonderrecht auf freies geistesmenschliches Denken: Recht, den Rang des Geistigen zu bestimmen, vom Selbstzweck- und Haupterfüllungsein des Geistigen aus zu denken und damit auch zu wollen, zu urteilen, gutzuheißen und abzulehnen, eigene Ziele zu setzen und sie, soweit das im Denken möglich ist, zu verwirklichen oder ihre Verwirklichung planend vorzubereiten. Sonderrecht auf geistesmenschliches Nach-außen-Wirken: Recht, das nach außen gerichtete Verhalten und Tun unter die als maßgebend anerkannten geistesmenschlichen Werte und Ziele zu stellen, also vom eigenen Geistesmenschlichen aus öffentlich darzulegen, zu lehren, zu postulieren, zu diskutieren, zu kritisieren, zu planen, zu organisieren, Materiales konkret zu verwirklichen, allenfalls für das Verlangte kämpfend einzutreten. Sonderrecht auf freies geistesmenschliches In-Beziehung-Treten: Recht, sich mit Ideen, Lehren, Auffassungen, Tatsachen, Problemen, oder mit Personen, Gesamtheiten, Organisationen, Institutionen nach eigenem Ermessen abzugeben und hiebei das eine gutzuheißen und das andere zu verwerfen; Recht, für die eigenen Ideen in der Gesellschaft zumindest Aufmerksamkeit zu wecken und vielleicht Anhänger zu suchen; Recht, Gruppen zu bilden und Organisationen zu schaffen.

Für die meisten nach Geistesmenschlichem Strebenden beziehen sich diese Ansprüche auf die in der Gesellschaft bereits bestehenden oder aus Gegebenem leicht ableitbaren Möglichkeiten; geistesmenschliches Zielsetzen und Verwirklichen ist vom Ganzen des Kulturellen aus gesehen sehr häufig nicht oder nur wenig neuernd. Aber neben denen, die im Bekannten bleiben, gibt es jene, die zu Wesentlich-Neuem vorstoßen, Menschen von hoher denkerischer oder gestalterischer Begabung und wohl immer auch von stärkster Vorstellungskraft.

1.68 Geistigkeit und innerhalb ihr, auf hoher Ebene, Geistesmenschlichkeit hat bei voller Ausbildung zwei gleich wichtige Hauptrichtungen, die erste auf subjektive Erfüllung, die zweite auf Sozialobjektives gehend, — Recht auf Geistigkeit ist hieraus erstens Recht auf individuelles, persönliches Sein, zweitens Recht auf Gestaltung von Sozialem. Möglicherweise sind die beiden nicht gleichgewichtig gesichert, sei es, daß zwar das persönliche Geistige nicht behindert wird (wenn es nur streng im Privaten bleibt), aber das Ins-Soziale-Wirken eingeengt ist, sei es, daß die geistigkeitliche Sozialaktivität, jedenfalls solche von bestimmter Inhaltsart (wissenschaftlicher, technischer, wirtschaftlicher) toleriert wird, dagegen das Streben nach persönlicher, etwa meditativer, geistiger Selbstverwirklichung Mißtrauen begegnet und vielleicht unter Konformitätsdruck gerät. Das Recht auf Geistigkeit ist, in Kritik und Postulieren, in beiden Richtungen voll auszubauen und dauernd zu sichern. — Aber gibt es nicht zwischen den beiden Richtungen auch Konflikt daraus, daß das persönliche und das soziale Verwirklichen auseinanderstrebende Ansprüche stellen? Solches beträfe das Zielsetzen, Wollen und Handeln, nicht das im Recht gegebene Dürfen, denn dieses ist immer nur die Voraussetzung des praktischen Verwirklichens.

1.7 Geistigkeit und Wohlstand

1.71 Es gibt geistiges und auch geistesmenschliches Verwirklichen, das nur geringe wirtschaftliche und technische Mittel erfordert, sogar solches, das in Armut möglich ist (wie das Meditieren und Lehren der Buddhistenmönche), — aber meistens ist ein erheblicher Mindestwohlstand verlangt: ein Mindestausmaß des privaten Konsumierenkönnens und oft auch des, individuellen oder kollektiven, Investierenkönnens. Auch im zweiten Fall braucht der Mittelaufwand das nicht zu übersteigen, was für jeden oder fast jeden aufbringbar ist (so: jeder kann sich Bücher in billigen Ausgaben, Zeitungen und Zeitschriften, ein Rundfunkgerät, fast jeder ein Fernsehgerät anschaffen); wo nicht, kann es als eine spirituale Aufgabe verstanden werden, einerseits die Konsumkraft zu heben und anderseits die Mittel der Volksgeistigkeit (das heißt der Geistigkeit, die unter dem modernen Stand der Volksbildung allgemein zugänglich ist) zu verbessern und zu verbilligen. Manche geistigkeitlich wichtige Verwirklichung aber besteht vor allem in Großinvestition und oft dazu in der Meisterung schwieriger technischer und organisatorischer Probleme, — das setzt eine hohe Stufe der volkswirtschaftlichen und technischen Entwicklung voraus, die allenfalls unter eben solchem spiritualpolitischem Zweck gefördert werden soll.

1.72 Soziale Förderung von Geistigem und Geistigkeit verlangt zwar nicht notwendig, aber praktisch fast immer, daß auf dem betreffenden Aktionsgebiet ausreichend leistungsfähige Kollektivgebilde die benötigten wirtschaftlichen, technischen und organisatorischen Mittel einsetzen. Das soziale Ganze und in ihm das Wirtschaftsganze muß so strukturiert sein, daß umfangreiche Güterbestände für spezielle Zwecke verfügbar gemacht werden können, — und das heißt angesichts der Güterknappheit, daß sie für andere Zwecke nicht verfügbar sind. Unter jenen leistungsfähigen Sozialgebilden mag man zuerst den Staat, als Ganzes und in seinen Teilbereichen, verstehen, und tatsächlich hat er viele der Ziele der sozialaktiven Geistigkeit, und der politischen Geistesmenschlichkeit im besondern, zu verwirklichen; aber außerhalb des Staates ist das weite Feld der privaten Organisationen und Institutionen, die des sozialspiritualen Handelns ebenfalls fähig sind, und erst noch ist zwischen dem Nurstaatlichen (dem hier das Gliedstaatliche und Kommunale zugerechnet wird) und dem Nurprivaten das Übergangsfeld der halbstaatlichen Leistungsgebilde, deren Typus sich mitunter gerade für das Spirituale vorzüglich eignet. Es stellt sich daraus allgemein die Frage nach dem zweckmäßigen Aufbau des für die spiritualen Ziele einzusetzenden gesellschaftlichen Leistungsganzen, verbunden spezieller mit der Frage nach der zweckmäßigsten Verteilung der für dieses Verwirklichen verfügbaren Investitionsmittel. Wäre der Staat für die Bestimmung des Sozialspiritualen einzig oder zumindest am besten geeignet, so müßten die damit zusammenhängenden Investitionen ihm übertragen werden, und er müßte berechtigt sein, auf die entsprechenden Teile von Volkseinkommen und -vermögen zu greifen. Ist es dagegen günstiger, private oder halbstaatliche Organisationen mit dem gesellschaftlichen Geistigen zu betrauen, so sind die erforderlichen Mittel für sie freizuhalten und an sie zu übertragen.

Dem geistigkeitlichen Interesse stellen sich somit drei grundsätzliche Wirtschaftsprobleme. Als erstes dasjenige des Wirtschaftsausbaues, der Wohlstandssteigerung und -sicherung. Als zweites dasjenige der besten Verteilung von Einkommen und Vermögen zwischen den Einzelnen und den kollektiven Leistungsgebilden. Als drittes dasjenige der besten Verteilung von Einkommen und Vermögen der kollektiven Leistungsgebilde: was ist dem Staat (einschließlich Provinzen und Kommunen), was den halbstaatlichen und was den privaten Organisationen und Institutionen zuzuweisen? Alle drei Probleme sind hier ausschließlich von den spiritualen Zielen aus zu fassen, das heißt auf das zu beschränken, was den geistigkeitlichen Verwirklichungen einigermaßen direkt dient.

1.73 Wirtschaft läßt sich als Statisches betrachten. Statisch ist sie als ein Ganzes von sozialen Leistungsgebilden (Betrieben, Unternehmungen, Wirtschaftsverwaltungen, auch von Gesamtheiten solcher, somit etwa von Wirtschaftszweigen), technischen Leistungseinrichtungen (wiederum die Betriebe, aber hier unter technischem Aspekt, Fabrik und Landwirtschaftsbetrieb als technische Einheit, Maschinenpark), fest eingespielte und darum rechtlich geformte Beziehungen zwischen Wirtschaftlich-Tätigen (Arbeitgebern und Arbeitnehmern, Käufern und Verkäufern, Kreditgebern und Kreditnehmern); natürlich ist das Wirtschaften immer geschehenshaft, aber man wird es, soweit es Wiederholung von Üblichem ist, als zum Zuständlichen der Gesellschaft gehörend auffassen dürfen, um so die inhaltlich-strukturelle Vorgegebenheit eines großen Teiles des Wirtschaftlichen auszudrücken. Dieses Statische der Wirtschaft ist Gegenstand spiritualer Einwirkung auf die Gesellschaft in dem Sinne, daß die Organisation und Ausrüstung der Wirtschaft im ganzen, in ihren Hauptbezirken, kleineren Unterfeldern und Leistungskomplexen, bis hinunter zu den Betrieben und Unternehmungen, und daß weiter die Beziehungen zwischen den Wirtschaftlich-Tätigen, Einzelnen und

Sozialgebilden (genauer: Beziehungen erstens zwischen Einzelnen, zweitens zwischen Einzelnen und Sozialgebilden, drittens zwischen Sozialgebilden) sowohl unter den spezielleren spiritualen Gesichtspunkten als auch unter der Idee der allgemeinen Menschlichkeit möglichst richtig sind oder werden. Gestaltung des Statischen der Wirtschaft ist ein wichtiges Feld insbesondere auch der sozialaktiven und damit, innerhalb dieser, der politischen Geistesmenschlichkeit.

1.74 Anderseits läßt sich die Wirtschaft als ein Dynamisches betrachten, wobei ihr Dynamischsein in den Vorgängen, Veränderungen und Entwicklungen gesehen wird, die nicht einfach Abläufe von bekannter Art und innerhalb der vorgeprägten Ordnung sind. Geschehen in sich dynamischen Wesens wird durch gezieltes Handeln (Ausbau, Reform des Bestehenden oder auf Neuartiges gerichtetes Planen und Ausführen), durch konjunkturelle und strukturelle Verschiebungen (vor allem inländische, aber auch ausländische und mitunter weltwirtschaftliche) und durch außerwirtschaftliches Sozialgeschehen (Neuverteilung der politischen Macht zwischen den Klassen und anschließende Eingriffe in die Sozialstruktur) ausgelöst; entsprechend ist das wirtschaftsdynamische Handeln zum Teil primärverursachend, das Neue autonom setzend und verfolgend, zum Teil reaktiv, nämlich im Sachgehalt vorbestimmter Gegenzug gegen eine drängende Schwierigkeit, — in beiden Fällen ist aber wohl immer das Bild eines besten Zuständlichen letztlich maßgebend. Sozialaktive Geistigkeit steht hier vor der Aufgabe, ihre spezifischen Ziele in wirtschaftsdynamische Programme zu übersetzen, geleitet von der Idee eines für das Geistige günstigsten Wirtschaftszustandes.

1.75 Alles Wirtschaften steht unter wirtschaftsspezifischen Grundtatsachen und -gesetzmäßigkeiten, von deren sachkundiger Beachtung sein Erfolg abhängt; sie sind zwar nicht so zwingend wie diejenigen der Technik, aber stark genug, um alles wirtschaftswidrige Tun in eine lange Kette von Enttäuschungen zu verwandeln. Beim spiritualen, und insbesondere dem geistesmenschlich-politischen, Auf-die-Wirtschaft-Einwirken ist zu verlangen, daß es auf fachmännische Wirtschaftskenntnis aufbaue und in seinen praktischen Vollzug alle erfolgswichtigen Sachmomente einzubeziehen verstehe.

1.76 Die geistigkeitliche Wirtschaftsgestaltung und insbesondere Wirtschaftspolitik muß davon ausgehen, daß die meisten Einzelnen und Gruppen, denen sie helfen soll, kaum oder überhaupt nicht geistigkeitlich eingestellt sind, sondern vor allem an ihren wirtschaftlichen Vorteil denken; man mag das für egoistisch und materialistisch halten, aber man schwächte die eigene Erfolgsaussicht, setzte man es nicht voll ins taktische Kalkül ein. Und man wird dabei bedenken, daß das, was als materialistischer Egoismus erscheint, ja vielleicht bis ins Innerste von ihm bestimmt ist, die Grundlage für das Höhere sein kann, das man mit dem wirtschaftlichen oder wirtschaftspolitischen Handeln indirekt fördern will.

1.77 Die geistigkeitliche Wirtschaftsförderung hat vor allem den Sinn, den Einzelnen, Gruppen und Gesamtheiten, den Organisationen und Institutionen, dem privaten und dem öffentlichen Bereich, gesamthaft der Gesellschaft die Mittel verschaffen zu helfen, deren sie zur Verwirklichung des von oder in ihnen erstrebten Wertvollen bedürfen (wobei jedes Willenssubjekt über das Wertvollsein zu entscheiden hat, jedoch ohne Einschränkung die lehrende und kritisierende Vertretung von Wertideen erlaubt sein muß). Gesamthaft betrachtet ist in der Wirtschaftsförderung der Ausbau der Produktion grundlegend, denn verteilt werden kann aus dem Volkseinkommen nur, was produziert worden ist; vielleicht wird sich auch die spirituale Wirtschaftspolitik konkreten Produktionsproblemen — mehr oder weniger allgemeinen Inhaltes — zuwenden. Die wirtschaftspolitische Diskussion befaßt sich jedoch oft vorzugsweise mit Verteilungsfragen und -forderungen, und diese sind aktuelle Themen auch für die sozialaktive Geistigkeit: es ist durchaus erlaubt, daß sich ein konkretes Postulieren und das anschließende Handeln ganz und nur auf größere Verteilungsgerechtigkeit richten.

1.78 Im Zusammenhang mit der allenfalls zu postulierenden Reform der Produktion ist zu berücksichtigen, daß für manche Berufstätige die wirtschaftliche (oft: technisch-wirtschaftliche)

Arbeit sinnvoll ist und persönliche, oft geistig-selbstzweckhafte und sogar geistesmenschliche Erfüllung bedeutet, für andere dagegen nicht und diese zweiten ihr Selbstzweckhaftes außerhalb des Berufes suchen müssen. Spirituale Produktionsförderung muß dahin wirken, daß der wirtschaftliche Beruf den ersten noch intensivere Leistungsbefriedigung, den zweiten wenigstens den Anfang der Berufsfreude gibt — und alle so entlastet, daß ihnen Kraft und Zeit für anspruchsvolle außerberufliche Erfüllung (wenn sie diese wollen) verfügbar wird.

1.8 Spirituale Ideologie

1.81 »Geistigkeit«, nach dem üblichen Wortsinn aufgefaßt, bedeutet etwa: Sosein, vor allem von Einzelnen, aber auch von Gruppen und Gesamtheiten, das durch einigermaßen starke und im betreffenden Gesamtwesen wichtige Bewußtheit des Denkens, Wollens und Tuns gekennzeichnet ist, sei sie Bewußtheit einfach in ihrem Allgemeinwesen oder aber in einer inhaltlichen Sonderart verstanden (im ersten Fall kann man sagen »Das Hauptwesen des Philosophen A ist Geistigkeit«, im zweiten Fall »Das Hauptwesen des Philosophen A ist rationalistische Geistigkeit«), — es handelt sich hier um einen inhaltsweiten, mehrere Wesensschichten betreffenden und nur unscharf abzugrenzenden Begriff, der aber gerade darum geeignet ist, die Wirklichkeit des geistigen Soseins zusammenfassend zu bezeichnen, denn dieses ist ein Komplex von in manchem verschiedenen Soseinsarten, also nicht nur eine, in sich einheitliche und geschlossene Soseinsart. Geistigkeit läßt sich als innerer Zustand verstehen, als Zustand, gekennzeichnet durch jene einigermaßen starke und wichtige Bewußtheit, aber das bleibt doch eher an der Oberfläche, denn in ihrem Grundwesen ist die Bewußtheit mentaler Prozeß, und erst recht gilt das für das Denken, Wollen und Tun, in denen sie sich ausprägt und deren wesentliche Qualität sie ist: Bewußtheit, selbst wo sie als zuständlich erscheint, entsteht immer wieder neu, ja muß, jedenfalls meistens, immer wieder neu geschaffen werden, — das gilt für die Bewußtheit des Einzelnen wie für diejenige der Gruppe oder Gesamtheit, denn in beiden Fällen ist ständige Auseinandersetzung mit Gegenständen und Auffassungen verlangt. Indem aber durch das Geschehenswesen der Bewußtheit die Geistigkeit prozeßhaft ist, ist sie, wenn nicht immer, so doch bei höherer Ausbildung, auch zielgerichtet: sie steht unter Zielideen und -vorstellungen, die teils persönlich (aber auch dann kulturbedingt), teils kollektiv und dabei oft von andern übernommen sind; die Geistigkeit ist in einer Sonderschicht ihres Wesens Einstellung auf Geistiges, das entweder bereits ist oder erst entstehen und darum erstrebt werden soll, fast immer Geistiges einer andern Wesensschicht als derjenigen des Eingestelltseins als solchen, vielleicht aber auch eben dieses bejahend oder suchend (so: Einstellung auf religiösen Glauben, wissenschaftliches Erkennen, künstlerisches Schaffen, technisches Erfinden, wirtschaftliches Organisieren, — aber auch auf das Sicheinstellen als solches und damit auf Zielklarheit, Autonomie, Pflichtbejahung). Hier nun wird die Wesensverwandtschaft von Geistigkeit und Geistesmenschlichkeit sichtbar: Geistigkeit ist Einstellung auf Geistiges jeder Art und dazu Einstellung von jeder Art des Sicheinstellens und Eingestelltseins, — Geistesmenschlichkeit ist hievon ein besonderer Typus, und zwar der durch höchsten Anspruch bestimmte und damit höchstrangige: klar bewußte Einstellung auf das Geistige um seiner selbst und um der in ihm zu erreichenden höchsten Erfüllung des Menschseins willen. (Gibt es aber nicht höchsten Anspruch, der nicht in dieser Selbstzweckauffassung befriedigt wird?; manche der schwierigsten Aufgaben ans Denken, Planen und Ausführen kommen doch aus rein nützlichkeitsbezogenen Großaufgaben, etwa der Kernkrafttechnik und der Elektronik. Aber auch eine solche Aufgabe läßt sich nur lösen, wenn sich der Verantwortlich-Leistende voll mit ihr identifiziert, und dies eben dadurch, daß er die Meisterung der sich auftürmenden Schwierigkeiten als Selbstzweck und als den wesentlichen Inhalt der persönlichen Erfüllung versteht, — gerade die moderntechnische Nützlichkeitskultur hat die Möglichkeiten der geistesmenschlichen Denk- und Leistungserfüllung gewaltig vermehrt.)

1.82 Geistesmenschlichkeit als die Einstellung auf das selbstzweckhafte und Haupterfüllung bildende geistige Verwirklichen ist zum Teil persönlich-privat, zum Teil kleingruppenhaft-privat, zum Teil in größerer gesellschaftlicher Bezogenheit privat, zum Teil auf den Staat gerichtet oder im Staat vollzogen und dann auch unter Hauptprinzipien gestellt, die im Staat gelten oder postuliert sind. Die Inhalte des konkreten geistesmenschlichen Verwirklichens werden bestimmt: im ersten Fall durch die persönlichen Auffassungen und durch Normen, Ideen und Denkweisen, die der Einzelne aus der Kultur übernimmt; im zweiten Fall gleich wie im ersten und zusätzlich durch die besondern Einstellungen aus der kleingemeinschaftlichen Verbindung; im dritten Fall gleich wie im zweiten und dazu durch großgesellschaftliche Auffassungen, Interessen und Ansprüche, wobei der Verwirklicher sich dem größeren Gesellschaftlichen nicht einfach unterzuordnen braucht, sondern es selbständig beurteilen und auch kritisieren, in Einzelfällen handelnd beeinflussen kann; im vierten Fall gleich wie im dritten und außerdem durch Staatsspezifisches in Auffassungen, insbesondere Ideensystemen, und Aktionsmöglichkeiten. Für jeden dieser Bereiche läßt sich die Geistesmenschlichkeit als der innerste, schärfste Anforderungen stellende Kernbezirk einer allgemeineren, gesamthaften und in den andern Bezirken weniger anspruchsvollen und auch weniger präzisen geistigkeitlichen Einstellung verstehen.

1.83 In der allgemeinen Geistigkeit und speziell in der Geistesmenschlichkeit ist die Leistung in der Gesellschaft oder auf die Gesellschaft hin ein wichtigster Verwirklichungstypus, — wichtigst darum, weil unter ihm das geistige Sein des Einzelnen, handle er für sich allein oder zusammen mit andern, eine Leistung erbringt, die für andere, vielleicht für viele nützlich ist oder seinsbeeinflussend wirkt: durch beides, besonders aber durch das zweite, wird das Sein des Einzelnen in den sozialen Raum und die soziale Zeit hinein erweitert (dies am stärksten dann, wenn das Leistungsergebnis weltweit aufgenommen oder beachtet wird und ihm überdies eine in ferne Zukunft wirkende Kraft innewohnt). Solche Verwirklichung hat ihren Sinn zunächst für den Leistenden selbst: er versteht sich selbst und seine Erfüllungsmöglichkeiten als den Prinzipien der Geistigkeit, hier als der Einstellung auf geistiges Sein, und vielleicht der Geistesmenschlichkeit unterstellt, — daraus wird das gesellschaftliche oder gesellschaftsbezogene Wirken für ihn zur geistigkeitlichen oder sogar geistesmenschlichen Selbstverwirklichung. Aber dadurch, daß sie ein für die Gesellschaft, praktisch natürlich immer nur für einen kleinen Teilbereich des gesellschaftlichen Ganzen, wertvolles, zumindest einige Nützlichkeit habendes Ergebnis zeitigt oder zeitigen soll, ist sie auch objektiv-sinnhaft, wobei der maßgebende und zu verwirklichende Sinn in einem Gegenständlichen (so in einem technischen Erzeugnis oder einem Kunstwerk, auch in einer religiösen Lehre oder einer wissenschaftlichen Theorie) zu gestalten oder in Menschen (so in Kunstfreunde, Religiös-Gläubige, Wissenschaftlich-Denkende, Parteimitglieder, Wähler) einzubilden sein kann. Der Verwirklichungssinn ist somit zweischichtig: subjektiv und objektiv; der subjektive Sinn prägt sich hier darin aus, daß objektiver Sinn gesellschaftlichen Inhaltes zu verwirklichen ist, und in diesem wiederum kann liegen, daß andere Menschen zu neuem Sichselbstverstehen und damit zu neuem subjektivem Sinn gebracht werden. Der subjektive Sinn läßt sich sofort dahingehend charakterisieren, daß er aus Geistigkeit als einer auf persönliches geistiges Sein gerichteten Einstellung bestimmt und somit geistigkeitlicher Sinn ist; der objektive Sinn dagegen kann von inhaltlich verschiedenartigem Zielwesen aus gefaßt sein, und insbesondere von geistigem oder aber von nichtgeistigem aus.

Objektiver Sinn geistigen Wesens braucht unter subjektiv geistigkeitlichem Sinn nicht erstrebt zu werden, denn das geistigkeitliche Wollen kann Dinge nichtgeistiger Art betreffen: Technisches, Wirtschaftliches, Rechtliches, Verwaltungsaufgaben, Militärisches und sogar Kriegerisches (Beispiel: der Chefingenieur leitet die Planung einer für eine bisher wenig industrialisierte Region sehr wichtigen Straße; diese Arbeit bedeutet für ihn hohe Selbsterfüllung, ist somit subjektiv-geistigkeitlich und sogar subjektiv-geistesmenschlich, — aber das Ergebnis ist objektiv-nichtgeistig, nämlich ein Werk der Verkehrstechnik. Immerhin zeigt sich hier geistesmenschlich, — aber das Ergebnis ist objektiv-nichtgeistig, nämlich ein Wert der Verkehrstechnik. Immerhin zeigt sich hier doch auch ein indirekt objektiv-geistiger Inhalt: das technische Werk trägt zum Wirtschaftsaufbau der erschlossenen Region bei und dieser wiederum ermöglicht den durch ihn Begünstigten ein reicheres geistiges Sein). Aber der subjektiv-geistigkeitlich verfolgte objektive Sinn *kann* geistigen Inhalt haben, und er hat solchen tatsächlich dann, wenn das Leistungsergebnis geistigem Sein von Menschen dient (so: Lehre, Lehrbuch, Kunstwerk, berufsfreudefördernde Arbeitsorganisation, Mitbestimmungsgesetz) oder das Tun auf Geistigkeit von Menschen direkt einwirkt (so: Unterricht, Information, Mediendarbietung, Propaganda); beide Typen lassen erkennen, daß das Objektiv-Geistigkeitlichsein manchmal von den Aufnehmenden abhängt, somit bei Sozialnützlichem, das zunächst nicht geistigkeitlich zu sein scheint (wie eben Straße und Wirtschaftsaufbau), nach verborgenem und vielleicht nur für Vereinzelte eintretendem Geistigkeitspositivem zu fragen ist. Hieraus soll, wer unter hohem subjektiv-geistigkeitlichem Anspruch ein rein Technisches, Wirtschaftliches, Administratives, usw. unternimmt, mit diesem immer auch das wertvolle, und also das geistige Sein von (wahrscheinlich unbekannten) Menschen fördern wollen.

Daß eine subjektiv-geistigkeitliche und insbesondere-geistesmenschliche Verwirklichung ein Objektiv-Geistiges zum Inhalt hat, wird man zweckmäßigerweise mit einem speziellen Begriff festhalten: hier durch den Begriff »spiritual« (Beispiel: »spirituale Sozialmoral«), dessen Substantivierung »Spiritualität« immerhin Klarheit darüber verlangt, daß sie sich auf ein Objektiv-Geistigsein bezieht (so wäre »Spiritualität der Sozialmoral« die Qualität des Sozialmoral-Inhaltes, nicht etwa des Sozialmoral-Denktypus oder der subjektiven Einstellung des Sozialmoral-Schöpfers oder -Anwenders). Tatsächlich hat die (subjektiv-)geistigkeitliche Leistung, die in der Gesellschaft oder auf sie hin unternommen wird, oft einen (objektiv-)spiritualen Gehalt, ist also spirituale Leistung: immer dann, wenn sie bestehendes Geistiges direkt oder indirekt unterstützt, fördert oder ausbauen hilft, vielleicht auch, wenn sie für neuartiges Geistiges (etwa solches, das an Fernsehen oder Flugreisen anschließen kann) soziale Möglichkeiten schafft; diese Spiritualität des Leistungsinhaltes und -ergebnisses braucht dem Leistenden nicht deutlich bewußt und für die Beobachter nicht klar erkennbar zu sein, — entscheidend ist die sachliche Verbindung zwischen der Leistung und einem in der Gesellschaft positiv beeinflußten Geistigen. Und insbesondere ist der Staat ein weiter und vielschichtiger Bereich des spiritualen Handelns, denn bei der geistigkeitlichen Staatsaktivität geht es unter manchem der maßgebenden Ziele um Geistiges, sei es weil Menschen zu geistigem

Sein geführt werden sollen, das als an sich wertvoll gilt, sei es weil höhere geistige Fähigkeit für Wirtschaft und Technik vorteilhaft ist.

Zu überlegen ist das Wesen des Nichtspiritualen. Nichtspiritual im engeren Sinn ist alles, was nicht konkret-spiritualen Inhalt hat, im weiteren Sinne das, was nicht in deutlich erkanntem positivem Sachbezug zu Geistigem steht (solcher Sachbezug wäre etwa gegeben bei der Bücherproduktion, aber wohl kaum bei der technischen Verbesserung von Kampfflugzeugen); ob die zweite Bedingung erfüllt ist, hängt mitunter auch vom Standpunkt des Beurteilenden ab. Von den Dingen, die keinen oder kaum einen Sachbezug zu Geistigem haben, sind jene zu unterscheiden, bei denen ein negativer Sachbezug zu Geistigem besteht: Dinge, deren Wirkung und vielleicht sogar Zweck ist, Geistiges zu behindern oder zu verunmöglichen; weil es solches gibt, kann die Bekämpfung eines Antispiritualen zum sozial wichtigen Inhalt spiritualer Leistung werden.

1.84 Innerhalb der auf spirituale Leistungsergebnisse gerichteten Geistigkeit nimmt die entsprechende Geistesmenschlichkeit den zentralen Raum ein: in ihr sind die spiritualen Inhalte klarer bewußt, die Fähigkeiten zum Spiritualen besser ausgebildet und wirksamer, die praktischen Bemühungen um das Spirituale intensiver. Bestimmend ist hiefür schon die innere Festigkeit wenigstens der allgemeinen und gesamthaften Zielauffassung, nämlich daß das geistige Sein selbstzweckhaft ist und Haupterfüllung bildet: wer das Geistige so versteht, wird kaum nur an sich selbst denken, sondern das, was für ihn den höchsten Rang hat, auch für andere Menschen und für Gesellschaft und Kultur wichtig halten, — daraus kann es als Pflicht verstanden werden, sich für eben dieses Wichtige, ihm praktisch sinn- und wertvolle Konkretheit gebend, tätig einzusetzen. Unterstützt wird dies durch das durchschnittlich hohe und häufig meisterliche Wissen und Können derer, die sich selbst unter Geistesmenschlichkeit stellen: diesem Selbstverstehen geht in der Regel eine langedauernde und anspruchsvolle Schulung voraus und die geistigen Fähigkeiten, die in dieser erworben wurden, werden eben durch die Geistesmenschlichkeit später, im Idealfall lebenslang, erweitert und verstärkt, — das weckt das

Interesse für die Probleme der Gesamtheit (manche Weniger-Geschulte kümmern sich nur um das ihnen nahe Gesellschaftliche, und das nur um des eigenen Vorteils oder Rechthabens willen), schafft die für die Beurteilung erforderliche Vergegenwärtigungs- und Kritikkraft, steigert bei manchen das ohnehin ansehnliche Verwirklichenkönnen und bringt so in Großzusammenhänge, die einsehen lassen, daß man sein höchstes Subjektiv-Geistesmenschliches in einem sozialobjektiven Spiritualen erreicht (freilich gibt es auch die ganz und nur eine subjektive geistige Verwirklichung erstrebende Geistesmenschlichkeit: sie ist unter den Allgemeinideen des Geistesmenschlichen voll berechtigt, darf also nicht für geringeren Wertes gehalten werden, weil sie nicht auf ein objektiviertes Kulturgut und insbesondere auf ein spirituales Leistungsergebnis geht, — was das konkrete geistesmenschliche Ziel sein soll, das zu entscheiden liegt in der Autonomie des Verwirklichers). Von erheblichem Einfluß auf das persönliche Leistenwollen und -können ist sodann die Funktion des Leistenden: wer an höherer Stelle Verantwortung trägt, hat eher Gelegenheit zu spiritualem Vollbringen, und gerade unter den Führenden und Experten werden diejenigen sein, die die Würde des Geistigen verstehen und sich ihr als Tätige verpflichtet wissen.

Ein Sondermoment des auf Sozialobjektives gehenden geistesmenschlichen Verwirklichens ist, daß in diesem die inhaltlichen Beziehungen zwischen Sachlichem und Persönlich- oder Sozial-Geistigem als sehr wichtig erscheinen und darum oft sorgfältig herausgearbeitet werden; Spirituales wird auch in Dingen erkannt, die gewöhnlich für dem Geistigen fern gehalten werden (wie vieles Wirtschaftliche, Technische, Administrative, Juristische). Sozialpraktisch wirksam wird das vor allem beim staatsaktiven geistesmenschlichen Handeln, denn alles Staatliche betrifft letztlich Menschengesamtheiten und da ist immer zu prüfen — wenn auch nur vom Geistesmenschlichkeitsstandpunkt aus —, ob ihre geistigen Interessen, Bedürfnisse oder auch nur Möglichkeiten (innerhalb welcher vielleicht höheres geistiges Sein zu empfehlen wäre) voll berücksichtigt sind und wie ihnen allenfalls besser als bisher entsprochen werden kann. Das sozialobjektive Spirituale wird so zum Allgemeinziel der staatsaktiven Geistesmenschlichkeit, und im engeren Sinne der politischen als der freiest und intensivst staatsaktiven; damit aber wird für die staatsaktive und insbesondere die politische Geistesmenschlichkeit eine spirituale Ideologie maßgebend: eben die auf Staat und Politik konzentrierte Ziellehre, der zufolge es eine Hauptaufgabe ist, das sozialobjektive — und eben daraus dem Persönlich-Geistigen vieler Menschen dienende — Spirituale zu schützen, zu fördern und auszubauen.

1.85 Spirituale Ideologie geht in ihrem allgemeinen Inhalt darauf, daß im Staat, weitgehend durch die Politik, und in der Gesellschaft, weitgehend durch den Staat und damit durch die Politik, das sozialobjektive Spirituale zu schützen, zu fördern und auszubauen ist. Das Spirituale, nämlich das Objektiv-Geistige und damit das objektivierte Geistige, ist zunächst allgemein zu beschreiben. Es ist ein verdinglichtes Ergebnis geistigen Bemühens, und eben durch das Verdinglichtsein wird das Geistige, das für den Schaffenden wichtig war, ein in der Gesellschaft und für sie Wirkliches, ein Kulturgut. Kulturgut: ein in der Kultur — und damit in der Gesellschaft, denn alle Kultur ist gesellschaftlich — bestehendes, aus menschlichem Handeln kommendes Objektiviertes, dem Wert zuerkannt wird (nicht Kulturgut wäre also ein in der Gesellschaft Gegebenes, das nicht aus menschlichem Handeln kommt, z.B. die als Verkehrswege geeigneten Flüsse in ihrem Naturzustand, oder ein nichtwertvolles Handelnsergebnis, z.B. eine umweltbelastende Deponie), — »objektiviert«: mit der Wirkung vergegenständlicht, daß der Gehalt den an seiner Verwendung (im weitesten Sinne, auch die reine Betrachtung, die wissenschaftliche Weiterbearbeitung, die Übernahme ins Lehren umfassend) Interessierten und zu ihr Berechtigten (wobei vielleicht nicht jeder Interessierte berechtigt und sicherlich nicht jeder Berechtigte interessiert ist, aber beides kann geändert werden, und auch das wäre ein Spirituales) zugänglich ist oder mit einem lediglich technischen Verfahren zugänglich gemacht werden kann, — »Wert zuerkannt«: allgemeinst in dem Sinne, daß das Vorhandensein des Dinges günstiger sei als sein Nichtvorhandensein, günstiger für die Gesellschaft als Ganzes, für eine kleinere Gesamtheit, für Gruppen eines bestimmten Typus, für Einzelne eines bestimmten Typus (etwa für die an Kosmologie oder serieller Musik Interessierten), im Extremfall sogar nur für eine bestimmte

Gruppe oder einen bestimmten Einzelnen (so: das Bild, das nur seinem Besitzer Freude macht, sonst aber ganz unbekannt bleibt; jedoch ist solche Beschränkung nur vorläufig, sie kann sich ändern), »günstiger« dabei gemäß einem Wertmaßstab, den der Urteilende für richtig hält, woraus sogleich zu folgern ist, daß es hierüber, weil vielerlei Wertmaßstäbe angewandt werden, zu Meinungsverschiedenheit und -streit kommen muß.

Beim Spiritualen sind zwei Arten von Objektiviertheit zu unterscheiden: solche der im engeren Sinne geistigen Inhalte und solche von nichtgeistigen Inhalten, welche auf Geistiges hin dienend sind (manches Geistige ist auf anderes, auch auf objektiviertes, Geistiges hin dienend, gehört aber aus seinem eigenen Wesen in die erste Kategorie). Ist ein eigentlich-geistiger Inhalt objektiviert, so ist er in eine kulturgegenständliche Form gebracht, dank welcher geistig-fähigen Interessierten sein Nachvollzug und vielleicht seine Anwendung möglich gemacht ist, — und eben weil geistig-aktives Verwirklichen dieser Art in geistigkeitlicher und vor allem in geistesmenschlicher Sicht wertvoll ist und Ziel sein soll, ist die Schaffung großen Reichtums an Objektiviertem dieser Art eine erstrangige Kulturaufgabe. Letzteres ist allerdings Ergebnis von Verwirklichen auf zwei zu trennenden Ebenen; erstens auf derjenigen der Schaffung des geistigen Inhaltes an sich: bevor ein Geistiges zum Kulturgut und damit gesellschaftlich verfügbar werden kann, muß es zunächst persönliches Erreichnis eines Schaffenden sein (so: bevor eine neue Theorie publiziert werden kann, muß sie von ihrem Schöpfer ausgearbeitet werden und müssen die ihr zugrunde liegenden Erkenntnisse gewonnen sein; aber vielleicht übernimmt der Theorieschöpfer diese aus bereits objektiviertem Wissen, das von andern Wissenschaftlern erarbeitet wurde), — zweitens auf derjenigen des Objektivierens als der kulturgutschaffenden Leistung (so: die Theorie wird in eine Form gebracht, in welcher sie für die Wissenschaft zum weiterzubearbeitenden und anzuwendenden Besitz wird; zudem muß sie in dieser Form als Zeitschriftsartikel oder Buch veröffentlicht werden). Dem entsprechen unter der Allgemeinaufgabe »Förderung des Spiritualen« zwei zwar praktisch verbundene, aber nach ihrem Wesen zu trennende Aktionsrichtungen der spiritualen Geistesmenschlichkeit: zu fördern ist erstens die Schaffung von Geistigem innerhalb des Persönlichen der Schaffenden, zweitens die Umwandlung der Ergebnisse in dauerndes und für die Öffentlichkeit verfügbares Kulturgut, wobei unter den beiden Aspekten mitunter Schaffende des einen, gleichen Typus (so: Künstler in ihrem Werkschaffen wie im Werkbekanntmachen), meistens aber Leistende verschiedener Aktionsfelder (so: Forscher einerseits, Wissenschaftspublizisten und Verleger anderseits) zu unterstützen sind. Sogleich zeigt sich hier eine Divergenz der spiritualpolitischen Möglichkeiten: diejenigen, die über die konkrete Förderung zu entscheiden haben, können diese entweder auf jedes Geistige und damit Geistiges jeder Art oder aber nur solches eines bestimmten, etwa ideologisch festgelegten oder eingeschränkten Typus richten; beim zweiten ist angenommen, der gewählte Typus sei gesellschaftlich besonders wichtig, sogar: nur er sei der Gesellschaft zuträglich, und manchmal fehlt gänzlich das Verständnis für anderes geistiges Bemühen. Die richtige Lösung des sich hier zeigenden Auffassungsgegensatzes ist, wenn Geistesmenschlichkeit maßgebend sein soll, in dieser zu suchen, das heißt darin, daß das geistige Sein nach allgemeiner Begriffsfassung selbstzweckhaft sein und Haupterfüllung bilden soll, also auch in dieser Allgemeinheit und der in ihr enthaltenen Offenheit für alle Weisen und Themen des Geistigseins sozial- und staatsaktiv werden soll. Das bedingt nun allerdings, daß man sich in der, aufs allgemeine Geistige gehenden, Geistesmenschlichkeit gegen jene ideologischen Festlegungen und Einschränkungen wendet, somit in eine ideologische Auseinandersetzung eintritt und seinerseits eine geistesmenschliche, genauer: eine geistesmenschlichkeitliche (aus der Geistesmenschlichkeit als der Auffassung vom Vorrang des geistesmenschlichen Seins abgeleitete) Ideologie vertritt, deren zentraler Inhalt besagt, daß in der Kultur Geistiges aller möglichen Arten zu schaffen, somit in der Gesellschaft und durch den Staat jedes Schaffen von Geistigem nicht nur zuzulassen, sondern aktiv zu unterstützen und zu fördern ist. Und das leitet über zum Kulturgutschaffen als der Herstellung der Gegenstände, in welche die geistigen Inhalte eingebildet sind und durch welche sie öffentlich einsehbar, aufnehmbar, bearbeitbar, anwendbar werden; verlangt ist hier zweierlei: Offenheit gegenüber allen Typen des Geistigen, und möglichst hohe spiritualpraktisch-fachmännische Leistungskraft.

Wert zuerkannt wird in spiritual-ideologischer Beurteilung dem Spiritualen zunächst und grundlegend darum, weil es weiterbauendem geistigem Verwirklichen dient, sodann, wenn es oberhalb dieser Nützlichkeit eine kulturwichtige geistige Sonderqualität hat, um dieser und damit um des Menschheitliches-Erreichnis-Seins willen.

1.86 Was konkret als Geistiges erreichbar ist, hängt vom gesamthaften Kulturstand und innerhalb der jeweils gegebenen Kultur von den sozialen, wirtschaftlichen, technischen, rechtlichen, staatlichen, religiösen, philosophischen und ideologischen Voraussetzungen ab. Alle spirituale Ideologie muß sich an diese Voraussetzungen halten, sie darf, geht sie aufs Praktische, nur Ziele postulieren, die tatsächlich erreichbar sind. Hieraus ist ihr konkreter Gehalt von Kultur zu Kultur, und innerhalb eines Kulturkreises von Land zu Land und von Epoche zu Epoche verschieden: wird hier und jetzt ein Inhaltlich-Bestimmtes gefordert, so gilt es wahrscheinlich weder für alle andern Länder noch für die fernere Zukunft des eigenen Landes. Auch innerhalb eines größeren Landes sind die Voraussetzungen regional und nach Klassen, Berufs- und Religionsgruppen verschieden: was spiritual-ideologisch für eine vorwiegend protestantische Industriebevölkerung gefordert wird, ist vielleicht den inneren Bedürfnissen vorwiegend bäuerlicher und kleingewerblich tätiger Dorfbewohner unangemessen. Dazu kommen die Verschiedenheiten in den geistigen Ansprüchen der Einzelnen, selbst innerhalb der einen und gleichen Klasse und sogar Berufsgruppe: das zeigt sich schon darin, daß sich der eine für Geistiges stark, der andere immerhin ein wenig, der dritte dagegen überhaupt nicht interessiert, und bei starkem Interesse darin, daß dieses sich auf verschiedenartige Inhalte richtet (so: beim ersten auf das Geistige des Berufes, beim zweiten auf Kunstbetrachtung, beim dritten auf Beschäftigung mit Wissenschaft, beim vierten auf eine Hobbyleistung). Hieraus folgt, daß die spirituale Ideologie als Ideensystem, für das prinzipielle und damit allgemeine Geltung beansprucht wird, das für sie verbindliche Spirituale nur abstrakt fassen darf, weil es je nach den kollektiven und auch individuellen Gegebenheiten in je besonderm konkretem Inhalt postuliert werden muß; zu erkennen ist aber auch, daß jenes

Prinzipielle, obwohl als solches immer klar bewußt hochzuhalten, in der praktischen Sozial- und Staatsaktivität Inhalte bekommen sollte, die ihm unter den gegebenen Voraussetzungen die größtmögliche reale Bedeutung geben. Durchaus erlaubt ist, daß solche konkreten Inhalte in ein Programm zusammengefaßt werden, das als aktuell-spiritualideologisch verstanden und propagiert wird, — nur müßte hiebei klarbleiben, daß eine inhaltlich spezielle Anwendung des zumindest für das Ganze der modernen Kulturen Geltung verlangenden Allgemeinzieles vorliegt.

1.87 Da die spirituale Ideologie in der sozialaktiven Geistesmenschlichkeit begründet ist und in dieser Geistiges jeder Wesensart als Eigenwert und Haupterfüllung bietend verstanden werden kann, ist der Begriff »spiritual« in entsprechender Allgemeinheit zu fassen: Geistiges aller Typen soll unter ihr gefördert werden. Somit muß sie sich nicht nur mit nichtsspiritualen Ideologien auseinandersetzen, sondern auch mit solchen, für die zwar ebenfalls Geistiges, aber nur auf einen Sondertypus beschränkt, maßgebend ist: vor allem mit religiösen, bildungskonservativen, Gemeinschaftserfüllung befürwortenden, mit Bezug auf Wirtschaft und Technik modernistischen, je soweit ein entsprechender beschränkter Geistigkeitstypus als einzig oder hauptsächlich richtig postuliert ist; praktisch wird es in solchen Diskussionen am ehesten um das »Jedes Geistige ist wertvoll und soll Ziel sein, nicht nur das von euch für wichtigst gehaltene« gehen. Und hiebei muß sich die spirituale Ideologie als Ideologie verstehen, also das noch nicht verwirklichte Wertvolle herausheben und ins konkrete Aktionsprogramm aufnehmen.

1.88 Das Prinzip der Offenheit und Freiheit, das sich aus den Ideen der, allgemeinen, Geistigkeit und der, speziellen, Geistesmenschlichkeit ableitet, ist unter der spiritualen Ideologie auf das objektivierte Geistige zu übertragen: die Gesellschaft muß auch in dem Sinne offen und frei sein, daß das soziale Kulturgut zu möglichst großer Inhaltsvielfalt gebracht wird und in eben dieser für die Öffentlichkeit, das heißt praktisch für alle Interessierten, zugänglich und verfügbar ist. Negativ umschrieben: es soll (unter Vorbehalt der, weitherzig zu interpretierenden, Gebote der öffentlichen Ordnung) nichts ausgeschieden oder verhindert werden, das unter irgendeinem Aspekt des geistigen Seins wertvoll ist oder werden könnte.

Natürlich ist von diesem objektiven Offenen und Freien aus doch wieder auf subjektives zu gehen, ja diesem der erste Rang zuzuerkennen: Vielfalt des Kulturgutes setzt Vielfalt des Kulturgutschaffens voraus und hat ihren letzten Sinn in der Vielfalt des Kulturgutbenützens und -anwendens, beides aber betrifft subjektives Geistiges. Wie soll sich die politische Geistesmenschlichkeit zu diesem Subjektiven einstellen? Verlangt werden kann da erstens, daß sie auf den Staat und durch ihn auf die Gesellschaft einwirke, damit diese die entsprechend befähigten Einzelnen und Sozialgebilde zu möglichst oder jedenfalls ausreichend intensiver Leistung veranlassen und so der geforderte Kulturgutreichtum entstehe; zweitens aber, daß sie lediglich die Voraussetzungen herbeiführen helfe, unter denen die Gesamtheit der Leistenden wahrscheinlich eine sehr vielfältige, sehr reiche Gesamtheit von Geleistetem erbringen wird. Auch bezüglich des Benützens und Anwendens sind erstens die einigermaßen zwingende und zweitens die nur anregende und ermöglichende Beeinflussung denkbar. Hier wie dort würde das erste den freiheitsbeschränkenden Eingriff ins Verwirklichen der Geistigkeitssubjekte bedeuten, wogegen das zweite die Freiheit wahrte und ihr höchsten Wert gäbe, so auch den Willen zum selbständigen Geistiges-Unternehmen steigerte. Da die Freiheit des geistigen Seins und Verwirklichens ein Hauptpostulat der politischen Geistesmenschlichkeit — dies aus der allgemeinen Idee des geistesmenschlichen Seins — ist, muß in beiden Fällen die freiheitliche Lösung vorgezogen werden; spirituale Ideologie ist somit vorwiegend auf objektiviertes, kulturobjektives Geistiges oder Geistigem-Dienendes gerichtet, dies unter dem ausdrücklichen Vorbehalt, daß die Freiheit der Einzelnen und die Autonomie der Sozialgebilde respektiert werden müssen, — und das auch bei der wohlmeinendsten Beratung und Könnensförderung.

1.89 Auch der spiritualen Ideologie ist die allgemeine Menschlichkeit übergeordnet. Das läßt sich aus jener direkt ableiten: ist sie die sozialwirksame Befürwortung des dem subjektiven Geistigen direkt oder indirekt dienenden Objektiv-Geistigen, so steht sie unter einer allgemeinen, auch bei vorläufiger Nichtnutzung zu achtenden, Möglichkeit, die im Wesen jedes Einzelnen und auch jedes Sozialgebildes gegeben ist. Aber man könnte auch anders denken: die allgemeine Möglichkeit zum Geistigen werde tatsächlich von vielen nicht genutzt; wer sich so verhalte, bleibe dem Höchstzuwertenden fern und dürfe darum mehr oder weniger weitgehendem Zwang unterworfen werden; es komme letztlich auf die Hohen an, nicht auf die Niedrigen und erst recht nicht auf die »Masse«. Klarst und schärfst ist dem entgegenzuhalten, daß alle Zielsetzung, auch die geistigkeitliche und insbesondere die spiritual-ideologische, sich innerhalb der zum menschlichen Grundwesen gehörenden Offenheit und Freiheit bewegt, daß in ihr die Autonomie eines jeden und der Pluralismus der Kultur nicht nur zu berücksichtigen, sondern auch aktiv zu fördern sind, — daß die höchste aller Ideologien diejenige der Allgemeinen Menschlichkeit ist.

2. DIE TRÄGER DER POLITISCHEN GEISTESMENSCHLICHKEIT

2.1 Vielzahl der möglichen Subjekte politischer Geistesmenschlichkeit

2.11 Die staatsaktive Geistigkeit und, insbesondere, Geistesmenschlichkeit — staatsaktiv zunächst allgemeinst als im Staate oder auf den Staat hin wirkend verstanden — bedarf wollender und handelner Subjekte, die die spiritualen Prinzipien vertreten, daraus konkrete Zielpostulate und aus diesen praktische Vorschläge ableiten, und schließlich die Ausführung planen, organisieren, betreiben, zu möglichst günstigem Abschluß bringen. Solcher Subjekte oder Träger gibt es eine Vielzahl: Behörden, Organisationen, Gesamtheiten und Gruppen, Einzelne, — dazu in abstrakterem Sinne: Institutionen. In den Sozialgebilden sind es natürlich immer einzelne Menschen, die den Kollektivwillen fassen, zumindest formulieren und das Kollektivhandeln führen oder selbst betreiben; jedoch ist dieses individuelle Denken, Wollen und Tun im ganzen gesehen, wenn auch nicht in jedem Sonderfall, zweischichtig: oft bestimmt der Einzelne das Kollektive selbständig, aber sehr häufig steht er unter dem Wollen anderer oder unter Auffassungen, die im Kollektiv und oft in dessen sozialer Umwelt vertreten werden und denen er beipflichtet (sei es aus sachlicher Einsicht, so bei der Zusammenarbeit von Fachleuten in Teams, sei es aus der in der Ausführung des Kollektivwillens bestehenden Funktion, sei es aus egoistischem Interesse an der Wahrung und Festigung der eigenen Stellung innerhalb des Sozialgebildes). Die Herausbildung des Kollektivwillens aus einer Vielfalt von individuellen oder teilgruppenhaften Auffassungen, Interessen und Ansprüchen geschieht freilich oft in Auseinandersetzung und sogar Meinungsstreit; entschieden wird da in rechtlich festgelegtem oder zumindest praktisch gutgeheißenem Verfahren (vor allem durch Mehrheitsbeschluß oder Kompromiß), durch Anordnung seitens des oder der Mächtigen (und dies vielleicht nach Machtkampf), durch die tatsächliche Geschäftsführung seitens der beauftragten Funktionäre, usw. Unter jeder das Soziale betreffenden Zielauffassung, also auch unter jeder Ideologie (als je besonderem System von auf die Staats- und Gesellschaftsgestaltung gerichteten Ideen und Thesen) stellen sich in diesem Zusammenhang zwei Fragen nach dem Seinsollenden, nämlich: Welche Ideen, Interessen, Ansprüche, Ziele sind richtigerweise zu vertreten und nach Möglichkeit durchzusetzen?, und: Wem obliegen richtigerweise diese Vertretung und das an sie anschließende ausführende Handeln? Diese Fragen sind auch im Zusammenhang mit dem für die staatsaktive Geistigkeit und Geistesmenschlichkeit maßgebenden Gedankengut, und insbesondere mit der spiritualen Ideologie, zu beantworten.

Innerhalb der staatsaktiven Geistigkeit und Geistesmenschlichkeit nimmt die politische nur einen, immerhin den in allgemeiner Sicht wichtigsten, Teilraum ein: denjenigen, in welchem der Staatswille in Hinsicht auf die Gesamt- und die wichtigsten Sachfeldziele und auch in Hinsicht auf das Prinzipielle der Zielverwirklichungsverfahren zu diskutieren und festzulegen ist. Aus diesem Wesen des Politischen hat hier das Ideenhafte größeres Gewicht als das ausführende und anwendende fachliche Können, das für die Verwaltungsleute, Richter und Militärs entscheidend ist: immerhin muß dieses in jenes so einbezogen werden, daß keine fachlich verfehlten Maßnahmen postuliert werden, was praktisch heißt, daß die Ideenvertreter der Beratung durch kompetente Fachleute bedürfen, und das um so mehr, je schwieriger die zu lösenden Probleme nach Sachgehalt und Sozialbedeutung sind. Auch das Politische wird von wollenden und handelnden Subjekten getragen, wobei aber das Handeln großenteils darin besteht, daß die vertretenen Ideen zu gesellschaftlicher Anerkanntheit gebracht und für sie politische Kräfte mobilisiert werden (das Sachzielverwirklichen dagegen wird eher den Nichtpolitisch-Staatsaktiven zugewiesen); in Betracht kommen hiefür alle Kategorien von Trägern einigermaßen gesamthafter Staatsaktivität, denn in jeder von ihnen finden sich Staatsaktive, deren Hauptleistung ist, daß sie Ziele und Auffassungen über Hauptverfahrensweisen, vielleicht auch, unter höherem Anspruch, allgemeinere Ideen über Staat, Gesellschaft und Kultur entweder selbst setzen oder von schöpferischen Denkern übernehmen und sie, im engeren Sinne politisch, im Meinungskampf durchzusetzen trachten.

Und innerhalb der politischen Geistesmenschlichkeit insbesondere die spirituale Ideologie: die meisten Träger der letzteren werden sich mit konkreten Aufgaben der Schaffung oder Förderung des Spiritualen befassen, — aber von einigen ist die Herausarbeitung der prinzipiellen Inhalte dieses politischen Gedankensystems verlangt.

2.12 Die Träger der im Staate oder auf den Staat hin aktiven Geistigkeit, und damit im engeren Sinne die Träger der staatsaktiven Geistesmenschlichkeit und, noch spezieller gefaßt, diejenigen der spiritualen Ideologie, sind durch die sie bestimmenden Ideen von den Staatsaktiven verschieden, die nichtgeistigkeitliche Ideen und Interessen vertreten und zu verwirklichen streben. Aber obwohl zwischen diesen beiden Lagern Gegensatz im Prinzipiellen besteht, verunmöglicht das nicht ihre Zusammenarbeit im Praktischen. Denn es gibt zwischen ihnen vielfach Übereinstimmung daraus, daß die nichtgeistigkeitlich-politischen Ziele (z.B. Industrialisierung) auch in spiritualer Sicht wertvoll sind, weiter daraus, daß die Politisch-Tätigen sich immer wieder auf rein praktische Leistungen einigen müssen, bei denen das Ideenhafte kaum Einfluß hat (so die meisten Aufgaben der Kommunal- und Regionalverwaltung, aber auch viele der gesamtstaatlichen Verwaltung, — über die Dinge, von denen das wohlgeordnete Alltagsleben der Bürger abhängt, gibt es oft zwar technisch-praktische Meinungsverschiedenheiten, aber keine ideenhaft-prinzipiellen). Zudem wird der Geistig-Offene mitunter erkennen, daß seine Gegner Ideen oder, wohl häufiger, Interessen vertreten, die ihn zu selbstkritischer Prüfung seines eigenen Fürrichtighaltens bringen können, ja sollten.

Innerhalb der Gesamtheit der staatsaktiven Träger geistigkeitlicher Ideen sind die Geistesmenschlichkeitsideen vertretenden eine Sondergruppe und wohl immer eine Minderheit, jedoch stimmen diese beiden Klassen sowohl im Prinzipiellen als auch im Praktischen weitgehend überein: was, vielleicht nicht sehr anspruchsvoll, allgemeingeistigkeitlich befürwortet wird, liegt fast immer in der Richtung auf ein höheres und intensiveres Geistiges, das Ziel von Geistesmenschlichkeit ist oder werden kann; immerhin können die Auffassungen über den konkreten Inhalt und den Rang des Zuverwirklichenden auseinandergehen (so: in allgemein-geistigkeitlicher wie in speziell-geistesmenschlicher Sicht erscheint der Ausbau der Hochschulen als wichtig und dringlich, aber vielleicht fehlt vorläufig die Einigkeit über den obersten Sinn der an ihnen zu betreibenden Ausbildung). Trifft das zweite zu, so kann doch das gemeinsame Interesse am Praktischen so stark sein, daß auf Auseinandersetzungen über Theoretischeres am besten verzichtet wird.

Gegensatz trotz Übereinstimmung gibt es natürlich auch innerhalb der engergefaßten Gesamtheit, für welche die staatsaktive Geistesmenschlichkeit wesensbestimmend ist, denn unter dieser allgemeinen Einstellung sind viele speziellere Typen von Zielideen und entsprechenden Aktionsprogrammen möglich. Da aber hier das gemeinsame Allgemeine — direkt oder indirekt auf geistesmenschliches Sein, und auch auf dessen Vorstufen, gerichtete Staatsaktivität — nur verhältnismäßig wenige, besonders zielklare und geistig-überlegene Träger zuläßt, sollte sich die Einheit-in-Vielfalt leicht erreichen lassen.

Und zu beachten sind bei allen Typen der staatsaktiven Geistigkeit die Wesensverschiedenheiten innerhalb der Staatsaktivität als solcher: ob der Leistende im Staat oder auf den Staat hin, ob er in Regierung, Verwaltung, Gesetzgebung, Gericht oder Militär, in Partei oder Wirtschaftsverband, in Presse, Rundfunk oder Fernsehen tätig ist, ob er als Staatswissenschaftler oder Ideologiebearbeiter wirkt, bestimmt weitgehend die Möglichkeiten und Inhalte seines Zielsetzens und seines praktischen Ausführens. Jeder dieser Fachlich-Staatsaktiven tritt, mag seine geistigkeitliche Einstellung noch so stark sein, in Leistungsbeziehung mit andern Fachlich-Staatsaktiven, die seine Grundhaltung vielleicht nicht teilen, — daraus ergibt sich oft Übereinstimmung im Sachlichen, in welcher Spirituales auch durch nichtgeistiglich eingestellte und anderseits Nichtspirituales auch durch geistigkeitlich eingestellte Leistende gefördert wird.

2.13 Jeder der vorstehend genannten Typen läßt sich weiter nach politischer und nichtpolitischer Staatsaktivität differenzieren: in der ersten ist wesentlich, daß für das staatliche Handeln — und mitunter schon für das staatsbezogene, das heißt dasjenige, welches auf das staatliche einwirken soll (so: Handeln von Parteien, Verbänden, Medienorganisationen) — Ziele gesetzt und im Sinne des Zu-Anerkennung-Bringens vertreten werden. In geistigkeitlich-politischer Absicht zu vertreten ist da erstens das Konkrete, das als solches spiritual ist oder zumindest Spiritualem dienen kann, zweitens auch, vor allem dann, wenn die umfassenden Zusammenhänge zu bedenken sind, allgemeinere Postulate über die Pflicht des Staates, das Geistige der Einzelnen, der Gruppen und Gesamtheiten und des gesellschaftlichen Ganzen, also der Kultur überhaupt, zu fördern. Auf beiden Ebenen faßt die politische Geistesmenschlichkeit ihre Zielinhalte von besonders hoher Auffassung des Geistigen aus und unter scharfem Anspruch an den Staat wie an die Nutznießer des staatlichen Handelns. Offenes und zugleich fachmännisch überlegenes Denken erkennt hier wiederum vielerlei Möglichkeiten, spezielle und mitunter auch allgemeine Ziele gemeinsam mit politischen Organisationen, die an sich der geistigkeitlichen Politik fremd sind, zu vertreten und zu verfolgen, ja unter Umständen gemeinsam mit ihnen zu fassen.

2.14 Das staatsaktive und im engeren Sinne das politische Handeln verlangt Organisation, wenn es rasche und weitgreifende Wirkung erreichen soll, — Organisation: hierarchisch geordnete, einigermaßen lange dauernde Personengesamtheit, die über die für ihre soziale Leistung erforderliche Mindestausstattung an Sachmitteln verfügt. Freilich wird das Organisationshandeln immer von Einzelpersonen bestimmt und ausgeführt, aber diese sind in ihm kaum je voll selbständig, vielmehr fast immer und oft sehr stark durch Organisationszweck, -auftrag und -beschluß gebunden; die Ausnahme sind diejenigen, die in einer Organisation einigermaßen frei anordnen können (wenn etwa der Führer einer Partei, die er gegründet hat, diese mit Ideen und Programm ausstattet, in ihrer praktischen Arbeit leitet und überdies finanziert, — aber auch er wird sich den Auffassungen und Interessen anderer anpassen müssen, wenn er breite Gefolgschaft und große Wirkung erreichen will). Gesamthaft gilt, daß alle Organisation die in ihr Tätigen in Organisationsmenschen verwandelt, zumindest soweit sie in ihr denken und wirken und manchmal darüber hinaus (letzteres mag Anlaß werden, eben dieses Organisationsmensch-Sein zu bekämpfen, zumindest durch Warnung und durch Herausstellung der Werte der Individualität, dazu durch bewußte Förderung des rein persönlichen Denkens, Wollens und Tuns, — womit, da geistige und insbesondere geistesmenschliche Persönlichkeit eines der großen Ziele der politischen Geistesmenschlichkeit sein muß, eine konkrete Aufgabe dieser erkannt ist); solche Bindung tritt auch in den geistigkeitlichen Organisationen auf, so daß auch in ihnen Einzelne gegenüber geistigkeitlicher Freiheitsbeschränkung zu stärken ist (denkbar ist etwa, daß eine religiöse Partei die Mitglieder zum Verzicht auf Glaubenskritik verpflichtet: hier müßte das Recht des Religiösdenkenden auf selbständige Prüfung des Dogmas betont werden).

2.15 Immerhin kann der Einzelne auch ohne Organisation staatsaktiv und sogar politisch-aktiv werden. Man mag die unterste Schicht dieser Aktivität schon im politischen Gespräch zwischen an Staatsdingen Interessierten sehen, vor allem wenn man annimmt, die Gesamtheit dieser Gespräche beeinflusse die öffentliche Meinung, überdies wenn man annimmt, die Diskutierenden würden angeregt, den für sie geltenden besondern Sinn einer staatlichen Gegebenheit zu suchen (etwa den eines Freiheitsrechtes oder einer wohlfahrtspraktischen Maßnahme); das letztere wäre als bloße Anwendung eines Festgelegten an sich unpolitisch, kann sich aber auf die zukünftige Politik, die das Jetzige berücksichtigt, auswirken. Sodann hat der Einzelne auf der Stufe von Institutionalisiertem das Recht, rein als Individuum, also ohne ihm durch Organisation auferlegte Pflicht oder Bindung, an Wahlen und Abstimmungen teilzunehmen; natürlich ist sein Einfluß verschwindend gering, am meisten in autoritären Regimen, wo das Auswählen auf Zustimmung oder Nichtzustimmung beschränkt ist (wenn nicht durch diktatorischen Meinungszwang auch das behindert ist und das Wahlrecht tatsächlich kein politisches Gewicht hat), und selbst in den freiheitlichen Demokratien (denn auch bei voller Freiheit der Kandidatenaufstellung, Wahlpropaganda und Sachbeurteilung ist jede Stimme doch nur eine von sehr vielen): man muß die objektive Wichtigkeit und die subjektive Unwichtigkeit dieses Sichbeteiligens einsehen und soll um der ersten willen die zweite geduldig auf sich nehmen. — Einige Besondersfähige legen in einer breiteren Öffentlichkeit Ideen dar, die politischen Inhaltes sind oder Politisches wenigstens indirekt betreffen, Ideen, vom Darlegenden vielleicht lediglich übernommen und aktualisiert, vielleicht aber selbständig geschaffen. Solches Darlegen ist ein Zentrales der politischen Geistigkeit und Geistesmenschlichkeit, die durch eben diese Aktivitätsweise sowohl direkt auf den Staat, das heißt auf die in ihm den Staatswillen bildenden Staatsorgane, als auch zunächst auf die den Staat beeinflussenden Organisationen, Medien und Gesamtheiten und so nur indirekt auf die Staatsorgane wirken können und sollen, — sie sind in ihrem Grundwesen ans Persönlich-Geistige von Ideenschöpfern gebunden, aus dem ihnen ständig neue Kraft zufließen muß.

2.16 Die Einzelnen sind in ihrem geistigen Wesen von den Gruppen und Gesamtheiten her bestimmt, in denen sie aufwachsen und leben, erzogen und geschult werden, ihr Tätigkeitsfeld haben, sich auseinandersetzen, zu Erfolg gelangen, aber auch in manchem auf Hindernisse stoßen; jeder Einzelne steht so unter sozial geltenden Auffassungen und Ideen, die sein eigenes Denken,

Wollen und Tun zumindest beeinflussen und oft bestimmen, wenn auch ihm einen mehr oder weniger großen (der Umfang hängt vom Gesellschaftstypus ab) Selbstständigkeitsraum lassend, dessen Bewahrung und Erweiterung gerade unter Geistesmenschlichkeitsaspekt ein oberstes Gebot ist. Wieweit stehen die staatsaktive und insbesondere die politische Geistigkeit und Geistesmenschlichkeit unter sozialem Geistigem, das von Gruppen und Gesamtheiten innerhalb der Großgesellschaft (konkret: innerhalb der Großnation), aber nicht von dieser in ihrer Ganzheit, entwickelt wurde, getragen ist und neuen Bedingungen angepaßt wird?

Schon die Gruppe, hier als verhältnismäßig wenige Menschen, die durch Familienbeziehung, Wohnort, Arbeit, Interesse, Glauben oder Idee zusammengehören, umfassende Kleingesamtheit verstanden, kann durch die in ihr geltenden, großenteils selbstverständlichen Auffassungen das Denken der Gruppenmitglieder in so feste Richtung bringen, daß ein persönliches Zielsuchen höchstens als ergänzend oder gar als unnötig und oft als unerwünscht erscheint. Denkbar ist hiebei, daß dieses Gruppenhafte geistige Qualitäten hat, ja unter geistesmenschlichem Ziel steht, mit dem der Einzelne sich vielleicht gerade dadurch verbindet, daß er auf das Kleinkollektive hingebungsvoll eingeht und dafür auf sein abweichendes Individuelles verzichtet. Je besondere Möglichkeiten werden hier erschlossen: durch die Familie, im erlebenden und denkenden Zusammensein von Mann und Frau, Eltern und Kindern (und vielleicht dreier Generationen); durch die Freundesgruppe, im geistigen Austausch, im Aufeinander-Eingehen; durch die Interessengruppe, sofern das gemeinsame Interesse auf Bewußtheit und ihr Gegenstandsfeld, vielleicht auch das sie fördernde Soziale geht; durch die Glaubensgruppe, dank der aus Religion oder Ideologie gemeinsamen Überzeugung, Betätigung, Selbstauffassung und Förderungsabsicht; durch die Arbeitsgruppe, dank der gemeinsam gesuchten und erreichten Leistungserfüllung. Aber in alledem ist der zur Gruppe gehörende Einzelne, mag er auch durch sie, vielleicht für ihn eine wertvolle Gemeinschaft, stark beeinflußt, ja bestimmt sein, doch immer dann ein Individuell-Wollender und -Handelnder, wenn er ein Ziel setzt, vertritt und auf es hinarbeitet: selbst wenn er im Namen des Wirs handelt, ja sich dem Wir ganz untergeordnet weiß, faßt er doch die Zielinhalte und die auf sie gerichteten Verfahren ichhaft, nämlich als der Vertreter des Wirs, der die Gemeinschaftsauffassungen und -ansprüche mit seinem Persönlichen verbunden hat und als sein Eigenes zu vertreten befugt ist; es ist nicht die Gruppe als solche, die will und handelt, sondern der denkende, tätige und sie hierin führende Einzelne, unterstützt von denen, die seinen Weisungen folgen.

In der größeren Gesamtheit sind die Beziehungen zwischen den Beteiligten in dem Sinne weniger persönlich, als jeder viele andere nicht kennt, also mit ihnen nur durch Gemeinsamkeit von Tradition und Umwelt (lokale, regionale, nationale und schließlich sogar übernational-kulturkreishafte Gesamtheit), von Berufswesen und -interesse, von Klassen- oder Standeswesen und -interesse, von religiösem oder ideologischem Glauben, usw. verbunden ist; dieses Gemeinsame kann geistig sein oder Geistiges betreffen, — Wesen und Ziele des Geistigen der Gesamtheitsangehörigen werden hiedurch aus Kollektivem geprägt. Das zeigt sich vor allem darin, daß der Einzelne das für wichtig, richtig und erstrebenswert oder aber für unwichtig, falsch und verwerflich hält, was in der Gesamtheit so beurteilt wird, bei höherer Fähigkeit und entsprechender Leistungsgelegenheit auch darin, daß er auf Gesamtheitsziele hin aktiv wird; freilich wird hiebei nur von wenigen eingesehen, daß sie in ihrem besondern, persönlichen Sosein großenteils gesamtheitlich bedingt sind. Sind so einerseits die Gesamtheitsangehörigen kollektiv bedingt, so ist anderseits die Gesamtheit darauf angewiesen, daß die kollektiven Auffassungen, Interessen und Ansprüche im Gesellschaftsprozeß von Einzelnen vertreten, geltend gemacht und durchgesetzt werden; allerdings handeln diese hiebei nicht ausschließlich und nicht einmal zum größeren Teil als unabhängige Individuen, denn für die dauernd-wichtigen gesamtheitlichen Interessen sind zahlreiche Organisationen und Institutionen tätig, deren Ziele zwar ebenfalls von Einzelnen gesetzt, verfolgt und verwirklicht werden müssen, jedoch die Befugnisse dieser mehr oder weniger streng festgelegt und damit eingeschränkt sind. Soweit die stellungnehmenden und handelnden Gesamtheitsangehörigen das Kollektive selbständig und persönlich vertreten, wird man dessen gesellschaftliches Wirksamwerden unter der einzelmenschlichen Sozialaktivität behandeln; soweit sie dagegen hiefür in einer Organisation oder Institution tätig sind, hat man zu berücksichtigen, daß diese zumindest juristisch ein Handlungsubjekt ist und daß der Organisations- oder Institutionswille, obwohl letztlich von Einzelnen gefaßt und getragen, unter diese verpflichtenden formalen und oft auch materialen Bedingungen steht, und zwar in erster Linie unter gesamtheitlichen, in zweiter unter solchen, die von den Führenden persönlich gesetzt sind (es gibt Organisationen, die ganz von einem Mächtigen oder einer kleinen Gruppe von Mächtigen bestimmt und getragen sind und deren Aufgabe die Verbreitung persönlicher Auffassungen und die Erweiterung persönlicher Macht ist).

In Inhalt und Ziel gesamtheitlich ist ein Großteil der staatsaktiv werdenden Geistigkeit der Einzelnen, und oft werden ihre kollektiven Momente von den individuellen zu unterscheiden sein; aber das wäre nur Betrachtungssache, denn das staatsaktiv wollende und tätige Ich ist sich wahrscheinlich dieser Typenverschiedenheiten nicht bewußt. Anderseits hat das gesamtheitliche Geistige jedoch Kollektivsubjekte: Organisationen und Institutionen als solche.

2.17 Organisation, als dinghaftes Soziales aufgefaßt, ist in ihrem Allgemeinwesen ein von Gestaltern (Gründern und Umgestaltern) auf das Zusammenwirken von Einzelnen und Gruppen bewußt angelegtes und auf Erfolgsgünstigkeit eingerichtetes Sozialgebilde, das Zwecke erfüllen soll, die ihm entweder von Anfang an gegeben sind oder die es selbst faßt (genauer: die die in ihm zuständigen Organe für es fassen). Es liegt in diesem Begriff, daß jedenfalls in den größeren Organisationen die Zusammenwirkenden den Organisationszweck und -willen, sofern sie ihn nicht selbst bestimmen (und allenfalls abzuändern berechtigt sind), respektieren, ja sich ihm unterordnen müssen, daß sie sich so mit ihrem Individuellen in den Dienst am maßgebenden Kollektiven stellen; letzteres mag vom Einzelnen Verzicht auf voll-individuelle Erfüllung verlangen, eröffnet ihm aber, indem sie ihn mit einer Organisationsfunktion betraut und ihm Organisationsmittel verfügbar macht, Leistungsmöglichkeiten, die ihm als Isoliert-Handelndem verschlossen blieben. Weiter liegt im Begriff der Organisation, daß diese ein sozialgebildehaftes Aktionszentrum und

-subjekt ist und damit neben und zum Teil gegen die aus ihrem persönlich-menschlichen (obwohl in manchem gesamtheitlich bedingten) Fürrichtighalten wollenden und tätigen Einzelnen tritt; spricht man allgemein von sozialaktiven Subjekten, so muß man immer auch an diese sozialgebildehaften denken. (Gegenstand der Betrachtung sind hier nur die Organisationen, die tatsächlich sozialgebildehafte Aktionssubjekte, also nicht bloß juristische Einkleidung für das individuelle Handeln von Einzelnen oder Kleingruppen sind.)

Die von den Organisationen verfolgten Allgemeinzwecke werden entweder von den Gründern (Einzelnen und Gremien) oder von organisationsinternen Organen (ebenfalls Einzelnen und Gremien) bestimmt; die sich aus ihnen ergebenden konkreten Sonder- und Nahziele festzulegen ist Sache von Leitungsorganen und Funktionären. Maßgebend fürs erste sind meistens einigermaßen dauerhafte gesellschaftliche Tatsachen von erheblichem Umfang und Gewicht: sie bilden die Grundlage für die Vertretung von Auffassungen, Bedürfnissen und Ansprüchen, die in der Gesellschaft entweder schon vorhanden sind oder, vielleicht von Organisationen angeregt, entstehen können; maßgebend fürs zweite sind die in den Allgemeinzwecken gegebenen Aufträge und die ihre Ausführung bedingenden mehr oder weniger aktuellen Gegebenheiten. In beiden Fällen sind für das Organisationshandeln neben dem externen Tatsächlichen die internen Werthaltungen bestimmend, also neben objektiven Momenten subjektive (»subjektiv« bezogen einerseits auf Einzelne und anderseits auf Organisationen, wobei die Entschließungen der zweiten teils von führenden oder sonstwie befugten Einzelnen oder aber von Gremien, die eine überindividuelle Meinung bilden, getroffen werden). Am sozialen Geistigen beteiligt sind die Organisationen zunächst dadurch, daß sie unter ihrem Organisationszweck Probleme aufnehmen, die entweder in der Sozialkultur gegeben sind oder sich von ihr aus und auf sie hin setzen lassen, weiter dadurch, daß sie von sich aus Neues vertreten und es in Gesellschaft und Kultur, einiges Bisherige ablehnend und vielleicht bekämpfend, einzubringen trachten; in beiden Fällen kann das Organisationshandeln entweder direkt oder indirekt auf Geistiges gehen, direkt, wenn Objektiv-Geistiges, das in der Gesellschaft gegeben ist oder entstehen soll, Gegenstand des Bemühens ist, indirekt, wenn Bestehendes verändert oder Neues geschaffen werden soll, das an sich nicht geistig ist, aber sich auf Geistiges auswirkt. Innerhalb dieses gesamthaften auf das soziale Geistige und Geistigem-Dienliche bezogenen Organisationshandeln ist dasjenige speziell zu untersuchen, das seinem Wesen nach politisch, somit auf Geistiges und Geistigem-Dienliches gerichtet politisch, (nach der Einstellung der handelnden Subjekte:) geistigkeitlich-politisch ist, und innerhalb des politischen das von organisationsgetragener politischer Geistesmenschlichkeit bestimmte; beim letzten ist die Zentralidee der Geistesmenschlichkeit — Eigenwert und Haupterfüllungsein der geistigen Verwirklichung — in dem Sinne politisch aktiviert, daß es Organisationsauftrag ist, von ihr aus Staatsziele zu fassen oder zumindest die staatliche Willensbildung von außen zu beeinflussen.

Zu überlegen ist, welchen Wesens die von den willenbestimmenden Organisationsorganen festgelegte Zielbewußtheit sei. Unzweifelhaft ist sie Bewußtheit von Einzelnen, nämlich der an der Beschlußfassung beteiligten, dem gefaßten Beschluß nachträglich zustimmenden oder zu seiner Ausführung verpflichteten; aber die meisten dieser Einzelnen wären für sich allein denkend nicht zu ihr gelangt: es ist in ihr meistens Inhalt, der aus dem Organisationszweck und den ihn betreffenden Anordnungen der Organisationsleitung übernommen oder, bei den Mitspracheberechtigten, durch die Diskussion mit andern (praktischer Sinn der Diskussion ist hier in erster Linie die Konkordanz, in welcher sich die Beteiligten auf eine von allen gutgeheißene mittlere Gremiumsmeinung einigen) beeinflußt ist. Somit gelten für den in einer Organisation Tätigen organisationseigene Willensmomente, denen er sich einerseits unterordnet, die aber anderseits seine Aktionsfähigkeit steigern, — damit wird in seinem Denken, Wollen und Tun das Nurindividuelle von Kollektivem überlagert (von Kollektivem, das in größeren Organisationen zunächst in Spezialorganen festgelegt wird, darnach aber zu Auffassung und Willen des Organisationsganzen wird). Auch die staatsaktive und insbesondere politische Geistesmenschlichkeit, wiewohl ihr Ziel das hohe geistige Sein von Einzelnen ist, muß, da sie der Unterstützung durch Organisationen bedarf, diese Tendenz zum Kollektivwesen hinnehmen, ja bewußt in Dienst nehmen.

In der modernen Gesellschaft gibt es sehr viele Arten von Organisationen, verschieden nach Rechtsform (Organisation nach privatem oder öffentlichem Recht; der zweite Typus ist derjenige des Staates und der meisten staatlichen Unter- und Sonderorganisationen), Größe (Kriterien sind etwa der Mitgliederbestand, der geographische Wirkungsraum, die Anzahl von Gliedorganisationen, z.B. regionalen und lokalen Sektionen, das organisationseigene Kapital, der Geschäftsumsatz und der Mitarbeiterbestand), Arbeitsgebiet (Wirtschaft, Politik, Verwaltung, Rechtswesen, Erziehungswesen, Kultur im engeren, auf das nicht-praktische Geistige beschränkten Sinne — Kunst, Religion, Philosophie, Geisteswissenschaften, usw.), Dauer (vom für eine kurzfristige Aufgabe errichteten Unternehmungenkonsortium bis zu Staat und Kirche, die der Idee nach unbeschränkte Dauer haben). Welche sind für die Staatsaktivität die wichtigsten? Welche für die Politik? Welche für die staatsaktive Geistigkeit und, enger gefaßt, für die staatsaktive Geistesmenschlichkeit? Welche insbesondere für die politische Geistigkeit und, wiederum spezieller gefaßt, für die politische Geistesmenschlichkeit? Diese Fragen sind auf zwei Überlegungsebenen zu beantworten, nämlich erstens auf der den Organisationstypus betreffenden: einige Typen sind staatsaktivitätsnah, andere staatsaktivitätsfern, unter den ersteren einige politiknah, andere politikfern (zumindest -ferner als die -nahen), und zweitens auf derjenigen des Organisationsinteresses, das je nach der gegebenen und damit allenfalls je nach der neuentstandenen Situation staatliches Handeln und darauf gerichtete Politik als dringlich oder aber nichtdringlich erscheinen läßt, — wobei beim staatsaktivitäts- und insbesondere beim politiknahen Typus und beim starken Interesse am Staatshandeln die spiritualen Zielinhalte von den übrigen zu unterscheiden sind: herauszuheben sind die Organisationen, die nach Typus oder Interesse ein spiritualpolitisches Verwirklichen als ihre aktuell-konkrete Aufgabe verstehen. Trifft das letztere zu, so handelt die Organisation vielleicht aus einer Ideologie oder kann für sie erwünscht sein, ihr Handeln ideenhaft zu begründen und zu umschreiben: allenfalls muß die politische Geistesmenschlichkeit sie auf die spirituale Ideologie hinweisen.

2.18 Institution ist hier verstanden als die — in der Form begriffliche und im Inhalt abstrakte — Normgestalt von nach Wesen und tatsächlichem Sosein typisiertem, zumeist Dauerbestand habendem (so: Ehe, Handelsgesellschaft, Staat, Regierung, Kirche, Recht), mitunter aber rasch überholtem (so: Kaufvertrag, Schenkung, Parlamentswahl, Volksabstimmung, Regierungsbeschluß, je als normiertes Einzelereignis) Sozialem, somit als auf dieses anzuwendendes Richtigkeitsschema, anzuwenden allgemein bei Aufbau oder praktischer Ausführung und insbesondere in Zweifels- und Streitfällen. Mit Organisation ist Institution dadurch verbunden, daß sie die Strukturen und Tätigkeitsweisen der Organisation vorschreibt, und dies in der modernen Kultur vorwiegend durch juristisch-rationale Vorschrift (immerhin gibt es auch jetzt noch manches Institutionelle, das nicht juristisch festgelegt ist, so in Ehe, Familie, Verein, Religionsgemeinschaft, Wirtschaftsunternehmung); wer eine Organisation aufbauen oder in ihr wirken will, muß sich unter die für sie geltende Institution stellen, — immerhin kann sein Bemühen auch dahin gehen, daß die letztere zunächst umgebildet oder daß eine neue Institution geschaffen wird. Viele Institutionen betreffen jedoch nicht Organisationen, sondern andere zu normierende Tatbestände der Gesellschaft, vor allem die Rechte des Einzelnen gegenüber Staat, Kirche, privaten Organisationen und andern Einzelnen, Vertragsfreiheit und -pflichten, usw.

Aus dem abstrakten Wesen der Institution ergibt sich, daß sie nicht Subjekt von konkretem Handeln, also auch nicht von staatsaktiver Geistigkeit und insbesondere von politischer Geistesmenschlichkeit, die inhaltlich konkret bestimmt sind, sein kann; solche Subjekte sind nur die Einzelnen (entweder ichhaft oder als Angehörige von Gruppen oder Gesamtheiten wirhaft handelnd) und die Organisationen. Trotzdem gibt es Institutionen, die als Träger politischer Geistesmenschlichkeit bezeichnet werden dürfen, dies freilich nur in formalem und abstraktem Sinne: Institutionen, die Normgestalt für Soziales sind, in welchem Spirituales konkret zum Ziel gesetzt und verwirklicht werden kann; ihre Trägerqualität besteht darin, daß sie in Richtung auf das von der politischen Geistesmenschlichkeit gewollte Konkrete (das seinerseits vielleicht wichtiges Endergebnis, vielleicht aber nur ein mehr oder weniger nützliches Zwischenergebnis ist) ein normierendes Vor-Festgelegtes ist, — die tatsächlichen Bedingungen des sozialen Verwirklichens verlangen solche vorbereitend das Konkrete übergreifenden Festlegungen. Wegen dieses Vor-Festlegens wird sich die spirituale Ideologie in erster Linie um die ihr gemäße Gestaltung der Institutionen bemühen, denn sind die Institutionen zielgerecht gestaltet, so haben die Verwirklicher ein festes Rahmenwerk für die Durchsetzung ihrer auf das Konkret-Materiale gehenden Absichten.

2.19 Für die staatsaktive Geistigkeit und auch die politische Geistesmenschlichkeit vor allem wichtig sind die staatlichen Organisationen und damit die sie vor-festlegenden öffentlichrechtlichen Institutionen, »staatlich« im weitesten Sinne aufgefaßt, das heißt sich auf alle Teilbereiche und Schichten der Hoheitsordnung, welche das Wesen des Staates ausmacht, erstreckend: Zentralstaat, Gliedstaat, Provinz oder Departement, Bezirk, Gemeinde und Gemeindeverband, je aufgeteilt in willensbildende Volksvertretung (soweit bestehend), leitende Behörde, ausführende Behörden, Gerichte, autonome Körperschaften (das Wesensmerkmal »öffentlichrechtlich« reicht meistens für die Bestimmung aus; jedoch gibt es auch Staatliches in privatrechtlicher Form, etwa Verkehrsaktiengesellschaft in Staatsbesitz, im autoritären Staat die Staatspartei oder –gewerkschaft in Vereinsform). Nach Funktion und Stellung der verschiedenen Behörden und Körperschaften und, innerhalb dieser, nach Auftrag und Befugnis der einzelnen Beauftragten hat die staatsaktive Geistigkeit eine Fülle inhaltlich besonderer und damit voneinander verschiedener Wirkungsfelder; für jedes dieser Felder ist staatlicher Wille maßgebend und dieser ist, staatlich institutionalisiert und organisiert, von den zuständigen Instanzen zu fassen und also durch politische Geistigkeit und insbesondere Geistesmenschlichkeit beeinflußbar. Allerdings sind im Staate viele Funktionsbereiche ohne direkten oder einigermaßen deutlichen indirekten Bezug zu Geistigem, — wenn auch letztlich alles mit Geistigem in Zusammenhang steht: so wirken sich etwa die Leistungen und Unterlassungen im staatlichen Gesundheitswesen auf die geistigen Möglichkeiten der Bevölkerung aus, aber das läßt sich nur allgemein feststellen und die spirituale Politik könnte dazu nur Prinzipielles fordern (so: Gesundheitsschutz und Förderung als grundsätzliche Staatsaufgabe, höchster wissenschaftlicher und administrativer Stand der damit betrauten Behörden); die politische Geistesmenschlichkeit muß sich darum für ihre praktische Arbeit zunächst darüber klarwerden, auf welchen Sondergebieten des Staatlichen das Spirituale nach seinem inneren Wesen am ehesten aufgebaut werden kann und darum bevorzugt anzustreben ist.

Die staatliche Willensbildung erfolgt in den zuständigen Behörden oder durch befugte einzelne Funktionsträger. Spirituale Ziele werden hiebei gutgeheißen, übernommen oder gesetzt: erstens aus von vornherein gegebener persönlicher Überzeugung eines Einzelnen oder einer Gruppe, zweitens gemäß den allgemeineren Richtlinien, die für die Sonderentscheidungen verbindlich sind, drittens aus Kompromiß und Konkordanz nach sachlicher und vielleicht ideologischer Auseinandersetzung im Entscheidungsgremium, viertens unter dem Einfluß von Auffassungen, die im Parlament und in den Meinungsmedien vertreten werden und in der Öffentlichkeit einigen Rückhalt haben. Somit muß die politische Geistesmenschlichkeit in zwei verschiedenen Bereichen zu wirken und auch Macht zu erlangen trachten: in demjenigen der für das Spirituale zuständigen Behörden und in demjenigen der auf diese einwirkenden außerstaatlichen Organisationen, das heißt im einzelnen der Parteien, Verbände, Institute, Medienorganisationen, auch der Kirche, sofern sie geistigkeitliche Ziele der befürworteten Art aufzunehmen veranlaßt werden können. In der Staatspraxis sind die beiden Bereiche jedoch dadurch verbunden, daß erstens die Auffassungen und Forderungen der außerstaatlichen Organisationen im Parlament, also im der demokratischen Staatsidee nach obersten Staatsorgan geltend gemacht werden und zweitens die verschiedenen Ideen- und Interessenlager in die Behörden ihre Vertreter entsenden. — Allerdings werden die großen Parteien, Verbände und Medienorganisationen kaum je geneigt sein, sich für ein ausgeprägt spirituales Ziel, zumal unter ausdrücklich anerkannter spiritualer Ideologie, zu engagieren. Für die politische Geistesmenschlichkeit ergeben sich hieraus zwei praktische Folgerungen: erstens sollten Großorganisationen nur dafür gewonnen werden, in dem, was ohnehin auf ihrer Interessenlinie liegt, dasjenige bevorzugt zu behandeln, was vom spiritualen Standpunkt aus dringlich ist, und dabei die spiritualen Postulate wenigstens sekundär zu berücksichtigen (Beispiel: wird wirtschaftlich-technischer Aufbau befürwortet, so betrifft ein Sonderpostulat die entsprechende Reform des Schulwesens; auf diese muß die politische Geistesmenschlichkeit abzielen und dabei auch auf die Eigenwerte der anspruchsvollen Schulung hinweisen); zweitens sollte das Theoretisch-Gesamthafte der Thesen der politischen Geistesmenschlichkeit, insbesondere die spirituale Ideologie, von kleinen, ideenhaft spezialisierten Organisationen ausgearbeitet und in die Öffentlichkeit gebracht werden, wahrscheinlich eher von Instituten und Ideenzentren als von Parteien und Verbänden (Beispiel: Fabian Society) und eher von Zeitschriften als von großen Zeitungen und Rundfunkdiensten, beides in der Hoffnung, daß mit der Zeit die großen und mächtigen Organisationen wenigstens in Sekundärem beeinflußt werden können, vielleicht aber auch einige im Staate Entscheidungsbefugte direkt.

Wieweit den Parteien, Verbänden und Medien eine freie Einflußnahme auf den Staat tatsächlich möglich ist, hängt immer auch von den gegebenen Institutionen ab und damit von den die Bildung und Tätigkeit solcher Organisationen regelnden — vor allem: erlaubenden oder verbietenden — Rechtsvorschriften; zu unterscheiden sind in dieser Hinsicht der voll freiheitliche, der beschränkt freiheitliche und der unfreiheitliche Staat: Organisationen und Medien können im ersten nach dem freien Gutfinden der Interessierten arbeiten (unter Wahrung der öffentlichen Ordnung), im zweiten beschränkt auf einen durch die bestehenden und anzuerkennenden Strukturen festgelegten Diskussionsraum, im dritten auf die Vertretung der Auffassungen der Mächtigen festgelegt. Unter jedem dieser drei Typen ist geistigkeitliche und insbesondere von Geistesmenschlichkeit bestimmte Politik möglich (auch im dritten: Politik, gerichtet auf Geistiges im Zusammenhang mit geforderter Leistung oder vorgeschriebener Ideologie, was den Inhaltsraum mehr oder weniger stark einschränkt), — in voller Vielfalt und für jegliches Neue offen aber nur unter dem ersten, und daraus erweist sich die volle Freiheitlichkeit des Staates mit Bezug auf Parteien, Verbände und Medien als Hauptpostulat der spiritualen Ideologie.

2.2 *Träger der theoretisch-politischen Geistesmenschlichkeit*

2.21 Die politischen Probleme und damit die in der politischen Diskussion zu prüfenden Themen ergeben sich einerseits aus mehr oder weniger drängendem Sozial-Konkretem, aus Tatsachen und Entwicklungen, die spezielle Bedürfnisse scharf bewußt werden und entsprechende Forderungen entstehen lassen, anderseits aus allgemeinen Ideen über die Wirklichkeit von Gesellschaft, Staat und Kultur und über das in ihnen zu erstrebende Richtige. Dabei kann vom vorwiegend praktischen und aktuellen Speziellen auf Allgemeineres geschlossen oder wenigstens auf es hin überlegt werden, Allgemeineres, das seinem begrifflichen Wesen nach eher theoretisch und über-aktuell (also langzeitliche Geltung beanspruchend) ist; in umgekehrter Richtung sind Folgerungen zu ziehen vom Allgemeinen auf Spezielles und vom Theoretischen auf Praktisches, damit vom Überaktuellen zum Aktuellen. Hieraus erweist sich das Theoretisch-Allgemeine als für das politische Denken zweifach wichtig: als für das Praktisch-Spezielle grundlegend und als die Gesamtheit des Alltags- und Praxisnahen übergreifend, wobei das, was jetzt theoretische Grundlage ist, das Übergreifende von früherem Praktischen sein, und das, was jetzt übergreifend ist, zu einer zukünftigen Grundlage werden kann (so: das jetzige theoretische Toleranzprinzip ist auch das gesamthafte Denkergebnis aus vielen früheren Auseinandersetzungen; aus den jetzigen Einsichten in Wesen und Nachteile der Industriearbeit läßt sich vielleicht Theoretisches ableiten, das in die für die zukünftige Sozialpolitik grundlegenden Prinzipien einzubeziehen ist). Theoretisches Denken ist somit in der Politik zweifach geboten: an sich, aus der Unentbehrlichkeit der grundlegenden Theorie für die Praxis — und als zusammenfassende Beschreibung und Deutung des Aktuell-Praktischen; das verlangt, daß zwei Fehler vermieden werden, nämlich die Theorielosigkeit und die Theoriestarrheit. Ebenso klar sind aber auch die Unentbehrlichkeit und in manchem der Vorrang des Praktischen: als An-sich-Wichtigen, weil in der Gesellschaft auch abseits aller Theorie zahlreiche dringende Bedürfnisse zu befriedigen sind, und als Verwirklichung der theoretischen Postulate, zu deren abstraktem Wesen auch gehört, daß ihr Zielgehalt praktische Konkretheit erlangen soll.

Diese Überlegungen gehen auf die Politik im allgemeinen und auf die geistigkeitliche, geistesmenschlichkeitliche (»spirituale«) Politik im besondern. Für die letztere haben sie starkes Gewicht daraus, daß die Auffassung, wonach das Geistige, zumal das Geistesmenschliche, Wesen von zielhaftem Menschsein sei, in menschseins- und lebensphilosophischer Theorie begründet ist und die, unvermeidlicherweise in theoretischem Denken zu leistende, Überführung in Gesellschafts-, Staats- und Kulturtheorie verlangt, — Gewicht aber anderseits auch daraus, daß diese Theorie unter, theoretisch begründetem, praktischem Sinn steht und dieser die konkrete Verwirklichung von mit Allgemeinanspruch vertretenen Zielen zum Inhalt hat. Die Theorie von der spiritualen Politik ist damit unter vier Gesichtspunkte zu stellen: erstens ist sie als abstraktes Gedankensystem begrifflich klar und in ausreichender Differenziertheit durchzubilden, zweitens ist sie auf die jetzige oder nahzukünftige Verwirklichung ihrer gesamthaften wie ihrer speziellen Inhalte hin zu formulieren, drittens ist sie immer wieder von den Durchführungserfahrungen her zu prüfen und viertens soll sie die in der Gegenwartskultur neuentstehenden Bedürfnisse und Möglichkeiten als Aufforderung zu neuem theoretischem Einsichtgewinnen und Zielsetzen verstehen. Diese vier Postulate lassen erkennen, daß in solcher Theorie die Ziele zentral sind, — aber richtige Aussagen über Ziele setzen richtige Wesensauffassung voraus, und zwar hier Einsicht in Wesen und Möglichkeiten einerseits des Menschen als Individuums und Person, anderseits der Gesellschaft, des Staates und der Kultur als Gesamtheitlichen (wobei die Beziehungen und Wechselwirkungen zwischen den beiden Bereichen zu berücksichtigen sind).

2.22 Wer sind die Schöpfer der spiritualen Theorie als des die geistesmenschlichkeitlichen Ideen und Ziele gesamthaft beschreibenden Gedankensystems? In ihrer Endfassung ist sie von Theoretikern auszuarbeiten, wahrscheinlich am ehesten von Philosophen, und zwar von Menschseinsphilosophen, welche ihre tiefdringende Kenntnis des Menschlichen mit auf das richtige, beste Menschsein gehendem Gestaltenwollen verbinden, was denkpraktich die fachliche Vereinigung von Individual- und Sozialphilosophie bedeutet. Die für die Lehre grundlegenden Zielvorstellungen können aus dem eigenen Denken des sie Schaffenden stammen: dann hat das Theoriebilden als Vorstufe die, rationale oder erlebens- und gefühlshafte, Vergegenwärtigung und Hochwertung des Geistigen überhaupt oder von speziellerem Geistigem. Vielleicht aber wird der spirituale Theorieinhalt von außen übernommen: aus anderer Philosophie, aus der Religion, aus Klassen- oder Standeseinstellung, aus den Ideen führender Wissenschaftler, Politiker, Wirtschaftler, aus direkter Beobachtung menschlicher Situation und Möglichkeit; verlangt wäre in jedem Fall, daß ein geistiges Sein oder das geistige Sein allgemein als selbstzweckhaft und damit zielhaft gesehen wird.

Zu überlegen ist zunächst, ob und in welchem Ausmaß in der modernen Kultur geistigkeitliche Ideen oder Vorstellungen außerhalb der Philosophie gegeben sind und als so wichtig erfahren werden, daß sie eine spirituale, zumal eine politisch-spirituale Philosophie zu begründen vermögen. Religion: zwar ist ihre Bedeutung und Macht in der modernen, stärkst diesseitsbezogenen Kultur geschwächt, aber das schließt nicht aus, daß altes Religiös-Spirituales wiederaufgenommen und von der modernen Weltsicht her neugefaßt wird; zumal die christliche Auffassung vom Höchstrang der Teilhabe an Gott erlaubt solche Zuwendung zu modern-überzeugender Zielvorstellung: es braucht nur die Teilhabe am personalen Gott in Teilhabe an nichtpersonalem (von der Gottespersonalität aus entweder unter- oder aber überpersonalem) Göttlichen umgebildet zu werden, denn das unpersonale Göttliche wäre ein Unpersonal-Geistiges und die Teilhabe an ihm bedeutete Eingehen auf höchststufiges Sosein innerhalb des Realen (die Abwendung vom Altreligiösen und insbesondere von den jenseits- und gottbezogenen Glaubenszielen muß nicht notwendigerweise zum praktischen Materialismus oder zum Nihilismus, sondern kann zu säkularisiert-modernem praktischem Spiritualismus, als geistigkeitlichem Streben und Sichverwirklichen streng innerhalb der irdischen Möglichkeiten, führen, aber gerade bei dieser Säkularisierung des Spiritualen kann die Erhaltung, ja die Neubelebung des religiösen Impulses sehr erwünscht sein), — ähnliche Umbildung von Alt- zu Neureligiösem ist natürlich auch in nichtchristlicher Religion denkbar und von den Geistesmenschlichkeitsauffassungen aus zu befürworten (vor allem im Islam, im

Hinduismus, im Buddhismus). Klassen- und Standeseinstellung: der Philosoph oder Ideentheoretiker gehört selbst einer Klasse, einem Stand an und damit einer durch besondere Auffassungen, Werte und Ziele gekennzeichneten und geprägten Sozialschicht, er kann sich aber auch von sich aus, sich von seiner Herkunft mehr oder weniger deutlich lösend, einer Sozialschicht zuwenden: hier wie dort wird er zu seinem eigenen, selbständigen Denken durch Gesellschaftlich-Gegebenes angeregt, sei es durch altes, seit langem bekanntes (etwa traditionelle Auffassungen des Bildungsbürgertums, der mittelständischen Schichten, der Industriearbeiter), sei es durch neuentstandenes (etwa Einstellungen der mit modernen Methoden arbeitenden Landwirte, der in Großbetrieben tätigen Kaderleute, der Forschungs- und Entwicklungsspezialisten, der Hobbyinteressierten, der Pensionierten), — sein theoretisches Denken wird dadurch realitätsnäher und oft auch aktueller, als wenn er es innerhalb des Nurphilosophischen hielte. Ideen führender Wissenschaftler, Politiker, Wirtschaftler und Techniker: solche Führende sind auf ihrem Leistungsgebiet besonders kenntnisreich, dazu begabt, neue Situationen intuitiv zu erfassen und schöpferisch zu nutzen, vielleicht auch neue individuelle und kollektive Verwirklichungen zu postulieren (all dies etwa im Zusammenhang mit der Einführung, der Organisation und dem Betrieb der modernen Informationsmedien), — ihre Ideen ins theoretisch-spirituale Denken einzubeziehen macht dieses ebenfalls realitätsnäher und aktueller. Direkte Beobachtung menschlicher Situation und Möglichkeit: hier steht der Theoriebildner dem Menschlichen immer auch in realistischer Sachlichkeit gegenüber, er erkennt, wahrscheinlich in der Grundeinstellung eines Kulturwissenschaftlers, was für die Menschen, die er beobachtet, möglich und was unmöglich, auch was innerhalb des Möglichen leicht oder aber schwierig ist, — und eben dieses Reale wird er als ein Aktuellwichtiges in die aufzustellenden spiritualen Thesen einbeziehen (direkt beobachtet werden müssen insbesondere die Werke und Darbietungen der zeitgenössischen Kunst: oft wird durch sie ein neues Menschliches am frühesten einsehbar). — Schließlich die Übernahme aus anderer Philosophie: jeder Philosophierende knüpft an andere Denker an — fruchtbarst wird seine Arbeit nur dadurch, daß die Vorleistung anderer sie zu Richtigkeit höheren Ranges bringt.

Aber ist denn der spirituale Theorieinhalt nicht bereits durch die Qualität »spiritual« (hier als »geistesmenschlichkeitlich« zu verdeutlichen) klar umschrieben? Für Typus und Allgemeinwesen trifft das zu; ja es hat auch politischen Sinn, ganz abstrakt das Spirituale als Sozial- und Politikziel zu bezeichnen und das lediglich dahin zu konkretisieren, daß in der Gesellschaft auch das geistesmenschliche Sein, nämlich das Sein, in welchem geistige Verwirklichung selbstzweckhaft ist und Haupterfüllung bildet, und also durch den Staat das dieses letztlich subjektive Geistige sozial objektivierende und ihm wiederum dienende Kulturobjektiv-Geistige zu fördern sei. Jedoch hat die spirituale Theorie eine politische Aufgabe: was sie lehrt, soll in Staatshandeln und durch dieses in gesellschaftliche — ihrerseits Individual-Geistiges ermöglichende, vorbereitende und unterstützende — Wirklichkeit übergeführt werden: darum ist immer auch, und zwar in der richtigen Verbindung von Abstraktem und Konkretem, das festzuhalten, was, kulturbedingt, in aktuellem Staatshandeln verwirklicht werden kann und soll, somit allenfalls in die zu postulierende Politik aufzunehmen ist; die allgemeinen Aussagen und Ansprüche sind so durch gegenwartsbedingte, aktuell-besondere zu ergänzen, — anderseits müssen diese immer wieder in ihrem Bezug aufs Allgemeine und Langzeitliche gesehen werden.

2.23 Staats- und politikphilosophische Lehre muß, wenn sie im Staat oder auf den Staat hin praktisch wirksam werden soll, die Ableitung von konkreten Postulaten erlauben; ist diese schwierig, so kann es nötig werden, die philosophische Lehre so zu vereinfachen, daß sie für die Praktiker und Praxisnah-Postulierenden leichter einzusehen und anzuwenden ist: das ist der allgemeine Sinn der Ideologie, und er ist auch im Zusammenhang mit der spiritualen Staats- und Politiktheorie zu beachten. In der Tat ist die Aussage, daß das Geistige allgemein und das Geistesmenschliche im besondern Ziel des Menschen, damit auch von Gesellschaft und Kultur, noch enger gefaßt von Staat und Politik sein solle, zunächst so allgemein, daß es politisch-praktisch jedenfalls nicht unmittelbar anwendbar ist; verlangt ist hieraus eine dreischichtige Konkretisierung: erstens die praxisnähere Fassung der philosophischen Aussagen als solcher (zumindest sind diese aus der philosophischen Sprache in eine politik- und auch alltagsnähere zu übertragen, auch ist auf philosophisch interessante und sogar wichtige, aber praktisch nebensächliche Differenzierungen und Relativierungen zu verzichten), zweitens die Herausarbeitung der sozialwichtigen Inhalte und ihre Abhebung von den nur oder überwiegend individualwichtigen, drittens die Aufstellung von praxisnahen Thesen zur staatspraktischen Verwirklichung und politischen Vertretung dieses Sozialwichtigen (die Verfahrensseite ist in der philosophischen Theorie oft zweitrangig). Für die spirituale Ideologie ist hieraus zu verlangen: erstens die alltagsnahe Fassung des Geistigen und Geistesmenschlichen, der Geistigkeit und Geistesmenschlichkeit, zweitens die Klärung der sozialen und insbesondere politischen Bezüge dieser Inhaltskomplexe und die realistische Feststellung des entweder an sich geistigen oder wichtigem Geistigem dienenden Sozialen, drittens die Postulierung von Verfahren und Mitteln in Hinsicht auf das gesellschaftliche Spirituale.

Solcherweise ideologisch zu fassen ist vor allem die allgemeinere spirituale Theorie, denn in ihr sind wahrscheinlich Begrifflichkeit und Alltagsferne stark ausgeprägt: das Ergebnis dieses Denkens ist die allgemeine spirituale Ideologie oder die allgemeine Spiritualideologie. Aber gibt es da nur ein Ergebnis, — sind nicht vielleicht mehrere möglich, die in wesentlichen Inhalten und zudem in der Form verschieden sein werden? Wahrscheinlich trifft das zweite zu, schon darum, weil der Gang des Ideologiebildens nicht aus Sachzwang eindeutig vorgeschrieben ist, sondern immer auch im Ermessen des Ideologieschaffenden liegt: er ist es, der herausfühlt, welches Teilwesen des Abstraktgeistigen sich für die Konkretisierung am besten eignet und welchen Bedürfnissen der Einzelnen und Gesamtheiten die größere Alltagsnähe dienen soll; er sieht sich mehreren Möglichkeiten, soziales Spirituales als Ziel von Politik und Staatshandeln zu verstehen und zu befürworten, gegenüber und muß sich für eine von ihnen entscheiden; er erkennt mehrere mögliche Weisen, das ausgewählte Spirituale zu verwirklichen, und muß einer den Vorzug geben. So mag der eine der Religion, der andere dem Wissenschaftlich-Rationalen, der eine dem Traditionellen, der andere dem Modernen und sogar Modernistischen, der dritte dem vorsichtig und maßvoll reformierten Überlieferten, der eine der betrachtenden Erfüllung (und sie wiederum religiös oder wissenschaftlich-rational und in beidem traditionalistisch, reformistisch oder modernistisch verstanden), der andere der Leistung (mit gleicher Differenzierungsmöglichkeit), der dritte dem In-der-Gemeinschaft-Sinnfinden (es gibt da viele Typen der sinngebenden Gemeinschaft) den Vorzug geben; es mag der eine es wichtigst halten, den Einzelnen, Gruppen, Gesamtheiten und Organisationen möglichst vollständige Freiheit der Zielwahl und -verwirklichung zu verschaffen, der andere, das befürwortete Hohe, und sei es das Geistige, ja Geistesmenschliche, durch den Staat vorzuschreiben oder wenigstens paternalistisch zu lenken; es mag, was schließlich das Verfahren anbelangt, der eine sich für Belehrung und Propaganda, der zweite für organisatorische und finanzielle Unterstützung des Dem-Geistigen-Dienenden, der dritte für allgemeine und gesamthafte Wohlstandsförderung einsetzen. Diese Beispiele zeigen, daß sich aus der einen und gleichen spiritualtheoretischen Lehre mehrere, ja viele spirituale Ideologien ableiten lassen, und das heißt, da auch die Ideologie noch ein Ganzes von allgemeinen (nämlich auf viele mögliche Einzelsituationen anzuwendenden) Ideen und Thesen, also ebenfalls theoretisch ist, daß sich hier die geistig-aktive Trägerschaft der theoretisch-politischen Geistesmenschlichkeit erheblich erweitern kann.

Die realitätsnäheren, das heißt mehr auf die im gesellschaftlichen Hier-und-Jetzt gestellten spiritualen Probleme (die sich jedoch am besten von der allgemein-spiritualen philosophischen Lehre aus erkennen lassen) gehenden spiritualen Theorien sind ebenfalls ins Ideologische zu übertragen und so zu größerer und gesicherterer Wirkungskraft zu bringen; gerade weil die vertretenen Ziele und Verfahren einigermaßen aktuell sind, müssen sie so vereinfacht werden, daß sie die Öffentlichkeit, genauer: die Wähler, beeinflussen können, zumindest aber den Politikern und den Staats-, Partei- und Verbandsfunktionären einleuchten. Vielleicht aber gehen Wirkungen auch in umgekehrter Richtung, nämlich von den Wählern und insbesondere den Politikern und Funktionären zu den philosophierenden Theorieschöpfern, denn was diese in ihre spezielle Lehre einbringen, haben sie wahrscheinlich selbst erfahren oder beobachtet, und da geben die Sorgen und Interessen der verschiedenen Bevölkerungsschichten und die Auffassungen der Praktiker mancherlei Hinweis. Und hier mag die Ideologie gegenüber der Philosophie bestimmend werden: Ideologie, die populären Anspruch einigermaßen robust in eine politisch anwendbare Lehre kleidet, Anspruch vielleicht spiritualen Wesens wie etwa auf Freiheit der politischen Diskussion, auf »Demokratisierung« der Kultur, auf Gleichheit der Bildungs- und Leistungschancen; da auch die Ideologie theoretisch (freilich nicht philosophisch-theoretisch) ist, kann in solchem Fall der Ausarbeiter einer spirituale Ansprüche formulierenden Ideologie zum selbständigen Träger theoretisch-politischer Geistesmenschlichkeit werden.

2.24 Die allgemeingefaßten und großenteils abstrakten Ideen der spiritual-politischen Philosophie und Ideologie haben den Sinn, in spezielle und konkrete Sozialwirklichkeit übergeführt zu werden, — aber auf dem Wege dahin gelangen sie auf eine dritte Stufe, auf der sie ihre theoretische Form behalten müssen: auf diejenige der Verbreitung der Grundsatzauffassungen, also der publizistischen und lehrenden Darlegung. Es geht hier darum, die Ideen als solche, in ihrer Allgemeinheit und Abstraktheit, den Leuten nahezubringen, die sie in ihrem praktischen Fürrichtighalten, Zielhaben, Werten, Wollen und Tun speziell und konkret anwenden werden, was, soll es in geistiger Überlegenheit geschehen, voraussetzt, daß sie sich immer wieder aufs Prinzipielle besinnen können (freilich genügt auch das nicht, wenn höchstrangige Überlegenheit werden soll: dann ist Offenheit auch den Prinzipien gegenüber gefordert, zunächst Offenheit gegenüber den verschiedenen unter der einen gleichen Spiritualphilosophie ausgebildeten Ideologien, dann aber auch Offenheit gegenüber den politischen Philosophien, spiritualen und andern). Praktisch bedeutet das, daß die auf diesem Themenfeld tätigen Publizisten, Journalisten und Lehrer zumindest für sich persönlich, innerhalb ihres eigenen Denkens, der theoretisch-politischen geistigkeitlichen und geistesmenschlichkeitlichen Prinzipien bewußt sind, aus ihnen urteilen und Neues suchen, von ihnen aus das Spezielle und Aktuelle beleuchten und es betreffende Anwendungsthesen aufstellen, — jedoch auch von neuerkanntem und -erfahrenem Besonderem und Konkretem aus das übernommene Prinzipielle prüfen, in der Ideologiekritik und sogar in der Philosophiekritik denkerisch aktiv werden, damit auch, und sei es nur persönlich, die gutgeheißene Ideologie oder Philosophie fortbilden (aber vollen Wert erhält das nur daraus, daß sie mit den in der Lehregestaltung Tätigen in Diskussion treten und von ihnen Offenheit für neue Gesichtspunkte verlangen); nur wenn das Grundsätzliche ständig Gegenstand solcher persönlich-geistiger Bemühung ist, kann es die ständig fließende innere Energie anregen, deren die Veröffentlicher und Lehrer spiritualpolitischer Theorie bedürfen, um dieser in der Öffentlichkeit und bei den Schülern die Beachtung zu verschaffen, die ihrerseits zu einer den weiteren Aufbau des Geistigen fördernden Kraft werden kann und soll.

Der Theorievertreter mag sein Veröffentlichen oder Lehren für erfolgsreichst halten, wenn es der vertretenen Philosophie oder Ideologie überzeugte Anhänger, vielleicht in großer Anzahl, gewinnt; zwischen den Verbreitern verschiedener, auch innerhalb des gemeinsamen allgemeinen Spiritualpolitischen verschiedener, Ideen und zwischen den diese aufnehmenden Einstellungsgesamtheiten können hieraus starke und tiefe Meinungsverschiedenheiten entstehen (die ihrerseits auf die Überzeugtheit zurückwirken können: Meinungserstarrung aus Meinungsfeindschaft). Zum Teil prägt sich darin geistige Vielfalt aus, die zum Wesen der modernen Kultur gehört und in sich wertvoll ist (weil das moderne Geistige so viele Inhalte und Formen haben kann, daß es als Ganzes die Fähigkeiten des Einzelnen bei weitem überfordert: da alle geistigen Inhalte und Formen sinnvoll sind und darum im Interesse des geistigen Reichtums der Kultur verwirklicht werden sollen, müssen die einzelnen Verwirklicher und die sie vereinigenden Gesamtheiten sich auf je Besonderes beschränken), zum Teil aber verstößt es gegen die grundlegende und zugleich übergreifende Wesensgleichheit all der verschiedenen Arten des Geistigen und damit gegen die dessen Trägern auferlegte Pflicht zu Gleichgestimmtheit im Prinzipiellen und auch zu innerer, allgemein-geistigkeitlicher, im engeren Sinne: allgemein-geistesmenschlichkeitlicher, Gemeinsamkeit. Daraus ist in Hinsicht auf das Theorievertreten und das Selbstverständnis der Theorievertreter das inhaltliche Postulat abzuleiten, daß sie auch die abweichenden und gegnerischen spiritualen Auffassungen und sogar die nichtspiritualen als berechtigt anerkennen sollen, — sofern darin die allgemeine Menschlichkeit das verpflichtende Allgemeinstprinzip ist; jeder Theorievertreter müßte daraus auch Vertreter der philosophischen und ideologischen Offenheit, ja der Offenheits- und Freiheitsphilosophie und -ideologie sein.

2.25 Wieweit sind Gruppen, Gesamtheiten, Organisationen und, formal gesehen, Institutionen Träger theoretisch-politischer Geistesmenschlichkeit? Gruppen können es dadurch sein, daß sie entweder Einzelne, deren an sich individuelle theoretische Auffassung hier ins Gemeinschaftliche erweitert und aktiviert wird, vereinigen oder aber durch die besonderen Möglichkeiten der Gruppe die Gruppenangehörigen oder einige von ihnen zu neuer Theoriebildung oder -vertretung bringen. Gesamtheiten sind es vor allem dann, wenn in ihnen ein religiös- oder ideologisch-theoretischer Glaube das bestimmende, verpflichtende Geistige, das hier selbstbejahend, sichselbstsetzend sein muß, ist; philosophischer Glaube dieses Inhaltes ist wohl zu sehr Sache von Einzelnen und Gruppen, als daß er die zentrale Einstellung einer Gesamtheit (deren Mitglieder großenteils die geltenden Ansichten einfach übernehmen) werden könnte. Organisationen sind es dann, wenn sie von einem System abstrakter spiritual-politischer Ideen aus in Zweck und Leistung bestimmt sind, wobei praktisch wiederum religiöses und ideologisches Gedankengut vorherrschen, aber auch das philosophische erheblichen, und vielleicht in Zukunft stärker werden, Einfluß ausüben kann. Schließlich die Möglichkeit, daß Spiritualgesinnte die Bildung von Institutionen, unter welchen theoretisches Spiritualpolitisches weiter ausgebaut, gelehrt, verbreitet, auf Konkretes angewandt wird, für wichtig halten. — All dies läßt aber doch auch vermuten, daß zumindest die Theorieschaffung hauptsächlich bei ideenschöpferischen Einzelnen liegt. Und bei diesen gibt es verschiedenartige Beziehungen zu den ideenvertretenden Sozialgebilden, von Außenseitertum und Gemeinschaftsfremdheit bis zu Machtstellung in Großorganisation.

Zwischen den kollektiven Trägern der theoretisch-politischen Geistesmenschlichkeit bestehen vielfach Übereinstimmung, fördernder Einfluß, Zusammenwirken, aber auch Auffassungsverschiedenheit, Wettbewerb, Kampf, und Sieg, Niederlage, Kompromiß. So zwischen Gruppe und Gruppe: etwa in der Auseinandersetzung über Spirituales und in der sich daraus ergebenden gegenseitigen Beeinflussung; zwischen Gruppe und Gesamtheit: indem etwa die Gruppe ihre Ideen in der Gesamtheit verbreitet und anderseits in ihr Programm Gesamtheitsinteressen und -einstellungen einbezieht; zwischen Gruppe und Organisation: vielleicht schafft die Gruppe, um ihre autonom gefaßten Ideen zur Wirkung zu bringen, eine Organisation, vielleicht aber ist sie ideenbildend im Auftrag einer Organisation oder jedenfalls in Abhängigkeit von deren Auffassungen. Weiter zwischen Gesamtheit und Gesamtheit: indem sich die Mitglieder der einen Gesamtheit als mit einer andern Gesamtheit verbunden oder aber in Gegensatz befindlich erfahren und dadurch ihr Verhalten bestimmen lassen (was sich natürlich auf Einstellung und Verhalten der zweiten zur ersten Gesamtheit auswirkt und vielleicht Sympathie oder Antipathie wechselseitig steigert); zwischen Gesamtheit und Organisation: indem zur Vertretung und Verwirklichung von Gesamtheitsansprüchen eine Organisation geschaffen wird oder eine bereits bestehende sich dieser Interessen annimmt, oder indem eine Organisation von sich aus eine Gesamtheit zu beeinflussen, ja sogar eine das Organisationsprogramm aufnehmende Gesamtheit zu schaffen trachtet (auch eine unter Spiritualideen tätige Organisation könnte solches anstreben, eine ihrer praktischen Aufgaben wäre dann die Schaffung einer das Spirituale befürwortenden Gesamtheit). Schließlich zwischen Organisation und Organisation: indem die Leiter der einen Organisation in der andern entweder Gleichgestimmtheit oder Gegnerschaft erkennen und sich entsprechend einstellen, — aber überlegene Organisationsführung wird oft Gleichgerichtetheit für möglich halten, wo der weniger tiefdringende Beurteiler nur Gegensatz sieht.

Und dazu kommt das Bedingende oder Bestimmende der Institutionen: sind diese auch nur Fundament und Gerüst für das Wollen und Handeln vor allem der Sozialgebilde, aber auch der Einzelnen, so hängt doch von ihnen ab, welche Ziele und welche zielverwirklichenden Handlungen in der Gesellschaft vorgeschrieben, erlaubt oder aber verboten sind. Das kann auch die Theoriebildung und -vertretung betreffen: es gibt theorie- und insbesondere spiritualtheorie-freundliche, -neutrale und -feindliche Institutionen. Daß der erste Typus gefördert werde, kann eine konkrete Forderung der spiritualpolitischen Institutionentheorie werden, also auch der spiritualen Ideologie.

2.26 Die von den Theoretikern der Politik geschaffenen Ideen können in der Regel dadurch am besten wirksam werden, daß Partei- und Verbandspolitiker sie auch in ihrem theoretischen Gehalt aufnehmen und in Organisationswillen und -ziel einbilden: somit müßten für die theoretisch-politische Geistesmenschlichkeit unter diesen Politikpraktikern möglichst viele und möglichst einsatzfreudige Träger gefunden werden. Das hat aber die Schwierigkeit, daß der in einer Partei oder einem Verband Tätige sich in die betreffende Organisation einfügen und ihren Programmen und Zielen unterordnen muß, wenn er in ihr Einfluß gewinnen oder auch nur seine Stellung behaupten will; indem er in sie eintritt, verzichtet er auf manche Weise des Aktivwerdens, die ihm als völlig Selbstbestimmtem offenstünde, dafür hat er in ihr größere Erfolgsmöglichkeiten. Dieses Festgelegtwerden ist in den Parteien inhaltlich zum Teil, aber nicht in allem, anders als in den Verbänden, denn bei den ersten bezieht es sich auf Prinzipien, Thesen und Gesamtansprüche in bezug auf Staatsgestaltung und staatliche Einwirkung auf die Gesellschaft, je in ihrem Gesamtwesen gesehen, — bei den zweiten ist der Arbeitsbereich gewöhnlich enger gefaßt: er wird etwa durch die Interessen eines Wirtschaftszweiges oder einer Berufsgruppe oder durch die Sachprobleme eines speziellen Leistungsfeldes bestimmt und begrenzt. Der Parteipolitiker hat darum zumeist viel weitere politische Aufgaben als der Verbandsleiter oder -funktionär, und die Parteipolitik geht grundsätzlich aufs Ganze von Staat und Gesellschaft, die Verbandspolitik dagegen nur auf Sonderbereiche (eine Bauernpartei muß die ganze Gesellschaft zugunsten der Bauern beeinflussen, der Bauernverband hat Erfolg schon mit der Durchsetzung eines rein wirtschaftstechnischen Preisstützungsbegehrens). Vor allem im Verband, aber auch in der Partei wird selbst derjenige, der mit dem Organisationsprogramm von vornherein übereinstimmt und sich eben darum an dessen Verwirklichung beteiligt, seine eigenen Auffassungen nur beschränkt, sozusagen verdünnt, durchsetzen können; wahrscheinlich muß er taktieren, um wenigstens einiges zur Annahme zu bringen (aber das kann dem persönlich vertretenen Ziel besser dienen, als wenn er auf Vollständigkeit beharrte, — besser in der richtigen Richtung ein kleiner Schritt als ein verunmöglichter großer). — All das gilt auch für die praktische Leistung der politischen Geistesmenschlichkeit, und insbesondere für die Übernahme und Anwendung spiritualpolitischer Theorie. Es mag schon schwierig sein, daß einer auch nur für sich selbst, in seinem persönlichen Gedanklich-Teilhaben einer spiritualen Idee, gar einer spiritualpolitischen Theorie (das heißt einem philosophisch oder ideologisch durchgebildeten Ideensystem) zustimmt, denn das kann inneren, stillschweigenden Gegensatz zu den Partei- oder Verbandsideen bedeuten und die weitere Mitwirkung gefährden. Erst recht bedenklich wären in vielen Fällen das ausdrückliche Einstehen für die spiritualpolitische Lehre und die Absicht, sie in der Organisationsarbeit wirksam werden zu lassen: wer so handelt, riskiert, sich zum Sektierer zu stempeln und von den »Realisten« abzusondern. Aber diese negativen Momente schließen doch nicht aus, daß der in einer Organisation Aktive, ihrem Programm streng und in innerer Treue verpflichtet, hinter und über dem, was sie erstrebt, ein allgemeiner-menschliches Hohes erkennt: Hohes zunächst unter der Idee der allgemeinen Menschlichkeit und, innerhalb dieser, unter der Idee der allgemeinen Geistigkeit (Links-, Mitte- und Rechtspolitiker, Verbandsfunktionäre aller Sparten, sie können und dürfen sich überlegen, was die von ihnen vertretenen oder zu fördernden Menschen als höchsten Sinn des Menschseins anerkennen sollten). Und in diesem Überlegen mag er zu einer persönlichen Auffassung kommen, die von der in der Theorie bisher systematisierten (in einer Theorie oder im Ganzen der Geltung beanspruchenden Theorien) abweicht, wohl vor allem daraus, daß er in seiner konkreten politischen Arbeit Erfahrungen macht und Einsichten gewinnt, die für Theoretiker kaum zu erlangen sind (wer in einer Arbeiterpartei oder Gewerkschaft arbeitet, erkennt vielleicht neue Möglichkeiten, in Beruf und Freizeit Sinn zu finden, die nicht nur in der praktischen Sozialreform genützt werden sollten, sondern von denen aus der Theoretiker neue Allgemeinpostulate aufstellen kann, etwa in Hinsicht auf die Arbeitnehmer-Mitbestimmung in der Unternehmungsführung oder Leistungsautonomie von Kleingruppen innerhalb der Industriebetriebe); meistens wird der Theoretiker hiedurch eher zum Ausbau als zur

Umbildung des bisher vertretenen Prinzipiellen veranlaßt, doch regt mitunter gerade der Praktiker den Vorstoß zu neuer Theorie an, sei es auch nur so, daß mächtige Parteien oder Verbände angestellte Theoretiker damit beauftragen.

Sollen aber nicht Vertreter der spiritualpolitischen Theorie, um dieser Beachtung und Wirkung zu verschaffen, von sich aus einen Verband oder eine Partei oder wenigstens eine verbands- oder parteiähnliche Organisation gründen und so ihren theoretischen Forderungen praxisnähere Träger geben (denn jede solche Organisation müßte Leute heranziehen, die sich im politischen Alltag durchzusetzen wissen). Eine Großorganisation läßt sich da nach aller Wahrscheinlichkeit nicht aufbauen, weil das Spirituale in seiner theoretischen Fassung und auch in seinen aus der Theorie zu fordernden höchststufigen Verwirklichungen den meisten Staatsbürgern fernliegt und von ihm keine Massenbewegung ausgehen kann. Das abstrakt gefaßte Spirituale, zumal in modern-rationaler (nicht-mehr-religiöser) Ausprägung ist elitär, also unpopulär, es muß daraus um der Wirkung auf die Gesellschaft willen bewußt popularisiert, darum auf Aktuelles angewandt und entsprechend vereinfacht werden, — das aber geschieht am besten so, daß die bestehenden Parteien und Verbände in ihre Programme spirituale Momente aufnehmen. Praktischen Sinn hätte wohl eher die Schaffung von kleineren partei- oder verbandsähnlichen Organisationen, deren Aufgabe wäre, Großparteien und -verbände und auch die staatlichen Behörden von der allgemeinen Spiritualphilosophie oder -ideologie aus zu beeinflussen.

2.27 Das Handeln der Parteien und Verbände, auch der partei- oder verbandsähnlichen Organisationen (letztere sind zu definieren etwa als Kleinorganisationen, die ein Gesellschaft, Staat und Kultur betreffendes Ziel vertreten, aber nicht auf eine starke Öffentlichkeitsstellung hoffen können und darum als Spezialistengremien auf jene größeren Sozialgebilde einzuwirken suchen müssen, — Beispiele: politisch aktive Kleinorganisationen für Erziehungsreform, Umweltschutz, kulturelle Förderung einer sprachlichen Minderheit, Frühpensionierung), ist zu einem erheblichen oder sogar großen Teil auf die Gewinnung von Einfluß in Gesellschaft und Staat gerichtet, wobei die Öffentlichkeitsarbeit den Wahlerfolg und damit wiederum Einfluß im Staat, die Machtstellung im Staat dagegen den, bewahrenden oder umgestaltenden, Einfluß auf die Gesellschaft bezweckt. Für diese politische Aktivität ist ein Hauptfeld das Parlament: eine möglichst starke parlamentarische Stellung zu erringen und zu behaupten, möglichst wirkungsvolle parlamentarische Arbeit zu leisten und die eigenen Auffassungen zu Erfolg zu bringen ist in der freiheitlichen Demokratie ein oder sogar das Hauptziel des politischen Bemühens (anders dagegen im autoritäten Staat, zumal unter einem Diktaturregime: in ihnen wird der Kampf der Auffassungen und Forderungen, soweit er überhaupt möglich ist, außerhalb des Parlamentes geführt, durch Einflußnahme von Unternehmungen und Wirtschaftsverbänden auf die für ihre Sachprobleme zuständigen Behörden, durch Auseinandersetzung zwischen den Ministerien, — aber solches gibt es auch in der freiheitlichen Demokratie, als Aktion neben, unter oder über der parlamentarischen). Träger der politischen und insbesondere der theoretisch-politischen Geistesmenschlichkeit können ins Parlament eintreten, um ihre Prinzipien an dieser zentralen Stelle zur Geltung zu bringen; Parlamentarier können die, philosophische oder ideologische, geistesmenschlichkeitliche Politiktheorie übernehmen, sie im Ideenkampf unterstützen und der Lösung von Sachaufgaben zugrunde legen: hier wie dort wird die Parlamentspolitik spiritualisiert und die spirituale Theorie im Sinne der parlamentarischen Arbeit konkretisiert.

Fast alle Parlamentarier stehen in enger Beziehung zu einer der Parteien, welche die Kandidaten bezeichnen und im Wahlkampf unterstützen, dafür aber Parteitreue in der Parlamentsarbeit verlangen, manche überdies in Beziehung zu einem Verband, dessen Auffassungen von der Partei mitvertreten werden; immerhin gibt es einige ohne Partei- und viele ohne Verbandsabhängigkeit. Kann ein Partei- und dazu vielleicht auch noch Verbandsgebundener in die parlamentarische Arbeit spirituale Momente, zumal theoretisch-prinzipielle einbringen? Er kann es vor allem dann, wenn es dem Programm seiner Organisation entspricht, denkbar am ehesten so, daß diese unter einer allgemeinen Idee des zu erstrebenden Gesellschafts- und Kulturaufbaues steht, in welcher Spirituales wesentlich ist (so: Freiheit des Individuums, volle Entfaltung der

Persönlichkeit für alle, Teilhabe aller an den Kulturgütern, Gemeinschaft); hiebei braucht er nicht nur ein Programmübernehmer zu sein, denn wahrscheinlich ist er in seiner Organisation führend und hat auf die Programmgestaltung Einfluß: der spiritual initiative Politiker hat sowohl die Partei und allenfalls den Verband als auch das Parlament zum Wirkungsfeld und kann so eine vielfältige Leistung gesamthaft von einem philosophisch oder ideologisch theoretischen Prinzip aus bestimmen, — ob und wieweit er das tut, hängt vielleicht mehr von seinen persönlichen Fähigkeiten ab als von Kollektivem, dem er verpflichtet wäre. Zudem ist er in seinem Eigenbereich, außerhalb von Partei- und Verbandsprogramm, wenigstens rechtlich frei urteilsfähig, und manche haben die Kraft zu tatsächlicher Selbständigkeit in Ideenfassung und -vertretung, insbesondere dazu, aus ihrem Individuellen das Geistigkeitliche in die Politik zu bringen (allerdings bleiben viele Parlamentarier auch in ihrem Privaten organisationsgebunden, — sei es aus Überzeugung oder auch nur aus Schwäche, Bequemlichkeit und Opportunismus). Persönliche Unabhängigkeit in Denken und Wollen fände sich wohl am ehesten beim Politiker ohne Partei- oder Verbandsbindung: wahrscheinlich zeichnete er sich von vornherein durch geistige Lebendigkeit aus, die insbesondere dem Spiritualpolitischen zugutekommen kann, dies am ehesten durch Übernahme einer bereits ausgearbeiteten Theorie, vielleicht aber auch durch Vereinigung von Elementen zweier oder mehrerer philosophischer oder ideologischer Lehren (es mag gerade dem Politikertemperament eines unabhängigen Parlamentariers gelingen, die spiritualen Forderungen gegensätzlicher Ideologien wie etwa des Liberalismus und des Sozialismus zusammenzufassen). Nur ist leider der Parteilose im jetzigen Parlamentsbetrieb eine Seltenheit.

Abgeordnete beider Typen, Organisationsgebundene wie Unabhängige, können gegenüber der spiritualen Theorie inhaltsbestimmend werden, also die Ziele bestimmen oder zumindest bestimmen helfen, die von der theoretisch-politischen Geistesmenschlichkeit zu setzen sind. Ausschlaggebend sind hiebei die politische Fähigkeit und Kenntnis, die Erfahrung und allgemeiner das Im-Zentrum-der-Politik-Sein dessen, der die parlamentarische Tätigkeit wichtig nimmt, sich ihrer Mühe unterzieht und das politische Wirken auch als persönliche Erfüllung erlebt: er denkt wahrscheinlich weniger systematisch als der Philosoph oder Ideologe, aber er steht der politischen und gesamtgesellschaftlichen Wirklichkeit näher und kommt vielleicht daraus zu neuen Einsichten und Postulaten. Auch bezüglich der spiritualen Politik braucht das Prinzipielle nicht nur von den Theoretikern zu kommen, denn möglicherweise müssen sie an das anschließen, was von praktischen Politikern als richtig verstanden wird.

Das Parlament ist in der freiheitlichen Demokratie die wichtigste politische Instanz, denn es bestimmt die Ideen, Prinzipien, Ziele und in den großen Linien die Verfahrensweisen der im Staat zu verfolgenden Politik: seinerseits bestimmt ist es hiebei durch die Stellungnahmen der Parteien und Verbände, hie und da auch der partei- und verbandsähnlichen Organisationen, dazu der Zeitungen und Zeitschriften, des Rundfunks und Fernsehens (soweit diese zu autonomen Urteilen berechtigt sind); auf diese Funktionenvielfalt ist hier differenzierend einzugehen. Erste Funktion: Diskussion der allgemeinen Prinzipien, der Hauptziele, der Richtlinien für die anzuwendenden Verfahren, alle drei entweder auf das staatliche und gesellschaftliche Ganze oder auf mehr oder weniger große Teilfelder, oft nur Einzelprobleme (in denen sich aber wohl immer ein Allgemeineres ausprägt) bezogen; die Träger der spiritualen Theorie haben hier ihre größte politische Aufgabe, nämlich, die geistigkeitlichen Möglichkeiten und, wenn auch nur zielphilosophisch (somit nicht aus dem objektiven Sein des Menschen oder aus übermenschlicher Gegebenheit zu begründen), den geistigkeitlichen Sinn des Menschseins bewußtzumachen und diese Bewußtheit politisch zu aktivieren. Zweite Funktion: Festlegung der Staatsorganisation, — selten von Grund auf, da der Staat zumeist in seinen Hauptstrukturen festgefügt ist; die spirituale Politiklehre muß von ihren allgemeinsten Prinzipien aus die besten Institutionen und Organisationstypen postulieren (hiebei sind sachlich berechtigte Einwendungen zu berücksichtigen; die spiritualpolitischen Thesen werden so wirklichkeitsnäher und realisierbarer). Dritte Funktion: Kritik, das heißt Auseinandersetzung mit Partei- und Verbandsprogrammen und auch mit den ihnen zugrunde liegenden Philosophien und Ideologien, weiter Auseinandersetzung mit Regierungsprojekten und -handlungen, von den umfassendsten bis zu den speziellsten, wertende Beurteilung (natürlich vom

Standpunkt des Kritikers aus, weshalb jeder Kritiker bereit sein muß, seinen Standpunkt als solchen kritisieren zu lassen wie auch seinerseits die gegnerischen Standpunkte zu kritisieren, — das kann zu einer gründlichen Diskussion der Wertmaßstäbe und der sie bestimmenden Theorien führen), Gutheißung des Fürrichtigbefundenen, Ablehnung des Fürunrichtigbefundenen; theoretisch-politische Geistesmenschlichkeit soll hier auf andere Auffassungen einzuwirken suchen, aber auch das in solchen vertretene Richtige feststellen, anerkennen und übernehmen (was vielleicht Anlaß wird, die entsprechenden Punkte der spiritualen Theorie umzubilden), — praktisch wichtigst ist meistens die Ablehnung von konkreten Handlungen und Maßnahmen, die in spiritualer Sicht verfehlt sind (sprechen für das Abgelehnte sachliche Gründe, so ist vielleicht die spirituale Auffassung zu relativieren und enger mit den gegebenen Tatsachen zu verbinden). Vierte Funktion: Diskussion, Auseinandersetzung, Beschlußfassung über konkrete Maßnahmen innerhalb der anerkannten Staatsorganisation (entsprechende Arbeit von Parlamentskommissionen, Expertengremien, Partei- und Verbandskomitees, Stellungnahmen in den Medien); die theoretisch-spiritualpolitische Einstellung wird da vor allem das Prinzipielle der Themen herausarbeiten und beurteilen (etwa die prinzipiellen geistigkeitlichen Vorzüge oder Wünschbarkeiten einer Revision des Eherechtes). — Bei alledem steht, wenn auch nicht selten Allgemeinprinzipien, -ziele und -probleme zu diskutieren sind, im großen ganzen das Speziell-Konkrete im Vordergrund: das Parlament erfüllt seine Aufgabe dann am besten, wenn es die sich aus dem Fortgang des sozialen und politischen Geschehens ergebenden aktuellen Fragen sachlich überlegen löst; hieraus ist zu folgern, daß die allgemeinen und abstrakten spiritualpolitischen Lehren in der Parlamentsarbeit oft gegenüber dem sachnäheren Wissen und Wollen zurücktreten müssen. Hiedurch kommt die Theorie unter erwünschten Einfluß des Praktischen: sie soll nicht im leeren Raum stehen, sondern mit sachlicher Zweckmäßigkeit verbunden und darum allenfalls auf diese hin umgebildet werden.

Aber natürlich machen die Abgeordneten, die, bewußt oder auch nur durch das objektive Wesen ihrer Zielhaltung, Träger der theoretisch-politischen Geistesmenschlichkeit sind, im Parlament nur eine kleine Minderheit aus. Sie müssen das in ihrer Parlaments- und auch in ihrer Öffentlichkeitsarbeit berücksichtigen. Vielleicht sehen sie sich gezwungen, ihre Prinzipien sehr klar darzulegen und Gegnerisches ebenso klar abzulehnen: das wird immer dann angezeigt sein, wenn durch ein politisches Programm das Grundsätzliche von Mensch und Kultur, Gesellschaft und Staat betroffen wird, vor allem wenn das freie Sichselbstgestalten der Einzelnen, Gruppen, Gesamtheiten und Organisationen — gesamthaft oder nach Kategorien, etwa bezogen auf Personen und Vereine mit bestimmter politischer, religiöser, philosophischer, wissenschaftlicher oder künstlerischer Einstellung — beschränkt werden soll. Jedoch sind nicht alle, die geistigkeitliche Auffassungen nicht teilen, diesen feindlich gesinnt, und oft liegt das, was unter den Gesamtzielen Wohlfahrt, Wirtschaftsausbau und -wachstum, Rechtsstaat, Kulturförderung, Ausbau des Bildungswesens, usw. vertreten wird, in der Richtung auf Spirituales oder läßt sich sogar als an sich spiritualen Wesens verstehen: solches läßt sich gerade aus der theoretisch-politischen Geistesmenschlichkeit erkennen und sollte ihre Träger dazu bringen, vor allem auf die sachliche Übereinstimmung abzustellen, also unter Verzicht auf ideologische Auseinandersetzung das sachlich Gleichsinnige zu bejahen und zu fördern. Und diese Art der Befassung mit dem Konkreten der Parlamentsarbeit beeinflußt wahrscheinlich ihrerseits die spiritualtheoretische Sicht: wird etwa erkannt, daß die unternommene konkrete Wohlfahrtspolitik auch dem Spiritualen dienen wird, so mag das von der spiritualen Politikphilosophie und -ideologie neues Erkennen, Stellungnehmen und Zielsetzen verlangen.

Inwieweit ist das Parlament als solches, und zwar als tatsächlich gegebene Organisation und als abstrakt gefaßte Institution, Träger der theoretisch-politischen Geistesmenschlichkeit? Allenfalls: Inwieweit soll es solche Trägerschaft anstreben oder soll sie, wohl in einem Sonderfeld der spiritualen Theorie, für es postuliert werden? Träger der politischen, und insbesondere der theoretisch-politischen, Geistesmenschlichkeit ist das konkret gegebene Parlament, wenn und soweit in ihm die entsprechenden von einzelnen Abgeordneten und Abgeordnetengruppen vertretenen Auffassungen den Gesamtwillen zu beeinflussen, ja zu bestimmen vermögen, und ist das Parlament als Institution, wenn und soweit das Spirituale in ihm als Sinnelement und Aufgabeinhalt ein Seinsollendes ist. Trägerschaft im ersten, konkreten Sinne ist unwahrscheinlich, weil die spiritualen Auffassungen, zumal in theoretischer Durchbildung, von den Interessen, die in der tatsächlichen Politik zu befriedigen sind, allzu stark abweichen; das ist aber vom spiritualen Standpunkt aus nicht negativ zu beurteilen, denn er verpflichtet dazu, die Wirklichkeit so zu nehmen wie sie ist, und überdies schlösse die Vorherrschaft einer spiritualen Theorie, zumal einer spiritualen Ideologie, die Gefahr von Einseitigkeit ein und damit von Nichtoffenheit, Intoleranz gegenüber möglicher Vielfalt der spiritualen Ideen und Ziele. Im zweiten, abstrakt-institutionalen Sinne darf jene Trägerschaft nicht gefordert werden, weil hier die Parlamentsfunktionen und -aufgaben allgemein und damit formal gefaßt werden müssen, es also unrichtig wäre, sie auf Spiritualpolitik material festzulegen und zu beschränken; aus der abstrakten Idee des geistesmenschlichen Seins ist auch das zu begrüßen, denn zu ihrem Hauptinhalt gehören Offenheit und Freiheitlichkeit, und zum begrifflichen Wesen der Institution Parlament der Mehrheitsentscheid, der, wäre das Parlament auf Spiritualpolitik verpflichtet, hinsichtlich des offenen und freien Eingehens auf die sozialwichtigen Tatsachen eingeengt wäre. Freilich erschwert das den Erfolg der Spiritualpolitik, — aber diese muß sich die Kraft zutrauen, mit sachlich gewichtigen Argumenten auch Leute zu überzeugen, die an sich der theoretischen Geistesmenschlichkeit nicht zuneigen.

2.28 Über dem tatsächlich gesetzgebenden und kritikübenden Parlament des freiheitlich-demokratischen Staates und erst recht über der als Parlament bezeichneten Vertretung der herrschenden Mächte des autoritären Staates, die weder aus freier Volkswahl hervorgeht noch zu autonomer Beschlußfassung und Kritik befugt ist, stehen Staatschef und Regierung, mit Kompetenzen je nach der konkreten Staatsstruktur, — übergeordnet zumindest dreifach: als zur Anwendung des vom Parlament nur als Rahmen und Richtlinie Beschlossenen berechtigt und verpflichtet, zweitens als gegenüber dem Parlament vorschlagsberechtigt und damit seine Überlegungen und Beschlüsse materiell weitgehend bestimmend, drittens als in einem der Parlamentseinwirkung entzogenen eigenen Kompetenzbereich selbständig handelnd. Unterstützt werden sie — die Exekutive — durch die Chefs und Experten der Verwaltung, durch Stabsabteilungen und Spezialorganisationen (so: Expertenkommission für Atomenergie, Umweltschutz, Literaturförderung, Erwachsenenbildung), also durch einen hochqualifizierten Leistungs- und Beratungsapparat, durch den ihre Machtstellung vielfältigst unterbaut und verstärkt wird (so sehr, daß es für Großstaatsparlamente nötig werden kann, sich eigene wissenschaftliche Beratungsorganisationen anzugliedern). Wieweit aber ist dieser mächtige Leistungsapparat auf spirituale Ziele gerichtet? In dem Maße, wie sie in ihm das Wollen und Tun der entscheidenden Instanzen bestimmen, wobei entscheidungsbefugt nicht nur die obersten Funktionsträger und Behörden sind, sondern in manchem auch untergeordnete (wie vorbereitende Behörden und Experten), und autonome Körperschaften: und alle diese können insbesondere Träger der theoretisch-politischen Geistesmenschlichkeit sein. Hiebei sind zwei Arten von Spiritualbestimmtheit denkbar: die Selbstbestimmtheit und die Fremdbestimmtheit, — bei der ersten urteilt der Einzelne oder das Kollektiv aus eigener Kompetenz und in Meinungsfreiheit, bei der zweiten ist dem ausführenden Organ die spirituale Haltung vorgeschrieben, vor allem durch Parlamentbeschluß, aber vielleicht auch durch die Grundeinstellung der herrschenden Partei oder Parteien. Selbstbestimmtheit im Theoretisch-Spiritualen, sei es philosophisch oder ideologisch gefaßt, ist Privatsache der betreffenden Einzelnen und Gruppen, — sie mag zwar vielen der im Staate Tätigen fernliegen, aber dies durchschnittlich doch wohl nicht mehr als in der Gesamtheit der Politisch-Interessierten, ja wahrscheinlich sind unter jenen verhältnismäßig zahlreichere Spiritualgesinnte, weil bei manchem die Leistung im Staate vom Willen zum Richtigen getragen ist, dies mitunter so ausgeprägt, daß sie das gewollte Richtige auch gegenüber dem Parlament und der Öffentlichkeit vertreten (etwa bei Ausarbeitung und befürwortenden Darlegung von Regierungsprojekten, die vom Parlament zu beschließen und von der Öffentlichkeit gutzuheißen sind). Bei der Fremdbestimmung dagegen hat sich der im Staate Tätige den von der bestimmenden Organisation für richtig gehaltenen Auffassungen zu unterstellen; immerhin mag ihm im Zusammenhang mit praktischer Anwendung von theoretisch gefaßten Prinzipien die differenzierende Überlegung und vielleicht die Kritik gestattet sein, was auf die an sich vorgeschriebene Lehre zurückwirken kann. (Die Begriffe Selbstbestimmung und Fremdbestimmung sind hier nur darnach gefaßt, ob dem Einzelnen oder der Gruppe von einer Organisation her eine bestimmte Auffassung vorgeschrieben werde oder nicht. Natürlich setzt die so verstandene Selbstbestimmung meistens voraus, daß man sich mit einer in der Kultur gegebenen, also »fremden« Lehre kritisch befaßt und sie vielleicht annimmt, — das wäre, verstünde man unter Selbstbestimmung nur die Wahl persönlich-bestimmter und -eigener Ziele, Fremdbestimmung.)

Der Staatschef als Träger der theoretisch-politischen Geistesmenschlichkeit. In der parlamentarischen Demokratie hat der Staatschef — Monarch oder Präsident — nicht die Befugnis, die Großziele und Hauptlinien des staatlichen Handelns zu bestimmen oder auch nur empfehlend vorzuschlagen; solche Festlegung liegt ganz bei der Regierung (unterstützt durch die Verwaltung) und beim Parlament, aber das schließt doch nicht aus, daß das Staatsoberhaupt durch seine Person vorbildlich und richtungweisend wirkt, und das vielleicht gerade im Sinne von sich in ihm besonders klar ausprägender hoher Geistigkeit (ein großes Beispiel aus der jüngsten Zeit: Theodor Heuss). Unter dem zweiten Typus der freiheitlichen (das heißt der den Bürgern zumindest das Recht der freien Wahl der Volksvertreter gewährenden) Demokratie, der Präsidialdemokratie dagegen ist der Staatschef entweder selbst formell der Chef und tatsächlich der Leiter der Regierung oder die der Regierung übergeordnete oberste Exekutivinstanz, die aus dieser Machtstellung auch auf das Parlament, die seine Mehrheit tragenden Parteien und die Öffentlichkeit hinunterwirkt; geistigkeitliche Persönlichkeit kann so zu besonders weiter und intensiver Auswirkung gelangen, und denkbar ist, daß hier philosophisch-spirituales Wollen der Motor wird, schon darum, weil der Spiritualgesinnte, der im demokratischen Wettbewerb sich selbst an die oberste Stelle zu bringen versteht, schärfsten und klarsten Denkens fähig sein muß (man stelle sich die amerikanischen Präsidenten F.D. Roosevelt und J.F. Kennedy als Träger der spiritualen Politikphilosophie vor). — Zur Bestimmung der staatlichen Ziele und des Staatswillens befugt sind sodann die Staatschefs oder Tatsächlich-Mächtigsten der autoritär regierten Staaten (diese Staaten sind nicht freiheitlich-demokratisch, trotzdem kann ihr Regime demokratische Momente daraus enthalten, daß das unter Ausschluß jeglicher Opposition gewählte Parlament wenigstens die einigermaßen gleichmäßige Vertretung aller wichtigen regionalen und beruflichen Teilgesamtheiten bildet und überdies zu einigermaßen offenem Eintreten für die verschiedenen Interessen, geschehe es auch nur in geheimem Kommissionsgespräch, berechtigt ist). Daß in einem bisher rückständigen Land die Autoritär-Herrschenden den umfassenden und möglichst raschen Kulturaufbau im Sinne haben, ist denkbar, und im engeren Sinne auch, daß hiebei die intensive Vorstellung von einem zu erreichenden Zustand des geistigen Könnens, Wollens und Verwirklichens der Einzelnen und Gesamtheiten eine treibende Kraft ist (aber natürlich stünden neben solchem Fernzielhaben immer auch der Machtwille und die aktuellen Notwendigkeiten, ihn zu behaupten).

Die Regierung, entweder einem anordnungsmächtigen Staatschef untergeordnet oder selbst die höchste Machtinstanz, steht ständig in der Sorge um die drängenden Gegenwartsprobleme, die fast immer speziellen und konkreten Inhaltes sind und sich also nicht aus allgemeiner und konkreter Überlegung lösen lassen; viele Regierungen und noch mehr einzelne Regierungsmitglieder gehen ganz in hochstufiger Alltagsarbeit auf. Der überlegene Kopf aber verzichtet nicht auf ein allgemein und sogar theoretisch gefaßtes Wert- und Zielsystem, sei es, daß er es aus Philosophie, Ideologie, Staatsrechts- oder Politiklehre übernimmt — und sich ihm gegenüber als hochgestellter Praktiker kritisch einstellt —, sei es, daß er es in eigenem theoretischem Denken selbst schafft, zumindest so, daß er die Grundzüge eines von fachmännischen Theoretikern auszuarbeitenden Ideenganzen festlegt. Hier wie dort werden Vorstellungen über das richtige Sein, damit über die zu erstrebende Kulturgestaltung wirksam, wahrscheinlich auch solche, die Wesenselemente des geistigen Seins, und zwar des individuellen wie des kollektiven, enthalten, denn das modern-kulturelle Sein ist fast immer stark geistgeprägt und seine Vervollkommnung betrifft meistens einen Komplex von zu erreichendem Geistigem: daraus ist für manchen sich auf das Prinzipielle besinnenden Regierungsmann das Theoretisch-Spirituale ziemlich oder sogar sehr praxisnah, — er muß an der spiritualen Theorie, zumindest der ideologischen und vielleicht auch der philosophischen, aktiv interessiert sein und kann anderseits eben aus seiner Regierungsleistung die Theoretiker zu neuen Einsichten bringen (der Beschränkungen des Nurtheoretischen bewußt, müßten die Spiritualphilosophen und -ideologen, die zweiten wohl noch mehr als die ersten, diese Hinweise dankbarst entgegennehmen). Bei solchem Sicheinstellen, Fragen und Antworten ist der in der Regierung aktive Politiker nicht durch die ihm anvertrauten Ministeriumsaufgaben beschränkt, vielmehr wird er sich aus seiner Beteiligtheit am Staatsganzen mit dem Ganzen der staatlichen und gesellschaftlichen Problematik, und insbesondere mit dem Ganzen des Spiritualen, es aber doch auch nur als einen Teil des Kulturganzen sehend, beschäftigen: dieses Leisten- und Denkenkönnen ist einer der wenigen Typen sehr großer Aktivitätsweite, die in der modernen Kultur verwirklicht werden können. — Möglicherweise belastet ein Regierungsmitglied durch seine geistigkeitliche, zumal seine theoretisch spirituale Einstellung die eigenen Wirkungsmöglichkeiten (»Idealismus« erscheint denen, die sich als »Realisten« verstehen, mitunter verdächtig): die Besinnung auf die spirituale Theorie erfordert nicht nur politische Erfahrung und Denkkraft, sondern auch politischen Mut.

Meistens enger auf ein spezielles Sachfeld bezogen sind die Leistungen und damit wahrscheinlich auch die auf diese gestützten theoretischen Überlegungen der in der Verwaltung entscheidungsbefugten Chefs und Bevollmächtigten und noch mehr der mit Vorbereitungsaufgaben betrauten Experten: mancher von ihnen kann seinen besten Beitrag an die Theorie dadurch leisten, daß er seine konkreten Fachmanns- oder Spezialistenerfahrungen ins Abstrakte erhöht, — das erfordert aber hier, daß diese mit dem abstrakten Wesen des Spiritualen in Beziehung gebracht werden, geht es doch darum, die Theorie der politischen Geistesmenschlichkeit auszubauen; mancher andere verzichtet dagegen auf einen eigenen theoriegestaltenden Beitrag und sieht seine Aufgabe eher darin, die philosophische oder ideologische Lehre, so wie sie von den Theoretikern dargelegt wird, innerhalb der Staatsorganisation zu vertreten, — Möglichkeit, im Staatspraktischen ein lehreübernehmender Vertreter theoretisch-politischer Geistesmenschlichkeit zu sein. Je größer der Aufgabenbereich des Staates, je vielfältiger die staatlichen Einrichtungen, je höher die intellektuellen Anforderungen an die im Staate Leistenden, desto wichtiger, desto gewichtiger wird im Kulturganzen die spirituale Einstellung der Chefs und Experten, die ja nicht nur ausführend sind, vielmehr führend auch so, daß sie die Beschlüsse von Regierung und Parlament vorbereiten helfen. — Verschiedenheiten in den gestellten Anforderungen ergeben sich freilich daraus, ob es sich um Leistungsstellen der Zentral-, der Regional- (Provinz- oder Gliedstaats-) oder Kommunalverwaltung handelt: wer in der ersten führend ist, hat wahrscheinlich am ehesten Großzusammenhänge zu überlegen, und die schwierigsten Aufgaben der zweiten sind wahrscheinlich weiteren Inhaltes als diejenigen der dritten; diese Abstufungen können sich auf die theoretische Sicht der spiritualpolitischen Probleme auswirken. Und natürlich gilt dies auch für die Mitglieder der Regierung, sofern ein Teil der obersten Exekutivfunktion dezentralisiert ist.

2.29 Vorstehend wurde von im Staate selbst oder auf den Staat hin mit erheblicher Intensität Leistenden gesprochen: gibt es mögliche Träger der theoretisch-politischen Geistesmenschlichkeit aber nicht auch unter den Bürgern, die ihre Leistungskraft auf anderes als Staatliches richten? Das ist zu bejahen. Jeder kann sich aus theoretischem Interesse für den richtigen Staat und das Richtige im Staat mit Staatszielphilosophie und -ideologie befassen, und wer allgemein über das richtige Menschsein Klarheit gewinnen will, muß es sogar, weil das Soziale ein eigenständiger Großbereich des Menschlichen ist, für den in manchem andere Aspekte gelten als für die Einzelnen. Freilich werden hier dem theoretisch-spiritualen Denken die Anstöße fehlen, die aus beruflicher Auseinandersetzung mit, allgemeinem oder speziellem, Staatlichem kommen, und anderseits die Möglichkeit, Ergebnisse des eigenen Denkens aktiv auf Staatliches zu übertragen: die gewonnenen Einsichten mögen noch so tiefdringend, die aufgestellten Thesen noch so originell und beide noch so richtig sein, sie bleiben doch im Privaten, die Verbreitung in der Öffentlichkeit und die Öffentlichkeitswirkung, die Vertretung im Staat oder auf den Staat hin, und erst recht die Macht zur Durchsetzung bleiben ihnen vorenthalten. Auch in der freiheitlichen Demokratie, die jedem das Recht zu persönlicher Stellungnahme und insbesondere zu völlig autonomer Postulierung von Staatszielen gibt, ist die staatsaktive Theorie auf eine Minderheit beschränkt, nämlich auf die Führenden und Entscheidenden (zu den letzteren gehören auch Experten, die selbst nicht führend sind, sondern nur die Führenden beraten), einflußreiche Partei- und Verbandspolitiker, Publizisten.

Aber obgleich der nicht staatsaktive Bürger mit seinem theoretisch-politischen Denken kaum einen im Einzelfall feststellbaren konkreten Einfluß auf die Politik gewinnt, so hat jenes doch politischen Sinn (dieser braucht für den Einzelnen nicht das Maßgebende zu sein, denn selbstzweckhaft ist in erster Linie die Wesen und Ziele des Staatlichen und von ihm aus der Gesellschaft erhellende Einsicht als solche: selbst für den, der sich von aller Politik und aller Leistung im Staat endgültig ausgeschlossen wüßte, wäre es förderlich, über Staat und Politik zu philosophieren, das heißt praktisch: sich mit Staats- und Politiklehren nachdenkend und diskutierend auseinanderzusetzen, dies eben um des klareren Verstehens des Menschen willen). Politischen Sinn in erster Linie daraus, daß das Denken des politisch wenig aktiven Einzelnen doch ein Teilchen der Bürgerbewußtheit, der öffentlichen Meinung ist, aus der politische Ansprüche kommen, die ihrerseits von den Politikern berücksichtigt werden müssen. Selten, aber immerhin möglich ist, daß ein nach außen inaktiver Politisch-Interessierter neue Sichtweisen anwendet und vielleicht sogar neue Ideen schafft, die in der politischen Auseinandersetzung zu neuesformenden Kräften werden; keineswegs ist dies das Vorrecht der in anerkannter Stellung politisch Wirkenden, gar nur der gewählten oder ernannten, und darum muß gerade vom Standpunkt der politischen, auch der theoretisch-politischen, Geistesmenschlichkeit aus die vollständige Offenheit des Ideen- und Lehrebildens gefordert werden. (Ab und zu begegnet man in der politischen Diskussion einer Unart, die sauberem Denken verboten ist: Kritiker und Postulierende werden als »selbsternannt« diskreditiert, als wären sie verpflichtet, vor ihrem Sichäußern oder sogar vor ihrem Überlegen die »Ernennung« durch eine kompetente Instanz zu erlangen, — solche Pflicht besteht nur für die, die sich namens einer Organisation äußern, sonst für niemand, auch nicht für den Bürger, der sich über das Richtige des Staates klarwerden und allenfalls über die so gewonnene Auffassung aussprechen will.)

Wie aber kann derjenige, der im staatstheoretischen Denken nicht geübt ist, zum Träger der theoretisch-politischen Geistesmenschlichkeit werden? Zunächst indem er sich in eine philosophische oder ideologische Lehre, die entweder als solche spiritualen Inhaltes ist oder die der Aufnehmende mit Spiritualen in Beziehung bringen kann (letzteres gilt etwa bei Lehren, die Freiheit oder soziale Gerechtigkeit als Hauptziel verstehen), einarbeitet und so ein auf die abstrakten Prinzipien gehendes, dabei zugleich systematisches und differenzierendes Denken anwendet und vielleicht ausbaut; bekennt er sich zum Wert dieser Lehre (und sei es unter Vorbehalten bezüglich von Teilaussagen), so hat diese in ihm einen Träger auch dann, wenn er seine Zustimmung für sich behält. Weiter indem er sich in allgemeinerem theoretischem Denken mit nichtspiritualen Lehren auseinandersetzt und dabei dank Bildungsgut, Teilhabe an Werken und Einsicht in die moderne Kulturproblematik fähig ist, spirituale Gegenpositionen zu formulieren (durch die aber die kritisierte Lehre nicht gesamthaft abgelehnt zu werden braucht, — so mag man durch Auseinandersetzung mit einer sozialistischen Theorie das Nichtspirituale des praktischen Materialismus verwerfen, diesen aber trotzdem beibehalten, um von ihm aus spirituale Ziele zu postulieren, was im Sinne rein diesseitiger Spiritualität wie auch die Sozialprobleme bedenkender religiöser ohne Schwierigkeit möglich ist). Schließlich indem er seine eigene Kenntnis der spiritualtheoretisch wichtigen Tatsachen, gründe sie in Geschichtswissen oder komme sie aus der Befassung mit Gegenwartsgeschehen, dadurch ins Abstraktere wendet, daß er nach dem gegebenen Prinzipiell-Richtigen und auch nach dem erreichbaren Prinzipiell-Besseren fragt, so Ansatzpunkte für ein eigenes systematisches Denken gewinnend. Im zweiten und dritten Fall ist die abschließende Gesamtauffassung wahrscheinlich weniger anspruchsvoll theoretisch als diejenige, die im ersten Fall die Themen des Überlegens bestimmt, aber dort ist das Denken vielleicht selbständiger. Und gerade diese Denkselbständigkeit läßt es als erwünscht erscheinen, die Inhalte der spiritualen Politiktheorie auch, natürlich nicht ausschließlich, aus dem Denken der politisch nicht aktiven Bürger bestimmen zu lassen, — im wesentlichen weniger darum, weil diese Selbständigkeit an sich wertvoll und hieraus dem Bürger um seines vollentfalteten geistigen, zumal geistesmenschlichen, Seins willen zu sichern ist, vielmehr darum, weil durch sie, wenn die Popularauffassungen in die öffentliche Diskussion eingehen (etwa dank der Sensibilität von Parteileuten), die Theoriegestalter mit Stellungnahmen konfrontiert werden, die ihnen sonst fremd blieben (gesamthaft mit dem drängenden Großproblem, die Menschen der modernen Industriekultur in Arbeit und Freizeit zu Selbstgestaltung zu bringen, die von ihnen als Erfüllung der Menschenwürde erfahren werden kann).

2.3 Träger der praktisch-politischen Geistesmenschlichkeit

2.31 Ist für die theoretisch-politische Geistesmenschlichkeit wesentlich, daß in ihr ein abstrakt-gefaßtes politisches Ideen- und Zielsystem spiritualen Allgemeininhaltes (das heißt solchen, der aus Geistesmenschlichkeit gefaßt ist oder unter ihr zumindest bejaht wird) vertreten wird, so für die praktisch-politische, daß sie auf konkret zu verwirklichende Teilgebiets- oder Einzelinhalte geht, die zwar jenem Theoretischen entsprechen, jedoch nicht notwendigerweise aus ihm gefaßt sind; möglich ist hiebei, daß jemand ein Ziel politisch fördern oder erreichen will, dessen spirituales Wesen er selbst nicht kennt. Der erste Typus wird durch den zweiten immer unterstützt (das schließt Meinungsverschiedenheiten zwischen ihren Vertretern nicht aus); grundsätzlich gibt es aber immer auch andere Weisen der praktischen Verwirklichung des theoretisch Befürworteten, als sie unter einem konkreten Programm der zweiten Art angewandt oder wenigstens beabsichtigt sind. Und der zweite Typus läßt den, obwohl abstrakten, ersten als realitätsnah erscheinen, indem er am konkreten Beispiel zeigt, daß es praktischen Sinn hat, sich mit allgemein-spiritualen Ideen zu beschäftigen; auch kann der zweite das im Rahmen des ersten wirkende Denken vor neue Probleme stellen, die sich erst aus der Sachbedingtheit des Praktischen ergeben.

In der gesellschaftlichen Wirklichkeit des politischen Denkens hat der zweite Typus den Vorrang: sehr viele politische oder auf die Politik bezügliche Überlegungen und Auseinandersetzungen haben konkretes Verwirklichen zum Inhalt, das aus praktisch-spiritualer Absicht gewollt wird oder jedenfalls aus solcher, die als zwar nicht klar bewußt, aber tatsächlich spiritual gedeutet werden kann (Beispiel: ein schulpolitisches Reformprogramm kann durch allgemeine oder spezielle spiritualpolitische, etwa einen obersten Kultur- und damit Erziehungssinn postulierende, Überzeugung oder aber durch rein fachlichen Reformwillen eingegeben sein, — von außen beurteilt erscheint dieser vielleicht als Ausdruck eines nicht theoretisch gefaßten allgemein-spiritualen Wollens); kaum feststellbar ist Interesse für eine rein und vollständig ausgearbeitete spirituale Staatsziel- und Politiktheorie oft schon darum, weil diese keine der tatsächlich zur Diskussion stehenden Lehren über die Ziele von Staat, Gesellschaft und Kultur ist. Hier nun findet sich ein Übergangsfeld zwischen Spiritualpraxis und Spiritualtheorie: es gibt Ideen und Ziele, die von der theoretisch-politischen Geistesmenschlichkeit aus als vorwiegend zur sozialen Praxis gehörend erscheinen (da sie nicht in einem spiritualen Gedankensystem begründet oder verankert sind), bei denen aber kein Zweifel darüber bestehen kann, daß sie geistigkeitlich wichtig, ja teilweise an sich geistigkeitlich sind; insbesondere trifft dies zu auf die Ziele Demokratie, Freiheit, Gleichheit (zumindest als Chancengleichheit), Gerechtigkeit und Rechtsstaatlichkeit, Wohlstand. Manche dieser Ideen und Ziele sind Inhalt oder Gegenstand von philosophischer oder ideologischer Theorie, nicht von spiritualer, sondern eben von durch die genannten Sonderpostulate bestimmter (Demokratie als Inhalt oder Gegenstand von Demokratietheorie, usw.), — doch soweit diesen Postulaten bewußt-geistigkeitliche Momente eingebildet sind (so: Fassung der Freiheitsidee aus der Idee, daß der Mensch zu geistiger Freiheit und freier Geistigkeit bestimmt, zumindest berechtigt ist) oder sie mit objektiv-geistigen Gehalten in Beziehung gesetzt werden können (so: Idee, Ziel und Postulat »Wohlstand« sind vielleicht von ihren Vertretern ganz und nur wirtschaftlich, sogar nur praktisch materialistisch gemeint, — aber wer spiritual denkt, erkennt den Wohlstand als Bedingung vieler geistiger Verwirklichungen, ja der modernen geistigen Erfüllung überhaupt), läßt sich jene Theorie aus geistigkeitlicher Sicht beurteilen und anschließend vielleicht erweitern und vertiefen: was ein einzelnes, wenn auch staatstheoretisch begründetes Sozialpraktisches ohne spiritualen Hauptgehalt ist, kann so Thema spiritualtheoretischen Denkens werden, und dies dreifach, nämlich eine gegebene Spirituallehre ausbauend, eine neue Spirituallehre aufbauend, oder eine gegebene außerspirituale Lehre spiritualisierend. Oft ist das praktische Postulat, das objektiv spirituale Momente einschließt, zwar nicht theoretisch begründet, wohl aber in einer Idealvorstellung; auch diese ist ein Spirituales, und der durch sie Bestimmte ist in dieser besondern Weise ein Träger der praktisch-politischen Geistesmenschlichkeit (so derjenige, den das Bild des in seinem Beruf möglichst hohe Seinserfüllung findenden Arbeitnehmers entsprechende Veränderungen der Arbeitsverhältnisse politisch fordern läßt). Und schließlich kann auch einfach der in sich abgeschlossene Sondergehalt des Spiritualpraktischen maßgebend sein: wer etwa für Menschenwürde und Freiheit, Volkswohlfahrt und soziale Sicherheit der Einzelnen, oder auch nur für die Schaffung einer Dorfbibliothek eintritt, kann sich letztlich auf den Eigenwert des von ihm Befürworteten verlassen.

Der theoretisch denkende Vertreter der politischen und auch der allgemeinen Geistesmenschlichkeit darf in den Vertretern der nicht spiritual-theoretisch begründeten, aber tatsächlich spiritualen Ideen und Ziele ebenfalls Gleichgesinnte sehen, wenn auch solche anderer, eben praktischer Denkart. Damit erfährt die Trägerschaft des Geistesmenschlichen im allgemeinen und des Politisch-Geistesmenschlichen im besondern eine sehr erhebliche Erweiterung, denn vertreten nur wenige eine theoretisch ausgebaute spirituale Zielhaltung, so viele eine praktisch-spirituale, und erschiene die These, es sei das konkrete Geistige aus einem theoretischen, zumal einem in die Politik einzuführenden philosophischen System abzuleiten und von ihm aus auf den Verwirklichungsweg zu bringen, als eher wirklichkeitsfern, so können manche spirituale Einzelpostulate mitten ins Aktuelle oder zumindest in eines seiner Außergebiete treffen. Allerdings sind im Praktischen, das als mit der theoretisch-politischen Geistesmenschlichkeit gleichsinnig verstanden werden darf, von dieser aus die spiritualen Momente deutlicher herauszuheben, als sie seinen Befürwortern bewußt sind; anderseits sollten die Spiritualtheoretiker mit Hilfe des Spiritualpraktischen ihrem bisher vielleicht allzu abstrakten Gedankensystem größere Wirklichkeitsnähe geben: gedankliche Zusammenarbeit der Träger beider Kategorien ist sehr erwünscht.

2.32 Die praktisch-spiritualen (im Unterschied zu den theoretisch-spiritualen) Ideen, Ziele und Postulate zum Staatshandeln und insbesondere zur Politik sind oft fachtheoretisch oder in anderer Weise sachbezogen theoretisch begründet: durch begrifflich-systematische Lehre, welche ein im Staat, durch den Staat oder auf den Staat hin zu verwirklichendes Zielhaftes in seinem Sachgehalt und, wenn auch nachgeordnet, in der Beziehung zum Staat darlegt. Nötig ist somit die Abgrenzung erstens gegen die im Staate verwirklichten Dinge, die nicht Gegenstand von Theorie sind, und zweitens gegen theoretisch behandelte Probleme und Sachkomplexe, die keinen oder nur sehr geringen Sachbezug auf Staatliches haben (freilich läßt sich alles Theoretische auf den Staat beziehen, indem man etwa sagt, er müsse die betreffende Forschung unterstützen, — aber das würde besser unter einen gesamthaften Titel wie »Forschungsförderung« gefaßt).

Eine erste Themengruppe umfaßt die theoretisch zu untersuchenden und darzulegenden Fragenkomplexe des Staates als solchen, soweit sie praktisch-spiritualen Wesens sind (sei es, daß dieses offenkundig ist, sei es, daß es in neuer Sicht festgestellt oder wenigstens behauptet wird): Tatsachen und Probleme, behandelt in der wissenschaftlichen Lehre vom modernen, jetzigen und vielleicht zukünftigen Staat, in den geschichtlichen Staatstheorien (sie sind sowohl aus ihrer Zeit zu verstehen als auch vom jetzigen Wissen aus kritisch zu prüfen), in der Finanzwissenschaft, in der Politologie, usw., — dazu die abstrakten Richtigkeitssysteme der Ideologien über den besten Staat, die beste Verwaltungsorganisation, die beste Finanzordnung, die beste Politik und damit das beste Parteiwesen. Jede der Staatliches behandelnden Wissenschaften ist eine Gesamtheit von einzelnen, mehr oder weniger weiten Sachgebieten, auf denen Fachgelehrte forschend, beschreibend, darlegend und lehrend arbeiten, und das unter Erkenntnisinteresse, von dem aus das Spirituale meistens nicht erstrangig ist, jedoch insofern Bedeutung haben kann, als das bestimmende Fragen und die Themenwahl aus, oft nur unscharf bewußter, Zielhaltung kommen, die zum geistigen Wesen der modernen Kultur überhaupt, des Landes (die moderne Kultur hat in manchem ihre nationalen Ausprägungen), von Klasse und Stand, auch von Religions- oder Weltanschauungsgruppe gehört; diese Zielhaltung betrifft auch den Sinn des individuellen und kollektiven Menschseins und damit die geistigen Möglichkeiten. Aber wird hier der Staat klar genug unter geistige Anforderungen gestellt und sind die von den Sachgebietstheoretikern angewandten Wertmaßstäbe spiritualphilosophisch richtig? Vielleicht ist philosophische Vertiefung nötig, zunächst von der Staatsphilosophie aus und darnach wohl auch von der allgemeineren Menschseinsphilosophie aus; es zeigt sich somit, daß die Staatsphilosophie für sich allein genommen ebenfalls eine in die erste Themengruppe einzureihende Fachdisziplin ist; wohl macht sie — allgemein und in jedem Einzelfall, also durch jede Einzellehre — Aussagen spiritualen Inhaltes, aber wahrscheinlich bedarf dieser der eigentlich spiritualphilosophischen Klärung.

In eine zweite Themengruppe wären die Disziplinen zusammenzufassen, die sich auf die materiellen Sachleistungen des Staates beziehen und insbesondere ihr Spiritualzielhaftes herausarbeiten sollten: Wissenschaften, Sonderzweige der geschichtlichen und modernen Staats- und Sozialphilosophie, sachgebietsspezielle Ideologien, — gemeinsam ist ihnen, daß sie sich auf Staatsaktivität richten, durch die wichtige Bedürfnisse der Staatsbevölkerung (und zwar der gesamten Bevölkerung oder von regionalen, klassenmäßigen oder berufsbestimmten Bevölkerungsteilen) befriedigt werden. Unter diesem Gesichtspunkt zu prüfen sind etwa die Theorien, die sich auf die staatseigenen Wirtschafts-, Verkehrs-, Schul- und Gesundheitseinrichtungen beziehen; in ihnen hat zwar das Fachpraktische, insbesondere das Fachtechnische und -wirtschaftliche, immer den Vorrang und muß ihn beanspruchen, weil die staatliche Sachleistung optimal zweckmäßig sein soll, — aber ob ein Fachbestes tatsächlich zu verwirklichen ist, hängt häufig von außerfachlichen Gesichtspunkten ab, und da kommt direkt oder indirekt das Spirituale ins Spiel, zumindest so, daß überlegt wird oder überlegt werden müßte, ob und wie das Vorgenommene eigenwertes Menschliches fördern kann und welches als eigenwert Verstandene den Vorrang haben soll.

In eine dritte Themengruppe einzubeziehen sind danach die theoretischen Kenntnis- und Ideensysteme — meistens wissenschaftlicher, hie und da ideologischer und nur ziemlich selten philosophischer Art —, deren Gegenstand die staatliche, also politisch zu lenkende, Einwirkung auf die gesellschaftlich wichtigen privaten Leistungsbereiche ist: auf Wissenschaft und Technik (etwa durch Forschungsprogramme: wissenschaftliche und technologische Forschung stellt jetzt auf vielen Sachgebieten organisatorisch, technisch und finanzielle so große Anforderungen, daß sie ohne staatliche Unterstützung nicht realisierbar wäre), auf die Wirtschaft (Schutz von Gefährdetem, Modernisierung von Überholtem, Aufbauhilfe für anfänglich nicht aus eigener Kraft lebensfähiges Neues), auf die wirtschaftlich bedingten Sozialverhältnisse insbesondere (Schaffung und Durchsetzung von Normen für die Beziehungen zwischen Arbeitgebern und Arbeitnehmern, Verkäufern und Käufern, Kreditgebern und -nehmern, Bestimmungen über Arbeitszeit und Arbeiterschutz, Maßnahmen gegen Arbeitslosigkeit, usw.), auf die private Tätigkeit im Gesundheitswesen, auf private Schulen, auf Museen und Theater, auf den Sport. Die sich in diesen Sachbereichen stellenden Probleme werden unter der Voraussetzung der Privatheit von Einzelnen und Organisation gelöst, die zu selbständigem Handeln rechtlich befugt und dank der Verfügung über die nötigen wirtschaftlichen und technischen Mittel tatsächlich fähig sind, — aber viele der privaten Leistungen sind in der modernen, wirtschaftlich-technisch hochentwickelten und dadurch auch hochanspruchsvollen, Zivilisation so schwierig und in ihren Auswirkungen so schwer durchschaubar, daß das ordnende, regelnde, vielleicht anregende, unterstützende, schützende, mitunter aber zurückbindende Eingreifen des Staats erwünscht oder sogar unerläßlich ist; natürlich gibt es auch hierüber mancherlei Meinungsverschiedenheiten und politische Gegensätze, zu deren bester Lösung die Empfehlungen der Theoretiker heranzuziehen sind. Aus letzterem aber kann sich die Frage nach dem Allgemein-Zuerstrebenden stellen, und so gelangt vielleicht das nach dem Richtigen forschende Denken zu spiritualen, wenn auch auf spezielle Inhalte beschränkten Thesen.

Schließlich läßt sich eine vierte Gruppe von fachtheoretisch zu behandelnden Themen bilden: diejenige der das Zwischen- und Überstaatliche betreffenden. Die moderne Zivilisation ist durch sehr weite und sehr intensive übernationale Beziehungen in Verkehr, Wirtschaft, Technik, Wissenschaft und Kunst, durch vielfältige zwischenstaatliche Zusammenarbeit und durch Entstehen und Wirken großräumiger und sogar globaler Organisationen charakterisiert: das verlangt die überlegene Prüfung der Tatsachen, die zu berücksichtigen sind und von denen Erfolg oder Mißerfolg abhängt, Prüfung auch in Hinsicht auf staatliches und politisches Handeln. Gerade hier mag der Theoretiker, über sein engeres Fachgebiet hinausgehend, überlegen, was es denn letztlich sei und sein solle, für das der bisher souveräne Staat auf einen Teil seiner Autonomie zu verzichten hat, und da werden hinter den großräumlich-sozialpraktischen Momenten allgemeinere erkannt und unter diesen vielleicht den Menschseinssinn betreffende.

In alledem sieht der Träger der theoretisch-politischen Geistesmenschlichkeit viele fachtheoretisch — wissenschaftlich, philosophisch oder, seltener, ideologisch — staatsaktive Praktiker, die sich zwar nur um fachlich beschränkte Tatsachen- und Problemgruppen bemühen, ihm aber in der Grundtendenz, die hohe Entfaltung des Menschseins zu fördern, gleich sind und daraus die Möglichkeit haben, gleich ihm sich auf hochentfaltetes Geistiges einzustellen.

2.33 Die praktisch-politischen Probleme sind sachlich realitätsnäher und für die Bürger unmittelbarer wichtig als die gesamthaften, mit denen sich die Staats-, Gesellschafts- und noch allgemeiner die Menschseinslehren befassen. Darum wird ihnen in der politischen Alltagsdiskussion auch größere Aufmerksamkeit zugewandt, was sich vor allem darin ausprägt, daß sie in den Ansprüchen und Vorschlägen der die Interessen von Volksgruppen vertretenden Politisch-Aktiven den breitesten Raum einnehmen. Das gilt zunächst für die publizistische Arbeit: was in der Presse und oft auch in Hörfunk und Fernsehen (freilich sind diese beiden, weil landesweit wirkend, in der Herausstellung von Sonderinteressen beschränkt) politisch vertreten wird, hat meistens Aktuell-Konkretes zum Anlaß: Schwierigkeiten, Sorgen, tatsächliche oder vermeintliche Benachteiligungen, erkannte oder vermutete Verbesserungsmöglichkeiten und Neuerungsgelegenheiten; die Fortbildung, der Weiterbau des Gesellschaftlichen (erlaubt ist hier: der gesellschaftliche Fortschritt) hängt auch davon ab, daß in den Medien einzelfallhafte konkrete Begehren und Vorschläge geäußert und, wenn nötig, nachdrücklich und zäh verfochten werden, — jeder Staat, der den Medien, vor allem der Presse solche Teilnahme an der konkreten politischen Auseinandersetzung verbietet oder auch nur erschwert, beeinträchtigt die Feststellung, die Prüfung und damit die Lösung der Probleme, die sowohl durch die immer wieder auftretenden Schwierigkeiten (es gibt keine Gesellschaft und keinen Staat, deren inneres und äußeres Geschehen ein glatter Fortgang in immer reichere Zukunft wäre) wie durch die neuentstandenen und immer wieder neuentstehenden Möglichkeiten (es gibt auch keine Gesellschaft und keinen Staat, die, zum Endzustand gelangt, den Aktiven, zumal den Schöpferischen, kein Neues mehr erlauben würden, — abgesehen von Endzustand, der Erstarrung bedeutet, auf die ein revolutionärer Umbruch folgt) verursacht sind und für welche die Medienleute vielleicht gerade darum das feinste Gespür haben, weil sie ja »nur« schreiben oder reden, also herumhören und dem Aktuellen begegnen müssen. Und es gilt weiter für das Wirken der Partei- und Verbandspolitiker, Wirken in der Organisation oder nach außen: kritisiert, vorgeschlagen, gefordert, diskutiert, gekämpft, taktiert und vereinbart wird hier fast immer im Zusammenhang mit sozialpraktischen Tatsachen, die jedoch, da sie für Gesamtheiten wichtig sind (Nur-Individuelles würde nicht in dieser Weise aufgegriffen) und sichtbar eben in diesem Fürwichtighalten, ihren Bezug zu allgemeinerem Menschlichem und damit sozialethische Bedeutung haben: das kann und sollte zu allgemeinerem Fragen Anlaß geben, sei es der Politisch-Handelnden selbst, sei es Politisch-Interessierter, die dem politischen Tagesgeschehen zwar fernstehen, es aber für prinzipiell berechtigt, ja unentbehrlich halten und sich von ihm anregen lassen. Partei- und Verbandspolitik ist sicherlich oft sehr eng, allzu eng und berücksichtigt zuwenig die Interessen der Volkskreise außerhalb des vertretenen, allzu stark sehen sich die Parteien und Verbände in Gegensatz zu den Organisationen mit andern Interessen und Auffassungen, — aber daraus ist nicht zu folgern, diese konkret-praktische Politik sei an sich verwerflich: zumindest ist sie in der modernen Gesellschaft unentbehrlich, und darum ist es für Staat und Gesellschaft notwendigerweise von Nachteil, wenn sie, wie in autoritären Regimen, unterbunden wird. In den politischen Alltag gehört das Zusammenwirken zwischen Politikern dieser Kategorien: der Parteipolitiker wird oft von Verbandsführern und -funktionären gestützt, und umgekehrt, der Jounalist von Partei- und Verbandsleuten, und umgekehrt, — meistens ist solche Hilfe ein zweiseitiges Geschäft, indem der Unterstützte auf die Auffassungen des Unterstützenden Rücksicht zu nehmen hat.

Wie aber kommen Momente der praktisch-spiritualen Geistesmenschlichkeit in die Alltagsarbeiten dieser Politiker? Zunächst können die zu lösenden Probleme, die gestellten Ansprüche an sich spiritual sein, dies vor allem in Organisationen mit entsprechend speziellem Arbeitsbereich (wie etwa einem Verband von Landerziehungsheimen oder einer Vereinigung von Historikern), aber auch in Großparteien und -verbänden (etwa wenn sie für die Förderung von Volkshochschulen und anderer Arten der Erwachsenenbildung eintreten). Aber gewichtiger ist das Praktische, das aus Ansprüchen auf Wohlstandsverbesserung, Gleichberechtigung der Geschlechter, Chancengleichheit für die Kinder aller Klassen, soziale Sicherheit, Arbeitszeitverkürzung, usw. abgeleitet wird: darin wirken fast immer auch allgemeinere, aufs gesamthafte Menschenwesen und auf den Sinn von Gesellschaft und Kultur gehende Wert- und Zielideen und -bilder, die der Handelnde aus dem Ideengut der Kultur (in das er durch Erziehung und Schulung eingeführt wurde) übernommen (meistens) oder das er in schöpferischem Denken selbst geschaffen (selten) hat, — in diesem Allgemeineren aber können Bejahung des Geistigen überhaupt und vielleicht Wille zum (möglichst) hohen Geistigen wirken. Als erwünscht kann sich die theoretische Erweiterung der spiritual wichtigen praktischen Politikthemen erweisen. Erstens in fachtheoretischem Sinne: Unter welchen fachlichen Voraussetzungen stehen, einigermaßen allgemein und abstrakt gesehen, die genannten Ansprüche auf Wohlstandsverbesserung, usw.?; fachtheoretische Einsicht trägt zur fachgerechteren Vorbereitung und Ausführung der speziellen Vorhaben und damit auch des mit ihnen verbundenen

Praktisch-Spiritualen bei. Zweitens in spiritualtheoretischem Sinne: In welchen größeren spiritualen Zusammenhängen sind jene Ansprüche auch von der spiritualen Politik zu bejahen und aufzunehmen, — wobei es nicht nur auf den Inhalt an sich ankommt, sondern auch darauf, daß es sich um Begehren handelt, die von Medien-, Partei- und Verbandsleuten vertreten, also aus dem außerstaatlichen Politikbereich an den Staat und die Staatspolitik herangetragen werden; die vom Praktischen her angeregte theoretisch-politische Geistesmenschlichkeit kommt so vielleicht zur Unterstützung nicht nur der konkreten praktisch-politischen Postulate, sondern auch des Prinzips, daß eben die Medien, Parteien und Verbände und natürlich auch die partei- und verbandsähnlichen Organisationen an den Staat praktisch-politische Forderungen richten, und daraus des noch weiteren Prinzips, nach dem der Staat als Ganzes so eingerichtet werden muß, daß dies praktisch möglich ist, also ein privater Gesellschaftsbereich besteht und organisatorisch durchgebildet ist (somit auch: durchgebildet werden darf), in dem Einzelne und Sozialgebilde den Willen fassen und betätigen, solcherweise fordernd an den Staat heranzutreten.

2.34 Das von den Publizisten und den Partei- und Verbandspolitikern postulierte Konkret-Sachliche wird zum Teil, mitunter vertreten von den gleichen Leuten als Parlamentariern, Programm oder wenigstens Diskussionspunkt des Parlamentes, des Zentralparlamentes bei landesweiter, von Gliedstaats- oder Provinzparlamenten bei regionaler, von Stadtparlamenten bei lokaler Bedeutung; natürlich haben die großräumlich wichtigen Themen größeres politisches Gewicht als die übrigen, aber auch im Regionalen und Lokalen sind Grundfragen des Sozialen und des Menschseins überhaupt gestellt und in praktischen Entscheidungen zu beantworten. Im Unterschied zum erlaubterweise einseitigen und sogar extremen Fordern im privatpolitischen Bereich verlangt die Parlamentsarbeit, wenn sie zu praktischen Ergebnissen führen soll, daß sich eine entscheidungsfähige Mehrheit auf konkrete Lösungen einigt, was oft nur durch Kompromiß erreicht wird, also allen oder zumindest einigen Zustimmenden den Verzicht auf einen Teil ihrer Begehren auferlegt; aber natürlich gibt es auch den Fall, daß eine Partei oder Parteienkoalition von vornherein die Mehrheit hat und so ihre Begehren kompromißlos durchsetzen kann, — nur wird sie dabei an die nächste Wahl denken: übersteigerte, rücksichtslose Machtausnützung kann sich rächen. Und neben den aus dem Privatpolitischen, insbesondere seitens der Parteien und Verbände eingebrachten Gegenständen hat das Parlament die Vorschläge der Regierung, und damit der Verwaltung (die in manchem der Regierung gegenüber ihre eigenen, sich aus der praktischen Staatstätigkeit ergebenden und richtigerweise in überlegener Fachkenntnis zu begründenden Auffassungen vertritt und vertreten muß), zu behandeln, solche, die sich ganz aus den Funktionen der Exekutive ergeben, und auch solche, die in einem Parteiprogramm (demjenigen der Mehrheitspartei oder einer Partei der Regierungskoalition) festgelegt sind oder aus seinem allgemeineren Inhalt abgeleitet werden; möglich ist somit, daß die Organisationen des privatpolitischen Bereiches, neben den Parteien auch die Wirtschaftsverbände (es gibt Regierungsmitglieder, die sich hauptsächlich den Arbeiter-, Unternehmer- oder Bauerninteressen verpflichtet verstehen), über die Regierung auf das Parlament wirken. — Bei allen grundsätzlichen Verschiedenheiten und sogar Gegensätzen zwischen den Parlamentsgruppen, vor allem zwischen den Parteien einer Regierungskoalition und auch zwischen den Mehrheits- und Minderheitsparteien wird sich doch oft eine ideenhafte Übereinstimmung in Sonderfragen (etwa bezüglich der Wohlstandssteigerung, der ausgeglicheneren, »gerechteren« Einkommensverteilung, der Förderung der höheren Schulen und der wissenschaftlichen Forschung) herausbilden: der Liberale, der Sozialist und der Religiös-Konservative schaffen auf der Ideenebene ein Prinzipiendreieck, dessen Ecken, die Grundsatzthesen und -forderungen, scharf gegeneinander abgesetzt sind (und damit jede gegen die beiden andern), um dessen Mitte aber eine mehr oder weniger große Innenzone gemeinsamer Einstellung besteht, von Gemeinsamkeit, die nicht einmal klar bewußt zu sein braucht, sondern vielleicht eher im allseitigen Fürselbstverständlichhalten liegt. Diese Gemeinsamkeit kann insbesondere den ideenhaften, und noch enger gefaßt den spiritualen, Hintergrund der praktischen Parlamentsarbeit betreffen: allgemein anerkannte Ideen von Menschenwürde und Menschlichkeit, Persönlichkeit und Selbstentfaltung, innerer und äußerer Freiheit, Gleichheit in der Politik und allmählich auch in der Wirtschaft, Pflicht zu Wohlstandssicherung und -ausbau, — jede dieser sozialpraktischen Ideen hat ihren Bezug zu geistigem Sein der Einzelnen und der Gesamtheit, wenn nicht aufs geistige Ganze, so auf Sonderbezirke gehend, jedoch kommt solcher sachbesondere Bezug meistens aus allgemeinerer Bejahung eines Menschlich-Hohen, dem, ob sie es genau wissen oder nicht, die Politiker, hier die Parlamentarier, die sich innerlich-anständig um die Gemeinschaftsdinge bemühen, aus den Kulturselbstverständlichkeiten verpflichtet sind.

Sachrichtigkeit ist in der praktischen Parlamentsarbeit ein Hauptgebot. Das einzige? Kulturmoralische Richtigkeit läßt sich als gleichrangiges zweites verstehen: das Sachrichtige soll dem entsprechen oder dienen, was in der Kultur unter der Idee des Menschlich-Richtigen verwirklicht werden soll. Damit aber wird der einzelne Handelnde auch darauf verwiesen, daß, vorläufig in Sonderausprägungen, seinsollendes Geistiges zu erstreben ist: er wird so zum Träger praktischer Geistigkeit, und im engeren Sinne: praktischer Geistesmenschlichkeit, — beides vielleicht so stark, daß es für den Theoretiker anregend und darüber hinaus einsichterweiternd ist, ständig das Geschehen in wenigstens einem der großen Parlamente zu verfolgen.

2.35 Ein großer Teil der aufs Praktische gehenden Politik, also der praktischen (im Gegensatz zur theoretischen) Politik liegt bei der Regierung und den sie beratenden Chefs und Experten der Verwaltung: die meisten Parlamentsdiskussionen stützen sich auf Regierungsentwürfe und -berichte, in denen richtigerweise für aktuelle Probleme sachlich und in Hinsicht auf die Kulturwerte beste Lösungen vorgeschlagen oder als bereits in Verwirklichung gebracht beschrieben sind. Was für die Parlamentarier, gilt auch für die den Willen der Exekutive Bestimmenden: auch ihnen ist es möglich und unter den allgemein anerkannten Kulturideen, oft unter den wert- und zielhaften Selbstverständlichkeiten der Kultur, auferlegt, in den konkreten Projekten und Verwirklichungen neben dem Sachrichtigen auch dem Sozial- und Kulturrichtigen den gebührenden Rang zu geben. Als Vorbereitung hiezu mag genügen, daß der Planer oder Ausführer sich darauf besinnt, was in dem von ihm zu bearbeitenden Fall den allgemeineren menschlichen Ansprüchen am besten diene, also letztlich der, jedem Einzelnen zukommenden, Menschenwürde am besten entspreche. Meistens wird da wohl aus der im Bildungsgut mitgegebenen Werthaltung entschieden: zur Vorbereitung auf die in allgemeinstem Sinne beste Leistung in Regierung und Verwaltung gehört damit auch das Hineinwachsen, Hineingeschultwerden in den Großbestand an Kenntnissen, Denkweisen und Einstellungen, dank welchem man zur Orientierung in den Sinn-, Wert- und Zielfragen befähigt wird (gerade dies läßt es aber als zweifelhaft erscheinen, daß die traditionellen Bildungsideen hiefür noch ausreichen: sind sie doch zu einem erheblichen Teil durch Wissens- und Denkgut bestimmt, das in der neueren Wissenschaftentwicklung stärkst verändert, und durch Gesellschaftswesen, das durch die moderne Industriezivilisation tiefgreifend umgebildet wurde; nicht mehr traditionelle Allgemeinbildung ist hier verlangt, vielmehr umfassendes Verstehen des Einzelmenschlichen, Sozialen und Kulturellen in ihrem jetzigen Sosein und ihrer aktuellen Problematik, — freilich auch in ihrem Entstandensein, und damit kann das Jetztnötige doch wieder an Früheres anschließen). Und in eben diesen Großbestand sind die Hochschätzung des Geistigen und damit zumindest Anfänge der allgemeinen Befürwortung des Geistesmenschlichen gegeben.

Aber in der Regierungspolitik muß zur Sachrichtigkeit und zur Sozial- und Kulturrichtigkeit ein drittes kommen: Richtigkeit in engerem Sinn der Politik, demjenigen des Zum-Erfolg-Bringens, der politischen Strategie und Taktik: letztlich wird das politische Können einer Regierung daran gemessen, wie weit sie ihr — sachlich und sozialmoralisch richtiges — Programm tatsächlich zum Erfolg führt. Auch hier sind Kompromisse unvermeidlich und mit ihnen Abstriche an den besten Programmen, aber selbst im Spiritualen wird man oft anerkennen müssen, daß die Verwirklichung eines Einigermaßen-Wertvollen besser ist als die erfolglose Vertretung des Vollkommenen.

2.36 Die »Regierung« ist die oberste Exekutivbehörde des Gesamtstaates. Gemäß der Staatsorganisation ergänzen sie, möglicherweise in zwei oder drei Stufen, oberste Exekutivbehörden für je ein geographisch abgegrenztes Teilgebiet des Gesamtstaates:

Gliedstaats- und Provinzregierungen, oberste anordnende Behörden der Gemeinden, — die letzteren am vollständigsten ausgebildet in den Großstädten; diese Teilgebietsexekutiven stehen natürlich nach Auftrag und Ausführungsfunktion unter der Zentralregierung, haben aber dieser und den andern Zentralstaatsbehörden gegenüber oft einen ziemlich großen Bereich der autonomen Willensbildung und Maßnahmenverwirklichung (oft werden die Beschlüsse im Zentralsstaat nur prinzipiell bestimmt und die Durchführungsmaßnahmen den Gebietsexekutiven übertragen, die so regionale und lokale Sonderbedingungen berücksichtigen können). Die Größe des Staates nach Fläche und Bevölkerung ist hiefür wichtig, aber nicht allein-entscheidend, denn es gibt kleine Staaten, in denen die anordnenden Instanzen der Teilgebiete komplexer durchgebildet und selbständiger sind als in manchen größeren; bei den Kommunen kommt es auf die Größe des Gesamtstaates ohnehin weniger an. In dieser Hinsicht ist die Staatsstruktur stark von Geschichte und Ideologie abhängig (so: Föderalismus in der Schweiz, Zentralismus in Frankreich und in der Sowjetunion). Das heißt aber nicht, daß sie unveränderlich festgelegt sei: geschichtliche Momente entstehen auch in der Gegenwart, insbesondere wird, was jetzt zentralisierend oder dezentralisierend wirkt, schon in naher Zukunft eine der geschichtlichen Ursachen sein; Ideologie aber kann umgebildet werden, und das insbesondere in Hinsicht auf größere Macht des Zentralstaates oder aber größere Selbständigkeit von Gliedstaaten, Provinzen und Gemeinden (vielleicht besonders wichtig: Autonomie von Regionen mit sprachlichen Minderheiten). Die Exekutivträgerschaft für die praktisch-spirituale Politik ist im dezentralisierten und insbesondere im föderativen Staat (erst recht in demjenigen mit dezentralisiertem Aufbau jedes Gliedstaates) im Vergleich zum zentralisierten und zentralistischen erheblich erweitert: jener erlaubt sehr viel mehr Politikpraktikern, an der nach den anerkannten oder zur Anerkennung zu bringenden Kulturwerten richtigen, ja besten Gestaltung von konkretem Staatlichem teilzuhaben.

Ähnliches gilt für die Gliedstaats-, Provinz- und Lokalparlamente als Behörden und für ihre Mitglieder als einzelne Politiker: indem sie über die aktuellen Fragen der ihnen zugewiesenen Sachbereiche beraten und beschließen, dazu die regionalen oder lokalen

Exekutiven bestimmen und sich mit ihnen auseinandersetzen, haben auch sie Gelegenheit, sachlich und sozialmoralisch richtiges Praktisch-Politisches herauszuarbeiten, zu postulieren und im Rahmen des Möglichen zu verwirklichen, — und dadurch können sie Träger der praktisch-politischen Geistesmenschlichkeit werden. Ergänzt wird dies durch das (gegenüber den Landesorganisationen mehr oder weniger weitgehend autonome) Wirken der regionalen und lokalen Parteien und Verbände, weiter durch die Berichterstattung und Diskussion in den Regional- und Lokalprobleme behandelnden Zeitungen und Medien.

2.37 Die Verwaltung, in ihren Spitzen (Chefs und Experten) mit der Regierung eng verbunden, daraus, daß sie einerseits die Regierungsbeschlüsse und -anordnungen ausführt, anderseits bei der Vorbereitung dieser und der ans Parlament zu richtenden Vorschläge mitwirkt und so auf die Regierungs- und auch die Parlamentspolitik großen Einfluß hat, ist an die ihr nach Organisationsplan und durch konkrete Aufträge zugewiesenen konkreten Funktionen gebunden: jede Verwaltungsabteilung hat ihre sachlich beschränkte Sonderrolle, in ihr soll sie sich bestens bewähren, aber mehr steht ihr nicht zu. Daraus folgt, daß die Verwaltung, gesamthaft und in ihren einzelnen Behörden, weder die Gegenstände noch die Methoden ihres Handelns autonom bestimmen darf: das ist ein Wesenselement des rational durchorganisierten Rechtsstaates und wird dagegen verstoßen, so schleichen sich Desorganisation und Willkür ein. Spezieller ist zu folgern, daß die in der Verwaltung Tätigen (in ihrer Verwaltungsarbeit, das schließt außerberufliches Sicheinsetzen nicht aus, nur darf es jene nicht stören) als Träger praktisch-spiritualen Wirkens unter gleicher Beschränkung stehen: administratives Handeln dieser Art ist möglich, wenn das betreffende Amt Leistungen zu erbringen hat, die entweder an sich spiritualen Inhaltes sind (also spiritual-eingestellte Leistende verlangen) oder zumindest die Anwendung spiritualer Prinzipien erlauben, nicht möglich dagegen, wenn diese Voraussetzungen fehlen; immerhin kann tieferdringende Überlegung spirituale Probleme auch dort erkennen lassen, wo man sie bisher nicht sah (etwa in der Landes- und Stadtplanung, beim Arbeiterschutz, bei Förderungsmaßnahmen für die Landwirtschaft). Aber selbst wenn die Funktion spiritualen Inhalt hat, ist sie doch nur selten politisch, im Sinne von staatswillenbestimmend, und bewege sich der be- große Verwaltungsabteilung eine Leistungshierarchie mit Funk- stimmte Staatswille auf einem noch so speziellen Sachfeld; einschränkend ist dabei für viele Leistende, daß jede einigermaßen große Verwaltungsabteilung eine Leistungshierarchie mit Funktionsstellen verschiedenen Ranges ist, von denen nur die obersten Entscheidungsbefugnis bieten, die mittleren höchstens Selbständigkeit in der Sachbearbeitung und die unteren bestenfalls Gelegenheit zu fachlich anspruchsvoller Ausführungsarbeit: verantwortliche Mitwirkung bei der Fassung spiritual-politischer Ziele und Verwirklichungsverfahren gibt es damit von vornherein nur auf der obersten Stufe (wenn auch im Zusammenhang damit auf mittlerer Stufe vorbereitende Leistungen zu erbringen sein können, — immerhin mag ab und zu die Auffassung eines in der Mittelstufe arbeitenden Experten so gewichtig sein, daß sie die Beschlüsse von Regierung und Parlament beeinflußt). Fast immer ist die Mitsprache der obersten Verwaltungsstellen in der spiritualpolitischen Willensbildung auf einen relativ kleinen Problemkreis beschränkt, — schon daraus ist sie viel eher praktisch-politisch als theoretisch-politisch.

2.38 Außerhalb der Verwaltung, jedoch mit ihr — bald enger, bald loser — verbunden, sind die vom Staat unter spiritualpolitischem Sonderauftrag eingesetzten autonomen Körperschaften tätig (so: Wissenschaftsakademie, Forschungsrat, Hochschulrat, staatliche Hochschule, autonome Körperschaften für die staatlichen oder städtischen Theater und Museen). Jener Auftrag geht wohl meistens auf einigermaßen selbständige Ausführung von Beschlüssen zuständiger staatlicher Behörden; oft aber läßt er einen größeren Spielraum für eigenes Entscheiden der Körperschaft und soweit das zutrifft, führt diese die politische Willensbildung weiter. Mitunter hat eine autonome Körperschaft staatliche Behörden in Hinsicht auf spiritualpolitische Maßnahmen, Reform von Bestehendem oder Schaffung von Prinzipiell-Neuem zu beraten: vielleicht wird sie so an Großzusammenhängen der geistigkeitlichen und insbesondere der geistesmenschlichkeitlichen Politik beteiligt (ähnlich den die spiritualpolitischen Beschlüsse von Regierung und Parlament vorbereitenden Verwaltungschefs und -experten).

2.39 Der allgemeinen Menschlichkeit verpflichtet sind die Richter, und jeder von ihnen kann sich als unter Geboten der staatspraktischen Geistigkeit, ja Geistesmenschlichkeit stehend auffassen. Diese Gebote werden fast immer die Ausführung betreffen, nur selten die staatliche Willensbildung: möglich ist aber, daß der Richter einen Rechtssatz in spiritualem Sinne neuinterpretiert und damit Träger der praktisch-politischen Geistesmenschlichkeit wird.

2.4 Der Träger der politischen Geistesmenschlichkeit und die andern

2.41 Die Träger der politischen Geistesmenschlichkeit, das heißt die spirituale Ziele fassenden, vertretenden und zur Ausführung empfehlenden Politisch-Aktiven (im weitesten Sinne verstanden) besitzen im Staat oder auf den Staat hin Einfluß und müssen ihn aus der Idee des Politisch-Aktivseins zu stärken suchen, — aber im Ganzen der politischen Kräfte haben sie kaum je das entscheidende Gewicht, sondern finden sich fast immer Machtkomplexen gegenüber, für die nichtspirituale Ideen und Ziele maßgebend sind (vor allem wirtschaftliche und klassenmäßige Interessen, immerhin können diese Wesensmomente enthalten, die sich wenigstens indirekt auf Spirituales beziehen lassen; weiter gesellschaftlicher Traditionalismus, außenpolitische Ansprüche, usw.). Das wirft die Frage auf, wie sie sich zu den nichtspiritual-eingestellten Politisch-Aktiven oder auch nur Politisch-Interessierten verhalten sollen. Und die Träger der politischen Geistesmenschlichkeit müssen wissen, daß sehr viele Menschen nicht politisch-aktiv und nicht einmal, oder höchstens im Zusammenhang mit unmittelbar eigenen, also inhaltlich sehr beschränkten Ansprüchen und mit oberflächlicher Aktualität, politisch interessiert sind: Wie sollen sie den zu dieser Mehrheit Gehörenden begegnen? Zu bedenken haben sie hiebei, daß unter den Politisch-Indifferenten auch Leute sind, die für sich selbst, vielleicht für kleinere oder größere Gesamtheiten, sogar für die, aber hier außerstaatliche und nicht vom Staat beeinflußte, Gesellschaft als Ganzes das Geistige, auch das Geistesmenschliche bejahen, erstreben, im Rahmen des ihnen Möglichen zu verwirklichen bemüht sind: Welches ist in diesem Sonderfall die zu empfehlende Beziehung zwischen den Politisch-Aktiven und -Inaktiven? Unter den nicht-geistigkeitlich eingestellten Politisch-Aktiven oder (intensiv) -Interessierten mögen anderseits manche das Spiriutale bewußt ablehnen, sei es aus Bevorzugung anderer sozialpraktischer Ziele, aus Ideologie oder sogar aus Philosophie (aber die meisten sind wohl dem Geistigen gegenüber bloß gleichgültig, und diese Haltung kann Ansatzpunkte für aufzubauende Sympathie enthalten): Was ergibt sich hieraus für die Spiritualpolitisch-Denkenden? Gleich zu fragen ist in Hinsicht auf die das Geistige ablehnenden Einzelnen und Gesamtheiten im großen Lager der Politisch-Uninteressierten. Schließlich die vielen Ideengegensätze zwischen den Trägern der politischen Geistesmenschlichkeit: auch sie sollten Besinnung darüber veranlassen, ob Auseinandersetzung oder tolerantes Nebeneinander richtig und wie allenfalls die Auseinandersetzung zu führen sei.

Diese Fragen stellen sich zunächst der allgemeinen Überlegung, indem die genannten Gegensatzsituationen prinzipiell jeden Träger der politischen Geistesmenschlichkeit betreffen und von ihm richtiges Verhalten fordern, Verhalten, das er zwar selbst bestimmen muß, dessen mögliche Typen er aber aus Theorie, Alltagsbeobachtung oder Erfahrung kennen sollte. Ein erster Verhaltenstypus ist derjenige des Sichnichtbefassens, der Gleichgültigkeit gegenüber den andern: er widerspricht zwar einem Wesensmoment der Politik, nämlich demjenigen, auf Einfluß- und sogar Machtgewinn gerichtet zu sein, was das Bemühen verlangt, die politischen Gegner und, auf weiterem Feld, auch die politisch Nichtinteressierten von Ablehnung zumindest zu Neutralität und wenn möglich zu Zustimmung zu bringen und, wenn das nicht gelingt, sie zu bekämpfen, — jedoch muß auch der Träger der politischen Geistesmenschlichkeit mit Zeit, Kraft und Mitteln haushalten und darum auf etliche der an sich erwünschten Auseinandersetzungen verzichten, vor allem dann, wenn die Meinungsverschiedenheiten ohne aktuelle Bedeutung sind. Oft aber verbieten ihm das Objektive der vertretenen Idee, vielleicht auch der sie betreffenden sozialen Funktion (so beim Journalisten, Parteimann, Parlamentarier, Regierungsmitglied, Experten), und das Subjektive seiner eigenen Geistigkeit und insbesondere seines politischen Temperamentes solche Zurückhaltung; die politische Geistesmenschlichkeit steht auf vielen Sachfeldern unter der Pflicht zur Durchsetzung der eigenen Auffassung, zur Erweiterung von Einfluß und Macht, damit zur Ideenpropaganda und zum Ideenkampf: solches wird sich in erster Linie gegen die Träger nichtspiritualer Ideen richten, vielleicht aber gegen Verfechter abweichender geistigkeitlicher Ziele. Und drittens kann ein Spiritualpolitiker aus seiner Funktion befugt und verpflichtet und aus seiner Auffassung genötigt sein, die von ihm befürworteten und vorbereiteten Maßnahmen trotz Ablehnung von Andersdenkenden zu treffen, ja gegen Widerstand durchzusetzen, — Sinn des Machterwerbes ist auch hier die Machtausübung.

An das Allgemeinere anschließend ist zu bedenken, daß jeder Träger politischer Geistesmenschlichkeit — als Einzelner, Gruppe, größere Gesamtheit oder Organisation — aus der je besonderen gesellschaftlichen und geistigen Situation sich je besondern Nichtspiritual-Gesinnten (oder wenigstens, bei schwächerem Gegensatz, Nicht-Spiritualgesinnten) gegenübersieht, — besondersartig aus Gesellschafts- und Wirtschaftsstruktur, Beruf und Klasse, Religion, Einstellung von Parteien und Verbänden, und oft auch aus Persönlichem. Immer gibt es da Gegnerschaft und, weniger akut, Gleichgültigkeit, die im Einzelfall als politisch wichtig erscheint und erscheinen muß, aber auch solche, für die das nicht oder höchstens in einem Nebenfeld zutrifft; ausschlaggebend sind für beides in erster Linie die geographischen und sachgebietlichen Momente: für den Spiritualpolitiker ist vor allem wichtig, was die Andersdenkenden seines Politikfeldes (seines Landes, seiner Region, seiner Stadt) und dabei erst noch was sie mit Bezug auf die von ihm vertretenen Sachideen wollen, — nicht zu kümmern braucht er sich dagegen, wenigstens in der unmittelbar auf praktischen Erfolg gehenden Bemühung (umfassendere Sicht mag diese Beschränkung lockern), um Meinungsgegner außerhalb seines geographischen und sachlichen Arbeitsgebietes. Und nur der konkreten Gegnerschaft, auf die er in seiner praktisch-politischen Arbeit stößt, wird er, und auch nur wenn sie für ihn erhebliches Gewicht hat, zu begegnen suchen.

Auseinandersetzung mit Meinungsgegnern, Wettbewerb mit ihnen um Einfluß in der Öffentlichkeit, um die Gunst von Parteien und Verbänden, Parlament, Regierung und Verwaltung, auch der Wähler (wiewohl der Träger politischer Geistesmenschlichkeit nur selten dazu kommt, seine besonderen Auffassungen in Wahlmanifesten darzulegen und zum Kerninhalt der Wählerentscheidung zu machen), sogar polemisch geführter Kampf, das alles hat in der spiritualen Politik seinen Sinn, einerseits gesamthaft und allgemein, anderseits auf die konkreten Politikthemen bezogen. Indessen ist alles Ideenkämpferische nur Mittel zu einem höheren politischen Ziel, allgemeinst gefaßt: zur Macht oder wenigstens dem Einfluß — bei den Mächtigen, von denen die Entscheidungen abhängen —, das Gewollte durchzusetzen. Für den Spiritualpolitiker ist es wohl kaum je sinnvoll, auf Macht im engen politischen Sinn zu hoffen, nämlich auf das sich in Abstimmungsmehrheiten niederschlagende Übergewicht über die Meinungsgegner, denn es läßt sich unter spiritualpolitischen Ideen weder eine einzelne Partei noch eine Parteienkoalition zur Macht bringen; vernünftigerweise wird er sich damit begnügen, mit seinem Programm Einfluß bei denen zu gewinnen, die gestützt auf nichtspirituale Interessen und Ansprüche die Macht haben. Fast alle von Spiritualpolitikern geführte Auseinandersetzung soll letztlich das Ziel haben, andere von der Richtigkeit des vertretenen Spiritualen zu überzeugen, andere: entweder die Meinungsgegner selbst oder Beobachter, die einsehen sollen, daß das Spirituale nicht Gegnerschaft, sondern Unterstützung und Förderung verdient; der überlegen kämpfende Spiritualpolitiker muß sich immer bewußt sein, daß seine Hauptaufgabe darin besteht, durch das Negative des Ideenkampfes das Positive des größeren politischen Gewichtes der geistigkeitlichen Programme und Einzelpostulate zu bewirken, und er wird das großenteils so tun, daß er diese in seiner Argumentation mit den von den andern vertretenen Programmen, die er als kulturell positiv wertet, verbindet.

Gesamthaft gesehen kann — und muß — die Auseinandersetzung der Träger der politischen Geistesmenschlichkeit mit den

Vertretern nichtgeistigkeitlicher Einstellungen sowohl von den theoretisch- als auch von den praktisch-spiritualen Auffassungen ausgehen. Das kann bedingen, daß verschiedene Diskutierende die Diskussion auf verschiedenen Argumentationsebenen führen, nämlich entweder auf einer Theorieebene, und zwar einer philosophischen (welcher?) oder einer ideologischen (welcher?), oder auf einer Praxisebene, wobei Unterschiede im Allgemeinheitsgrad zu beachten sind (es gibt die allgemeine Sicht des Praktisch-Politischen, etwa allgemein auf Erziehungsreform oder Vorsorge für die Alten gehend, und es gibt die speziellere Sicht, etwa die Einführung von Gesamtschulen oder den Ausbau der Rentenversicherung betreffend). Vor allem wichtig ist die hier zu erkennende Aufgabe der Theoretiker, und zwar der Philosophen wie der Ideologievertreter: allgemeine, grundsätzliche Diskussion der politischen Ideen- und Zielsysteme nichtspiritualen oder sogar antispiritualen Gehaltes, — natürlich wird von diesen aus auch das Spirituale diskutiert, kritisiert, angegriffen, und da mag sich erweisen, daß manches Nichtspirituale seine volle Berechtigung hat, jedenfalls nach Auffassung seiner Befürworter (es gibt keine objektiv begründete Pflicht zum Spiritualen, sondern letztlich nur seine subjektive Gutheißung) und vielleicht sogar unter Aspekten der Spiritualtheorie (so müßte aus dieser anerkannt werden, daß in einem wirtschaftlich rückständigen Land zunächst einmal, für die meisten Bürger vor jeglichem Aufbau von Spiritualem, die Volkswirtschaft, ja die Gesellschaft als Ganzes umzubauen ist).

2.42 Die nichtspiritual-eingestellten Politisch-Aktiven und -Interessierten (die zweiten sind nicht selbst politisch aktiv, befassen sich aber einigermaßen intensiv mit politischer Zielsetzung, -vertretung und -verwirklichung und mit den sachlichen Inhalten und Problemen der Politik) sind in ihrem Denken, Wollen und Handeln von Ideen und Interessen, oft auch nur in Form von traditioneller Haltung, bestimmt, denen keine spiritualen Momente innewohnen, dies zumindest in dem Sinne, daß sich keine unmittelbaren oder nah-indirekten Bezüge zu Geistigem finden lassen. Diese Sachferne zwischen Spiritual- und Nichtspiritual-Politischen mag ganz oder sehr weitgehend aus der Natur der politisch wirksamen Ansprüche und Sachaufgaben bedingt sein: es gibt viele

Inhalte und manche Inhaltsbereiche, bei denen die Politik sich nur um die Durchsetzung von außerspiritualen Interessen und Zweckmäßigkeiten dreht (Beispiele: Preisschutz für die Landwirtschaft, Vorgehen gegen Monopolunternehmungen, Reform des Wertpapierrechtes), und darunter ist wiederum vieles, das von der politischen Geistesmenschlichkeit aus als unerheblich erscheint, abgesehen etwa davon, daß sie die Wohlfahrt aller Volkskreise und die optimale Zweckmäßigkeit aller staatlichen Maßnahmen befürworten muß; hier erweist sich das Nichtbefassen als berechtigt, wenn auch vielleicht nur so, daß darauf verzichtet wird, von spiritualem Standpunkt aus zu diskutieren (natürlich kann der Spiritualpolitiker auch nichtspirituale Argumente vorbringen). Solche Haltung ist in der praktischen, konkrete Sonderleistungen bezweckenden Politik eher gestattet als in der theoretischen, denn die Denkarbeit der zweiten ist umfassend und stößt darum wohl in jedem nicht-spiritualen Ideenganzen auf Themen, bei denen die vollständigere Überlegung einerseits spirituale Bedingtheiten und anderseits Auswirkungen auf Spirituales feststellen würde. — Diskussion und sogar kämpferische Auseinandersetzung sind geboten, wenn ein sachlicher Bezug von Gegenständen nichtspiritualer Politik zu, kollektivem oder individuellem (aber das erste ist wichtiger), Geistigem besteht. Ziel muß vor allem sein, die Sachproblematik der Gegenstände, um die es bei den Meinungsverschiedenheiten geht, herauszuarbeiten, anschließend, die geistigkeitlichen Aspekte bewußtzumachen, sodann, die Nichtspiritual-Politiker von der Richtigkeit und Wichtigkeit der Spiritualmomente zu überzeugen, praktisch: einige dieser Politiker zu überzeugen, am besten solche, die auf die Beschlüsse der kompetenten Staatsorgane direkt oder indirekt Einfluß haben. — Als dritter Typus ist möglich, daß Träger der (praktisch-)politischen Geistesmenschlichkeit im Staat oder in einer Partei, einem Verband, einer Zeitung, einer Rundfunkanstalt einflußreich und sogar mächtig genug sind, spirituale Ansprüche gegen sie unwichtig haltende, zumindest an ihnen nicht interessierte politische Gruppen und Organisationen durchzusetzen; beachten sie die auf optimale Zweckmäßigkeit gehenden Sachanforderungen, immer im Rahmen der streng zu respektierenden rechtsstaatlichen Ordnung und geleitet von den allgemeineren sozialmoralischen Prinzipien, letztlich von der allgemeinen Menschlichkeit, so sind sie zu dieser Machtausübung nicht nur berechtigt, sondern verpflichtet: aus der Geistigkeit, die sie vertreten, und aus den sozialen Normen, dank welchen sie die Entscheidungsbefugnis oder jedenfalls ihre Einflußmöglichkeiten erlangt haben.

Wie der spirituale Politiker zum nichtspiritualen kann sich der nichtspirituale zum spiritualen verhalten. Wiederum als erstes das Nichtbefassen, sogar Nichtbeachtung und Gleichgültigkeit: diese sind in der durch Vorwiegen von wirtschaftlichen und technischen, dazu organisatorischen und administrativen Problemen und entsprechenden Forderungen wesensbestimmten modernen Kulturwelt eine naheliegende und praktisch häufig eingenommene Haltung, abträglich für die spirituale Politik vor allem daraus, daß die nichtspiritualen Interessen im politischen Kräftespiel das sehr starke Übergewicht haben: für den Spiritualpolitiker ergibt sich daraus die Doppelaufgabe, einerseits sich durch diese Nichtbeachtung nicht von der aufs unmittelbar wichtige Sachliche gehenden Arbeit abhalten zu lassen, sondern auch im Zusammenwirken mit den Nichtspiritualen für das Spirituale zu wirken (durch Förderung von Maßnahmen, die im Allgemeininteresse liegen, aber spezieller auch geistigen Zielen dienen), sie anderseits an klug ausgewählten Stellen zu durchbrechen, nämlich dort, wo bereits die latente Bereitschaft besteht, in eine aktuelle Problemlösung spirituale Momente einzubeziehen (wobei es auf den Inhalt ankommt, nicht auf Worte: wer spirituale Ziele verfolgt, muß unter Umständen bereit sein, sie auf Wegen zu verfolgen, die von den andern Beteiligten als durchaus nichtspiritual verstanden und bezeichnet werden). Zweitens kann die Auseinandersetzung zwischen den Auffassungstypen von den Nichtspiritualen ausgehen, denkbar ist hier sogar scharfe Ablehnung; solchem muß der Träger spiritualpolitischer Ideen oder Sachforderungen mit deren möglichst klaren Darlegung und mit der Kritik des ihnen Entgegenstehenden begegnen. Jedoch wird er sich auch hier bemühen, das in den gegnerischen Thesen verborgene Tatsächlich-Spirituale festzustellen und anzuerkennen, dies freilich unter Herausarbeitung des Prinzipiellen, aus dem er zu solch differenzierendem Werten kommt. Und drittens geht oft die staatliche Macht mehr oder weniger deutlich gegen das Spirituale: dann wird es für die Spiritualpolitik in der

Regel zweckmäßigst sein, an den Entscheidungsinhalten Detailverbesserungen durchzusetzen.

2.43 Wie sollen die Träger der politischen Geistesmenschlichkeit den vielen – sie bilden die Mehrheit der Bürgerschaft jedes Landes — begegnen, die politisch uninteressiert oder nur wenig interessiert sind? Sichnichtbefassen ist auch hier oft eine erlaubte und mitunter die notwendige Verhaltensweise, denn die Politik hat einen engeren Kreis, auf den sich der Politiker konzentrieren muß, womit überdies das Denkfeld des Politiktheoretikers abgegrenzt ist; aber natürlich sind Aktionen zur Weckung von Interesse an der Politik überhaupt und an der Spiritualpolitik insbesondere immer erwünscht (es mag sogar besser sein, daß einer ein politisch-interessierter Gegner der Spiritualpolitik ist als ein Gleichgültiger: dem ersten kann neue Einsicht gegeben werden, die sein Interesse in neue Richtung lenkt; im zweiten muß dieses erst aufgebaut werden). Auseinandersetzung ist hier für die politische Geistesmenschlichkeit meistens wohl nur zweitrangig, sie ist von andern Geistesmenschlichkeitstypen zu leisten (allgemeinphilosophisch, wissenschaftlich und künstlerisch aktiven, weiter dem erzieherischen). Machtausübung aus spiritualpolitischer Idee oder Sachabsicht ginge vor allem auf die außerstaatlichen Bereiche der Spiritualkultur, aufs gesamthafte spirituale Sein der beeinflußten Menschen, damit aber auch auf die, Sonderbereich des geistigen Ganzen bildende, Beteiligtheit am Staat.

Möglicherweise hat die politische Uninteressiertheit oder Kauminteressiertheit politisches Gewicht wenigstens so, daß die Mehrheit oder eine starke Minderheit eben diese Beteiligtheit ablehnt, weil sie weitgehende oder vollständige Privatheit für Einzelne und Gesamtheiten verlangt und von ihr aus auch die spiritualpolitischen Zielsysteme und Einzelthesen beurteilt; das mag Gleichgültigkeit, ja betonte Abneigung gegenüber dem Spiritualpolitischen und sogar seine polemische Bekämpfung zur Folge haben, damit aber vielleicht das Positive, eine Diskussion auszulösen, deren Teilnehmer zur Prüfung des gegnerischen und daraus vielleicht zur Relativierung ihres eigenen Standpunktes veranlaßt werden. Machtausübung auf der Linie politischer Uninteressiertheit mag dann darin bestehen, daß die Entscheidungsbefugten den

Leistungsbereich des Staates nach Möglichkeit beschränkt halten und dabei vielleicht gerade staatliche Maßnahmen zugunsten des Geistigkeitlichen verhindern, wohl unter Hinweis darauf, daß die Ziele und Wege des Geistigen von Religion, Philosophie, Wissenschaft (etwa Psychologie, Soziologie und Verhaltenslehre) und Dichtung zu beschreiben und zu empfehlen seien oder daß jeder Einzelne über sie autonom entscheiden solle (und hiebei das Geistige gesamthaft als unwichtig einstufen dürfe); bestimmt solches das Staatshandeln, so müssen die Träger der politischen Geistesmenschlichkeit mit beharrlicher Kritik einsetzen, gestützt auf theoretische Lehre oder gerichtet auf Einzelprobleme.

2.44 Sind die Politisch-Inaktiven einigermaßen, vielleicht sogar in erheblichem Grade geistigkeitlich interessiert, so werden an die politische Geistesmenschlichkeit besondere Anforderungen gestellt, dies aus der von vornherein gegebenen Gemeinsamkeit in Grundfähigkeit und -interesse, dank welcher die politisch-spirituale Beeinflussung teils leichter ist, und zwar aus der prinzipiellen Gleichgestimmtheit, teils aber, weil diese Unpolitischen auf ihren Geistigkeitstypus festgelegt sind, schwieriger. Nichtbefassung ist auch hier erlaubt und mag sogar als das Richtige erscheinen, letzteres aus der Idee der Selbstbestimmung und vielleicht auch aus dem Praktischen, daß die Diskussion nur Zeitverlust und gegenseitige Irritation zur Folge hätte. Meistens ist aber die Voraussetzung zu fruchtbarem Gespräch gegeben: dank ihm wird der bisher unpolitische Geistig-Interessierte einsehen, daß das Geistige immer auch staatlich bedingt und darum politisch zu unterstützen ist, und der Spiritualpolitisch-Interessierte, daß eine wichtigste Staatsaufgabe die Sicherung und, engagierter, die Förderung des privaten Geistigen ist — und damit des Geistigen all derer, für die das Politische nicht im ersten Rang steht. Machtausübung, welche Unpolitisch-Geistiges beeinflußt, ist vielfach möglich; geht sie von Trägern politischer Geistesmenschlichkeit aus, so wird sie den Aufbau umfassender Geistigkeit bezwecken.

Wie soll der Träger politischer Geistesmenschlichkeit mit diesen Unpolitischen diskutieren? Teils auf der Ebene der philosophischen Theorie, dies wenn die Gegenseite im begrifflichen und sytematischen Denken geschult ist, und teils an Praktisches anknüpfend, und zwar dann, wenn ihre Rationalität nicht hoch ausgebildet ist (wie bei den eher durch Glauben, durch Hochwertung des Erlebens und insbesondere der Teilhabe an Kunst, durch Leistungsfreude oder durch gefühlshafte Beziehung zur Gemeinschaft Bestimmten).

2.45 Unter den Politisch-Interessierten und im engeren Sinne den Politisch-Aktiven sind einige, die dem Spiritualen nicht gleichgültig, sondern ablehnend gegenüberstehen. Maßgebend ist da wohl meistens eine theoretische Grundauffassung, sei sie philosophisch (vor allem biologistisch, psychologistisch oder soziologistisch, und in jedem dieser Fälle individual- und sozialethisch naturalistisch) oder ideologisch (nationalistisch, rassistisch, materialistisch) begründet, mitunter aber auch bloß ein enger und sogar robuster sozialpraktischer Anspruch (wie derjenige auf Erhaltung oder aber Beseitigung von Klassenvorrechten oder auch nur derjenige auf Preisschutz für die Landwirtschafts- oder Industrieprodukte), — und das Ergebnis ist die Meinung, daß es auf die Spiritualziele nicht ankommt und daß das Bemühen um sie von den zu lösenden Problemen ablenkt, also unnützer Kraft- und Zeitaufwand wäre. Die Träger der politischen Geistesmenschlichkeit können dieser Gegnerschaft wiederum erstens mit Nichtauseinandersetzung begegnen: wenn ihnen weder politische noch Sachgründe die Abwehr als dringlich erscheinen lassen. Haben aber die antispiritualen Tendenzen erhebliches Gewicht und vermögen sie ihren Einfluß zu verstärken, so tritt aus leitender Wertidee die spirituale Politik, als lehrende Theorie und als auf Konkretes gehende Praxis, unter die Aufgabe, das Spirituale gesamthaft und im einzelnen zu verteidigen, zu festigen, zu erweitern, und seine Geltung, ja seine Macht zu stärken: sie ist hiedurch zur in die breiteste Öffentlichkeit wirkenden wie alle politischen und staatlichen Organisationen und Institutionen aufklärenden Herausarbeitung ihrer eigenen und zur Widerlegung der gegnerischen Prinzipien, darüber hinaus zur Bekämpfung der zu diktatorischer Staatsbeherrschung drängenden Geistigkeitsfeinde verpflichtet. Das führt zur Überlegung, ob und wieweit die Träger politischer Geistesmenschlichkeit allenfalls sogar zum gewaltsamen Widerstand gegen die politisch-aktiven Feinde der als Menschseinserfüllung zu verstehenden Geistigkeit verpflichtet, zumindest aber berechtigt seien (zu vergegenwärtigen etwa am Beispiel des ungenügenden spiritualpolitischen Widerstandes gegen die Hitlerlehre und -bewegung); zumindest wird man das nicht von vornherein verneinen. — Sind dem Spiritualpolitiker staatliche Machtbefugnisse anvertraut, so wird er diese, wenn nötig, zur aktiven Abwehr von Geistigkeitsbehinderung anwenden.

Die politisch inaktiven Gegner der Geistigkeit kann die Spiritualpolitik großenteils ignorieren, jedenfalls soweit sich die Einstellung jener nicht oder nur unerheblich auf Politik und Staatshandeln auswirkt; immerhin mag die abwehrende Kritik vorgezogen werden, aus der Sorge, daß die zunächst unpolitische Antispiritualität später politisiert werde und politisch-aktiven Geistigkeitsgegnern zu Macht verhelfe. (Was hätte in der Weimarer Republik die Spiritualpolitik gegenüber den unpolitischen, aber doch der Hitlerpropaganda zugänglichen Gegnern der modern-lebendigen Geistigkeit unternehmen können und sollen? Es gab solche Gegner auch im traditionalistisch-geistigkeitlichen Bildungsbürgertum, und manche ließen sich von den nationalsozialistischen Thesen schließlich zu allgemeiner Antispiritualität verleiten, — das zeigt, daß das Ja zum Geistigen umfassend und für alle Geistigkeitsarten, auch die modernsten und hieraus zunächst außenseiterischen, offen sein muß.)

2.46 Vielerlei Auffassungsverschiedenheiten finden sich innerhalb der Gesamtheit der Spiritualpolitisch-Aktiven, noch mehr innerhalb der weiteren Gesamtheit der Spiritualpolitisch-Interessierten (in der zweiten besteht Verschiedenheit schon daraus, daß die einen sich mit der bloßen Interessiertheit begnügen, die andern dagegen sie zu Aktivwerden verdichten). Zwar ist hier Gleichheit im allgemeinen und grundsätzlichen Einstellungstypus, eben der Geistigkeitsbejahung und wohl auch -fähigkeit, gegeben, aber sie wird meistens nur vom außenstehenden Betrachter erkannt, kaum von den Beteiligten selbst, die oft vor allem des Meinungsgegensatzes bewußt sind. Immerhin hat die politische Geistigkeit so viele räumlich und sachlich voneinander getrennte Erfüllungsfelder, daß die auf ihnen Tätigen einander fremd bleiben und gegenseitige Kritik sich nicht aufdrängt (Beispiel: wer in der Provinz A die Volkshochschulen ausbauen will, braucht sich nicht darum zu kümmern, daß in der Provinz B ein Andersgesinnter den Sport als für die Altersgeistigkeit wichtig versteht und zu fördern trachtet, vielleicht nicht einmal darum, daß in der Provinz C Volkshochschulideen maßgebend sind, die er nicht für richtig hält). Aber die Auseinandersetzung ist unvermeidlich und sogar erwünscht, wenn die Träger verschiedener Auffassungen sich handelnd oder auch nur diskutierend mit dem gleichen Problemkomplex befassen, oder mit zwar verschiedenen, doch sachlich ähnlichen und zugleich aus den Raumgegebenheiten nahen Problemfeldern (so: verschiedene Postulate zum Ausbau der Volkshochschulen der Provinz A; verschiedene Ideen, die in den benachbarten Provinzen A und B zum Thema »Sinnvolles Alter« vertreten werden); oft ist ihr Thema nur das unter einer nicht bestrittenen Zielidee Zweckmäßige, oft dagegen das richtige Ziel als solches, das Zielhaft-Beste. Zweckmäßigkeitfragen sind aus Sachwissen zu beantworten, beziehe es sich auf den Einzelgegenstand, ein kleines oder mittleres Sachgebiet oder einen, wahrscheinlich theoretisch-systematisch durchgearbeiteten, Großbereich; unter geschulten und erfahrenen Fachleuten sollte es da keine unüberbrückbaren Gegensätze geben. Geistigkeitliche Ziele, als Einzel- und Kleingebietsziele und als inhaltlich allgemeine, vielleicht weiteste, Ideen und Prinzipien, dagegen gründen, auch wenn für sie sozialobjektiv-zwingende Geltung behauptet werden mag (wie in Ideologie, die vermeintlich aus dem allgemeinen Menschenwesen, dem allgemeinen Gesellschaftswesen oder der geschichtlichen Notwendigkeit, ja sogar aus dem Willen Gottes die einzig richtigen sozialpraktischen Folgerungen ziehen), in autonomer Selbstdeutung und Sinngebung von Einzelnen, Gruppen und Gesamtheiten, letztlich in schöpferischer Setzung von Menschseinssinn und -zielen — bezogen zunächst vielleicht nur auf individuelles, sogar das eigene, danach aber erstreckt auf allgemeineres und schließlich das menschheitliche Sein — durch religiöse Denker, Philosophen, Ideologen und Dichter; somit gibt es in diesem Sonderbereich kaum das Zurückgehen auf wissenschaftlichen Richtigkeitsnachweis oder gar -beweis: vielmehr ist Einigung in Autonomie, aus subjektivem, persönlichem Fürguthalten und unter Anerkennung des Selbstbesinnungsrechtes eines jeden zu suchen, — jeder darf sich da bemühen, andere von der Sinn- und Zielrichtigkeit seiner eigenen Auffassung zu überzeugen, aber er muß diese dem subjektiven, persönlichen Fürguthalten der Zubeeinflussenden nahebringen. Nicht ausschalten lassen sich, und sie sollen es auch nicht, die Auffassungsverschiedenheiten über die Einzelziele und die sondergebietlichen Prinzipien, erreichen läßt sich jedoch Einigung über Sehr-Allgemeines, so über die allgemeinsten Spiritualitätsideen und -ziele (die immer als der noch umfassenderen Idee der allgemeinen Menschlichkeit untergeordnet zu verstehen sind), — also auch, wiederum in ein Spezielleres, nämlich dasjenige von Staat und Politik, gewandt, Einigung über die spirituale Ideologie in ihrem Allgemeingehalt. — Daß aus einer mächtig gewordenen spiritualpolitischen Auffassung gegen den Willen von Andersdenkenden inhaltlich-besonderes Geistiges durchzusetzen versucht wird, kann sich aus dem Wesen der Politik ergeben und ist erlaubt, wenn es nicht gegen die Toleranz verstößt, die jeder geistige Mensch allen andern Menschen gegenüber zu üben hat.

2.47 Unter den Zielsetzenden, -habenden, -vertretenden, denen sich der Träger politischer Geistesmenschlichkeit gegenübersieht und mit denen er sich vielleicht auseinanderzusetzen hat, sind viele Hochgeschulte, und diese haben dank Begabung und Ausbildung eher Zugang zum Spiritualpolitischen als die andern. Verlangt aber ist, daß dieser Zugang genutzt werde, und das wiederum erfordert in der Regel mehr als nur die Bereitschaft, Wesen und Möglichkeiten der geistigkeitlichen Politik zu prüfen: nämlich auch den Willen, sich allgemein auf das beste Menschsein zu besinnen und das hierin als richtig Erkannte tätig durchzusetzen. An diesem Willen lassen es manche Hochgeschulte mangeln: weil sie stark fachinteressiert sind und weil für sie das, berufsnützliche, Geistige, zumal das Intellektuelle, vor allem Mittel zu Geld und Geltung ist. Darin wird als eine Hauptaufgabe der sich mit Andersdenkenden auseinandersetzenden Träger der politischen Geistesmenschlichkeit erkennbar, daß sie vor allem die Intellektuellen von der Wichtigkeit der Entscheidung für das sozial-objektive Geistige überzeugen, und das wohl vorwiegend durch spiritualtheoretisches Darlegen.

2.48 Politik, das liegt in ihrem Grundwesen, geht auf Machtgewinn und Macht, — sie hat daraus den Nachteil, berechtigte Ansprüche von Gesamtheiten, die durch die Mächtigen nicht vertreten werden, nicht ausreichend zu befriedigen oder sogar, und vielleicht robust, zurückzuweisen. Wie sollen sich die Träger der politischen Geistesmenschlichkeit zur Macht einstellen, wo doch von vornherein klar ist, daß die Machtausübung vielleicht Geistiges von Nichtmächtigen beeinträchtigen wird? Manche mögen geneigt sein, auf Machtgewinn zu verzichten und die Machtanwendung andern, gesamthaft den Nichtspiritualen, zu überlassen; dies hätte indessen zur Folge, daß die spiritualpolitischen Ideen nicht das Gewicht erhalten, das die theoretisch- und auch die praktisch-politische Geistesmenschlichkeit für sie fordern muß: daraus muß die spiritualpolitische Theorie auch die Macht als ein spiritualpolitisches Ziel und auch das Machtstreben als nicht nur berechtigtes, sondern eine unerläßliche Pflicht bildendes spiritualpolitisches Wollen und Verwirklichen anerkennen, — die Macht ist ein zentrales Thema des philosophischen und ideologischen Lehrens über die richtige spiritualpolitische Praxis. Sehr bald werden hier aber auch Grenzen der Macht an sich, der Machtausübung und des Machtstrebens sichtbar, die gerade aus der Idee der politischen Geistesmenschlichkeit zu respektieren und vielleicht erstmals zu ziehen sind: zwischen Macht und Freiheit (und zwar der Freiheit der Machtunterworfenen, Nichtmächtigen, sogar Ohnächtigen), zwischen staatlicher und privater Kultur, zwischen Macht als Selbstzweck und Macht als Mittel, zwischen richtigem und unrichtigem Gebrauch von an sich unentbehrlicher Macht, schließlich zwischen Machtwillen als solchem und Willen zum Objektiv-Wertvollen (es braucht nicht unbedingt ein Spirituales zu sein); solches Grenzenziehen, so nötig es ist, darf jedoch nicht dazu führen, daß die Spiritualpolitiker auf Macht verzichten oder sie auch nur unter dem Stand halten, der im Interesse der spiritualen Ziele erreicht werden müßte.

2.49 Die theoretisch denkenden Träger der politischen Geistesmenschlichkeit sind Träger von Philosophie oder Ideologie, die sie für richtig und wichtig halten und hieraus in der Gesellschaft, und zwar durch staatliche Maßnahmen, durchsetzen wollen. Das verlangt von ihnen Konzentration auf eben diese ihre Ideen und führt sie vielleicht zu Ausschließlichkeit, in der sie die Berechtigung anderer Ideen nicht erkennen, zu Unduldsamkeit und Führungsanspruch. Nicht daß diese Nachteile im Spiritualen häufiger aufträten als im Nichtspiritualen, aber jenes ist vor ihnen nicht schon an sich geschützt, und darum hat man sich im Denken, das aufs Prinzipielle und Ganze der Spiritualpolitik geht, immer wieder und sehr klar zu vergegenwärtigen, daß man selbst nicht von vornherein außerhalb des Doktrinarismus, der Intoleranz und, gewinnt man Macht, des freiheitsfeindlichen Machtgebrauches steht, die man andern Trägern politischer Philosophie oder Ideologie oft und manchmal zu Recht vorzuwerfen geneigt ist, — solches Unrichtige ist nicht nur Fehler der andern. Somit müssen in die spiritualpolitische Theorie die Momente aufgenommen werden, durch welche der Theoriebefolger veranlaßt wird, sich innerlich und nach außen auch auf Toleranz, Freiheitlichkeit und geistige Offenheit zu verpflichten, — dies gegenüber allen andern in der Politik auftretenden Ideen, Interessen und Ansprüchen, geistigkeitlichen wie nichtgeistigkeitlichen.

Und die vorwiegend praktisch denkenden Träger der politischen Geistesmenschlichkeit beschränken sich manchmal allzusehr auf den Einzelgegenstand oder das Sonderfeld ihres konkreten Bemühens. Sie geben sich zuwenig Rechenschaft darüber, daß es andere Gegenstände und Felder gibt, denen sogar sie selbst, jedenfalls aber andere Politisch-Wollende, geistigkeitlich und erst recht nichtgeistigkeitlich eingestellte, aus umfassendem oder auch nur aus anders sachspeziellem Denken einige und vielleicht sogar große Wichtigkeit beimessen oder beimessen sollten (so schließt die hohe Bedeutung des Ausbaues der wissenschaftlichen Forschung, ein spezielles spiritualpolitisches Ziel, keineswegs das Vordringlichsein der für die Wohlstandssicherung erwünschten Festsetzung von Minimallöhnen, Ziel rein interessenbestimmter Gewerkschaftspolitik, aus); daß die Standpunkte, von denen das je besondere Spirituale hochgewertet und postuliert wird, subjektiv oder sozialbedingt sind; daß die Einzelprobleme der praktischen Spiritualpolitik aus allgemeineren Programmen und letztlich aus allgemeinsten Ideen erstens zu erkennen oder zu setzen und zweitens zu lösen sind und hieraus der Praktiker sich der Theorie öffnen muß, und ähnliches mehr. Auch hieraus gibt es Eingeschränktheit und Intoleranz, Behinderung anderer, sogar Rechthaberei und Kleinlichkeit — und findet sich solches, so müßte klargemacht werden, daß seine rasche und vollständige Überwindung als ein erstes geboten ist.

Ob Theoretiker oder Praktiker, — der Träger der politischen Geistesmenschlichkeit muß klarst verstehen, daß er dem Geistigen *des Menschen,* also nicht nur einer beschränkten Volksgruppe, dienen soll; daß der geistige Mensch seine Geistigkeit voll nur in freier Selbstgestaltung verwirklichen kann und also Dienst am Geistigen unmittelbar oder mittelbar auch Wirken für die Freiheit ist; schließlich und hauptsächlich, daß selbst die zur Zeit beste spirituale Auffassung einmal überholt und auf Neues umzubilden sein wird, also kein Jetziger die endgültige Wahrheit über das Spirituale besitzt: nicht einmal die bestdurchgebildete Spirituale Ideologie, wenn es sie gäbe, wäre endgültig.

3. GEMEINWESEN ALS AKTIONSFELDER DER POLITISCHEN GEISTESMENSCHLICHKEIT

3.1 Allgemeines über die Gebietsordnung des Staates

3.11 Das Handeln des Staates, damit die Politik und insbesondere die Spiritualpolitik, sei sie getragen von staatlichen Behörden (in weitestem Sinne, etwa auch die autonomen Körperschaften einschließend), von Parteien und Verbänden, partei- und verbandsähnlichen Organisationen, oder von Einzelnen (in Kritik und im theoretischen oder praktischen Postulieren) muß auf die gegebene Gemeinwesensordnung abstellen, und für diese ist immer auch die Gebietsordnung des Staates maßgebend (»Gebiet« ist hier das Staatsgebiet, das in geographisch bestimmte Untergebiete, meistens in einer Stufenfolge — etwa Gliedstaaten oder Provinzen, Distrikte, Gemeinden, zwischen den zweiten und dritten vielleicht Gemeindeverbände — gegliedert ist); dabei stellt sich, vielleicht dringlich, die Frage, ob diese beiden Ordnungskomplexe für die Befriedigung der sozialen und insbesondere der sozial-spiritualen Bedürfnisse zweckmäßig sind oder, zumal unter neuen Bedingungen, umgebildet werden sollten. Zwischen den Politisch-Interessierten und insbesondere den Politisch-Aktiven können sich Auffassungsverschiedenheiten über die beste Organisation des gesamten Aktionsraumes ergeben, vor allem darüber, ob die staatlichen Entscheidungs- und Anordnungsbefugnisse beim Gesamtstaat, das heißt beim gesamtstaatlichen Parlament, bei Zentralregierung und -verwaltung, oder aber bei den entsprechenden Behörden der Gliedstaaten, Regionen, Provinzen, auf unterer Stufe auch der Distrikte, Gemeindeverbände und Gemeinden liegen sollen, — neuerdings auch darüber, ob die Gespaltenheit der Großräume in souveräne Staaten beizubehalten oder, zumindest in Hinsicht auf übernational zu lösende Sachprobleme, durch staatenvereinigenden und damit übernationale, multinationale Institutionen schaffenden Zusammenschluß mehr oder weniger weitgehend (wie weitgehend?) abzulösen sei.

Jene Frage nach der Zweckmäßigkeit der gegebenen Gemeinwesens- und Gebietsordnung und die Meinungsverschiedenheiten, die daran anschließen, bleiben oft ganz im Praktischen der Politik, auch der Spiritualpolitik: auszugehen ist dann von dem, was konkret besteht, sich bewährt oder aber nicht bewährt hat, in der Öffentlichkeit als gewohnt hingenommen und vielleicht ausdrücklich bejaht, oder aber in Teilen der Öffentlichkeit für überholt gehalten und vielleicht abgelehnt wird; möglich ist aber auch ihre theoretische Behandlung: unter der theoretisch-politischen Geistesmenschlichkeit ist dann zu untersuchen, ob bestimmte Ornungstypen schon aus ihrem Wesen dem Spiritualen günstiger sind als andere, oder ob es solche prinzipiellen Vorzüge nicht gibt, oder ob diese allenfalls von konkret beschreibbaren Strukturbedingungen abhängig sind (letzteres mag etwa daraus aktuell sein, daß Ordnungsprinzipien, die in der westlichen Welt als an und aus sich richtig erscheinen, auf Entwicklungsländer übertragen wurden und sich dort offenkundig nicht bewähren). Stellt man zunächst aufs Praktische ab, so wird man, auf umfassende Richtigkeit bedacht, das so gewonnene Fürrichtighalten theoretisch prüfen, erweitern und vertiefen; beginnt man dagegen mit Theorie, so wird man seine Thesen an der Praxis messen, nicht nur an derjenigen der späteren Verwirklichung, sondern auch an jetzigen oder geschichtlichen Gegebenheiten, für die man sich vorstellt, die vertretenen Postulate seien auf sie angewandt worden.

Meistens werden die Aussagen, und damit die Diskussionen, über die gegebene und allenfalls umzuformende oder die theoretisch-prinzipiell zu befürwortende Gemeinwesens- und Gebietsordnung in dem Sinne zweitrangig sein, daß diese unter einem übergeordneten und damit erstrangigen Staatlichen gesehen wird (so: ist die Volkswohlfahrt das wichtigste Staatsziel, so ist die dezentralisierte Gemeinwesensordnung, die auf die regionalen und lokalen Wirtschaftsbedingungen fein abgestuft einzugehen gestattet, zwar sehr nützlich, aber nicht unerläßlich). Denkbar ist aber auch oberste Wichtigkeit, nämlich dann, wenn der zu beurteilende oder postulierte Zustand ein politisches Problem stellt, das auf ein übergeordnetes Privates hin bestens zu lösen ist (so: Regionalisierung des Staatsapparates um der bestmöglichen Berücksichtigung der in manchem regional-besondern Ansprüche der Bürger willen).

3.12 Die im Staat bestehenden und auch Grundlage der Politik von Parteien und Verbänden bildenden Gemeinwesen sind öffentlich-rechtlich organisiert; für sie sind Institutionen maßgebend, die entweder seit langem Geltung haben oder erst in jüngerer Zeit entstanden sind, und diese Institutionen wiederum sind ihrerseits durch gesellschaftliche und staatliche Gegebenheiten bedingt, von denen aus sie als zweckmäßig erscheinen, zumindest früher erschienen (was fragen läßt, ob nicht das, was einmal zweckmäßig war, jetzt unzweckmäßig ist, obwohl die sozialen Voraussetzungen gleichgeblieben sind; möglich ist ja auch die Änderung innerhalb der Institutionstypen als solcher). Zu bedenken sind jedoch auch die in umgekehrter Richtung laufenden Wirkungen, nämlich, daß die Gemeinwesensordnung die Gesellschaft und im engeren Sinne das soziale Spirituale beeinflußt (so: hemmende Auswirkungen einer zentralistischen Staatsverwaltung auf das kulturelle Leben von Außenregionen, besonders wenn sie von sprachlichen Minderheiten bewohnt sind). Befaßt sich die politische Geistesmenschlichkeit mit diesen Themen, so muß sie sich von vornherein darüber klar sein, daß sie wohl in jedem Fall mit einem mehrschichtigen, durch vielerlei Wechselwirkungen gekennzeichneten Tatsachenkomplex zu tun hat.

Allerdings werden die Gemeinschaftsinstitutionen und -organisationen kaum je nur von jetzt gegebenem Sozialem aus bestimmt; vielmehr sind sie meistens geschichtlich-geworden und setzen alte Gestaltungen fort, deren gesellschaftliche Voraussetzungen wahrscheinlich auch jetzt noch in einigem Umfange erhalten sind, dies wohl schon weil sie von jenen Institutionen und Ordnungen gestützt wurden (Beispiel: sind, wie in Frankreich, zentralistische Institutionen überliefert, so stärken sie die jetzigen zentralisierenden Kräfte und schwächen die dezentralisierenden). Das Soziale, durch das in mehr oder weniger ferner Vergangenheit (zum Teil schon im Mittelalter und in der frühen Neuzeit, zum Teil in der Epoche des Absolutismus) jetzt noch bestehende und überdies gefühlsmäßig und ideologisch anerkannte Ordnungen bestimmt wurden, hat sich aber im Laufe der Geschichte verändert, vielleicht so sehr, daß, müßte man die Institutionen auf Grund der modernen Gesellschaft neuschaffen, sie von jenen erheblich abweichen würden, — und das gerade bei solchen, die für die politische Geistesmenschlichkeit wichtig sind, denn diese hat in manchem von Neuerem, ja Neuestem auszugehen. Welche Gemeinschafts- und Gebietsordnungen entsprechen am besten der jetzigen Gesellschaft, der modernen Kultur?: die politische Geistesmenschlichkeit muß das auch von ihren je besonderen, von den nicht spiritualen verschiedenen, theoretischen und praktischen Gesichtspunkten aus prüfen. Als nützlich kann sich hiebei erweisen, daß man hypothetisch wie ein durch und durch modernistischer Technokrat denkt, für den ausschließlich das moderne Gesellschaftliche und Kulturelle maßgebend ist, — dies insbesondere bei der Beurteilung der überlieferten Gemeinwesensstrukturen (später wird man seine Sympathie fürs Überlieferte wieder aufleben lassen, aber vielleicht weiß man fortan etwas von ihrem Widerspruch zu den Gegenwartsbedürfnissen).

Hätte man, solcherweise hypothetisch-modernistisch und -technokratisch denkend, ein Schema, oder mehrere Schemata, für die den modernen sozialen und kulturellen Gegebenheiten am besten entsprechenden Gemeinwesensinstitutionen und damit die aktuell günstigste Gemeinwesens- und Gebietsordnung aufzustellen, so hätte man sich zunächst auf die Regionalgliederungen der Bevölkerungsstatistik zu stützen. Auszugehen wäre von der absoluten Bevölkerungsgröße: des ganzen Landes, der Gliedstaaten und Provinzen, der Regionen und Bezirke, der Gemeinden und Agglomerationen; zu vermuten wäre, daß es für die zweckmäßigste moderne Gemeinwesensordnung Bevölkerungsoptima gibt: beim Gesamtstaat etwa in dem Sinne, daß schon aus der Volkszahl über einem Maximum die zentralistische Ordnung zu schwerfällig wird und sich somit die Dezentralisierung aufdrängt, unter einem Minimum die Dezentralisierung überflüssig ist und sich also die zentrale Behandlung der Gemeinschaftsprobleme empfiehlt, zwischen diesen beiden Größen Zentralisierung oder aber Dezentralisierung vernünftig sein können und sich auch verbinden lassen (zentrale Behandlung der einen und dezentralisierte der andern Sachfelder); bei Gliedstaat, Provinz, Departement, auch bei der mehrere solche umfassenden Großregion, in dem Sinne, daß die Befugnisse und Strukturen der Gebietsorganisation bei großer Volkszahl denen von souveränen Staaten, bei kleiner Volkszahl denen von reinen Verwaltungsgebilden anzunähern sind, zudem im ersten Fall die innergebietliche Dezentralisierung, im zweiten dagegen die Zentralisierung geboten ist; bei Bezirk und mehrere Bezirke umfassender Region (Kleinregion im Unterschied zur vorhin genannten Großregion) in dem Sinne, daß es für diese Verwaltungsgebilde eine günstigste Bevölkerungsgröße gibt (neben der natürlich auch andere Faktoren zu berücksichtigen sind); bei Gemeinde und Agglomeration in dem Sinne, daß bevölkerungsstarke Lokalgemeinwesen einen großen Teil der sie betreffenden Aufgaben selbständig bearbeiten und lösen sollen. Die Bevölkerungsstatistik zeigt weiter die wirtschaftlichen Verschiedenheiten auf, die der nur-modernen Gebietsordnung zugrunde zu legen wären: ein einigermaßen großes Gebiet mit überwiegend bäuerlicher Bevölkerung hat seine spezifischen Sozialtatsachen und ist darum vielleicht als Einheit zu organisieren, abgegrenzt von Einheiten mit Industrie, Handel, Bank- und Versicherungswesen als wichtigsten Erwerbszweigen. In mehrsprachigen Staaten ist wahrscheinlich drittens auf die Sprachenstatistik abzustellen: jeder durch die eine gleiche Sprache geprägte Bevölkerungsteil hat seine kulturelle Eigenart daraus, daß jede Sprache ein je besonderes Rahmenwerk des Geistigen ist, und das um so mehr, je reicher die betreffende Literatur ausgebildet ist, — aber auch die Regionalsprache mit nur beschränktem Schrifttum bestimmt besondere Möglichkeiten des Geistigen und muß daraus bei der Diskussion der besten Gemeinschafts- und Gebietsordnung berücksichtigt werden. Weniger Gewicht haben in den Ländern der westlich-modernen Kultur die regionalen Religionsbesonderheiten, bei denen es sich in der Hauptsache ohnehin nur um verschiedene konfessionelle Ausprägungen der einen gleichen Hauptreligion handelt (des Christentums, — abgesehen von Israel; im Gegensatz dazu besteht in Indien die Trennung zwischen Hauptreligionen, in erster Linie Hinduismus und Islam) und deren Bedeutung einerseits durch die Vermischung der Konfessionsgruppen infolge der Binnenwanderung und anderseits durch das allgemeine Zurücktreten des religiösen Interesses ständig vermindert wird.

Aus der Berufsstatistik werden regionale Wirtschaftsstrukturen einsichtig, die durch die nationale Wirtschaftsgeographie eingehender zu untersuchen sind, woraus vielleicht zusätzlich die Wünschbarkeit von regionaler und lokaler Autonomie erkannt wird: es mag sich als zumindest prüfenswert erweisen, ob für ein wirtschaftlich in sich geschlossenes Industriegebiet eine besondere politische und administrative Region zu schaffen sei, die es ganz, aber außer ihm kein Nichtindustriegebiet, umfassen würde. Solche Autonomiepostulate kämen zwar wohl nicht aus direkt, vielleicht aber aus indirekt, spiritualpolitischen Postulaten, vor allem daraus, daß die aufs Wirtschaftliche abstellende Gebietsorganisation für den Aufbau des regionalen und nationalen Volkswohlstandes, damit für die Erweiterung und Festigung des wirtschaftlichen Fundamentes des Geistigen günstigst ist.

3.13 Alle diese sozialen Gegebenheiten sind wandelbar. Die Bevölkerung wächst und im Zusammenhang damit verändern sich die demographischen Relationen zwischen Stadt und Land, zwischen Mittel- und Großstadt, zwischen den Regionen (bei denen die mehrere Großstädte umfassenden Großagglomerationen besonders zu beachten sind). In der Berufsgliederung prägen sich die zunehmende Bedeutung von Industrie, Handel, Bankwesen, Verkehr, Dienstleistungsgewerben und innerhalb der einzelnen Erwerbszweige die höhere Wichtigkeit der qualifizierten Berufe aus; einzelne Regionen werden in wenigen Jahrzehnten zu Hauptgebieten der nationalen Volkswirtschaft, andere bleiben Agrargebiete ohne modernen Aufschwung, ihre Bevölkerungsgröße stagniert oder nimmt sogar ab (was immerhin auch mit der Modernisierung der Landwirtschaft zusammenhängen kann). Die Sprachverschiedenheiten, vielleicht lange kaum empfunden, können scharf bewußt und Anlaß zu politischer Auseinandersetzung werden. Aus solchem kann zweierlei zu folgern sein: erstens, daß die aktuelle Gestaltung der Gemeinwesens- und Gebietsordnung auch auf Neues abstellen und vielleicht das Bisher-Maßgebende als überholt einstufen muß; zweitens, daß die jetzt entscheidenden Überlegungen ebenfalls zeitbedingt sind und irgendwann in der Zukunft durch dannzumal richtigere korrigiert werden müssen.

Für die spirituale Politik sind diese Bedingtheiten und Wandelbarkeiten daraus wichtig, daß aus ihr die Aufgabe gestellt ist, die beste Gemeinwesens- und Gebietsordnung zunächst zu erkennen, darauf zu postulieren und im politischen Ideenkampf zu vertreten, schließlich konkret zu planen und der Verwirklichung entgegenzuführen. Hiebei ist sie aus ihrem eigenen Wesen, also sich selbst gegenüber, verpflichtet, die spiritualen Ideen und Ziele auch in diesen Sachzusammenhängen herauszustellen und in die Diskussion einzubringen. Das wird sie — gesamthaft gesehen, aber natürlich nicht im Bemühen jedes einzelnen Politisch-Aktiven — auf zwei Ebenen unternehmen: auf der Theorieebene muß sie feststellen und darlegen, welche der aktuell in Betracht kommenden Arten von Gemeinwesens- und Gebietsordnung spiritualpolitisch günstig und darum zu befürworten sind, welche Bedenken gegen die andern Arten vorzubringen und wie sie allenfalls bei Verwirklichung einer an sich nicht voll günstigen Lösung zu berücksichtigen wären; auf der Praxisebene wird sie erstens die aktuell erfahrenen Mängel rügen und beheben (zumindest beheben helfen), zweitens im Zusammenhang mit spiritualpolitischen Postulaten allgemeineren oder fachspeziellen Inhaltes die gebotenen Ordnungsvorschläge ableiten und vertreten. Sowohl im Theoretischen als auch im Praktischen ist möglich, ja unter den jetzigen soziokulturellen Bedingungen wahrscheinlich, daß sich das spirituale ordnungspolitische Denken gegen überlieferte und in der Öffentlichkeit für zweckmäßig gehaltene Ordnungstatsachen, -ideen und -modelle wenden muß: dies immer dann, wenn begründet zu vermuten ist, daß ein Ziel bildendes Spirituales durch die bestehende Ordnung behindert oder jedenfalls nicht ausreichend gefördert wird, — so kann sich erweisen, daß um des Spiritualen willen die bestehende Gemeinwesensordnung aufgelockert oder aber gestrafft werden sollte, oder daß eine neue Regionaleinteilung den mit der Industrialisierung entstandenen gesellschaftlichen Strukturen besser entspräche als die jetzige, noch aus der Zeit der stark überwiegenden Landwirtschaft stammende. Wenn hieraus die mehr oder weniger umfassende und tiefgreifende Reform des Bisherigen vorgeschlagen wird, so hat das (sachliche Zweckmäßigkeit vorausgesetzt) aktuelle politische Dringlichkeit und verlangt vollen Einsatz, — trotzdem dürfte man nicht unbeachtet lassen, daß auch das postulierte Neue zeitbedingt ist und später einmal ein reformbedürftiges Überliefertes sein wird.

3.14 Im sozial einheitlichen oder nach den leitenden politischen Prinzipien zu vereinheitlichenden Staat empfehlen sich aus allgemeinen wie sachspezifischen Gesichtspunkten mancherlei landesweit-einheitliche Maßnahmen, und daran mag bewußte Vereinheitlichungspolitik anknüpfen (gefordert vielleicht zunächst nur von einer Minderheitsorganisation oder einem Theoretiker); freilich erstreckt sich diese nur bei verhältnismäßig seltenen Großaufgaben der Politik auf das Ganze der Bevölkerung (etwa im Zusammenhang mit den verfassungsmäßigen Bürgerrechten, den allgemein-wichtigen zivilgesetzlichen Bestimmungen, dem Schulwesen), häufiger dagegen auf über das ganze Land verbreitete Teilgesamtheiten, die entweder besondere Forderungen stellen (wie die Bauern, die Industriearbeiter, die Volksschullehrer) oder denen gemäß politischem Willen besondere Pflichten auferlegt werden sollen (so: Industrielle, Aktiengesellschaften, Zeitungen). Je stärker sich die moderne Zivilisation durchsetzt, desto mehr ergeben sich für den Staat Aufgaben, die das ganze Staatsgebiet betreffen und in diesem Sinne »national« sind (genauer: die alle Personen, Gesamtheiten, Organisationen, auch alle Sachkomplexe betreffen, die bestimmte, landesweit gleiche — unter Vorbehalt von rechtlich anerkannten Variationen — Voraussetzungen erfüllen). Auch für spiritualpolitische Probleme kann sich die gesamtstaatlich-einheitliche Lösung als zweckmäßigst erweisen; trifft das zu, so sind entsprechende Zentralregierungs- und Zentralverwaltungskompetenzen zu verlangen, womit sich die spitituale Politik zu zentralistischer Tendenz bekennt, und dies vielleicht in bisher dezentralisiertem Sachbereich. Und zu bedenken ist außerdem, daß die ohne spirituale Absicht beschlossenen nationalen Maßnahmen für das Geistige der durch sie beeinflußten Gesamtheiten und vielleicht auch anderer Volksgruppen indirekt wichtig, und insbesondere förderlich, werden können.

Aber selbst wenn sich aus sachlichen Voraussetzungen und Notwendigkeiten eine gesamtstaatliche und in diesem Sinne zentralistische Lösung empfiehlt, kann immer noch zu fragen sein, ob diese Lösungsart für den Gesamtinhalt oder nur für Teilinhalte des Problemkomplexes zu verfügen sei. Es gibt Dingtypen, für die ohne jeden Zweifel das erste gelten muß: Freiheitsrechte, Rechtsgleichheit, rechtsstaatliche Prinzipien, sozialmoralisch richtige und zugleich sachlich zweckmäßige Fassung des Zivilrechtes, Förderung des Schulwesens, Arbeiterschutz, Sozialversicherung; auch die spirituale Politik muß hier im Zweifel zentralistisch sein: für diese Sachkomplexe muß allgemein gelten, daß ein von den Zentralbehörden beschlossenes Richtiges keinem Landesteil vorenthalten bleiben darf, anderseits ein zunächst nur in einem Teilgebiet erreichtes Bestes vollständig und rasch über das ganze Land verbreitet werden soll, — angesichts der zunehmend großgebietlichen modernen Zivilisationsentwicklungen ist anzunehmen, daß beide Momente auf lange Zeit hinaus sozial sehr gewichtig sein werden. Anderseits gibt es Dingtypen, bei denen der zentralstaatlichen die regionale oder lokale Behandlung vorzuziehen ist: Dinge, bei denen die regionalen und lokalen Bedingungen und Bedürfnisse ausschlaggebend sind (so: Fachhochschule einer Industrieregion oder einer Handelsstadt, Arbeitsbedingungen für Bergarbeiter, Fischer oder Seeleute, städtische Theater, Museen, Ausstellungs- und Messegebäude und -organisationen, durch religiöse Besonderheit eines Landesteiles beeinflußte Schulprogramme und -typen) oder die vorläufig der Bürgerschaft des ganzen Landes befremdlich erscheinen würden (so: staatliche Förderung eines neuen Schultypus, einer neuen Form der vergesellschafteten Industrieproduktion); auch manche konkreten Postulate der politischen Geistesmenschlichkeit werden am besten zunächst in Lokal- oder Regionalpolitik vertreten. Aus dem Wesen der nur teilgebietlichen Behandlung von Sachfragen werden die bereits bestehenden räumlichen Verschiedenheiten oft verstärkt, manchmal aber abgeschwächt, — verstärkt, wenn im Verwirklichten das es bedingende Besondere scharf herausgearbeitet und verfestigt ist (wie etwa die katholische Geistigkeit in einer kommunal geförderten Jesuitenschule), abgeschwächt, wenn das Verwirklichte sich bei all seiner Besonderheit doch unter ein landesweit geltendes oder befürwortetes Allgemeineres stellen läßt (so: modernes, auch Naturwissenschaften und Mathematik betonendes Lehrprogramm der städtisch unterstützten Jesuitenschule).

Man mag an dieser Stelle gesamthaft überlegen, welcher der beiden Ordnungstypen, zentralisierter oder dezentralisierter Staat, sich unter der politischen Geistesmenschlichkeit allgemein empfehle. Die Antwort wird komplex sein müssen: keiner von beiden ist einzig-richtig, keiner von beiden darf den andern ausschließen. Für die inhaltlich allgemeinen, prinziphaften Postulate ist nicht nur die landesweite, sondern auch die landesweit-vollständige (in dem Sinne, daß nicht im einen Landesteil etwas abgelehnt wird, was man im andern gewährt) und dabei sachlich zweckmäßige, rationelle Verwirklichung zu verlangen, womit praktisch auf den zentralistischen Typus verwiesen wird; es gibt aber Spirituales, mit dem am besten regionale oder lokale Stellen beauftragt werden, — Dezentralisierung hat ihren Wert auch im modernsten Staat.

3.15 Im Zusammenhang mit der Frage nach der besten Gemeinwesens- und Gebietsordnung ist der zunehmende Pluralismus der modernen Kultur zu beachten, der unter anderem darin besteht, daß manche Einzelne, Gruppen, Gesamtheiten und Organisationen (manche, aber nicht alle) durch Leistungs- und Teilhabeinteresse sehr spezielle Auffassungen haben und weiter ausbilden; das kann Verbundenheit mit Räumlich-Fernen und zugleich Fremdheit gegenüber Räumlich-Nahen bewirken. Werden aus dieser inneren Situation an den Staat Forderungen gerichtet, so ist wahrscheinlich ihre zentrale Behandlung erwünscht (etwa diejenige von Begehren nach Förderung der astrophysikalischen Forschung, nach Anerkennung des Rechtes auf militant-atheistische Propaganda oder aber auf orthodox-religiöse Revision von Schulbüchern, nach Orthographiereform), — aber da kann sich erweisen, daß die zentralstaatliche Großorganisation für das aufgeworfene Thema keine kompetente Stelle besitzt, eine solche vielmehr erst zu schaffen ist, sei es innerhalb von Parlamentsorganisation (als Parlamentskommission mit sehr speziellem und vielleicht kontroversem Auftrag) oder Verwaltung (als fachlich hochspezialisierte Amtsstelle), sei es außerhalb der zentralstaatlichen Gesamtorganisation, durch Einsetzung einer autonomen Körperschaft, die entweder voll selbständig sein oder aber mit einer bereits vorhandenen verbunden werden kann (es läßt sich etwa an die nationale Gesamtwissenschaftsakademie eine Spezialkörperschaft für Weltraumforschung angliedern). Aber solches ist letztlich nur Extremfall einer viel allgemeineren Tendenz der modern-staatlich organisierten Gesellschaft: der Abgrenzung von Sachbereichen, von denen jeder im Staat seine besondere, durch hochqualifizierte Experten geleitete und über einen hochleistungsfähigen Ausführungsapparate verfügende Spezialorganisationen erfordert, die sich natürlich im Gesamtstaat, also bei den zentralen Behörden, am besten ausbilden läßt, aber allenfalls durch eine ins Regionale und Lokale gehende Aufgabendelegierung zu verfeinern ist. Man kann auch in dieser fachlichen Departementalisierung einen Typus der Gemeinwesensdifferenzierung sehen, und ihr Wesen und ihre Bedeutung sind insbesondere von der theoretisch-politischen Geistesmenschlichkeit zu bedenken: manches direkt oder indirekt Geistigkeitliche ist auf hoher Stufe fachspeziell und verlangt den Einsatz eines entsprechend hochrangigen Leistungsapparates, hochrangig als hohe Qualität erstens der Leitenden und Experten, zweitens der Mitarbeitenden und Ausführenden, drittens des Sachapparates, also der Geräte und Einrichtungen, viertens der nach außen gerichteten Verbindung (zum vierten Punkt: jede der spezialisierten Staatsorganisationen muß durch ihre Arbeit auf Gesellschaftsbereiche einwirken, die hieraus zu besserer Zielfassung und -verwirklichung befähigt werden). Und es läßt sich vertreten, daß in etlichen Sachkomplexen, ja sogar einigermaßen allgemein die Departementalisierung im modernen Staat nicht nur ein ebenso wichtiges Organisationsprinzip ist wie die räumliche Dezentralisierung, sondern ein jetzt schon wichtigeres und in Zukunft noch wichtiger werdendes, und daß, wenn aus modernem Sachzwang zentralisiert wird, in den zu verstärkenden oder erst aufzubauenden Zentralbehörden nach Fachnotwendigkeiten zu departementalisieren ist (spiritualpolitische Begehren solchen Inhaltes wären aufzustellen etwa in Hinsicht auf die Behörden, die mit der Förderung der wissenschaftlichen Forschung, mit der Planung des Umweltschutzes, mit dem Ausbau und der Reform der Schulen, mit der Medienpolitik oder mit der Vorsorge für die Alten betraut sind).

Ist aus der Allgemeinaufgabe der spiritualen Politik eher zu folgern, daß der Zentralismus gesamthaft und vielerlei zentralistische Lösungen im einzelnen zu bevorzugen sind, so ist das zu präzisieren: wenn immer die fachlichen Spezialisierungsanforderungen es verlangen, ist zentralisierte und zentralistische Organisation vertikal, das heißt durch mehrere Befugnisstufen reichend, aufzugliedern, eben zu departementalisieren. Indessen braucht das nicht den vollständigen Gegensatz zur Dezentralisierung zu bedeuten, denn es kann, wie bereits erwähnt, auch von einer spezialisierten Zentralbehörde oder -körperschaft aus eine Unterorganisation mit regionalen und vielleicht auch lokalen Zweigstellen erwünscht sein, — Dezentralisierung unter modernerer Thematik.

3.16 Da in der modernen wissenschaftlich-technisch-wirtschaftlichen Kultur die Nationen zusammenwachsen und die Staaten zu ständig intensiverer Zusammenarbeit gezwungen sind, ist ein ständig wachsender Teil der bisher nationalen Aufgaben übernational zu lösen, — darum die Schaffung, Erweiterung und Stärkung inter- und supranationaler Organisationen (»internationale« Organisationen sind hier in dem Sinne verstanden, daß die vereinigten oder durch die Vereinigung indirekt betroffenen Staaten in ihren Befugnissen nicht grundsätzlich beeinträchtigt sind oder werden sollen; »supranationale« dagegen in dem Sinne, daß über den einbezogenen Staaten ein neues Großgebilde Souveränitätsrechte besitzt oder erhalten soll). Betrachtet man die nationale Gemeinschafts- und Gebietsordnung, so muß man auch diese die innere Staatsorganisation ergänzenden Gebilde, in welche das Nationale einbezogen ist, sehen — und dies insbesondere unter den spiritualpolitischen Aspekten: denn wenn auch die meisten sozialspiritualen Probleme sich innerhalb des Staates, in dem sie diskutiert werden, lösen lassen, so gibt es doch auch solche, bei denen durch Zusammenwirken dieses einen Staates mit andern die Lösung erleichtert, ja erst ermöglicht wird. Vor allem gilt das für Aufgaben, die sich aus ihrem Inhalt auf ein mehrere Länder umfassendes Gebiet erstrecken (so: Aufgaben aus kontinentaler Wirtschaftsverflechtung, aus der Zusammenarbeit der Hochschulen benachbarter Länder, in Hinsicht auf Umweltschutz), in zweiter Linie auch für Probleme, die man als in allen Ländern eines bestimmten Kulturtypus — denen der modernsten Kultur, oder aber denen der Entwicklungsländer, vielleicht der Entwicklungsländer einer besondern Kulturtradition (wie etwa der islamischen, britisch-kolonialen oder frankophonen) — als gegeben erkennt und darum in ihrem Prinzipiellen studiert, um zu allgemein anwendbaren Ergebnissen zu gelangen (so: Macht der multinationalen Gesellschaft, Lehrpläne von Gymnasien und Fachschulen; speziell in Entwicklungsländern: Probleme der Alphabetisierung, der Familienplanung, der Dorfgewerbe und Kleinindustrien, des Anwachsens der Großstädte).

Bei internationalen Organisationen, welchen Staaten als solche, Staatsorgane oder -körperschaften (je als speziell beauftragte Funktionsträger) angehören, ist der Organisationswille zum Teil, und zwar hinsichtlich des Prinzipiellen, aus dem die Mitglieder verpflichtet werden sollen, national zu bilden; daneben gibt es aber auch die Zuständigkeit der Organisationsapparate, deren Leiter und Experten ihre eigenen Zielauffassungen haben. Spirituale Politik innerhalb dieser Gebilde oder auf sie gerichtet muß entsprechend zweischichtig sein. — Supranationale Organisationen dagegen haben ihre eigene Souveränität und die spirituale Politik muß sich sowohl in ihren Sachpostulaten als auch in ihrem erfolgsuchenden Vorgehen darauf einstellen.

3.17 Der Gemeinwesens- und insbesondere der Gebietsordnung ist der Aufbau des Ganzen der willensbildenden Staatsorgane anzupassen. Daraus ergibt sich zunächst eine Hierarchie von Regierungsbehörden: unter der zentralen Regierung stehen die obersten Exekutivbehörden der Gliedstaaten, Provinzen, vielleicht von mehrere Provinzen umfassenden Regionen (diese mögen allenfalls gerade aus Gegenwartsbedürfnissen neu zu bilden sein), unter diesen die Exekutiven der Bezirke, Gemeinden, Gemeindeverbände; auch diese der Landesregierung nachgeordneten Behörden sind, innerhalb staatsrechtlich festgelegter Sachbereiche, zu selbständiger Willensbildung befugt. Und neben der Hierarchie der Regierungsbehörden diejenige der Parlamente: unter dem gesamtstaatlichen Haupt- und Zentralparlament die Gliedstaats-, Provinz-, Regionsparlamente, unter diesen die parlamentsähnlichen Behörden vor allem der Großstädte und auch anderer Städte und Gemeinden. Mit Bezug auf beide Hierarchien kann gefragt werden, ob die gegebene Ordnung zweckmäßig sei, und vielleicht werden Änderungen verlangt: solches Postulieren kann insbesondere von Trägern politischer Geistesmenschlichkeit ausgehen, — maßgebend ist dann wohl die Auffassung, daß die gegebene Ordnung den aktuellen spiritualpolitischen Bedürfnissen nicht gerecht wird, somit eine neue Zuweisung von Befugnissen, ja vielleicht eine prinzipielle Neugestaltung nötig ist, letztere im

Sinne der Zentralisierung oder der Dezentralisierung, der Aufhebung bisheriger oder der Schaffung neuer Untergebilde, aber auch der Neubildung oder des Ausbaues internationaler und sogar supranationaler Organisationen (im ersten Fall, zur Erweiterung der Aktionsmöglichkeiten von Regierung und Parlament des souverän bleibenden Staates; im zweiten Fall, zur teilweisen Ersetzung von nationalen Regierung- und Parlamentsfunktionen durch solche übernational-souveräner Großgebilde). Und das Postulieren kann von der sachspeziellen Einsicht ausgehen, daß sich bestimmte wichtige Angelegenheiten nur dann optimal regeln lassen, wenn die bestehende Ordnung umgebaut wird, oder aber von der allgemeinen, daß für das Spirituale überhaupt, und zwar auch und vor allem für das zukünftig zu verwirklichende, neue Weisen der staatlichen Willensbildung und -ausführung anzuwenden sind, vielleicht auch das bisherige Nur-Einzelstaatliche durch Internationales zu ergänzen oder ins Supranationale überzuleiten: indem die politische Geistesmenschlichkeit auf das geistige Sein des Menschen, und zwar des einzelnen Menschen, geht, muß sie auch das allgemein-menschliche Geistige, letztlich das menschheitliche Geistige wollen, damit allgemein und sogar global das dem Geistigen dienende Sozialpraktische jeglicher Inhaltsart, — daraus hat sie von vornherein die Tendenz zum Übernationalen (nämlich zum Übernationalen, das der geistigen Erfüllung der Einzelnen weltweit, und also auch in der nächsten Umgebung des Postulierenden, förderlich ist).

3.18 Der Gemeinwesens- und Gebietsordnung müssen die Parteien und Verbände, die partei- und verbandsähnlichen Organisationen und die Medien angepaßt werden: unter jedem Gemeinwesenstypus sind die Ideen zu fassen und zu vertreten, die ihrerseits zu Vorschlägen und Beschlüssen oder aber zu Kritik führen, und das setzt voraus, daß sowohl im Staat als solchen als auch auf den Staat hin (somit in der nach ihrem Wesen nicht- und außerstaatlichen Gesellschaft) das institutionalisierte Rahmenwerk für die politisch wirksame Willensbildung besteht, und das zu jeder Zeit gemäß den zu lösenden Sachaufgaben. Verlangt ist somit als Grundlage die Freiheit zur innergebietlichen Organisationsbildung: nach Staatsverfassung oder Gewohnheitsrecht muß erlaubt sein, daß für jedes politisch selbständige Gemeinwesen die ihm entsprechenden, sich mit seinen politischen Problemen befassenden Ideen- und Interessenvertretungsgebilde geschaffen werden und eine nur von ihnen selbst zu bestimmende Tätigkeit entfalten. Der spiritualen Politik sind hieraus Aufgaben zweier grundsätzlich zu unterscheidender Arten gestellt: erstens Fassung und Anwendung der zu vertretenden Ideen und Ziele (Anwendung vor allem in Postulaten, praktischen Vorschlägen, aber auch in Kritik und Auseinandersetzung, — all dies sowohl in und gegenüber den Behörden als auch in der Öffentlichkeit), zweitens das Organisieren im engeren Sinne, als Aufbau von gemeinwesens- und gebietsbesondern politischen Organisationen.

3.19 In den theoretisch-politischen Überlegungen, in denen von spiritualem Standpunkt aus festgestellt werden soll, welche Gemeinwesens- und Gebietsordnung allgemein oder unter besondern Umständen bestgeeignet ist oder sein könnte, ist zu berücksichtigen, daß diejenigen, die für eine bestimmte Ordnung, sei sie bereits gegeben oder erst postuliert, eintreten, möglicherweise nicht von spiritualer Absicht geleitet sind, vielmehr von nichtspiritualer oder sogar antispiritualer: wirtschaftliche Interessen, Machtansprüche, Spannungen zwischen Klassen, Ständen, Berufsgesamtheiten, zwischen Regionen, Sprachgesamtheiten, Konfessionen, und dazu der Traditionalismus oder Progressismus je als solcher sind da von großem Einfluß. Spielen solche Momente nicht auch in das hinein, was an sich aus der Idee der politischen Geistesmenschlichkeit zu befürworten wäre? Denkbar ist etwa, daß die Zentralisierung zwar ihre unbestreitbaren Vorzüge hätte, aber Machtpositionen entstehen ließe, von denen aus das Spirituale vielleicht behindert und sogar unterbunden würde; daß Internationalisierung, obwohl aus dem Gang der modernen Kultur durchaus erwünscht, eine selbstsüchtige internationale Bürokratie schüfe, welche das nationale Geistige schwächte, aber übernationales nicht förderte; daß anderseits Dezentralisierung, obgleich auch aus regional- und lokalgeistlichkeitlichen Gegebenheiten verlangt, das nur gesamtstaatlich oder sogar nur übernational zu verwirklichende Geistige hemmen würde; daß die Verteidigung der dem traditionellen Geistigen günstigen Gliedstaaten- und Gemeindenordnung die den modernen Anforderungen gehorchende Spiritualpolitik unvermeidlich und unaufhebbar erschweren würde. In jedem dieser Fälle hätte die spirituale Politik das, was sie als spiritual-richtig oder auch nur als spiritual-zweckmäßig zu vertreten geneigt oder, aus zwingendem Ideenzusammenhang, verpflichtet ist, auf das mit ihm wahrscheinlich verbundene Negative hin zu untersuchen, — vielleicht kommt sie da zur praktischen Folgerung, daß es klug sein kann, auf an sich spiritualgünstige Lösungen, welche den nichtspiritualen Kräften gefährlich großen Raum gäben, wenigstens vorläufig zu verzichten.

3.2 Das gesamtstaatliche Aktionsfeld

3.21 Der Gesamtstaat ist das Aktionsfeld der Staatsaktivität bei allen Maßnahmen, die gemäß Verfassungsrecht oder Gesetz, allenfalls auch gemäß Parlaments- oder Regierungsbeschluß gesamtstaatlich festzulegen und durchzuführen, oder gesamtstaatlich nur festzulegen und zur Ausführung an regionale oder lokale Stellen zu überweisen sind. Bestimmend sind also zunächst die geltenden Normen, seien sie geschriebenes Recht oder lediglich Gewohnheitsrecht, — ihnen hat sich auch die spirituale Politik anzupassen: daß sie sich im Rahmen der gegebenen Instanzen- und Verfahrensordnung hält, ist meistens die Voraussetzung für den Erfolg im Praktischen und erlaubt zudem, ihn rationell, das heißt mit möglichst geringem Zeit- und Kraftaufwand zu erreichen. Und es liegt in der staatlichen Normalität, daß diese Ordnung institutionell und organisatorisch ein ausgewogenes, abgeschlossen formuliertes oder zumindest formulierbares (aber viele haben gar nicht das Bedürfnis, es ausdrücklich zu formulieren) Ganzes bildet, das weder von den im Staat Aktiven — von Parlament, Regierung, Verwaltungsbehörden und Gerichten als Behörden und von den in ihnen Tätigen als Einzelnen — noch von den auf den Staat hin wirkenden Aktiven — Parteien, Verbänden, partei- und verbandsähnlichen Organisationen, Medien und in ihnen tätigen Einzelnen und Gruppen — in Frage gestellt wird (oder doch nur in theoretischer Überlegung, ob und wie allenfalls das Bestehende verbessert werden könnte). Das mag aus traditionalistischer Beharrlichkeit kommen und sogar von mentaler Trägheit beeinflußt sein; aber es hat seine für die Staatspraxis erheblichen Vorzüge: Eingespieltheit des Apparates und der Verfahren (Routine ist in den Behörden unentbehrlich: sie erlaubt die prompte Erledigung der immer wieder neuauftretenden Staatsaufgaben bereits bekannten Inhaltes), Vertrauen zwischen den Beteiligten (Behörden, Gremien und Einzelpersonen, — es bedeutet für die Arbeitsfähigkeit eines Staates viel, daß Fachbeamte verschiedener Behörden schwierige Fälle am Telefon besprechen und dabei sicher sein dürfen, daß der andere zu seiner Äußerung stehen wird), Klarheit über die Kompetenzen und auch die Kompetenzempfindlichkeiten der verschiedenen Amtsstellen und Funktionäre. Für die geistesmenschliche Politik als Politiktypus und für ihre Träger als besonders-eingestellte Organisationen, Gesamtheiten und Einzelne ist es unerläßlich, die staatliche Ordnung, so wie sie nun einmal gegeben ist, nach Möglichkeit zu nutzen, — und praktisch heißt das in erster Linie: die gesamtstaatliche Ordnung zu nutzen, denn diese ist fürs Ganze der spiritualen Politik immer wichtiger als die sie ergänzenden Sonderordnungen der Gliedstaaten, Regionen und Gemeinden; natürlich schließt das Kritik und Reformbemühen nicht aus, aber in diesen wäre immer eine Ordnung, vor allem eine gesamt- und zentralstaatliche, zu suchen, die dem, was schon unter der gegenwärtigen gewollt werden muß, besser dienen würde, — in der spiritualen Politik: dem, allgemeinst verstandenen, Geistigkeitlichen, praktisch in seinen gesellschaftlichen Ausprägungen, aber auch darin immer als das zielhafte Sein der Einzelnen vorgestellt. Da die spirituale Politik teils im Staat, insbesondere in den zentralstaatlichen Behörden, teils auf den Staat hin aktiv wird, ist von der Gesamtheit ihrer Träger entsprechende Zweischichtigkeit des Interesses und der Tätigkeit gefordert, jedoch nicht von den je besondern Trägern, denn die einen wirken, auf wahrscheinlich begrenztem Sachfeld, innerhalb, die andern dagegen, postulierend und Einfluß suchend, außerhalb des Staates. In beiden Bereichen sind besondere sich aus dem Wesen des Gesamt-und Zentralstaates ergebende Anforderungen zu erfüllen: Kenntnis, Handlungsbefugnis und Können, — alle drei bezogen auf das Gesamt- und Zentralstaatliche und damit auf die Gesamtgesellschaft. Hieraus wird die spirituale Politik (wie alle im Zentralstaat vollzogene oder auf ihn gerichtete Politik) in ihren Inhalten allgemein und relativ-abstrakt (abstrakter als das, was etwa in alltagsnaher Kommunalpolitik zu unternehmen ist), zudem großenteils nur indirekt-spiritual (der Zentralstaat soll vor allem den Rahmen schaffen, dessen das konkrete Geistige bedarf), im Formalen (um dem allgemeinen und abstrakten Inhalt die zweckmäßigste Form zu geben) entweder an sich juristisch oder jedenfalls in juristischen Rahmen gestellt.

3.22 Als »Gesamtstaat« zu verstehen ist hier jeder voll souveräne Staat, also jedes nach seinem institutionellen Wesen öffentlich-rechtlich organisierte Gemeinwesen, das über die in einem geographisch abgegrenzten Gebiet zusammenlebenden Menschen, das Staatsvolk, die volle Souveränität ausübt. Diese Begriffsbestimmung gilt für Staaten jeder Größe, vom Zwergstaat, wenn er nur voll souverän ist, bis zum Staatsgebilde subkontinentalen oder sogar kontinentalen Ausmaßes: alle Staaten, ob groß oder mittelgroß oder klein, sind vor gleiche Grundaufgaben gestellt (zu denen in den größeren und großen Staaten allerdings weitere kommen, die nur ihnen eigen sind), gleiche Aufgaben auch in bezug auf das, soziale und individuelle, Geistige, das nach spiritualpolitischer Auffassung der Staat fördern soll. In der praktischen Diskussion erhält sie allerdings zusätzlichen Sinn daraus, daß manche Staaten neben ihrer das Ganze umfassenden Organisation einigermaßen selbständige teil-souveräne Regional- und Lokalgemeinwesen haben: »Gesamtstaat« ist dann die erste im Unterschied von den zweiten; dies wiederum hängt nicht unbedingt von der Größe des Landes und der Volkszahl ab, denn es gibt föderativ durchgebildete Klein- und stark zentralisierte Großstaaten. Spiritualpolitische Überlegung, die sich, zunächst theoretisch, auf den Gesamtstaat richtet, muß in erster Linie auf jenen Hauptwesenszug, die volle Souveränität, abstellen; es ergeben sich für sie vier Grundfragen: Welche spiritualen Möglichkeiten eröffnet die gesamtstaatliche Souveränität?; Welche Nachteile fürs Spirituale können aus ihr kommen?; Was ist vom souveränen Gesamtstaat zu fordern?; Wie kann das Geforderte vom Gesamtstaat verwirklicht werden und wie kann die spirituale Politik zu dieser Verwirklichung beitragen? Alle vier Fragen veranlassen Denkbemühung, dank welcher die theoretische und praktische Kenntnis der Voraussetzungen, Möglichkeiten und Ziele der Spiritualpolitik erweitert und vertieft wird; unter der dritten und vierten lassen sich außerdem Einsichten gewinnen, die sich für den konkreten Ausbau von Handlungsbefugnis und Können, je in allgemeinem oder speziellem spiritualpolitischen Sinne postuliert und Sonderziel bildend, einsetzen lassen.

Spirituale Möglichkeiten unter, aus und dank der gesamtstaatlichen Souveränität? Die Souveränität ist, ihrer allgemeinsten Idee nach (mit voller Absicht sind hier auch die Besonderheiten des totalitären Staates bedacht, dessen Souveränität ins Extreme übersteigert ist und gerade dadurch einige ihrer wichtigen Wesenszüge sichtbar macht), die tatsächliche Macht und Fähigkeit des Staates und damit sein mit Zwang durchsetzbares Recht, die von ihm institutionell zusammengefaßte Gesellschaft gemäß den in ihm maßgebenden Zielauffassungen zu gestalten und zu leiten. Was das Geistige anbelangt, so zeigt sich sofort, daß die Souveränität sich auch darauf erstrecken kann, es als allgemeines Ziel und in dessen besondern Ausprägungen und Verwirklichungsweisen anzuerkennen oder aber abzulehnen (dies gesamthaft oder unter speziellen Aspekten). Denkbar ist, daß Spiritualpolitiker: erstens dank eigener Macht die in Staat und Gesellschaft Geltung erlangende Auffassung von den richtigen Inhalten und Anwendungen der Souveränität selbst bestimmen oder wenigstens bei dieser Bestimmung maßgeblich mitwirken; zweitens sich der geltenden Auffassung, ohne sie mitgestaltet zu haben und vielleicht auch ohne sie in allem gutzuheißen, unterziehen (aus dem Prinzip, daß dem Staat gehorcht werden müsse, oder auch nur, weil gegen die Mächtigen aufzukommen schwer ist und es zu versuchen nachteilig wäre); drittens sich den Souveränitätsträgern frei und auch mutig gegenüberstellen, ihre Programme kritisieren und an ihnen Änderungen verlangen; viertens in eigenem aufs Ganze gehendem und damit theoretischem Denken die zur Anerkennung zu bringenden Ideen herausarbeiten und die zu verfolgenden Ziele setzen. Bei jeder dieser vier Einstellungen ist mehr oder weniger deutlich vorausgesetzt, daß die Souveränität zwar staatsrechtlich ein Oberstes ist, aber nicht auch ethisch (im Sinne der objektiv-beschreibenden Befassung mit den Gegebenheiten der Wert- und Zielsphäre) und damit nicht auch moralisch (im Sinne des »subjektiven« Wertens und Forderns); darin zeigt sich die Spannung zwischen dem staatsrechtlichen Recht-zum-Handeln und dem überstaatsrechtlichen Anspruch auf das richtige und insbesondere das moralisch-gute Handeln (zudem auch auf das zweckmäßigste, das heißt ausführungspraktisch optimale Handeln, — das liegt in der Hauptsache außerhalb von Staatsethik und -moral, berührt diese aber immerhin in Grenzbereichen, da sich fachmännische Richtigkeit des Für-die-Gesellschaft-Leistens auch als sozialmoralische Pflicht verstehen läßt), und es zeigt sich weiter, mehr das Subjektive der Politik erhellend, die grundsätzliche Selbstauffassung der das Richtige und insbesondere das Gute vertretenden Denker und, sich auf diese stützenden, Politikpraktiker, berechtigt zu sein, den die Souveränitätsrechte Ausübenden mit Kritik und Forderung gegenüberzutreten.

Aber gerade daraus, daß zielphilosophisches, und insbesondere geistesmenschlichkeitsphilosophisches, Denken gegenüber der Souveränität kritisierend und fordernd ist, wird diese ins Feld von Zielsetzung und -verwirklichung einbezogen: beansprucht wird damit eine Philosophieüberlegenheit in dem Sinne, daß die Philosophie, und an sie anschließend die Ideologie, prüfen und ratgebend postulieren darf und soll, unter welche materialen Ziele die, hier als formal verstandenen, Souveränitätskompetenzen richtigerweise zu stellen sind. Dieser Anspruch auf Überlegenheit der Philosophie ist Anspruch auf Souveränität von anderer als staatlicher Art: auf die Denk- und Zielsetzungssouveränität des autonomen Menschen.

3.23 Welche Nachteile fürs Spirituale können aus der gesamtstaatlichen Souveränität kommen? Aus ihrem innersten Wesen darf und soll die politische Geistesmenschlichkeit philosophische und ideologische, und aus ihnen abgeleitete konkretere, Ziele postulieren, — aber da dies Ausdruck der Denkfreiheit des autonomen Menschen ist, besitzt es nicht die Kraft, den Staat aus objektiver Richtigkeit zu verpflichten: es begegnet mancherlei nichtspiritualen Auffassungen und auch einer weitverbreiteten Gleichgültigkeit gegenüber dem Geistigen, und vielleicht sind die nicht-

und antispiritualen politischen Kräfte in der Gesellschaft so stark, daß sie der Souveränität die konkreten Inhalte geben. Geschieht das, so sind die Träger der politischen Geistesmenschlichkeit kaum mehr als Außenseiter und ist die spirituale Politik ohne wesentlichen Einfluß auf die Macht- und damit die Souveränitätszentren des Staates; in der Tat ist diese Situation ziemlich wahrscheinlich, denn die in der modernen Welt vorherrschenden Ideologien sind konkret auf sozialtechnische und wirtschaftliche Dinge gerichtet, die zumindest keinen direkten Bezug zu Spiritualem haben (was immerhin den indirekten Bezug nicht ausschließt, aber dieser ist den betreffenden Politikpraktikern nur selten bewußt), und die Politiker und politisch interessierten Bürger, die nicht ideologisch bestimmt sind, lassen sich ohnehin meistens von einigermaßen robusten Wohlfahrtsansprüchen leiten. Soll der Spiritualpolitiker darum die Staatssouveränität ablehnen: im eigenen Land, in dem er sich nicht durchsetzen kann und nicht einmal Beachtung findet, oder allgemein? Dies wenigstens im Prinzip, da er mit seiner Ablehnung ebenfalls keinen Einfluß hätte, — immerhin könnte er sich Regionalisten, Autonomisten oder Internationalisten anschließen und damit die bereits bestehende Gegnerschaft zur Souveränität unterstützen (wenn auch kaum verstärken, doch kann das ändern)? Wer von der Unentbehrlichkeit der Staatsouveränität überzeugt ist, hielte diese Ablehnung für verfehlt; der Vorwurf von Verstoß gegen geheiligte Vaterlandswerte läge ihm wohl nahe. Aber ist die Staatssouveränität denn wirklich etwas Unantastbares, zumal als Souveränität jedes Staates in seiner jetzigen Gestalt? Dürfte sie nicht gerade daraus, daß durch sie wichtigstes Geistiges nicht gefördert oder daß es sogar behindert wird, von der politischen Geistesmenschlichkeit in Frage gestellt werden, dies am ehesten von der theoretischen, vielleicht aber auch von der praktischen (sei es gestützt auf die theoretische, sei es ganz aus den praktisch-politischen Situationen und damit der theoretischen Anregung gebend)?: zumindest ließe sich das nicht zwingend verneinen, weder aus spiritualpolitischen noch aus andern Gründen; und es läßt sich sogar bejahen, und zwar aus der Philosophieüberlegenheit, in der eine vom Staat grundsätzlich nicht zu beeinträchtigende Denk- und Zielsetzungsfreiheit behauptet ist, die dem Kernwesen des autonomen Menschen entspricht.

Indessen wird der Spiritualpolitiker, der sich mit den letztlich aus der gesamtstaatlichen Souveränität kommenden Benachteiligungen des Spiritualen auseinandersetzt, nicht diese Souveränität als solche angreifen oder auch nur kritisieren, schon darum nicht, weil sein Interesse meistens auf Konkretes geht, das entweder bereits diskutiert wird oder nächstens neu postuliert werden soll, sodann natürlich darum, weil der Angriff auf die Staatssouveränität für die meisten ohne irgendwelche Aussicht auf praktischen Erfolg wäre, überdies selbst im günstigsten Fall keine sicher geistigkeitsgünstige Lösung brächte, denn die Körperschaft, die anstelle des kritisierten Gesamtstaates die Entscheidungsbefugnis erhielte, könnte ebenfalls Nichtgeistiges für wichtig halten. Erfolg verspricht eher die Bemühung um Einfluß auf die Staatsführung und die diese bestimmenden Parteien, und das in erster Linie durch Darlegung der allgemeinen spiritualen Ideen und Ziele und durch darauf gestützte Kritik des Unrichtigen, Darlegung und Kritik vor allem ausgehend von Zielphilosophie, auf unterer Ebene auch von Zielideologie, also insbesondere von spiritualer Ideologie; oft wird dabei vorausgesetzt werden dürfen, daß diejenigen, die für die zu rügenden Nachteile verantwortlich sind, das Geistige nur aus mangelndem Interesse vernachlässigen, nicht aus feindlicher Absicht unterbinden und sogar bekämpfen, — vielleicht sind sie zumindest im Praktischen bereit, spirituale Anwendungen des an sich Nichtspiritualen zu gestatten. Was aber dem Träger der politischen Geistesmenschlichkeit nicht gestattet wäre, ist, daß er sich durch Hinweis auf die Souveränität von Darlegung und Kritik abhalten läßt (die Mächtigen könnten sagen: »Wir handeln innerhalb der Souveränität unseres Staates, und diese gibt unserem Tun die unbestreitbare Richtigkeit; jegliche Kritik wäre ein Verstoß gegen ein oberstes Recht unseres Staates«), — und das weder im Inland, bei Auseinandersetzung mit dem eigenen Staat, noch im Ausland, bei Auseinandersetzung mit dem eigenen Heimatstaat durch Emigranten (selbst wenn sie ausgebürgert sind) oder mit einem fremden Staat durch Interessierte, die von ihm aus gesehen Ausländer sind (»die also unsere Angelegenheiten überhaupt nichts angehen«). Vielmehr soll die Denk- und Zielsetzungssouveränität des autonomen Menschen, und des Philosophisch-Denkenden, der seine geistige Autonomie zu hoher Bewußtheitsklarheit und -kraft gebracht hat, im besondern, die Staatssouveränität in philosophische Schranken weisen.

Da die staatliche, vor allem die gesamtstaatliche, Souveränität die spirituale Politik hindern und — zumindest auf Teilfeldern, im Extremfall sogar ganz — ausschließen kann, muß die theoretisch-politische Geistesmenschlichkeit dieses Nachteilige in Wesen und Ursachen und auch in Hinsicht auf die Weisen, es zu vermeiden oder abzubauen, systematisch untersuchen. Und das auf drei Ebenen: sachphilosophische Herausarbeitung des sachwichtigen Objektiven; zielphilosophische Wertung (denn die philosophisch-politische Geistesmenschlichkeit vertritt Wertauffassungen); praktisches Postulieren (sei es ideologiebildend, sei es direkt auf konkretes Staatliches gehend).

3.24 Was soll die politische Geistesmenschlichkeit vom souveränen Gesamtstaat fordern? Zu diskutieren sind hier nicht die Probleme eines einzelnen Staates, vielmehr das Zielhafte, das als für alle Staaten zutreffend anzuerkennen ist, — und vorläufig nicht die wahrscheinlichen Hemmnisse und Gegenkräfte, vielmehr das Positive, das in ihm günstigem Staatsrahmen zu unternehmen ist (also, wenn es Nachteile gibt, nach ihrer Beseitigung). Als Allgemeinstes zu verlangen ist dasjenige Staatliche oder Vom-Staat-Bewirkte, das entweder an sich geistigkeitlich ist oder Geistigkeitlichem dient (letzteres als Vorbereitung, Grundlage, Mittel, Förderung, und das auf irgendwelchen der vielen Sachfelder des staatlichen Handelns). Für die Konkretisierung maßgebend sind hiebei erstens Allgemeinwesen und zweitens aktuell-besondere Gegebenheit, beides sowohl bezüglich des politisch wirksamen Geistigkeitlichen (vielleicht gibt es Geistigkeitliches, das zwar an sich einigermaßen stark ausgebildet, jedoch noch kaum politisch wirksam ist, es aber werden könnte und sollte, — etwa die in den modernsten, und schwierigsten, Wissenschaften schöpferische, betrachtend-aufnehmende oder anwendend-benützende Geistigkeit) als auch des für die Spiritualpolitik praktisch wichtigen Staatlichen und Gesellschaftlichen (vielleicht werden die Wichtigkeiten vorläufig unrichtig gesehen, indem Unwichtiges für wichtig oder, wahrscheinlicher, Wichtiges für unwichtig gehalten wird, — Unwichtiges: etwa die überlieferte Form des Wissenschaftsbetriebes an den gesamtstaatlichen Hochschulen, Wichtiges: etwa die Förderung der wissenschafts-theoretischen und inbesondere der wissenschaftsethischen Forschung). Da die spirituale Politik sich im Gesamtstaat, aus dessen Wesen, überwiegend mit allgemeinen und relativ-abstrakten, zudem großenteils nur indirekt-spiritualen Themen zu befassen hat, stehen in der Regel für sie ihre eigene Allgemeinheit und diejenige von Gesellschaft und Staat im Vordergrund des Interesses, wogegen das, eigene oder staatlich-soziale, Besondere nur dann intensive Aufmerksamkeit verlangt, wenn es für Allgemeines beispielhaft ist. Die eigene Allgemeinheit hat zum Inhalt das begrifflich beschriebene Gesamt- und Hauptwesen des auf geistigkeitliches Handeln des Staates gerichteten politischen Denkens und Verwirklichens, die Allgemeinheit von Gesellschaft und Staat dasjenige der staatlichen und sozialen Gebilde, Bedürfnisse und Verwirklichungen, — und fordernd wird die spirituale Politik vor allem dadurch, daß sie eigenes Allgemeines auf staatliches und soziales Allgemeines anwendet, im dem Sinne, daß sie Ziele und Verwirklichungsweisen postuliert, die sich aus der Idee des sich im Geistigen erfüllenden Menschseins ergeben und für die staatlichen Leistungsgebilde und die gesellschaftlichen Gesamtheiten verbindlich sein sollen. Aus jener leitenden Idee ergeben sich nicht nur direkt-geistigkeitliche Ziele und Verwirklichungsweisen, sondern auch indirekt-geistigkeitliche; die zweiten sind im Zusammenhang mit Staat und Gesellschaft sogar wichtiger, denn hier geht es vor allem darum, den Geistiges-Wollenden die äußeren, — sozialen und staatlichen, vor allem die wirtschaftlichen, rechtlichen und sozialtechnischen — Grundlagen und Mittel des Geistigen zu schaffen und zu sichern, ihnen das Nichtgeistige zu geben, das ihr geistigkeitliches Wollen zu Erfolg führt (zu Erfolg, den zwar manche, aber nicht alle erstreben und der denen, die ihn nicht wollen, nicht aufgezwungen werden darf). Welches ist, allgemein und notwendigerweise abstrakt beschrieben, das an sich nichtgeistige Soziale und Staatliche, das in der gegebenen, nationalen oder für eine Ländergruppe zutreffenden, kulturellen Situation dem Geistigen die vielversprechendste Förderung geben kann? Welches Geistige hat von diesem Tatsächlichen aus die besten Förderungschancen und ist deswegen allenfalls zu bevorzugen (spirituale Politik muß praktischen Erfolg wollen und wird sich darum den Inhaltsfeldern zuwenden, auf denen er einigermaßen sicher zu erreichen ist; so: lieber an die Geistigkeit denken, die durch einen sozialpraktisch erreichbaren Wohlstandszuwachs ermöglicht wird, als an eine, die unerreichbaren Volksreichtum erfordern würde)? Welche neuen Weisen des geistigen Verwirklichens und damit welche neuen geistigen Ziele werden von an sich nicht geistigem neuem Sozialem und Staatlichem ermöglicht; welche Umstellungen werden dadurch dem zielphilosophischen Denken nahegelegt? Das sind drei Hauptfragen, die sich die politische Geistesmenschlichkeit aus ihrer Befassung mit dem souveränen Gesamtstaat stellen muß; sie sind wichtig an sich, aber auch wegen ihres engen Bezuges zur Souveränität des Staates, der ein wesentlicher Teil der Umwelt des Fragenden ist: erstens sind die Förderungspostulate an den souveränen Staat zu richten und in ihm zu verwirklichen, zweitens muß gesamtstaatliche Souveränität den Spiritualpolitikern das Recht und die Freiheit zur Bevorzugung ausgewählter Arten des Geistigen und der Geistigkeit sichern, und das gleiche gilt drittens in Hinsicht auf die zielphilosophische Berücksichtigung neuer kultureller Gegebenheiten, — gäbe es nicht die Souveränität der vielen Staaten, auch wenn jeder von ihnen sein Negatives hat, stünden die Länder und Völker unter kontinentaler oder gar globaler Macht, so könnte der Spiritualpolitik die Beweglichkeit, deren das Geistige für seine weitere Entfaltung bedarf, genommen sein (es sei denn, daß Großgebilde sei schärfst der Freiheitlichkeit verpflichtet, — daß dies, wenn auch unter den besondern Bedingungen eines geschichtlich jungen Landes möglich ist, zeigen die Vereinigten Staaten von Amerika).

Neben den allgemeinen und zumindest relativ abstrakten Postulaten wird die im Gesamtstaat oder auf ihn hin wirkende spirituale Politik solche vertreten, die auf ein spezieller und konkreter bezeichnetes Geistigkeitswichtiges gehen (etwa: Schaffung einer neuen Hochschule, Arbeitsbeschaffungsmaßnahmen). Jedoch sind auch hier letztlich allgemeine und abstrakte Überlegungen bestimmend, indem Speziell-Konkretes vorgeschlagen wird, das aus einem Übergeordneten wertvoll ist und das überdies meistens auch darin allgemein ist, daß es direkt oder indirekt einer umfangreichen Gesamtheit von Staatsangehörigen dienen soll. Daß die im

Gesamtstaat unternommenen konkreten Verwirklichungen den besten Allgemeinzielen dienen, auch das ist eine der sozialmoralischen Pflichten der souveränen Macht.

3.25 Was die Spiritualpolitik vom Staat fordert, ist von ihm zu verwirklichen, und dazu muß er über die entsprechenden praktischen Möglichkeiten verfügen; immerhin wird man sich oft mit nur teilweiser Verwirklichung zufriedengeben müssen und diese erfolgt dann im Rahmen von beschränkteren Möglichkeiten, beschränkter, weil die weiteren fehlen, oder zwar gegeben sind, aber fürs Spirituale nicht benützt werden können. Hieraus muß die spirituale Politik drei das staatliche Verwirklichen betreffende Fragen bedenken: erstens: Welche Verwirklichungsmöglichkeiten hat der Staat tatsächlich, welches spiritualpolitische Fordern ist hieraus vernünftig, weil realistisch? (wobei man vielleicht Dinge verlangt, von denen man weiß, daß der Staat sie nicht voll realisieren kann); zweitens: Wie kann die Spiritualpolitik ihrerseits dazu beitragen, daß die im Staat bestehenden Möglichkeiten bestens genützt werden? (vielleicht behindert sie sich selbst dadurch, daß sie Unmögliches verlangt und dabei Mögliches vernachlässigt); drittens: Was ist in Hinsicht auf den Ausbau der staatlichen Möglichkeiten spiritualpolitisch zu postulieren? Aber in alledem liegt das Sachlich-Entscheidende beim Staat und hat sich die Spiritualpolitik auf das Im-Staat-Gegebene einzustellen; Tatsachensinn muß die Zielbewußtheit ergänzen. Die bestens zu nützenden und allenfalls zu erweiternden staatlichen Möglichkeiten sind in engerem Sinne diejenigen, die sich aus der faktischen und rechtlichen Struktur des Staates, aus der Eigenart des staatlichen Institutionenganzen ergeben: somit aus der Institutionengestalt, die sich der Staat in seiner Souveränität (wahrscheinlich über eine lange Zeit hinweg, beginnend in ferner Vergangenheit, denn sogar eine aktuelle Neufassung muß auf Überliefertes abstellen) selbst geschaffen hat, und sie sind in weiterem Sinne diejenigen, die durch außerstaatliches Gesellschaftliches und Kulturelles (auf das der Staat zwar einigen, vielleicht sogar großen Einfluß hat, das aber auch für ihn zumindest vorläufig hinzunehmende Tatsache ist) bedingt sind. Von Staat zu Staat gibt es da in manchem Verschiedenheiten, teils solche der Institutionen und politischen Auffassungen (aus geschichtlicher wie auch zeitgenössischer, sogar aktueller Bedingtheit), teils solche von Wirtschaft, Technik, Wissenschaft und auch von Religion und Ideologie, und das je Besondere des einzelnen Staates wird von den sich mit ihm befassenden Spiritualpolitikern und Spiritualpolitisch-Interessierten (vielleicht auch ausländischen: denn jedes Nationsbesondere fordert übernational zu prinzipieller Beurteilung auf) entweder für wertvoll gehalten und, wenn es Stellungnahme verlangt, gutgeheißen, oder wertneutral hingenommen, oder für unwert gehalten und vielleicht abgelehnt; auch das kann sich auf die Stellungnahme zur Souveränität des je besonderen Staates oder des Staates in seinem Allgemeinwesen auswirken: Souveränität, in der Wertvolles ist oder wird, erscheint als berechtigt, — Souveränität, die an Unwertem schuld ist, als zweifelhaft und vielleicht sogar als zu Überwindung herausfordernd. Gerade weil der souveräne Staat autonom sein institutionelles Wesen und sein sozial-praktisches Tun bestimmt, müssen die Träger der politischen Geistesmenschlichkeit verlangen, daß er sich bezüglich aller spiritualpolitischen Aufgaben zu voller Leistungskraft bringe, also die benötigten Organisationen, Fachleute und materiellen Mittel bereitstelle und optimal einsetze, — daß seine Verwirklichungsleistung auf fachlich besten Stand gebracht sei oder werde. Erwiese sich das als unmöglich, so wäre, wenn es sich um sozial Wichtiges handelt, allenfalls die Eigenständigkeit des Staates in Frage zu stellen, selbst dann, wenn ihm weder Verschulden noch Versäumnis vorzuwerfen wäre: vielleicht ist es einfach die Zeit, das heißt der Gang der modernen Kultur, was zu Umbildung des Staatlichen zwingt.

3.26 Wer sind im Gesamtstaat die Träger der politischen Geistesmenschlichkeit? Erstens — vielleicht — Leute, die mit Machtfunktionen betraut sind (Mitglieder der Regierung, Verwaltungschefs, führende Parlamentarier) oder als Sachbearbeiter, Experten, usw. auf das staatliche Planen und Verwirklichen Einfluß haben; bei beiden Kategorien kann die spirituale Zielhaltung entweder nur persönlich sein oder neben dem Persönlichen auch ideologische Gründe haben, letzteres vor allem dann, wenn sich der im Staat leistende Einzelne den Auffassungen einer Partei verpflichtet weiß (vielleicht hat sie ihn in sein Amt gebracht, aber wahrscheinlich bestand zwischen ihm und ihr von Anfang an Gleichgestimmtheit). Zweitens — eher möglich — Leute, die in Parteien und Verbänden, partei- und verbandsähnlichen Organisationen oder durch Medien, also publizistisch, auf die Öffentlichkeit und direkt auf den Staat wirken (auch die Öffentlichkeitsarbeit wirkt auf den Staat weiter, wenn auch indirekt), wobei zwischen Partei und Verbänden einerseits und Medien enge Verbindungen bestehen, indem etwa die Partei ihre Zeitung hat und deren allgemeine und spezielle Stellungnahmen festlegt; es besteht hier große Vielfalt der Ideen und Forderungen, schon weil im Rahmen der Mehrheitsauffassungen Dinge zur Sprache gebracht werden können, die, weil praktisch schwierig, von den Mächtigen vorläufig gemieden werden, im weiteren durch oppositionelle und außenseiterische Thesen, — all dies wiederum zum Teil rein persönlich, zum Teil aber auch gruppenhaft, gesamtheitlich oder organisationshaft begründet, weshalb oft zu überlegen sein wird, ob die sozialen Gebilde, die Spiritualpolitischem zu Öffentlichkeitswirkung verhelfen, dies unter ausdrücklich verpflichtendem Ziel, dem sich die Beteiligten auch als Einzelne zu unterstellen haben, tun. Drittens — wahrscheinlich außerhalb des Staates und der Partei- oder Verbandspolitik — politische Denker, die auf Grund wissenschaftlicher Einsicht ins Allgemeinmenschliche und Soziale philosophische oder ideologische Zielsysteme spiritualen Inhaltes aufstellen, wobei Ideologie, soll sie durchgehend überzeugen, philosophisch zu fundieren, dagegen Philosophie, um bei den Politikpraktikern Beachtung zu finden, ins Ideologische zu wenden, somit als spirituale Ideologie zu popularisieren ist.

Diese drei Typen unterscheiden sich auch nach dem Allgemeinheitsgrad der von ihnen vertretenen oder für sie praktisch maßgebenden Zielideen. Wer in einer Staatsfunktion steht, wird sich meistens auf konkret-sachliche und damit inhaltlich spezielle Ziele zu besinnen haben; immerhin sind viele Staatspraktiker durch Parteiprogramm gebunden und einige durch Philosophie oder wenigstens Allgemeinstideologie zu Großperspektive gebracht (das zu bewirken ist ja einer der praktischen Zwecke von Ideologie und Staatsphilosophie). Wer dagegen in einem Sozialgebilde politisch auf den Staat hin tätig ist, muß sich großenteils mit Allgemeinem befassen, denn Sinn seines Tuns ist meistens auch, ideenhaft und damit inhaltlich allgemein umschriebene Einstellungen zu empfehlen und ihnen nach Möglichkeit Geltung zu verschaffen; allerdings wird hier die Allgemeinheit des Allgemeinen nicht weiter gehen als nach der konkreten politischen Problematik angezeigt (sind etwa Probleme der gerechten Einkommensverteilung zu lösen, so braucht die Allgemeinheit nicht über diejenige der richtigen Einkommenspolitik, in der dann allerdings auch Zweckmäßigkeitsmomente, so in Hinsicht auf die Steigerung oder das Erlahmen des Leistungswillens, zu berücksichtigen sind, hinauszugehen; umfassendere, grundsätzlichere Wirtschaftsphilosophie ist da nicht nötig), und immer sollte die Verbindung zur konkreten Staatspraxis offengehalten werden, denn wer als Partei- oder Verbandspolitiker an den Staat Forderungen richtet und sich mit ihm auseinandersetzt, hat Öffentlichkeitserfolg vor allem dann, wenn er sich unter konkrete, in naher Zukunft zu verwirklichende Ziele stellt, und zwar am besten unter solche, deren Konkretheit doch eine umfassendere und allgemeinere Idee deutlich ausgeprägt (so ist das konkrete Ziel »Mitbestimmung« Ausdruck der allgemeineren Idee »möglichst große Selbständigkeit und Mitverantwortung, damit möglichst große berufliche Befriedigung der Arbeitnehmer«). Sehr viel weiter kann und soll die Allgemeinheit sein, in welcher die theoretisch-politische Geistesmenschlichkeit dargelegt wird: geht es doch hier darum, die Prinzipien zu schaffen und bekanntzumachen, aus denen die geringer-allgemeinen Ideen der praxisnäheren Politik abzuleiten sind; gerade in dieser größten Allgemeinheit wird aber der Anspruch von zielsetzender Staatsphilosophie und Ideologie erkennbar, der gesamtstaatlichen Souveränität die ihr das allgemeiner anzuerkennende Existenzrecht sichernden Maximen zu geben, ja vorzuschreiben.

3.27 Es ist zu überlegen, ob es Inhaltsgebiete gebe, für die sich die gesamtstaatliche Organisation aus dem Inhaltswesen besser eignet als eine andere; gibt es solche Gebiete, so ist ihnen in der Spiritualpolitik besonderes Interesse zuzuwenden. Wird als allgemeines Prinzip anerkannt, daß alles, was im ganzen Land einigermaßen gleichartig ist oder werden soll — genauer: was sich auf alle vorkommenden Fälle des zu regelnden Inhaltes (der vielleicht nur für einen kleinen Teil der Gesamtbevölkerung praktisch wichtig ist) bezieht oder beziehen soll —, am besten zentral gelöst wird, weil dadurch die Rechts- und Behandlungsgleichheit gesichert ist und am ehesten eine leistungsstarke Organisation aufgebaut werden kann, so sollten sich die Spiritualpolitiker, seien sie Theoretiker oder Praktiker, schon aus rein sachlichen Gründen bei zahlreichen spiritualpolitischen Problemen für die gesamt- und zentralstaatliche Behandlung entscheiden; auch der Spiritualpolitik ist dann der Zentralstaat als das bestgeeignete Aktionsfeld zugewiesen. Ob in bezug auf eine bestimmte Sache dieses allgemeine Prinzip das praktisch richtige ist, entscheidet sich in erster Linie nach den rein inhaltlichen Gegebenheiten; ergänzend wichtig sind aber vielleicht auch werthafte spiritualpolitische Gesichtspunkte, aus denen die Tendenz zum Gesamt- und Zentralstaatlichen manchmal verstärkt und manchmal abgeschwächt wird (etwa weil ein besonderes Geistigkeitliches nur bei zentralen oder im Gegenteil nur bei regionalen oder lokalen Behörden aktives Verständnis findet). Jedoch ist hiebei auch auf die Leistungsfähigkeit des bestehenden Apparates abzustellen: vielleicht wird etwas, das an sich regional zu behandeln wäre, besser den erfahrenen Fachleuten des Zentralapparates überlassen, oder umgekehrt etwas an sich Gesamtstaatliches vorläufig denjenigen der Gliedstaats- oder Provinzverwaltung.

Gesamtstaatlich zu regeln ist das unter landesweit gegebenen, wenn auch manchmal nur für Spezialfälle zutreffenden, Voraussetzungen anzuwendende Recht (womit auch gesagt wird, daß Rechtsnormen, die durch regionale Voraussetzungen bedingt sind, regional festgelegt werden können, — das mag insbesondere Sprachliches und Religiöses berühren und daraus unmittelbar spirituale Bedeutung haben). Aus vier allgemeinen Gründen ist in der Regel das gesamtstaatliche Recht dem Nebeneinander regionaler Normen vorzuziehen: erstens läßt sich im Zentralstaat am besten die rechtswissenschaftlich beste Lösung finden; zweitens soll die rechtswissenschaftlich beste Lösung im ganzen Landesgebiet Geltung erlangen, also nicht einem Teil des Landes vorenthalten werden (und zur besten Lösung kann gehören, daß regionale Besonderheiten differenzierend behandelt werden); drittens läßt sich dank der gesamtstaatlichen Geltung und Anwendung am besten die sachlich reiche Rechtspraxis aufbauen, aus welcher die

Einsichten für die Weiterbildung des jetzigen Rechtes gewonnen werden; viertens ist Einheitlichkeit des Rechtes an sich nützlich (in manchem gäbe es mehrere zweckmäßige juristische Lösungen, aber das Positive einer jeden würde durch Uneinheitlichkeit stark beeinträchtigt). Alle vier Momente haben ihre engere Bedeutung in Hinsicht auf das Spirituale, und dies gerade daraus, daß hier in erster Linie Minderheitsansprüche zu befriedigen sind, was bei nichtzentraler Normgebung kaum in der erwünschten sachlichen und politischen Überlegenheit erfolgen könnte. Und Spiritualpolitik muß überdies auf Modernität des gesamtstaatlichen Rechtes bestehen, das heißt auf Offenheit gegenüber neuen Möglichkeiten und Bedürfnissen: die Fortbildung des — in allem Sozialwichtigen gesamtstaatlichen und allenfalls weiter zu vereinheitlichenden — Rechtes ist eine der Daueraufgaben der spiritualen Politik, wenn auch zunehmend unter dem Vorbehalt, daß es darauf ankommt, die zwischen den Staaten bestehenden Rechtsverschiedenheiten allmählich auszugleichen. Anderseits mag selbst in der sich mehr und mehr ins Übernationale ausbildenden Kultur einiges bleiben oder sogar neuauftreten, das zweckmäßigerweise regional normiert, somit der Gliedstaatskompetenz zugewiesen wird.

Gesamtstaatlich zu organisieren und zu betreiben sind die sich über das ganze Land erstreckenden oder es zumindest gesamthaft beeinflussenden Leistungsgebilde, Anlagen und Einrichtungen (so: Post und Eisenbahnen, Autobahnen, Lebensmittelkontrolle, Militär); hieraus folgt eine weitere Vereinheitlichungstendenz, denn es liegt in der modernen Kulturentwicklung, daß Leistungsarten, die bisher regional organisiert waren und sein konnten, unter landesweite, nationale Regelung gebracht werden (so: von den gliedstaatlichen Hauptstraßen zu den nationalen Autobahnen) und sich zudem neue Sachaufgaben stellen, für die von vornherein die Bearbeitung durch Gliedstaat oder Provinz nicht in Betracht kommt, also zumindest gesamtstaatliche und vielleicht multinationale Organisationen einzusetzen sind (so: Atomforschung, Energieforschung). Wahrscheinlich sind nur wenige dieser Inhalte an sich geistigkeitlich oder einigermaßen eng mit geistigen Endzwecken verbunden — das meiste ist in allgemeinerem Sinne sozialnützlich: aber auch dieses hat, indirekten, spiritualen Sinn und Wert, als Grundlage, Rahmenwerk und Mittel zum Geistigen, das für die Geistigkeitlich-Strebenden selbstzweckhafte Verwirklichung sein wird.

Mit Vorteil gesamtstaatlich festgelegt werden sodann manche der auf die öffentlich-rechtlichen Befugnisse gestützten Gemeinwohlmaßnahmen: solche der öffentlichen Sicherheit, des Gesundheitswesens, des Erziehungswesens, der Vorsorge für die wirtschaftliche Wohlfahrt, der Kulturförderung im engeren Sinne (Förderung von Kunst, Literatur, Museums- und Ausstellungswesen, vielleicht auch der kirchlichen Tätigkeiten); oft wird sich aber empfehlen, mit der Formulierung der Einzelbestimmungen regionale und mit der Ausführung lokale Behörden zu beauftragen, — es kann so den regionalen und lokalen Sonderbedingungen am besten Rechnung getragen werden, und das wird oft gerade von spiritualem Standpunkt aus zu befürworten sein.

Aber in jedem modernen Staat (abgesehen von den sehr kleinen) sind die Vorteile und Nachteile der gesamtstaatlichen Lösung der zur Diskussion gestellten Aufgaben, und in diesem Zusammenhang natürlich auch je die Zweckmäßigkeit der sich anbietenden nicht-gesamtstaatlichen Lösungen, genau zu bedenken. Schematismus, zumal ideologischer, ist da unerlaubt; zu erkennen ist immer die sachlich-beste Organisationsform und Ausführungsart. Doch wird mitunter das Sachliche unter spiritualem und insbesondere spiritualpolitischem Aspekt anders erscheinen als unter bloß sozialpragmatischem; vielleicht hebt das Wesenszüge heraus, die üblicherweise für zweitrangig gehalten werden. Und daraus kann eine speziell-spiritualpolitische Stellungnahme zum Problem »Zentralisierung oder Dezentralisierung?« kommen: das Gesamtstaatliche und damit die Zentralisierung wären vorzuziehen, wenn die sachgerechte Beurteilung ergibt, daß sich unter ihnen das Spiritualpolitisch-Gewollte am besten, das heißt hier: zweckmäßigst und vollständig, verwirklichen läßt, im gegenteiligen Fall wird man sich für regionale oder lokale Lösungen entscheiden. (Zu beantworten wäre jene Frage in erster Linie aus Zweckmäßigkeitsüberlegung, darnach, ob die eine oder andere Lösung erfolgsgünstiger ist; möglich ist aber, daß dieser Vorteil mit Nachteil im Geistigkeitlichen verbunden ist, etwa wenn in an sich berechtigter Wahrung von Gesamtinteresse spiritual-wichtiges Regionales, z.B.

Minderheitssprachliches, beschränkt würde. Angezeigt ist in solchem Fall der Kompromiß, welcher im Rahmen eines ausreichend effizienten Praktischen die Erfüllung der als berechtigt anzuerkennenden geistigkeitlichen Ansprüche erlaubt.)

3.28. Im gleichen Maße, wie aus dem Bemühen um Rationalität und Effizienz des Staatlichen sich gesamtstaatliche, zentrale und zentralistische Lösungen empfehlen, müssen sich die politischen Organisationen auf diesen Verwirklichungstypus einstellen: einerseits Parlament, Regierung, Verwaltung (soweit ihre Chefs und Experten willensbildend tätig sind) und mitunter Gerichte, anderseits Parteien und Verbände, partei- und verbandsähnliche Organisationen, Medien; falsch wäre es, wenn sie im Widerspruch zur kulturellen Entwicklung an Regionalem und Lokalem festhielten, das entweder bereits überholt ist oder wahrscheinlich bald überholt sein wird. Auch in der Spiritualpolitik ist so zu überlegen, und das erstens auf die einzelnen Sachkomplexe des staatlichen Handelns, zweitens auf das Grundsätzliche, die theoretisch zu fassenden Prinzipien gehend: speziell und allgemein ist in ihr herauszuarbeiten, bei welchen Inhalten unter den jetzigen Bedingungen das spiritualpolitische Interesse die gesamtstaatliche Behandlung verlangt oder wenigstens nahelegt, — meistens erweist sich dabei die indirekte Förderung des Geistigen (durch gesamtstaatliche Wirtschafts-, Verkehrs-, Sozial-, Bildungs- und Wissenschaftspolitik) als gegenüber der direkten vorrangig, und das verstärkt die allgemeineren zentralistischen Tendenzen. Gerade die Politik, die moderne Geistigkeit der Einzelnen, Gruppen und Gesamtheiten zum letzten Ziel hat, wenn auch immer nur Geistigkeit in Freiheit, muß die Umbildung der Staatsorganisation aufs Rationellere hin verlangen (mit dem Vorbehalt, daß das gegebene spiritual-wichtige Regionale und Lokale nach Möglichkeit, aber nicht um jeden Preis zu erhalten sei); sie verläßt damit den einigermaßen engen Bereich des Nur-Spiritualen und beteiligt sich, mit dem Anspruch auf Sachrichtigkeit ihrer Argumente, an der Organisationsdiskussion, — dies praktisch wohl auf zwei Ebenen: derjenigen des in die Öffentlichkeit wirkenden Postulierens und derjenigen der Beeinflussung von Großorganisationen, für die das

Spirituale zwar nicht Hauptzweck ist, die sich aber für spiritualwichtige Dinge einsetzen.

3.29 Wenn in der modernen Kultur das gesamtstaatliche Handeln auf vielen Aufgabenfeldern dem regionalen oder lokalen vorgezogen wird, so heißt das nicht in jedem Falle, daß die betreffende Leistung vom bestehenden zentralstaatlichen Apparat zu erbringen sei, also in die Zuständigkeit von Parlament, Regierung und Verwaltung des Gesamtstaates gehöre. Denn die gesamtstaatliche Lösung empfiehlt sich oft vor allem wegen ihres gesamt*gebietlichen* Wesens und wegen der nur beim Gesamtstaat gegebenen umfassenden Leistungsmöglichkeiten, und das sogar unter Bedenken wegen Verbürokratisierung und Verpolitisierung. Vielleicht wird man überlegen, ob sich nicht jenes Positive unter Vermeidung dieses Negativen erreichen lasse: allenfalls wird man für das gesamt- und zentralstaatliche Handeln neue Leistungsarten suchen, insbesondere neue Formen für die mit der Ausführung und wohl auch mit speziellerer Beschlußfassung beauftragten Leistungsgebilde entwerfen; als zweckmäßig bietet sich hiebei die autonome Sonderkörperschaft an, die selbständige, unter öffentlichem Recht gebildete und tätige Leistungsorganisation mit je nach dem maßgebenden Bedürfnis bestimmter Organisationsstruktur, Befugnis, Personal- und Sachausstattung, Finanzierung und Dauer. Die bis zu Aufsplitterung in kleine und kleinste, oft schwierigst zu bearbeitende und hohe fachliche Anforderungen stellende Sachbereiche gehende Spezialisierung der Staatsaufgaben und -leistungen wird wohl zunehmend die Ergänzung der bisherigen Typen zentralstaatlicher Organisation durch Ausbildung und Aufnahme neuer Organisationsarten nötig machen; das kann insbesondere für die Spiritualpolitik wichtig sein, welche sich mit Problemen außerhalb des Allgemeinzugänglichen befaßt (Beispiele: Förderung der kosmologischen Forschung, der experimentellen Musik, der Forschung und Schulung in Hinsicht auf anspruchsvoll-kontemplative Altersgeistigkeit). Aber anderseits hat hier die Politik, auch die Spiritualpolitik, beschränkte Möglichkeiten des Entscheidens und der Willensbildung, weil die Probleme alltagsfern sind, und zwar fern dem Alltag nicht nur der Bürger, Parteien und Verbände (abgesehen von Fachvereinigungen), sondern auch der politischen und sogar der ausführenden Behörden; der Politik bleibt da meistens kaum mehr als die Bildung und den allgemeinen Auftrag der Spezialorganisation zu postulieren, — das hat praktisch in manchem Einzelfall zur Folge, daß die Befürworter des Geistigkeitlichen ihre Begehren außerpolitisch vertreten (und das vielleicht eben als Mitglieder der zuständigen autonomen Organisation).

3.3 Das gliedstaatliche Aktionsfeld

3.31 Innerhalb des föderativ aufgebauten Gesamtstaates sind die Gliedstaaten untergeordnete, einer niedrigeren Kompetenzen- und Wichtigkeitsebene angehörende Felder der staatlichen Aktivität und damit der Politik; zu überlegen ist damit, welche Möglichkeiten der Gliedstaat als Aktionsfeldtypus dem spiritualpolitischen Zielsetzen und -verwirklichen eröffnet, aber auch welche Beschränkungen er diesem auferlegt. Hiebei wird man den Begriff »Gliedstaat« weit und allenfalls vom rein staatsrechtlichen Sinn abweichend fassen: insbesondere die Autonomierechte der Provinzen und Departemente einschließend (eine Provinz mit einigermaßen ausgedehnter Autonomie läßt sich als gliedstaatsähnliches Gebilde verstehen). — Das im Zusammenhang mit der politischen Geistesmenschlichkeit Wesentliche wird man unter zwei Aspekten herausarbeiten: erstens demjenigen, welcher den Gliedstaat (und auch die Provinz, das Departement) als selbständig willenbildend und maßnahmentreffend, zweitens demjenigen, welcher ihn als dem Gesamtstaat nachgeordnet und sogar gehorsamsverpflichtet zeigt (immerhin muß im zweiten Fall das gesamtstaatliche Beschließen auch regionale und gliedstaatliche Bedürfnisse und Ausführungsmöglichkeiten berücksichtigen, — die Bedürfnisse werden dann in gesamtstaatlich wirksamer Weise zu politischer Gestaltung gebracht und von den Ausführungsmöglichkeiten kann der praktische Erfolg des gesamtstaatlichen Handelns abhängen). Zu Einsicht ins Wesen der spiritualen Politik führt vor allem die durch den ersten Aspekt bestimmte Überlegung; doch hat auch der zweite Aspekt seine Bedeutung, indem Grundsätzliches zur regionalen Verwirklichung des Gesamtstaatlichen festgestellt wird, was vielleicht Anlaß ist, die politische Inhaltsfassung auch auf das entsprechende Ausführungspraktische zu erstrecken (würde die Spiritualpolitik Praktisches, das ihren Erfolg beeinflussen kann, vernachlässigen, so wäre sie zumindest unvollständig und wahrscheinlich unfachmännisch).

Die spiritualpolitische Befassung mit den gliedstaatlichen Gegebenheiten und Möglichkeiten wird sich zumeist auf das beziehen, was im konkreten Staat gilt, somit im gliedstaatlichen Rahmen dem Politiker sinnvolles Postulieren erlaubt oder aber verwehrt; der Meinungsstreit geht dann darum, was zu erstreben und wie dieses durchzusetzen sei. Aber gerade daran können sich Kritik an der bestehenden gliedstaatlichen Ordnung und Neuordnungsbegehren anschließen; vielleicht werden die gliedstaatlichen Kompetenzen für ausreichend und zweckmäßig, vielleicht für ungenügend gehalten, vielleicht auch für allzu weit, weil die wichtigeren gesamtstaatlichen oder lokalen Bemühungen hindernd, — und das führt entweder zur Gutheißung des Bestehenden oder zur Auffassung, daß es umzubilden sei. Insbesondere mag die föderative Staatsstruktur, so wie sie im betreffenden Staat gegeben ist oder als allgemeines Prinzip, in Frage gestellt werden; vielleicht aber erweist die Kritik im Gegenteil, daß die gliedstaatlichen Behörden zumindest in ihren Ausführungsfunktionen gestärkt werden sollten.

3.32 Für die Stellung des Gliedstaates im staatlichen Ganzen und für die gliedstaatlichen Befugnisse, Funktionen und Leistungen als solche sind die tatsächlich gegebenen staatsrechtlichen Normen und Praxisprinzipien maßgebend; ihrerseits bestimmt sind diese vor allem durch staatsrechtliche und -praktische Traditionen, in zweiter Linie durch neue Sozialkräfte, welche politische Strömungen auslösen, die sich gegen das Überlieferte wenden. Die Traditionen sind Ergebnis früheren sozialen Geschehens, bilden aber ihrerseits einen gegenwärtig-wirksamen Kräftekomplex — Komplex nicht nur von staatsrechtlichen Normen und Verfahrensweisen, sondern auch von politisch wirksamen Auffassungen von Gesamtheiten und Einzelnen — und dadurch verzögern sie das Wirksamwerden neuer sozialer Kräfte; die Vertreter der neuentstandenen Bedürfnisse können hieraus zu stärker betonter Ablehnung des Alten veranlaßt werden, und eben auch des die Gliedstaatlichkeit betreffenden Alten.

Zentralistische, also die Gliedstaatsbefugnisse einschränkende Traditionen haben mit Sicherheit ihren geschichtlichen Grund in gesellschaftlichen Verhältnissen, die erheblich einfacher waren als die jetzigen. Einfacher daraus, daß sie sich mehr oder weniger lange vor dem jetzigen Hochstadium der modernen wissenschaftlich-technisch-wirtschaftlichen Zivilisation herausbildeten, in frühkapitalistischer oder vorkapitalistischer Zeit, deren politische Thematik stark durch die Notwendigkeit bedingt war, die der Feudalgesellschaft eigene Herrschaft von Gebietsfürsten zugunsten der Macht des Monarchen und damit des sich selbst aufbauenden Zentralstaates zu überwinden (beim französischen und russischen Zentralismus etwa sind solche Verursachung und ihre Auswirkungen deutlich sichtbar). Und einfacher auch daraus, daß in der betreffenden Geschichtsepoche die Bevölkerung noch klein war; zusammen mit den einfachen Sozialverhältnissen machte das die Aufgaben der Zentralbehörden übersichtlich, und das selbst bei der Langsamkeit des Personenverkehrs und der Nachrichten. (Besondere Verhältnisse liegen bei den Vereinigten Staaten von Amerika vor: zentralstaatliche Ordnung, in ihrem Ursprung stark durch Kleinheit der Bevölkerung und des Staatsgebildes bedingt, aber beibehalten in einem sehr volkreichen Großstaat kontinentalen Ausmaßes). — Liegt nicht in solcher Tradition das Nachteilige, daß der zur Selbstverständlichkeit gewordene Zentralismus, mag er auch im Prinzip und im Großteil seiner konkreten Inhalte berechtigt sein, die Entfaltung der Gliedstaaten allzu stark behindert hat? Fehlt nicht jetzt gliedstaatliche Autonomie (oder Autonomie von Provinzen, Departementen und allenfalls von mehrere Provinzen oder Departemente umfassenden Großregionen), die unter andern geschichtlichen Bedingungen hätte entstehen können und den modernen Sozialaufgaben in einigem besser entspräche als eine Ordnung, die alles Wichtige den Zentralbehörden zuweist? Diese Fragen sind schon in der allgemeinen theoretisch- und oft auch in der praktisch-politischen Überlegung zu prüfen, und spezieller sind sie dem spiritualpolitischen Denken gestellt, letzteres, weil das Geistigkeitliche, das Ziel der spiritualen Politik sein soll, oft — und auf manchem Sachgebiet wegen der Differenzierung der modernen Kulturwelt zunehmend — ausgeprägt regional bedingt ist (so mag es in Frankreich spiritualpolitische Thesen geben, die für die Pariser Region überzeugend sind, aber sehr viel weniger für Savoyen oder die Provence, und kaum für Nordfrankreich; ob und wieweit das zutrifft, ist natürlich in jedem Fall von der Sache aus zu entscheiden); trotzdem die spirituale Politik aus ihrer Pflicht zu grundsätzlicher Modernität (denn die spiritualen Ziele sind hier und jetzt, also in der modernen Kultur zu setzen und zu verwirklichen) im ganzen eher dem Zentralstaatlichen zuneigen wird, kann sie doch für Einzelaufgaben oder größere Aufgabenkomplexe gliedstaatliche Lösungen für praktisch günstiger halten, so im Zusammenhang mit Wirtschaftsentwicklungen, die in einigen Landesteilen erheblich stärker ausgeprägt sind als in andern.

Traditionsgebunden sind jedoch auch die Gliedstaaten und damit die auf sie bezüglichen Auffassungen, — zum Teil lassen sie sich auf mittelalterlich-landschaftliche, insbesondere feudalistische Strukturen zurückführen. Bei ihrem Entstehen wirkten soziale Bedingungen und Kräfte, die jetzt überholt sind; aber wahrscheinlich sind diese durch neuere und sogar moderne Gegebenheiten ersetzt worden, welche die Dezentralisierung ebenfalls als wertvoll und damit als aktuell-zeitgemäß erscheinen lassen. Die politische Geistesmenschlichkeit wird hieraus das bestehende Gliedstaatliche in einigem als veraltet ablehnen, in anderm als jetzigem Anspruch genügend gutheißen und vielleicht kommt sie außerdem dazu, neues Gliedstaatliches zu postulieren. Maßgebend sind hiebei in erster Linie die direkt-, in zweiter die indirekt-geistigkeitlichen Ziele; die von den zweiten bestimmten Stellungnahmen gehen wahrscheinlich in die gleiche Richtung wie manches Politische, das nur oder hauptsächlich sozialpraktische Neuerung verfolgt: jedes gliedstaatliche oder regionale Sozialpraktische, das, ohne an sich geistig zu sein, indirekt einer geistigen Verwirklichung dient oder auch nur die Möglichkeit solchen Dienens in sich birgt, ist von der politischen Geistesmenschlichkeit zu bejahen, zu unterstützen, zu fördern, jedenfalls aber zu benützen, anzuwenden.

3.33 Wird im Zusammenhang mit Gesamtstaat und Zentralisierung überlegt, für welche Inhaltstypen sich die zentralistische Behandlung am besten eigne, so wird man ergänzend fragen, für welche das Gegenteil zutreffe und somit das gliedstaatliche Bemühen günstiger sei; daraus können sich konkrete Dezentralisierungsbegehren ergeben. Vereinfacht wird die Antwort dadurch, daß für alles, bei dem der Vorzug des Zentralstaatlichen bereits festgestellt ist, der Vorrang der gliedstaatlichen Lösung ohne weiteres verneint werden darf.

In mehr oder weniger weitgehender gliedstaatlicher Selbständigkeit sollten zunächst die Gegenstände geregelt werden, bei denen einerseits das staatliche Eingreifen nötig oder wenigstens erwünscht ist und anderseits regionale Gegebenheiten in dem Sinne besonders stark maßgebend sind, daß regionskundige Behörden sich am besten über das Sachlich-Richtige klarwerden, es vorschlagen, planen, gutheißen, beschließen, ausführen können, — solche Sachfragen sind nach der Idee wesentlich verschieden von denen, die fürs Landesganze gestellt und bei denen die regionalen Verschiedenheiten nicht sehr wichtig sind, praktisch aber wird oft unklar sein, in welche der beiden Kategorien eine aktuelle Sache gehört (so: Ist in Österreich und der Schweiz die Sorge für die Bergbauern dem Zentralstaat oder den Bundesländern bzw. den Kantonen zu übertragen?). Klar ist der Vorrang der gliedstaatlichen Lösungen zunächst auf zwei Feldern, bei denen die teilgebietliche Eigenart in besonderem Maße kulturwichtig ist: auf denjenigen der von der Sprache oder von der Religion ausgehenden oder sie beeinflussenden Politik, — soweit die Landesteile sprachlich und religiös verschieden sind. Grundsatz muß hiebei sein, daß jede Sprache und jede Religion oder Konfession als Rahmenwerk und Medium des Geistigen ihre Berechtigung hat, durch die spirituale Politik zu unterstützen und zur spiritualen Auswirkung zu bringen ist, zumindest aber vom Staat nicht behindert werden darf (auch auf dieses Nichthindern kann sich die spirituale Politik richten): jedenfalls die positive Förderung wird in Ländern mit regionalen Verschiedenheiten von Sprache oder Religion am besten von den Gliedstaaten geleistet (die bloße Nichtbehinderung dagegen kann auch im Gesamtstaat postuliert und erreicht werden, sogar mit sichererem Erfolg, dann nämlich, wenn gesamtstaatlich geltende Grundrechte über sprachliche und religiöse Freiheit aufgestellt werden, — aber in manchem ist mehr verlangt als nur die Nichtbehinderung). Mag die Religion in der modernen Kultur auch an Überzeugungskraft verlieren und als politischer Faktor zurückgedrängt werden, so bleibt sie doch für eine Minderheit zentral-wichtig und für die Mehrheit Respekt und Anpassung erheischend; religiöse Politik, mit Vorteil gliedstaatlich betrieben, kann hieraus einem Volksbedürfnis entsprechen (muß es aber nicht, denn möglich ist auch, daß die Religion, allgemein und in ihren regionalen Besonderheiten, nur schwach auf die Politik ausstrahlt), und wenngleich sie nicht von vornherein mit spiritualer Politik gleichzusetzen ist, wird in dieser, und sogar von Atheisten, der spirituale Charakter und Wert der religiös bestimmten politischen Postulate anzuerkennen sein. Unzweifelhaft wirkungsstark ist dagegen in unserer Kultur die Sprache, so sehr, daß in einigen Ländern ihr politisches Gewicht zunimmt, wohl auch darum, weil wegen des Abbaues anderer das Fühlen, Erleben und Denken ordnender Traditionen die Unentbehrlichkeit des mit der Sprache gegebenen mentalen Rahmenwerkes jetzt deutlicher erfahren wird als früher: jede Sprache ist ein besonderes Ganzes von Bewußtheitsformen und abstrakten Inhaltstypen, sie ermöglicht den sie Sprechenden differenziertest ausgebauten Zugang zum Wißbaren, Vorstellbaren, Denkbaren, eben zum Sagbaren, — daraus können die Einzelnen, Gruppen und Gesamtheiten verlangen, daß sie in ihrer eigenen Sprache bewußt werden und sein dürfen, und diese Forderung zu unterstützen ist bei Sprachenvielfalt, erst recht bei Sprachenzwist, eine der großen Aufgaben der, vorwiegend in den Gliedstaaten zu führenden, spiritualen Politik. Zusammenfassend: Jede Religion, damit jede Konfession (bis hinunter zur Kleinsekte), und jede Sprache, damit jede Regionalsprache (bis zu Dialekt und dialektgefärbter Schriftsprache) hat nach geistigkeitphilosophischem, -ideologischem und -politischem Urteil das Recht auf freie Entfaltung und den Anspruch auf Förderung, — aber es sind hier auch Grenzen zu sehen, vielleicht bewußt zu ziehen: Religionsbesonderheit darf nicht zu Glaubensfeindschaft und -kampf, Sprachbesonderheit soll nicht zu kleinsprachlicher Abkapselung und zur Abtrennung von kulturell reicherer Großsprache (sei sie der Kleinsprache verwandt oder den Kleinsprachigen nur geographisch nah wie etwa das Spanische den Basken) führen.

Aufgabe von Gliedstaat oder Provinz kann ein Teil der Wirtschaftspolitik sein, — wenn auch wahrscheinlich in jedem Fall ein erheblicher Teil der wirtschaftsordnenden und -fördernden Maßnahmen vom Gesamtstaat ausgehen muß, und dies aus drei Gründen: erstens wegen der Wichtigkeit des einheitlichen Wirtschaftsrechtes, zweitens weil die wirtschaftlichen Unterschiede zwischen den Regionen meistens nur relativ sind (ein bestimmter Wirtschaftszweig ist zwar in der einen Region vorherrschend, hat aber auch in andern oder sogar allen Regionen einiges Gewicht), drittens weil die nationale Wirtschaftspolitik die Ausgleichung der Regionalverschiedenheiten anstreben muß (so den Industrieausbau in den bisher landwirtschaftlichen Gebieten). Die gliedstaatliche Wirtschaftspolitik wird sich hieraus eher auf Spezielles und Konkretes als auf Allgemeines und Abstraktes, mehr auf Praktisches und weniger auf Prinzipielles richten: das aber schränkt wahrscheinlich die Aktionsmöglichkeiten der politischen Geistesmenschlichkeit ein, denn in ihr haben zieltheoretische — philosophische oder ideologische — Überlegungen und prinzipielle, allgemeine, weitgehend abstrakte Postulate den Vorrang. Arbeitet der Spiritualpolitiker in der gliedstaatlichen Wirtschaftspolitik mit, befaßt er sich also einigermaßen intensiv mit einzelfallhaftem Wirtschaftspraktischem, so steht seine spiritualpolitische Bewußtheit wohl meistens unter dem allgemeinen Prinzip, daß die möglichst umfassende Sicherung und Erhöhung der Volkswohlfahrt als eines dem endzielhaften Geistigen indirekt Dienenden eine Hauptaufgabe des Staates ist, — des Staates überhaupt, damit in erster Linie des Gesamtstaates und nur nachgeordnet der Gliedstaaten. Soweit das zutrifft, werden spezifisch wirtschaftspolitische Beurteilungen, hier in spiritualpolitischer Sonderfassung, kaum angestellt (wohl aber wirtschaftstechnische, insbesondere regionsbezogene).

Ähnliches gilt für die gliedstaatliche Gestaltung des Verkehrswesens, der Arbeitsverhältnisse, des Gesundheitswesens: der Gliedstaat hat bedeutende Aufgaben vor allem dort, wo es um Eingriffe in Sozialbereiche von ausgeprägt regionaler Besonderheit geht, — aber fast immer sind ihm für solches Bemühen gesamtstaatliche Rahmenbedingungen vorgeschrieben. Größer ist die gliedstaatliche

Selbständigkeit oft im Erziehungswesen, zumal bei starker sprachlicher oder religiöser Verschiedenheit der Landesteile.

3.34 Soweit der Gliedstaat autonom ist, hat er Souveränität; für sie gilt zunächst, sinngemäß abgewandelt, das was im Zusammenhang mit der gesamtstaatlichen Souveränität festgestellt wurde. Aber die politische Geistesmenschlichkeit wird sich auch auf das spezifische und damit spezielle Wesen jenes engeren Souveränitätstypus besinnen; vor allem indem sie erkennt, inwiefern und worauf bezogen er wertvoll und für die praktische Politik grundlegend ist, — daraus mag sich ergeben, daß die gesamtstaatliche Souveränität zugunsten der gliedstaatlichen einzuschränken sei. Als unentbehrlich erscheint die gliedstaatliche Souveränität vor allem im Zusammenhang mit Zielen, die in regionalen sprachlichen und religiösen Momenten gründen: denn solche Momente bilden immer ein regionales Rahmenwerk für das auszubauende Geistige. Aber anderseits kann sich erweisen, daß wegen der ständig weiterschreitenden zivilisatorischen Vereinheitlichung die bisherige Selbständigkeit der Gliedstaaten, allgemein und sogar im regionalen Sprachlichen und Religiösen, besser abgebaut wird, weil Nationalem oder (seltener, aber inskünftig wohl zunehmend) Übernationalem der Vorrang zu geben ist. Die Spiritualpolitik läßt sich hiebei richtigerweise vom Ganzen des zu postulierenden Geistigen bestimmen, was sie freilich auch veranlassen kann, ihm ein an sich wertvolles, aber in der Gesamtsicht weniger wichtiges Regionalgeistiges unterzuordnen.

3.35 Wegen der geistigkeitlichen Bedeutung der regionalen Sprachen (von denen jede eine besondersartige Struktur für das geistige Sein der Regionsbewohner ist) ist in mehrsprachigen Ländern die entsprechende Gliedstaatenautonomie ein spiritualpolitisches Hauptpostulat, und das um so ausgeprägter, je stärker die einzelnen Sprachen voneinander verschieden sind: ausgeprägtest dort, wo selbständige Sprachen nebeneinander bestehen und auch die Minderheiten großen Sprachgemeinschaften angehören (hat eine der regionalen Sprachen nur eine kleine Sprachgemeinschaft ohne hochdifferenzierte sprachbedingte Kultur, so läßt sich die Kulturpolitik der betreffenden Region, und damit des Gliedstaates, nicht hauptsächlich auf sie gründen, sondern verlangt die Abstützung auf die Landessprache, die eine Großsprache ist,—Nachteil etwa für das Bretonische in Frankreich, das Baskische und auch das Katalanische in Spanien, das Rätoromanische in der Schweiz). Praktisch wichtig ist da vor allem die gliedstaatliche Autonomie im Schulwesen, bezüglich der Rundfunk- und Fernsehanstalten, der Presse, der Buchproduktion, der sprachkulturellen Veranstaltungen; als grundsätzlich falsch erscheint hieraus jede gesamtstaatliche Vorkehrung, die solche gliedstaatliche Autonomie einschränkt.

Wenn die Mehrsprachigkeit eines Landes vom spiritualpolitischen Standpunkt aus die sprachkulturelle Dezentralisierung erfordert, so darf dies doch nicht die aus Sachgründen gebotene Zentralisierung der gemeinwohlwichtigen Staatsleistungen behindern; sprachliche Verschiedenheit und sachliche Gleichheit lassen sich immer in vernünftigem Kompromiß miteinander verbinden, — freilich kann das auf beiden Seiten Konzessionen erfordern. Zudem tritt bei der Behandlung der gesamtstaatlichen Probleme jede Sprachgruppe in Zusammenarbeit mit der oder den andern und begegnet damit Denkweisen, die durch andere Sprachmentalität geprägt oder wenigstens beeinflußt sind; sie wird hieraus gegenüber den ausländischen Gesamtheiten gleicher Sprache in einigen und vielleicht in wichtigen Auffassungs- und Denkarten getrennt, erhält aber anderseits ein Sonderwesen, durch die es auf das sprachgleiche Ausland bereichernd wirkt (so die welsche Schweiz, das wallonische Belgien, die Provinz Quebec auf Frankreich und darüber hinaus auf den ganzen frankophonen Kulturraum). Allzu starke Abschließung der Sprachgruppen innerhalb eines Landes, zumal als sprachchauvinistischer Regionalismus, wäre also gleich verfehlt wie Vernachlässigung der sprachkulturellen Besonderheiten und Werte der Landesteile.

Ist eine inländische Sprachgruppe mit einer kulturell sehr wichtigen und lebendigen ausländischen Sprachgesamtheit verbunden, so ist diese kulturelle Verwandtschaft vielleicht stärker als diejenige mit den andern inländischen Volksteilen; das kann bis zu Entfremdung und Spaltungstendenz gehen, — und dies wiederum muß Anlaß werden, das nicht- und übersprachliche gemeinsame Nationale herauszuarbeiten (daß es besteht, darf man bei jedem

Staat vermuten, denn er ist ein Geschichtlichgewordenes und daraus Geistig-Besondersartiges). Vielleicht wird hier der gesamt- und gliedstaatlichen Spiritualpolitik eine Sonder- und Hauptaufgabe gestellt: Überwindung sprachlich bedingter Trennung, jedoch unter Wahrung und Weiterentwicklung des Kulturell-Positiven der regionalen Sprachen, — was den allmählichen Abbau von Kleinstsprachen, das heißt solchen ohne größeres Verbreitungsgebiet und zugleich ohne tatsächliche Bedeutung fürs höhere Kulturelle (für welches die Sprachangehörigen eine andere, wichtigere Sprache verwenden), nicht ausschließt; es muß nicht unbedingt jede Sprache als voll anzuwendende Sprache erhalten bleiben. Prinzip soll sein, daß keinem Staatsangehörigen der Zugang zur geistigen Wirklichkeit seines Sprachraumes und die sich immer wieder erneuernde lebendigste Teilhabe an ihr verwehrt oder auch nur erschwert werden dürfen. — Zwischen den nationalstaatlich verschiedenen Gebieten eines Großsprachraumes muß unter allen Sachgesichtspunkten der freie Kontakt der Einzelnen und Organisationen erlaubt sein und von den beteiligten Staaten, direkt oder über die Gliedstaaten, gefördert werden. Damit verbindet sich ein spezifischer Anspruch an Staaten, die Hauptgebiet von Sprachen mit ausländischen Nebengebieten sind: Sprachnationalismus und erst recht Sprachimperialismus wären nicht nur im Interesse des friedlichen Miteinanderseins der betreffenden Staaten abzulehnen, sondern auch weil sich das kulturelle Zusammenwirken innerhalb eines multinationalen Sprachraumes nur bei als selbstverständlich anerkannter Freiheitlichkeit und Freundschaftlichkeit entfaltet, also nur bei Anerkennung des bestehenden Staatlichen, sofern es ebenfalls freiheitlich ist (die Politik des Hauptstaates des Sprachraumes dürfte sich immerhin darauf richten, daß im andern Staat die volle Freiheit des Sprachlichen durchgesetzt wird).

3.36 Weitgehend oder ganz in die Befugnis des Gliedstaates gehören die religiös bedingten und insbesondere die auf die Förderung des Religiösen gerichteten öffentlichen Leistungen, wenn im Staat starke regionale Konfessionsverschiedenheiten bestehen, vor allem also wenn, in der christlichen Welt, ein Teil des Landes katholisch und der andere protestantisch ist. Das Kirchenwesen, soweit der Staat auf es einwirkt, und die Schulen jedenfalls in ihren religiösen Aspekten sind hier nach den regional besonderen Glaubenseinstellungen zu gestalten. Aber bei aller Bereitschaft zur gliedstaatlichen Vorsorge für das Regional-Religiöse sind doch gesamtstaatliche Normen für das Religiöse überhaupt und das religiös beeinflußte allgemeinere Kulturelle unerläßlich und allenfalls gegenüber den gliedstaatlich-besondern Ansprüchen durchzusetzen: Freiheit der Religion, des Denkens, der Meinungsbildung und -äußerung, des Lehrens ist in der modernen Kultur oberstes Geistesgut, — nie und nirgends darf religiös bedingter Regionalismus zu Glaubenszwang führen.

Außerhalb der westlichen Welt gibt es den Gegensatz zwischen Hauptreligionen, nicht bloß denjenigen zwischen Konfessionen der einen Religion. Bekennen sich in einem Landesteil und insbesondere in einem Gliedstaat die meisten Gläubigen zu einer Religion, die von der in andern Regionen vorherrschenden wesentlich verschieden ist, so ist es geistigkeitliche und spiritualpolitische Pflicht des Gesamtstaates, den Gliedstaaten weitgehende Autonomie für die Gestaltung des Religiösen zu geben, sie dabei aber auch strengst zur Respektierung der Religionsfreiheit und, allgemeiner, der Meinungs-, Äußerungs- und Lehrfreiheit anzuhalten.

Zu fragen ist vielleicht aber auch, vor allem hinsichtlich der Landesgebiete mit ausgedehnter, ja vorherrschender moderner Zivilisationsentwicklung, ob nicht neben konfessionellen und vielleicht hauptreligionshaften Gegensätzen auch derjenige zwischen Religion (jeglicher Art) und Nichtreligion (zeige sich diese bloß in Gleichgültigkeit oder aber in bewußter Religionsablehnung) soziale Wichtigkeit habe. Denkbar ist doch, daß etwa in einem Landesteil mit modernster Industrie, in einem großstädtischen Gebiet mit hoher Ausbildung von Bankwesen, Handel und Dienstleistungsbetrieben, dazu hier wie dort mit vorzugsweise das modernwissenschaftliche und -leistungspraktische Können ausbildenden Schulen, das religiöse Interesse allmählich oder rascher abgebaut wird und an seine Stelle dasjenige für die säkulären Dinge tritt, — im Unterschied zu ländlichen Gebieten mit vorläufig wenig beeinträchtigter religiöser Gläubigkeit; es könnte sein, daß in solchen zivilisatorisch modernsten Regionen das Festhalten an den überlieferten religiösen Institutionen, vor allem an der Staatskirche, in Widerspruch zu den tatsächlichen Überzeugungen und Zielhaltungen der Mehrheit gerät oder bereits geraten ist, was vielen einerseits innere Unehrlichkeit aufzwingt und anderseits die Besinnung auf das sie wirklich Interessierende erschwert: die Spiritualpolitik mag hieraus für den zunächst im Regionalen zu verwirklichenden Abbau der religiösen Institutionen eintreten.

3.37 Gibt es auch außerhalb von Sprache und Religion Geistigkeitliches von ausgeprägt regionaler Eigenart, in dem Sinne, daß es im einen Landesteil gegeben ist und verwirklicht wird, nicht aber im andern, ja daß in verschiedenen Gebieten Gegensätzliches verfolgt wird? Solches mag auf Inhalte zutreffen, die landschaftlich, geschichtlich, durch Besiedlungsart und Bevölkerungsdichte, durch Wirtschaftsart oder durch Gesellschaftsstruktur bedingt sind. Umfaßt ein Staat Ebenen und Berggebiete, oder Binnen- und Küstenlandschaften, so sind in ihm vielleicht schon einige der wichtigen geistigen Interessen, sicher aber einige der Weisen, ihnen zu entsprechen, regional verschieden: Schulen und Kulturveranstaltungen sind im Flachland wahrscheinlich anders als in den Bergtälern, und das Küstengebiet ist oft stärker mit dem Ausland verbunden als das Landesinnere. Sind im Gesamtstaat Gebiete mit wesentlich verschiedener kultureller Vergangenheit, etwa solche mit freiheitlich-demokratischer und andere mit eher kastenmäßiger und aristokratisch-autoritärer, so kann das noch in der jetzigen Grundeinstellung zum Kulturellen nachwirken. Ist das Staatsgebiet teils sehr dicht, ja großstädtisch, teils mitteldicht und eher mittelstädtisch, teils dünn und nur dörflich besiedelt, so bestehen für die Bewohner dieser drei Gebietstypen von vornherein unterschiedliche Möglichkeiten des Kulturellen. Ist die eine Region vorwiegend agrarisch, und sei es im durchaus modernen Sinn von Agrarwirtschaft und -technik, die andere dagegen durch Industrie und Handel geprägt, so gibt das wahrscheinlich dem kulturellen Wesen und insbesondere den kollektiven und auch den individuellen geistigen Ansprüchen spezifischen regionalen Inhalt. Und ähnliches gilt, wenn in der einen Region die Traditionen der Familie, der Bekanntengruppen, des Vereinswesens, also der Nahgemeinschaften überhaupt, noch weitgehend intakt sind, in der andern dagegen sich allmählich, oder auch rasch, auflösen und durch Bindungen neuen Typs ersetzt werden. In allen diesen Fällen können sich der geistigkeitlichen Politik Aufgaben stellen, die wenigstens vorläufig am besten regional, also durch die hierin autonomen Gliedstaaten gelöst werden.

3.38 Durch neue Tendenzen der Kulturentwicklung werden manche der regionalen Gegebenheiten, welche die Bildung von gliedstaatlichen Aktionsfeldern der spiritualen Politik als erwünscht erscheinen lassen, abgebaut; soweit dies zutrifft, empfiehlt sich der Übergang zu Zentralisierung und damit zu gesamtstaatlichen Lösungen, — vielleicht ist sogar, weil die kulturelle Vereinheitlichung als unabwendbar erkannt wird, das Regional-Besondere aus prinzipieller Erwägung in Frage zu stellen. Gerade die moderne Kulturentwicklung kann aber anderseits zur Folge haben, daß Regionales schärfer bewußt und politisch gewichtiger wird. Maßgebend kann hiebei erstens sein, daß das Neue, welches die Zentralisierung erfordern würde, zugunsten des Alten, das regional zu bewahren ist, abgelehnt oder wenigstens zurückgestellt wird, und das vielleicht sogar vorwiegend darum, weil man nicht den Zentral- und Gesamtstaat an die Stelle des autonomen Gliedstaates treten lassen will: je dringlicher neue soziale Bedürfnisse zentralstaatlich-neue Lösungen verlangen, desto härter wird allenfalls der die bisherige Gliedstaatlichkeit verteidigende Konservatismus (so: Durchsetzung von regionalsprachlichen Begehren, weil die überregionale Hoch- und Schriftsprache für einfachere Leute allzu kompliziert wird; Wiederbelebung von regionaler Glaubenstraditionen, weil befürchtet wird, die Säkularisierung bedrohe die überlieferte Moral; Eintreten für Schutz und Ausbau von kleinbäuerlichen und dorfgewerblichen Betrieben, die in Konkurrenz mit den leistungsfähigeren Großbetrieben anderer Regionen stehen). Denkbar ist aber zweitens auch, daß die Modernität vorläufig nur, und vom Ganzen aus gesehen als Minderheitseinstellung, regional politisches Gewicht hat und also zunächst in Gliedstaaten die Chance erhalten sollte, ihre eigenen Wege zu gehen und sich, wahrscheinlich in Versuch und Irrtum, sowohl zu bewähren als auch selbst weiteraufzubauen (um bei den genannten Beispielen zu bleiben: vielleicht durch bewußten Verzicht auf altvertrautes Regionalsprachliches, bewußte Abkehr von religiöser Tradition und damit von der kirchlichen Macht etwa in der Erziehung, bewußte Hinwendung zu den rationelleren Betriebsformen in Landwirtschaft, Gewerbe und Handel); keinesfalls ist sicher, daß die moderne Kulturentwicklung einheitlich gegen die gliedstaatlichen Funktionen geht, — somit ist zu postulieren, daß die beste Kompetenzenaufteilung zwischen Gesamtstaat und Gliedstaaten immer wieder von den neuen Gegebenheiten und Bedürfnissen aus geprüft werde (dies in möglichst sachgerechter Einschätzung der wahrscheinlichen Zukunftsentwicklungen).

3.39 Die in den Gliedstaaten wirkenden Spiritualpolitiker betätigen sich politisch in den gliedstaatlichen Behörden oder Leistungsorganisationen (auch in autonomen Körperschaften, die vom Gliedstaat für Sonderaufgaben eingesetzt wurden) oder auf diese hin. Für das erste müssen sie mit einem Amt oder einer öffentlichen Funktion betraut werden: in der Regel ist dazu das persönliche Karrierebemühen nötig, aber in diesem kommt es, weil im Gliedstaat die Verhältnisse einigermaßen überschaubar sind, oft unmittelbar auf die fachliche Eignung an und weniger auf die politische Durchschlagskraft (aber wegen der gliedstaatlichen Kleinheit wird mitunter die Fachkompetenz der regionseigenen Experten für breiter gehalten als sie ist, und darum auf die Heranziehung von bessergeeigneten Regionsfremden verzichtet). Das zweite verlangt Wirkungsmöglichkeit in Partei oder Verband, oder partei- oder verbandsähnlicher Organisation (vielleicht eignet sich diese Form gerade für die Behandlung von Problemen der Gliedstaatenpolitik), und in Presse und Rundfunk; diese Organisationen und Medien sind demnach unter den besonderen Bedingungen und Ansprüchen der Regionalpolitik auszubauen (wichtigst sind die gliedstaatlichen Unterorganisationen der nationalen Parteien und die regionalen Zeitungen).

3.4 Provinz und Departement als Aktionsfeld

3.41 Das gliedstaatliche Aktionsfeld ist dadurch gekennzeichnet, daß der Gliedstaat ein weitgehend autonomes, in einigem sogar souveränes regionales Gemeinwesen ist und die regionalen

Behörden, ganz oder im Rahmen von gesamtstaatlichen Richtlinien, zu eigener Zielsetzung und Ausführungsentscheidung befugt sind. Neben den Staaten mit solcherweise selbständigen regionalen Gemeinwesen sind andere mit Provinzen oder Departementen, die in keinem wesentlichen Leistungsbereich autonom sind, sondern in allem Prinzipiellen den Zentralbehörden unterstehen; hier sind die regionalpolitischen Kräfte weniger selbständig-aktiv als beim Bestehen autonomer Gliedstaaten und viel stärker darauf angewiesen, die regionalen Ansprüche in den gesamtstaatlichen Gremien geltend zu machen. Damit sind die spezifisch regionalpolitischen Wirkungsmöglichkeiten auch für die Träger der politischen Geistesmenschlichkeit eingeschränkt. Welche Aufgaben sind ihr da gestellt? — Zur Terminologie: als Provinz bezeichnet seien im folgenden nur die vom Gesamt- und Zentralstaat stark abhängigen regionsumfassenden Staatsgebilde; in erheblichem Ausmaße autonome »Provinzen«, vor allem solche mit Parlament und Regierung, sind nach diesem Begriff als Gliedstaaten einzustufen.

Zwei Gesichtspunkte sind bei der Prüfung jener Aufgaben maßgebend. Erstens: Wie lassen sich die regionalen spiritualpolitischen Ansprüche unter der gegebenen, zentralistischen Provinz- und Departementsordnung am besten verwirklichen? Zweitens: Empfehlen sich Reformen in Richtung auf die Verselbständigung der Regionen und damit die Umbildung der Provinzen und Departemente in autonome Gliedstaaten? Beim ersten wird man sich hüten, festgestellte Mängel sogleich der gegebenen Regionalordnung vorzuwerfen, denn möglicherweise lassen sie sich auch unter ihr beheben, und dies wäre wohl immer die einfachste Lösung. Beim zweiten wird man in jedem Falle das politisch und administrativ Zweckmäßigste suchen müssen (und also auf allen ideologischen Perfektionismus verzichten).

3.42 Wichtigst und zugleich einfachst zu verwirklichen ist für die in Provinz oder Departement vollzogene Politik die volle Ausschöpfung der bestehenden Möglichkeiten, — oft ist die regionale Unterorganisation des Gesamtstaates mangelhaft weniger aus Strukturen und Prinzipien als aus deren tatsächlicher Inanspruchnahme, vor allem aus routinehafter Beschränkung aufs Bisherige und damit aus Mangel an Phantasie und Initiative. Dieses Postulat bezieht sich erstens auf die staatlichen Regionalgebilde als solche, zweitens auf die sich mit dem Regionalen allgemein und den Regionalgebilden speziell befassenden gesamtstaatlichen Instanzen, drittens auf die regionalen politischen Organisationen und Medien, viertens auf die sich mit Regionalem befassenden gesamtstaatlichen oder jedenfalls überregionalen politischen Organisationen und Medien, — in allen vier Fällen eben unter der Voraussetzung, daß das Regionale von staatlichen Regionalgebilden ohne erhebliche gliedstaatliche Autonomie zu behandeln ist.

Für die staatlichen Regionalgebilde gilt zunächst das Gebot der Tüchtigkeit und Effizienz; so wie alle Behörden müssen auch diejenigen der Provinz oder des Departementes, zugleich unter den Prinzipien des gesamtstaatlichen Aufbaues und den Bedingungen der Sachaufgaben, richtig konzipiert und organisiert, zweckmäßig mit Befugnissen und Mitteln ausgestattet, mit leistungsfähigen und -willigen Leuten besetzt sein, — negativ: müssen die Nachteile der Bürokratie vermieden und allenfalls bekämpft werden, ebenso die Trägheit, die sich gerade in hauptstadtfernem Provinzort einnisten kann. Speziellere Erfordernisse betreffen die Regionskunde, genauer die Kenntnis des zu behandelnden Sachlichen in seiner je besonderen regionalen Ausprägung, und mit ihr verbunden den Willen, auf die regionalen Probleme einzugehen, ihre beste Lösung als vollwertige politische Leistung zu verstehen. Im günstigsten Fall kann die unter dem Gesamtstaat stehende Provinz- oder Departementsbehörde für ihre Region in gleicher Weise Nützliches zustande bringen wie es einer vorzüglich arbeitenden gliedstaatlichen Stelle möglich wäre, vielleicht sogar noch besser, weil sie Mittel des Zentralstaates anwenden kann, die denen des Gliedstaates, zumal des kleinen, überlegen sind; die Frage, ob im gegebenen Sachzusammenhang der Gliedstaat gegenüber der Provinz oder dem Departement erhebliche Vorzüge hätte, darf darum nicht aus ideologischer Festgelegtheit beantwortet werden. Vielleicht ist die Zusammenarbeit von lenkender Zentral- und ausführender Regionalbehörde (wobei die zweite einigermaßen selbständig ist und auf die erste kritisierend und anregend zurückwirkt) gerade für die Spiritualpolitik geeignet, vor allem wenn sich Probleme stellen, deren Wesen und Bedeutung vorläufig nur für wenige Fachleute einsichtig sind (etwa: Probleme im Zusammenhang mit Hochschulreform und Forschungsförderung, die beide zwar für die zivilisatorisch fortgeschrittensten Regionen besonders wichtig sind, aber der zentralstaatlichen Vorbereitung und Unterstützung bedürfen).

Zweitens ist beste Leistung von den mit Regionalem befaßten zentralen, gesamtstaatlichen Behörden verlangt. Zunächst und allgemein ist auch hier die möglichst hohe Leistungstüchtigkeit gefordert, und dies sowohl im Sachlichen als auch in dem durch das Nebeneinander von zentralen und regionalen Behörden bedingten Staatspraktischen: zentrale Führung soweit nötig, und regionale Selbständigkeit soweit nicht hinderlich, — bei möglichst großer regionaler Selbständigkeit lassen sich die teilgebietlichen Besonderheiten am besten studieren und hieraus am ehesten Anregungen für sachgerechte Maßnahmen, die fürs ganze Land zu verwirklichen sein werden, gewinnen. Zu verbinden sind zentrale Führung und regionale Selbständigkeit insbesondere für Spiritualpolitisches: in manchem sind es die zentralen Stellen, die als erste ein geistigkeitliches Problem erkennen und politisch aktualisieren, in anderm aber wird die Anregung von Regionsbehörden ausgehen, die in unmittelbarem Kontakt mit den regionalen Tatsachen stehen; in beiden Fällen kann das regionale Geistigkeitliche, das es zu berücksichtigen gilt, ein Überliefertes sein oder aber im Gegenteil ein Neues, das sich zunächst erst in einem Teilgebiet des Gesamtstaates ausbildet, — die zu befürwortende regionale Förderung des Geistigen steht vielleicht in klarem Gegensatz zum bewahrenden Traditionalismus, den viele für in ihr bestimmend halten.

Drittens bedarf die in Provinz oder Departement geführte Spiritualpolitik der Unterstützung durch regionale politische Organisationen und Medien; dabei kann entscheidend werden, daß die in ihnen Handelnden volle Selbständigkeit haben, was meistens voraussetzt, daß das Leistungsgebilde, in dem sie tätig sind, entweder als solches regional ist (so: Provinzpartei, -verband, -zeitung, -rundfunkstation) oder im Rahmen eines Nationalen regional autonom ist (so: Provinzsektion von Landespartei oder -verband, Regionalausgabe einer hauptstädtischen Zeitung, Provinzstudio und -programm von Hörfunk und Fernsehen). Unwahrscheinlich ist allerdings, daß in größeren Regionalorganisationen das spezifisch Geistigkeitliche Hauptgegenstand des politischen Nachdenkens und Bemühens sei, denn meistens geht es um Wohlfahrtswichtiges; selbst bei Auseinandersetzungen über regionale Sprache, Konfession oder Religion sind nicht immer primärgeistige Ziele bestimmend (stärkst ist oft der Wille zur politischen Selbständigkeit und zum Wohlstandsaufbau der Region). Somit muß der Politiker, der die Problematik von Geistigem erkennt, und deutlicher erkennt als die meisten oder alle andern in der Regionalpolitik Führenden, seine spiritualpolitischen Auffassungen so klar als möglich herausstellen (und das jedenfalls in Presse und Rundfunk).

Und viertens müssen die nationalen Organisationen und Medien den regionalen spiritualpolitischen Tatsachen und Problemen ihre Aufmerksamkeit zuwenden, und das besonders dann, wenn den Regionen die gliedstaatliche Autonomie fehlt: zu fordern ist vor allem, daß Leute, die einerseits im Spiritualen als solchem, anderseits im Regionalen umfassende Kenntnis haben, die nationalen Führungsgremien ständig mit diesem Themenkreis in Verbindung halten.

3.43 Es kann sich empfehlen, daß die bestehende Provinz- oder Departementsordnung beibehalten, aber in Hinsicht auf die bessere, das heißt beweglichere, anpassungsfähigere und auch rationellere Lösung der Regionsprobleme aufgelockert wird: regionale Verwaltungsstellen sind zu verselbständigen und mit bisher zentral behandelten Aufgaben zu betrauen, auch sind vielleicht in der Provinz oder im Departement untersuchende und beratende Fachinstanzen zu schaffen; es können sich hieraus Zwischenformen zwischen der zentralistischen und der dezentralisierten Gebietsordnung ergeben. Möglicherweise ist es eine Hauptaufgabe der Spiritualpolitik, in dieser Richtung zu wirken, — die Staatsstruktur in dem gesellschaftlichen Geistigen gesamthaft günstigen Sinne umzubauen kann dringlicher sein als das Eintreten für einzelne konkrete geistigkeitliche Inhalte.

Solche Änderung wird vielleicht in Hinsicht auf die bestehende Gebietsordnung überhaupt postuliert: sie muß in diesem Falle alle wichtigeren regionalen Staatsleistungen betreffen, und darunter mögen einige traditionell allzu zentralistisch geführt worden sein;

wahrscheinlich schließt aber das Umbaubedürfnis am ausgeprägtesten an neue Sozialentwicklungen an, insbesondere weil in einigen Regionen, aber weniger oder gar nicht in andern, Schwierigkeiten entstanden sind, welche dringendst dort behoben werden müssen, wo sie einigermaßen akut sind, dies auch darum, weil so Erfahrungen für spätere Gesamtlösungen gewonnen werden (so können sich aus regionaler Industrieentwicklung neue Schulungsbedürfnisse ergeben, von denen aus die Verselbständigung des regionalen Schulwesens und damit der Regionalstrukturen überhaupt zu fordern ist). Der Spiritualpolitiker wird hiebei auf zwei verschiedenen Ebenen denken: erstens derjenigen der bestens zu lösenden Regionalprobleme an sich und zweitens derjenigen der in diesen erkennbaren allgemeineren, sich ins Nationale und sogar Übernationale erweiternden Entwicklungen, die von den Einsichtigen rechtzeitig festzustellen und auf die wahrscheinlichen politischen Auswirkungen hin zu prüfen sind (und zwar auf die sachpolitischen wie auch auf die strukturpolitischen hin: im aufgeführten Beispiel also auf die Notwendigkeiten, die Schulprogramme zu modernisieren, aber auch die Schulorganisation und, soweit im Zusammenhang mit ihr nötig, die Regionalstrukturen umzugestalten).

3.44 Wenn in einigen modernen Staaten von erheblicher Größe des Gesamtgebietes die Bildung von mehrere Provinzen vereinigenden Regionen—hier als staatsrechtlich strukturierte teilgebietliche Gemeinwesen zwischen Provinz (oder Departement) und Gesamtstaat zu verstehen — diskutiert und sogar praktisch eingeleitet wird, so hat das seinen Grund in einigermaßen großräumigen gesellschaftlichen, insbesondere wirtschaftlichen Entwicklungen: es sind Instanzen zu schaffen, deren Leistungsraum dem geographischen Raum der zu lösenden Probleme, vor allem der neuen, aber vielleicht alter, die bisher vernachlässigt wurden, entspricht. Die Kompetenzen solcher Regionsbehörden sind abzuzweigen von den bisherigen Funktionen einerseits gesamtstaatlicher, anderseits von Provinz- oder Departementsbehörden, oder sie sind auf Grund neuer, vielleicht auch älterer, aber bisher zu wenig beachteter Bedürfnisse erstmals zu erteilen: die auf die neuen Kulturentwicklungen und die von ihnen aus zu prüfenden politischen Probleme achtende Spiritualpolitik wird vor allem mit Postulaten der letzten Art aktiv werden.

Ähnliche Überlegungen sind vielleicht in Ländern mit gliedstaatlicher Gebietsorganisation anzustellen. Die Schaffung größerer Regionalgebilde bedarf der Zustimmung der Gliedstaaten, soweit diese souverän sind, also einen Teil ihrer Kompetenzen abgeben müssen; das wird oft hemmend sein, und darum muß die Anregung in erster Linie vom Gesamtstaat ausgehen, — ein Sonderthema gesamtstaatlicher Spiritualpolitik.

3.5 Das kommunale Aktionsfeld

3.51 Soweit der Staat auf die Gesellschaft und die Einzelnen einwirkt, sind zielsetzend vor allem der Gesamtstaat und bei föderativem Aufbau die Gliedstaaten (aber diese weniger als jener), in geringem Maße die Provinzen oder Departemente (aber diese sind in einigen Staaten nur Gebilde zur Ausführung zentralstaatlicher Anordnungen). Dagegen ist die Leistung der kommunalen Gemeinwesen in dem Sinne beschränkt, daß sie einen großen Teil des von übergeordneten staatlichen Instanzen gesetzten Prinzipiellen mit speziellem Inhalt, nämlich den örtlichen Gegebenheiten entsprechend, verwirklichen soll; die inhaltlich einigermaßen weiten und allgemeinen politischen Forderungen sind darum nicht oder kaum an die kommunalen (städtischen, dörflichen) Behörden zu richten, sondern an diejenigen des Gesamtstaates, des Gliedstaates oder zumindest der Provinz oder des Departementes. Jedoch hängt, wenn das Praktische den Gemeinden übertragen ist, das konkrete staatliche Leisten davon ab, wie die kommunalen Stellen arbeiten, und da findet man neben Optimalem auch Wenigerbefriedigendes, sogar Unbefriedigendes. Daraus ergibt sich die allgemeine Forderung nach Tüchtigkeit der kommunalen Stellen, — sie ist in der Spiritualpolitik zu vertreten, weil alle kommunalpraktische Effizienz letztlich, und sei es sehr indirekt, Geistigem dient, weiter weil auch das Speziell-Geistigkeitliche möglichst rationell zu betreiben ist. Auf Spirituales gerichtetes Wirken in der Gemeinde ist darum großenteils Bemühung um Praktisches, weniger um das Prinzipielle der auszuführenden

Staatsleistungen, nur selten um einigermaßen allgemeine politische Zielsetzung; Bemühen um Prinzipiell-Neues, auch solches spiritualpolitischen Inhaltes, ist immerhin so möglich, daß einzelnes Konkretes örtlich angeregt wird, daß experimentierend lokale Lösungen unternommen werden, deren Erfolg sie als beispielhaft verstehen läßt. Angesichts der Komplizierung der Sozialkultur muß es als erwünscht erscheinen, daß die lokalen Experimentiermöglichkeiten nicht nur erhalten bleiben, sondern, vor allem in lokalbedingten Sachzusammenhängen, erweitert werden. Denkbar ist, daß gerade hier die spiritualpolitische Theorie einerseits neue Bedürfnisse und damit neue Themen erkennt, anderseits Gelegenheit zu erster Konkretisierung bisher allzu allgemeiner Ideen erhält.

3.52 Auch wenn ein Aktionsfeld dem Gesamtstaat — sei es den Zentralbehörden, sei es denjenigen von Provinz oder Departement — oder den Gliedstaaten zugewiesen ist, muß auf die lokalen Bedürfnisse und Erfahrungen abgestellt werden; daß dies möglichst vollständig geschieht, kann für die Gestaltung insbesondere von Spiritualpolitischem förderlich oder sogar unerläßlich sein, indem gerade unter örtlichen, vorzugsweise unter städtischen Bedingungen neue Auffassungen über die geistige Bestimmung des Menschen entstehen und entsprechend neue Lösungsweisen vorgeschlagen und vielleicht versuchsweise angewandt werden. Mancher Spiritualpolitiker wird darum von eigener Lokalerfahrung ausgehen oder auf diejenige von Gesinnungsfreunden abstellen, — allerdings wird das eigentlich Politische zumeist ins Überlokale zu bringen sein (weil das Kommunale nur selten eine prinzipielle, zumal eine in allgemeine Rechtsnormen zu kleidende Neuerung erlaubt). Hieraus ist auch die Wirkungsmöglichkeit von lokalen Parteien und Verbänden beschränkt. Die größeren Zeitungen dagegen sind, obwohl ortsgebunden, aus ihrem Wesen verpflichtet, sich berichtend und stellungnehmend mit Regionalem, Gliedstaatlichem, Gesamtstaatlichem und Übernationalem zu befassen, bei ihnen gibt es eher die Verbindung zwischen vorwiegend auf einzelnes gehendem lokalem und das Prinzipielle herausarbeitendem überlokalem Interesse; für Rundfunk und Fernsehen ist das Lokalpolitische selten mehr als zweitrangig.

3.6 Multinationale Aktionsfelder

3.61 Manche politischen Ziele lassen sich am besten multinational, das heißt auf mehrere Länder umfassendem Aktionsfeld verfolgen und verwirklichen. Das gilt allgemein, somit für manches, das mit Geistigkeitlichem nur indirekt zusammenhängt (so: übernational wichtige Problemlösungen bezüglich Eisenbahn- und Straßenverkehr, landwirtschaftlicher Produktion und Einkommenssicherung, Patentwesen, Verbrechensbekämpfung, Abrüstung); es gilt aber auch spezieller für unmittelbar geistige oder wenigstens Geistigem sehr nahe Dinge (so alles, was mit der übernational-gemeinschaftlichen Angleichung von Schulprogrammen, Erweiterung von Bildungsmöglichkeiten, Förderung der Forschung, Sicherung und Steigerung des zwischenstaatlichen Austausches von Informationen und Werken zu tun hat). Der Vorzug des multistaatlichen Vorgehens ergibt sich zum Teil aus der Sache: wenn sich die zu regelnden Dinge aus ihrem Wesen auf mehrere Staaten beziehen und sich daraus Gesamtplanung und einheitliche Gestaltung empfiehlt. Maßgebend kann zum andern, und oft in Verbindung mit dem ersten, sein, daß die zusammenarbeitenden Staaten dank ihrer gemeinsamen Bemühung ihre nationalen Ziele rationeller und vollständiger verwirklichen können (etwa durch Zusammenwirken in der Eisenbahn- und Autostraßenplanung, in Währungsfragen, im Umweltschutz). In beiden Fällen muß die politische Darlegung und Diskussion auf die besonderen Eigenschaften und damit die Vorzüge der Multinationalität hinweisen; daraus ergibt sich die Nützlichkeit, nach diesen auch dort zu fragen, wo man sich vorläufig mit dem Nationalen begnügt: möglicherweise liegt in diesem Beschränkung, die unter den — bereits gegebenen oder doch für die nahe Zukunft voraussehbaren — neuen Verhältnissen aufzugeben ist. Hiebei muß man sich aber darüber klarwerden, daß die Allgemeingültigkeit eines Zieles nicht notwendigerweise bedeutet, daß es multinationalen Wesens sei: es kann ein Ziel für alle Staaten und Völker gelten (zum Beispiel das Ziel, es sei jedem Menschen das Recht auf freie geistige Entfaltung zu geben) und trotzdem zur Verwirklichung am besten den einzelnen Staaten zugewiesen bleiben.

3.62 Multinationale Aktionsfelder gibt es seit und soweit Kultur und Gesellschaft das Einzelstaatliche übergreifende Wesenszüge haben: sind solche vorhanden, so bestimmen sie Multinationalität auf den entsprechenden Sachfeldern, nicht aber auf den andern, — jedoch hindert die Tatsache, daß viele Gegenstände aus ihrem Wesen am besten national behandelt werden, nicht, daß für andere der multinationale Weg zu beschreiten ist. Selbst jetzt, unter bereits stark ausgebildeter und sich ständig erweiternder Multinationalität von Kultur und Gesellschaft, sind nur einige Inhaltsgebiete in multinationaler Politik zu bearbeiten: Welches sind diese Gebiete und welche multinationalen Verwirklichungen soll man in Hinsicht auf sie postulieren? Das betrifft sowohl Allgemeines und Gesamthaftes als auch Spiritualpolitisch-Besonderes, wobei allerdings jedes Politische der ersten Art seine Auswirkungen auf Geistigkeitliches hat. Von den Theoretikern und Praktikern der Politik verlangt das die Fähigkeit, die Beschränkung auf Tatsachen und Probleme des eigenen Staates zu durchbrechen, und somit nicht nur größere Weite des Denkens, sondern auch die Bereitschaft, zwischen Nationalem und Übernationalem zu differenzieren, die zwischen beiden bestehenden Wesens-, Wert- und Zielverschiedenheiten herauszuarbeiten und allenfalls in sachlicher und sozialmoralischer Beurteilung das Übernationale dem Nationalen vorzuziehen (aber das natürlich nicht in jedem Fall, denn sachlich und sozialmoralisch richtig ist mitunter die Bevorzugung des Nationalen: es darf da keine ideologische Voreingenommenheit geben). In manchem werden die neuen Möglichkeiten, die nationale Politik durch übernationale Aktion zu erweitern, vielleicht sogar (mehr oder weniger schnell) zu ersetzen, Anlaß sein, diesen Problemkreis staats- und politiktheoretisch, oft auch aus speziellerem spiritualpolitischem Interesse, durchzuarbeiten.

3.63 Bei der Diskussion der multinationalen Aktionsfelder ist auf die Größe der in diese einbezogenen Staaten einzugehen. In Kleinstaaten ist notwendigerweise ein erheblicher Teil des wirtschaftlichen und kulturellen Geschehens auslandsbezogen, hier ist Ausland schon das, was im Großstaat nur Nachbarprovinz ist. In mittelgroßen Staaten ist ein größerer Teil der gesellschaftlichen Aktivität innerstaatlich, allein auch hier ist vieles nach außen gerichtet oder von außen beeinflußt, also auf die Zweckmäßigkeit von multinationaler Regelung hin zu untersuchen. In Großstaaten ist der Anteil des Innerstaatlichen noch höher, die Notwendigkeit der Zusammenarbeit mit dem Ausland dagegen weniger deutlich fühlbar. Für Größtstaaten schließlich war bis in die jüngste Zeit die Verbindung mit dem Ausland, so nützlich sie auch sein mochte, nicht unentbehrlich, nicht lebenswichtig. Das hat Unterschiede im Grad der Auslandsoffenheit und, auf diese aufbauend, der Weltoffenheit zur Folge (von jener zu dieser: wenn man sich in Interesse und Handeln Ausländischem zuwendet, braucht man sich nicht aufs nahe Ausland zu beschränken, sondern kann das eigene Bemühen auf irgendein Land, irgendeine Ländergruppe, sogar die Gesamtheit der Länder, die »Welt« richten): mancher Kleinstaatler ist zu übernationalem Interesse gezwungen, wo der sich mit ähnlichen Gegenständen befassende Großstaatler noch durchaus im Nationalen bleiben kann, — dabei stellt das erste höhere Anforderungen zumindest daraus, daß rechtliche und politische Verschiedenheiten zwischen Ausländischem und Inländischem zu berücksichtigen sind.

Als gesamthaft zutreffend ist anzunehmen, daß das politische, und insbesondere das spiritualpolitische, Denken, das die Bedingungen der optimalen Aktionsfeldwahl zu erkennen trachtet, in Kleinstaaten notwendig die stark ausgebildete, inhaltlich vielfältige, in mittelgroßen Staaten wenigstens die erheblich ausgebildete, wenn auch sachlich engere Multinationalität der theoretischen und praktischen Politik empfehlen muß, in Großstaaten dagegen die Hinwendung zum Übernationalen als weniger dringlich behandeln darf.

3.64 Grund und Sinn der Ausbildung multinationaler Politik sind gesellschaftliche und kulturelle Bedürfnisse, durch welche entweder das nationale Verwirklichen in übernationale Sachbezüge gestellt wird, aus denen es richtigerweise ins Großräumige zu erweitern ist, oder übernationales Verwirklichen als solches, als von Grund auf eigenständige und nicht über Nationales zu führende Aktionsart gefordert wird; somit ergeben sich zwei prinzipiell verschiedene Typen der internationalistischen Politik: erstens die indirekte, nationalpolitisch vorgehende, zweitens die direkte, von vornherein multinationale Lösung suchende. Beim ersten ist denkbar, daß im gegebenen Zeitpunkt der einzelne Staat entweder genügend oder aber noch nicht genügend internationalistisch eingestellt ist, beim zweiten, daß die direkt-internationalistische Politik im einzelnen Land entweder Zustimmung oder Ablehnung findet. Je nach der in dieser Hinsicht gegebenen Voraussetzung bestimmt sich das Praktische der auf multinationale Leistungen gehenden Politik.

Da die Spiritualpolitik großenteils an die modernen und damit an großräumige, sich über mehrere oder viele Länder erstreckende Kulturentwicklungen anschließen muß, sind gerade in ihr die nationalen und multinationalen Lösungen zu vergleichen und auf bessere oder weniger gute Eignung hin zu untersuchen. Das verlangt vom Spiritualpolitiker zumindest die Fähigkeit, sich auf dem betreffenden Sachgebiet die Möglichkeiten und Notwendigkeiten des Internationalen ausreichend genau zu vergegenwärtigen. (Aber sobald er dieses Können ausübt, schafft er sich Feinde: bei denen, die die gestellten Probleme nicht unter Gesamtaspekten sehen und schon daraus die gedankliche und erst recht die politische Öffnung nach außen ablehnen).

3.65 Das Interesse an der multinationalen Zusammenarbeit kann einigermaßen gleichmäßig über die beteiligten Staaten und Länder verbreitet oder aber in einem oder einigen von ihnen stärker sein. Das erste ist etwa dann zu erwarten, wenn durch gleiche Kulturentwicklung gleiche Bedürfnisse und, praktisch oft wichtigst, gleiche Schwierigkeiten entstanden oder im Entstehen sind; das zweite dann, wenn die Modernität erst einen Teil eines immerhin von Zusammengehörigkeitsbewußtheit durchwirkten Großgebietes erfaßt hat: in den fortgeschritteneren Ländern mag dann die Auffassung vertreten werden, daß die andern zum Wohl eines großräumigen Ganzen ihre Rückständigkeit überwinden müßten, — vielleicht sind es aber gerade die Politiker der weniger entwickelten, welche die Hilfe der Stärkeren und Reicheren zu gewinnen hoffen. Im zweiten Fall bildet sich wahrscheinlich eine Gesinnungsgemeinschaft zwischen den Fortschrittlichen der weniger und den Führenden der höher entwickelten Länder heraus, was jene in Gegensatz zu ihren eher traditionalistischen, der Modernität und damit dem fortgeschritteneren Ausland abgeneigten Mitbürgern bringen kann: und das wohl am ehesten dort, wo das Moderne prinzipiell-neue wissenschaftliche, philosophische und ideologische Voraussetzungen einschließt, — Entfremdung im eigenen Land, die durch Gemeinsamkeit mit ausländischen Gesinnungsgenossen teilweise ausgeglichen wird. (Stärkst ist diese Spannung wohl bei den Moderneingestellten der, gesamthaft noch rückständigen, Entwicklungsländer: es wird wissenschaftlich-technisches und damit hochrationales Neues befürwortet, das den Anhängern der weitgehend glaubensbestimmten und nur-erfahrungshaften nationalen Überlieferung als fremd und sogar feindlich erscheint, — das bringt den Modernisten in Gegensatz zu seiner vaterländischen Umwelt und auch zur traditionellen Schicht seines eigenen geistigen Wesens.)

3.66 Multinationalität ist mit allgemeinem oder speziellem Inhalt denk- und postulierbar, als gesamthafte, das heißt alle oder jedenfalls die meisten Gebiete öffentlichen Handelns betreffende oder als nur einzelne Sachgebiete erfassende Wesensgleichheit und -vereinheitlichung. Wahrscheinlich ist der zweite Typus anfänglich überzeugender, denn die Gleichheit von Wesen und Interessen ist auf einigen Sonderfeldern klarer ausgeprägt als auf andern, und bei jenen ist der Nutzen des Zusammengehens mehrerer Staaten manchmal offenkundig. Immer aber kann in zweiter Linie überlegt werden, ob man nicht von der Einzel- zur Gesamtvereinheitlichung fortschreiten müßte, um der besseren Lösung sowohl der jetzt dringlichen als auch der sich erst später stellenden öffentlichen Aufgaben willen; überdies kann die allgemeinere, umfassendere Multinationalität (es sind verschiedene Allgemeinheitsgrade sinnvoll) als solche primäres Ziel sein. — Was ist hier für die Spiritualpolitik das richtige? Soweit sie sich mit speziell umschriebenen Sachproblemen befaßt, wird sie von ihnen aus begründete, sachbezogene Multinationalität vorschlagen; angesichts der Aufgabenvielfalt ist eine Vielfalt solcher Empfehlungen zu erwarten. Wenn sie aber auf geistigkeitsgünstige Gesamtkultur geht, wird sie eher den allgemeinen Ausbau des Multinationalen befürworten.

Sodann ist die Multinationalität mit mehr oder weniger großer geographischer Ausdehnung postulierbar; die Extreme sind da einerseits der globale und anderseits der auf zwei benachbarte Kleinstaaten beschränkte Zusammenschluß, und zwischen ihnen gibt es manchen räumlich weiteren, aber nicht sehr weiten, nicht allzu-weiten. Was da praktisch gewollt wird oder vorzuschlagen ist, hängt immer auch von den zeitgeschichtlich konkreten Gegebenheiten ab, — hinsichtlich der Spiritualpolitik: von den das Geistigkeitliche direkt oder indirekt beeinflussenden.

Und aus beidem ergeben sich vielfältig Kombinationen von Sachart und Raumweite; immerhin ist wahrscheinlich, daß man sich um so mehr aufs Sachbesondere konzentrieren wird, je weiter man in den Raum greift: gesamthaften Staatenzusammenschluß mag es zwischen benachbarten Ländern geben, aber kaum in kontinentalem und erst recht nicht im globalen Maßstab; hingegen kann kontinentale oder sogar erdumspannende Zusammenarbeit unter sachspeziellem Ziel durchaus wertvoll und im Menschheitsinteresse anzustreben sein. Gilt das letztere auch für Geistigkeitliches oder dieses Förderndes?: darauf müssen die je sachkundigen Spiritualpolitiker antworten.

3.67 Wenn auch multinationale Bestrebungen und Aktionen meistens — aber nicht immer — befürwortet werden, weil sie in den Ländern, auf die sie sich erstrecken oder erstrecken sollen, konkret gegebenen Sozial- und Kulturentwicklungen entsprechen, so bleiben sie doch, setzen sie mit erheblicher Kraft konkret ein, nicht im Rahmen der sie zunächst bestimmenden Bedürfnisse. Vielmehr entstehen in ihnen mehr oder weniger rasch Selbständigkeitsmomente, vor allem aus dem Eigengewicht (auch dem selbstsüchtigen Interesse) der eingesetzten Organisationen, sei ihre Aufgabe theoretisch-begründend, politisch-propagandistisch oder praktisch-ausführend, dazu aus dem Sichselbstfestlegen der Ideenschöpfer und -vertreter und aus der Ideendynamik, die den, für viele Aufnehmende faszinierenden, internationalistischen Thesen innewohnt. Das kann sich für den Kulturausbau im allgemeinen und die Förderung des Geistigen im besondern positiv auswirken, indem Sozial- und Kulturkräfte aktiviert werden, die sonst vernachlässigt blieben; möglich ist freilich auch die Überlagerung von wertvollem Nationalem durch Multinationales, das, obwohl in einigem zu befürworten, doch mit Zurückhaltung anzuwenden ist.

3.68 Multinationalität ist Thema politischen und insbesondere spiritualpolitischen Denkens, Postulierens und Propagierens. Was heißt das praktisch? Verlangt ist zunächst die entsprechende theoretische — philosophische, ideologieschaffende, staats- und sozialwissenschaftliche, politologische — Bemühung, vor allem in dem Sinne, daß die multinationalistischen Ideen in Gesamt- und Teillehren gefaßt und außerdem durch Einzelthesen aufs Aktuelle bezogen werden; technisch verlangt das die Veröffentlichung von Büchern und Aufsätzen, die Darlegung in den Medien, Vorträge und Diskussionen. Wahrscheinlich geschieht dies während längerer Zeit außerhalb der größeren Parteien und Verbände; geeignet aber sind hiefür von Anfang an kleinere, aufs Multinationale spezialisierte partei- oder verbandsähnliche Organisationen, durch deren Tätigkeit vielleicht später auch jene größeren Organisationen beeinflußt werden. Am wirksamsten lassen sich die auf Multinationalität gehenden Postulate natürlich dann vertreten, wenn sie von das konkrete Staatshandeln bestimmenden Funktionsträgern (Regierungsmitgliedern, führenden Parlamentariern, Verwaltungschefs) für richtig und verpflichtend gehalten werden; für die außerhalb des Staates tätigen Förderer der Multinationalität ist es darum entscheidend, im eigenen Staat solche Unterstützung zu gewinnen.

Unvermeidlich ist oft der Auffassungskonflikt zwischen den Befürwortern multinationaler Lösungen und den Verteidigern der bisherigen Einzelstaatlichkeit, — er ist Teil des gemeinsamen Bemühens ums Politisch-Richtige.

3.7 Gemeinwesenstypus als Ideologiethema

3.71 Jeder Gemeinwesenstypus, verstanden als Aktionsfeldtypus (genauer: als Typus des Feldes politischer Aktion), bietet den unter ihm politisch Tätigen besondersartige Möglichkeiten des Wollens und Handelns, beschränkt dieses aber auch, indem eben das Typusgemäße möglich, das andere dagegen unmöglich oder zumindest erschwert ist. Jede der so bestimmten Aktionsarten kann als erstrangig gesehen, jedem Gemeinwesenstypus kann hieraus höchster praktischer oder sogar höchster Eigenwert zuerkannt werden, — und hieraus kann ideologische Stellungnahme folgen, der es um den Aktionsraumtypus als solchen geht, nicht um seine staatstechnische Zweckmäßigkeit. Daraus läßt sich sofort ableiten, daß ideologische Stellungnahme dieser Art entweder der staatstechnischen Zweckmäßigkeit gerecht werden oder zuwiderlaufen kann (beides absolut oder nur relativ und graduell); im ersten Fall ist die ideologische Bejahung oder Verneinung staatstechnisch vertretbar, im zweiten dagegen nicht. Und hieraus ist zu fragen, ob aus der ideologischen Überzeugung oder gemäß der Zweckmäßigkeit entschieden werden solle, in welchem Maße vom Vorgezogenen aus die Einschränkung des Abgelehnten erlaubt wäre (so: aus Regionalideologie auf die Zweckmäßigkeit gesamtstaatlicher Lösungen verzichten) und ob sich allenfalls vom Vorgezogenen aus auf der Ebene des Abgelehnten ein jenem besser entsprechendes Neues schaffen lasse (so: unter Regionalideologie neue, auf die Regionalgegebenheiten aufbauende Zweckmäßigkeit, unter Zentralismus-Zweckmäßigkeit neue Nationalideologie, vom Multinational-Zweckmäßigen aus eine entsprechende Staatengemeinschaftsideologie). In tieferer Wesensschicht verlangt dies die Überlegung, worauf denn Staat und Politik letztlich gerichtet seien: auf das, hier räumlich zu bestimmende, Gemeinwesen, wie es bereits ist oder wie es in Zukunft sein soll, oder auf den Menschen als Einzelnen und in seiner Individualität (deren zielhafte Qualitäten philosophisch zu begründen und darum je nach der anerkannten Lehre verschieden sein werden); in der politischen Geistesmenschlichkeit ist, wie sich das aus der allgemeinen Idee des geistesmenschlichen Seins ergibt, das geistige Sein des Menschen und damit das Sein des Einzelnen oberstes Ziel, — hieraus folgt, daß in der spiritualen Ideologie der Typus des Gemeinwesens als Aktionsfeldes zweitrangig ist, weil er immer unter dem zu erstrebenden höchsten Individuellen steht, und daß er die in Hinsicht auf die beste Ausbildung des Individuellen zu fassende Zweckmäßigkeit nicht beeinträchtigen darf. Aber innerhalb dieses Zweitrangigen kann Gemeinwesensideologie das Wertvolle haben, daß sie die Besinnung auf das Geistigkeitsfördernde des befürworteten Aktionsfeldtypus anregt.

3.72 Ideologisch gutgeheißen wird von einigen, wenn auch nur von wenigen, das lokale, kommunale Aktionsfeld, weil es den einzelnen Bürgern und den Kleingemeinschaften die unmittelbarste, lebendigste Teilnahme am Staatlichen erlaube und auch abverlange. Man wird das als begründet anerkennen müssen: in der Tat kann die Befassung mit Politik besonders ausgeprägt aktuell-konkret sein, wenn man die mitwirkenden Führenden und Gruppen aus ins einzelne gehender Beobachtung kennt und überdies in seiner nächsten Umwelt den diskutierten Sachkomplexen immer wieder begegnet; im Lokalen ist die Gesamtheit des Politischen am ehesten konkret erfahrbar (größere Raumweite führt notwendig zu größerer Abstraktheit). Ist jetzt auch die Ausbildung national-zentralisierter und sogar multinationaler Aktionsfelder eine Haupttendenz, so muß doch das Positive des Kommunalen weiter anerkannt bleiben und unter den sich ständig wandelnden Umständen immer wieder mit neuen Inhalten aktiviert werden; die Kommunalideologie wird um so fruchtbarer sein, je höher ihre Fähigkeit ist, den Wandlungen der Sozialwirklichkeit sachkundig (und darum die Aussagen von Sozialwissenschaft und -philosophie auswertend) Rechnung zu tragen. — Vom geistigkeitlichen Standpunkt aus hat das Lokale besondere positive Qualitäten: das gesellschaftliche Geistige, in dem der Bürger als Tätiger wirkt oder an dem er als Betrachtender teilhat, ist großenteils (aber natürlich bei weitem nicht überwiegend: das Überlokale — Regionale, Gesamtstaatliche und Multinationale — ist gesamthaft immer wichtiger) kommunal oder jedenfalls von Kommunalem abhängig, und es bedeutet fürs praktische Leben der Bewohner einer Stadt, eines Dorfes sehr viel, daß die örtlichen Institutionen unter besten Zielen zweckmäßig arbeiten.

Ideologische Stellungnahme kann aber auch gegen das Kommunale gerichtet sein, als Ausdruck von politischer Ideologie, die ins Großräumigere geht. Berechtigt ist sie insoweit, als wegen der Betonung des Lokalen nicht das, zumeist wichtigere, Überlokale vernachlässigt werden darf. Die ideologische Diskussion muß, allenfalls unter Mitwirkung der spiritualen Ideologie, die bestausgewogene Lösung herausarbeiten.

3.73 Ideologische Stellungnahme kann sich auf die tatsächlich gegebenen oder möglichen Funktionen und insbesondere die Autonomie von Gliedstaat, Provinz oder Departement, und Region (mehrere dieser Teilgebiete umfassend) beziehen; ihr Ziel ist vor allem die Dezentralisierung von Staatsmacht und -tätigkeit. Maßgebend ist dabei, daß die teilgebietlichen Institutionen den Bürgern im allgemeinen näher sind und die kulturellen Gegebenheiten der Landesteile besser zu berücksichtigen vermögen als der zentralisierte Gesamtstaat; beides hat dann das größte politische Gewicht, wenn in Sprache, Religion, Wirtschaft oder Sozialstruktur erhebliche regionale Unterschiede bestehen, die entweder bereits politische Themen sind oder das richtigerweise werden sollten. Ideologisches Denken dieser Art ist wohl immer traditionalistisch, indem es sich auf überliefertes Kulturelles stützt; aber das Hergebrachte kann noch immer große Wirkungsmacht haben. Insbesondere ist die Sprache ein das geistige Sein der Einzelnen und Gesamtheiten stärkst beeinflussendes Kulturgut, freilich mit der Einschränkung, daß sie durch Entfaltungsstand, Verbreitung und Ansehen das Entstehen einer ausreichend vielfältigen Literatur schon bisher ermöglichte und deren zukünftigen Ausbau als sinnvoll erscheinen läßt; jede Regionalsprache, die so eine Literatursprache ist, verdient mehr als nur traditionspflegerischen Schutz: nämlich ihr Mittlertum ausbauende und ihre Geltung erweiternde Förderung, damit auch die auf diese hinzielende ideologische Unterstützung. — Spiritualpolitisch darf die Regionalideologie keinesfalls ohne sorgfältige Prüfung abgelehnt werden: vielleicht bejaht und fördert sie Kräfte, die das Geistige in einer oder mehreren Regionen, und damit im ganzen Land (denn jedes regionale Geistige strahlt auf Geistiges der andern Regionen aus), ausbauen helfen.

Wiederum gibt es auch ablehnende Ideologie, hier vor allem von der Befürwortung des Gesamtstaatlichen aus: wird Zentralismus ideologisch bejaht, so geht das wahrscheinlich gegen die Eigenständigkeit der Regionen. Ein weiterer Widerspruch besteht zwischen Regionalismus und Multinationalismus.

3.74 Die meistverbreitete auf den Gemeinwesenstypus bezogene Aktionsfeldideologie ist die nationalistische; wohl aller Nationalismus befürwortet den Vorrang des Gesamtstaates als

Aktionsfeldes, aber natürlich enthält er neben diesem noch andere ideologische Momente. Es ist hier als Hauptgebot verstanden, daß der Staat das Besondere von Volk und nationaler Kultur, und zwar das überlieferte wie das moderne, nach Möglichkeit steigere und zu Ansehen und Macht bringe: daraus ist für die im Staate Führenden das Recht verlangt, gesamtstaatlich, also alle Regionen und Kommunen verpflichtend, Ziele zu setzen und Verwirklichungsmaßnahmen zu treffen. Leider gehört zum Nationalismus oft die gefühlsmäßige Unduldsamkeit gegenüber andern Auffassungen; diese erscheinen leicht als wenig vaterlandsfreundlich und sogar als vaterlandsfeindlich, — das läßt weder den Ansprüchen auf innerstaatliche Differenzierung noch denen, die auf Multinationalität gehen, größeren Entfaltungsraum. Trotz der Möglichkeit solcher Übersteigerungen ist aber das Positive zu sehen, welches darin liegt, daß Volk und Staat, so wie sie in der Geschichte geworden sind, und besonders dort, wo die Sprache einen Kulturraum schuf und auch jetzt noch erhält, Grundlage und Rahmenwerk für sehr viele kulturelle Verwirklichungen sind: der Gesellschaft im allgemeinen, der staatlichen Institutionen, der Wirtschaft, der Technik, der Erziehung, der Wissenschaft, der Kunst, — und damit für manches, das direkt oder indirekt für das Geistige wichtig, also spiritualpolitisch zu fördern ist. Denkbar ist weiter ein weniger gefühlshafter Typus von Gesamtstaatsideologie, welcher davon ausgeht, daß staatspraktische Zweckmäßigkeitsüberlegungen den Zentralismus nahelegen; technokratisch-rationale Thesen dieser Art lassen sich vielleicht auch aus spiritualpolitischer Erwägung rechtfertigen.

Aber die den gesamtstaatlichen Zentralismus bejahende und insbesondere die nationalistische Ideologie hat keine unbedingte Vormacht; vielmehr wird sie von den Befürwortern des Regionalen und Kommunalen einerseits und des Multinationalen anderseits mehr oder weniger scharf kritisiert und oft zu Kompromiß gezwungen: bei diesen Auseinandersetzungen mitzuwirken kann eine fürs Ganze wertvolle Leistung der Spiritualpolitik sein.

3.75 Ideologisch befürwortet wird von manchen Einzelnen und Gruppen der Aufbau multinationaler Staatengesamtheiten oder wenigstens, beschränkter, von sachbezogenen internationalen Großorganisationen: Zusammenschluß und kulturelles Zusammenwachsen Europas, der Westlichen Welt, der sozialistischen Länder, der »Dritten Welt«, der islamischen Völker und Staaten, Schwarzafrikas, Lateinamerikas, — sieben Themenkreise, von denen jeder die Bildung und Vertretung einer inhaltlich besondern Multinationalitätsideologie veranlassen kann, sei es einer treibenden Sozialbedürfnissen nachfolgenden, sei es einer dem Sozialtatsächlichen vorauseilenden und es ihrerseits bestimmenden. In aller auf Multinationalität gerichteten Ideologie liegt, mehr oder weniger deutlich bewußt, die Ablehnung von Ideologie oder auch einfach praktischer Einstellung, in denen kleinräumigere Aktionsfelder befürwortet werden; die Modernität, das heißt das Neuester-Entwicklung-Entsprechen, jenes Befürwortens und dieses Zurückweisens fordert die Politisch-Denkenden zur Erkenntnis des Aktuell-Besten heraus (was ein anderes sein kann als das, was noch vor wenigen Jahrzehnten als richtig erscheinen mußte), — und das trifft insbesondere auf die Spiritualpolitisch-Denkenden zu, denn gerade für das Geistige, das sie aufbauen wollen, ist das Moderne von Gesellschaft und Kultur eine Hauptgrundlage.

Jedoch ist das Ergebnis solcher Denkbemühung nicht von vornherein sicher der Sieg des Multinationalismus: das Nationale oder Regionale hat gewichtige Verteidigungs- und Angriffsgründe. Aber vielleicht geht das überlegene Denken davon aus, daß nicht Sieg zu erringen, sondern Kompromiß zu erreichen ist: weil die für die Gesamtwohlfahrt und so auch für die Gesamtheit der geistigen Verwirklichungen beste Lösung ist, jeder der vier Grundhaltungen — Befürwortung des Kommunalen, des Regionalen, des Nationalen und des Multinationalen — den Sachraum zuzuweisen, dem sie besser entspricht als die drei andern.

3.76 Höchststufe des Multi- und Internationalismus wäre die politische, und insbesondere spiritualpolitische, Ideologie, welche den globalen Völkerzusammenschluß fordert und verfolgt, praktisch bestimmt durch das, was in den Vereinten Nationen und ihren Unterorganisationen entweder bereits erreicht ist oder doch in der näheren Zukunft verwirklicht werden könnte. Letztes Ziel wäre da ein weltstaatliches Föderativgebilde, dessen Allgemeinaufgabe die Sicherung von Weltfrieden und menschheitlicher Wohlfahrt ist. Daß dabei auf viel Nationales und auch auf einiges nichtglobale Multinationale verzichtet werden müßte, wird hingenommen: Grundauffassung ist, daß die Fortgeschrittenen zugunsten der Rückständigen, vor allem die Reichen zugunsten der Armen, auf einen Teil dessen, was ihren Vorsprung ausmacht, verzichten sollen. Aber man hätte, begäbe man sich auf diesen Standpunkt, eine Vorfrage zu klären. Angenommen wäre erstens, daß der Abbau bei den einen den Aufbau bei den andern auslöse oder wenigstens fördere: es müßte sachkundig festgestellt werden, ob und wieweit dies zutrifft, denn möglicherweise ist zwischen dem hohen Stand der einen und dem niedrigen der andern keine ursächliche Beziehung und ist vielmehr der Vorsprung der Industriewelt durch deren eigene Leistung bedingt, so daß die globalpolitische Aufgabe darin besteht, die noch nicht industrialisierten Länder auf den Weg zu bringen, den die Industrialisierten zu Beginn ihrer Modernisierung betreten und seither beharrlich verfolgt haben (die Wiederbelebung frühmoderner technischer, unternehmerischer und wirtschaftspolitischer Verfahren wäre in diesem Falle wichtiger als Geldübertragungen); zu berücksichtigen wäre hier, daß einerseits jetzt vielerlei Kenntnisse gegeben sind, die in dem modernen Zivilisationsaufbau erst allmählich erworben wurden und deren Fehlen diesen verlangsamte, somit jetzt der Eintritt in die moderne Welt unter günstigeren Bedingungen steht und weniger Zeit erfordert als früher, — aber anderseits manches Hochstufige ans Denken, Planen und Vollziehen der leistenden Einzelnen und Organisationen Anforderungen stellt, denen gerecht zu werden erst nach langedauerndem nationalem Fähigkeitenaufbau möglich ist. Angenommen wäre zweitens, daß die Übertragung von Wissen und Können, von technischen und finanziellen Mitteln zugunsten der bisher wenig entwickelten Gebiete in diesen eine gesamtheitliche, auch und vor allem den unteren Volksschichten (also nicht hauptsächlich den Bevorzugten, den alten Oligarchien) zugute kommende Wirtschafts- und Sozialreform auslöst: die gutgemeinten Beiträge der reichen Länder dürften nicht zur weiteren Bereicherung der Reichen der armen Länder mißbraucht werden oder in schwerfälligen, leistungsschwachen und oft korrupten Verwaltungen versickern, — das erfordert rasch einsetzende Strukturreform vor allem in den hilfeerwartenden Ländern selbst. Angenommen wäre drittens, daß eine globale Staatenorganisation staatstechnisch aufbaubar ist und ausreichend leistungsfähig werden kann, daß sie also nicht Wesensmomente in sich birgt, welche es als richtiger erscheinen lassen, von Globalität abzusehen; diese Frage ist auch in Hinsicht auf die besondern spiritualen Staatsziele zu stellen: Würde der globale Zusammenschluß das Geistige global fördern oder im Gegenteil durch weltweite Institutionenaufblähung und Bürokratie global hemmen? — Trotz all dieser Bedenken läßt sich aber durchaus das Positive der »Einen Welt« vertreten, und das auch aus den Leitideen der politischen Geistesmenschlichkeit.

Ideologische Abweisung von Multinationalität richtet sich natürlich auch gegen die globalstaatlichen Ideen; zudem können diese von Befürwortern des weniger weitgreifenden Multinationalen abgelehnt werden. Anderseits mag derjenige, der sich gegen den Weltstaat wendet, durchaus geneigt sein, etwa die kontinentale Vereinigung der seine kulturelle Umwelt bestimmenden Staaten zu befürworten: die politische Geistesmenschlichkeit führt wahrscheinlich am ehesten zu dieser letzten Stellungnahme.

3.77 In den Gemeinwesensideologien ist je ein Gemeinwesenstypus höchstgewertet und zum Ziel gesetzt, — für die spirituale Ideologie trifft das nicht zu, denn sie findet in jedem Typus sowohl wertvolle als auch unwerte Momente. Der Spiritualpolitiker gelangt zu klarerer Einsicht, wenn er sich einerseits alle wertvollen und anderseits alle unwerten Momente je in ihrer Gesamtheit, in der Stufenfolge von der Gemeinde bis zum Weltstaat vergegenwärtigt, — Einsicht, an welche das kenntnisreich umfassende und zugleich differenzierende politische Wollen anschließen kann.

4. SACHGEBIETE ALS AKTIONSFELDER DER POLITISCHEN GEISTESMENSCHLICHKEIT

4.1 Die Frage nach der Staatlichkeit der Geistigkeitsförderung

4.11 Die politische Geistesmenschlichkeit verfolgt überwiegend Ziele, die aus das allgemeine gesellschaftliche Leben, die allgemeine Sozialkultur betreffenden Wesens- und Wertideen zu setzen sind und deren Verwirklichung mehr oder weniger weitgehend von Staatstätigkeit, damit von Bestimmung von Staatstätigkeit abhängt. Hieraus ergeben sich sogleich zwei Fragen: Welche der sozialen, das heißt in der Gesellschaft — nicht von Einzelnen für sich selbst — zu erreichenden Ziele geistigkeitlichen Inhaltes sind für tatsächlich vollzogene Staatsaktivität maßgebend und bilden Thema von Politik?, — und: Welche Ziele dieser Art sollen richtigerweise Gegenstand von Staatstätigkeit und Politik sein, also, wenn sie es noch nicht sind, entweder möglichst bald oder zu gegebener Zeit werden? Die erste der beiden Fragen auferlegt dem Spiritualpolitisch-Denkenden, daß er zunächst einmal das Gegebene, Vorhandene feststelle, daß er erkenne und wisse, bevor er kritisiert und postuliert; die zweite, daß er sich nicht mit Feststellung und Analyse des Tatsächlichen begnüge, sondern dieses am vorgestellten und allenfalls postulierten Richtigen, Zuerstrebenden messe und von diesem aus mit Bezug auf jenes Ergänzungen und Umbildungen vorschlage. Dabei ist ein Gegebenes der beste Ansatzpunkt für das Streben nach einem Seinsollenden: das spiritualpolitische Wollen soll in Verwirklichung ausmünden, und diese ist am ehesten dort möglich, wo ein Wirkliches, und sei es auch sehr der Korrektur bedürftig, bereits besteht, — was aber nicht heißt, daß es nicht auch die Verwirklichung von im Grundwesen und in seinen Ausgangsbedingungen Neuem gebe; freilich darf hier das Denken sich nicht allzusehr innerhalb des Gegebenen halten, vielmehr muß in ihm klar und vollständig das Richtige, und insbesondere das noch fehlende Richtige, bewußt sein. Mitunter ist aber vorzuziehen, daß man vom Seinsollenden ausgeht, sei es von dessen allgemeiner Idee oder von Einzelpostulaten, und daß man von ihm aus das Gegebene kritisch untersucht und dessen Reformbedürftigkeit erkennt. — Anschließend mag man weiter überlegen, wer diese Fragen beantworten und welche Maßstäbe er dabei anwenden solle.

4.12 Welche der geistigkeitlichen Sozialziele sind staatlich und politisch; welche sind nichtstaatlich und nichtpolitisch? Es gibt also zwei Hauptbereiche von spiritualen Zielen, und insbesondere spiritualen Sozialzielen: die staatlichen und politischen einerseits, die nichtstaatlichen und damit unpolitischen anderseits, — es sei denn, man stelle alles in die Befugnis des Staates, was aber sogar die totalitärsten Regime nicht beanspruchen. Zunächst wird man da überlegen, wie die spiritualen Sozialziele allgemein-inhaltlich bestimmt werden: sie sind Ziele, die in bezug auf das soziale Verwirklichen aus der Idee der geistigkeitlichen Kultur abzuleiten sind, der Kultur, die geprägt ist durch möglichst hohe Geistigkeit der Einzelnen, Gruppen und Gesamtheiten, damit auch durch optimale Ausbildung des direkt oder indirekt geistigkeitsgünstigen Sozialen, — fürs Praktische bedeutet das, daß die spirituale Politik zweischichtig sein muß, indem sie erstens den Einzelnen, Gruppen und Gesamtheiten die Freiheit zum von ihnen gewollten Geistigen sichert und zweitens die eben dieses, inhaltlich vielfältige, Geistige fördernden sozial-kulturellen Maßnahmen trifft. Somit ist die Spiritualpolitik in Hinsicht auf das endzielhafte Geistige der Geistigkeitsverwirklicher vor allem unterstützend und dienend, nicht setzend oder gar befehlend; immerhin kann als eine ihrer Aufgaben, als eine besondere Art des Unterstützens verstanden werden, daß in der Gesellschaft die Besinnung auf die, richtigerweise in Freiheit zu wählenden, Geistigkeitsziele angeregt werde. Anderseits ist es für manchen Politisch-Aktiven endzielhaft, ein soziales Geistigkeitswichtiges zu schaffen oder wenigstens aufbauen zu helfen, — die genannten beiden Bereiche stehen in einem übergreifenden Beziehungsnetz. Jedoch läßt gerade dies fragen, ob nicht allenfalls der auf das Gesellschaftliche gerichtete Förderungswille der Politisch-Leistungsfreudigen zu weit gehe, also gegen berechtigte Ansprüche auf private Selbstbestimmung verstoße: daß jemand für sich selbst Geistigkeitsziele verfolgt, und seien es die höchsten, gibt ihm kein Recht, seinen Willen andern aufzuzwingen oder sie auch nur allzu drängend zu seiner Auffassung zu überreden; vielmehr muß er sich auf zurückhaltendes Ideenvertreten und Ratgeben, dazu, was das Politische anbelangt, oft auf die Förderung des in allgemeinerer (und vielleicht nichtspiritualer) Sicht Wohlfahrtsgünstigen beschränken. Einzusehen ist hier auch, daß die soziale Förderung des Geistigkeitsgünstigen oft von Staatsaktiven ausgeht, die für sich selbst nicht einen geistigkeitlichen Erfolg suchen, sondern einen von denen, die im politischen Alltag viel häufiger sind (Durchsetzung von klasseninteressebestimmten Ansprüchen vor allem).

Zu überlegen ist anschließend, wie innerhalb jener beiden Gruppen die Zielsetzungen und -verwirklichungen zwischen der staatlichen und der außerstaatlichen Sphäre zu verteilen sind. Nur geringe Staatlichkeit ist für die erste Ebene, diejenige der Freiheit der Einzelnen, Gruppen und Gesamtheiten, erwünscht, besteht doch diese Freiheit weitgehend darin, daß die Sichentscheidenden nicht Staatsgeboten gehorchen müssen, — was jedoch, wie erwähnt, das Ratgeben und Anregen durch staatliche Stellen durchaus zuläßt. In erheblichem Umfange staatlich aber ist das zweite, die Förderung des Geistigen durch sozial-kulturelle Maßnahmen, denn für diese sind die staatlichen Stellen wohl immer dann geeignete Planer und Ausführer, wenn es um Dinge geht, die landesweite rechtliche Normierung und überdies großen organisatorischen und finanziellen Aufwand erfordern. Welches sind konkret diese Dinge?: das ist materiell zu diskutieren, — wobei es freilich weder Allgemeingültigkeit noch Vollständigkeit der Aussagen noch Übereinstimmung in den Beurteilungsprinzipien geben kann, das erste nicht, weil die zu berücksichtigenden Gegebenheiten von Land zu Land und von Zeit zu Zeit verschieden sind, das zweite nicht, weil aus jedem politischen Hauptprinzip, auch dem spiritualpolitischen, mehrere untereinander verschiedene Wertungsmaßstäbe abgeleitet werden können. Konkrete Aussagen über solches Staatspraktische sind mit entsprechenden Vorbehalten auszustatten, aber als Diskussionsbeitrag haben sie wohl immer dann Sinn, wenn sie, von Sachkundigen kommend, das Tatsächlich-Mögliche erhellen helfen.

4.13 Hinsichtlich der das Geistige fördernden sozial-kulturellen und insbesondere spiritualpolitischen Maßnahmen kann praktisch wertvoll sein, daß man drei Typen des geistigkeitlichen Verwirklichens und damit des Förderungbedürfens oder jedenfalls der Förderungsart auseinanderhält: den ausgeprägt individuellen, den ausgeprägt kollektiven und, zwischen diesen beiden, den sowohl individuellen als auch kollektiven. Für den ersten sind Ziele maßgebend, welche der Einzelne oder allenfalls die kleine Gruppe aus eigenem, selbständigem Fürguthalten setzt und, mehr oder weniger weitgehend auch selbstgewählte Verfahren anwendend, verfolgt; hier muß das von der Gesellschaft und insbesondere dem Staat ausgehende Fördern einerseits darin zurückhaltend sein, daß nichts Konkretes vorgeschrieben oder auch nur dringend (mit konformistischem Meinungsdruck) empfohlen wird, das richtigerweise in die individuelle Entscheidung gehört (und vielleicht zu bringen ist), anderseits aktiv bewirken, daß bei den Einzelnen, praktisch: bei möglichst vielen Einzelnen, der Wille und die Fähigkeit zum selbständigen Entscheiden vervollkommnet werden: Ziel der Spiritualpolitik muß immer auch sein, gesellschafts- und erst recht politikfreie Kulturstellen zu schaffen. Beim zweiten Typus stehen die Einzelnen und Kleingruppen so stark in großgesellschaftlichem Zusammenhang, daß sie sich selbst nur von ihm aus in ihrem Individuellen entfalten können und überdies oft als dem sozialen Ganzen (vor allem der Nation und damit dem Staat, vielleicht aber auch der Klasse und damit einer Partei, der Glaubensgemeinschaft und damit der Kirche) untergeordnet und verpflichtet verstehen, so sehr, daß das Ich oder (kleingruppenhafte) Klein-Wir seinen Selbstwert im kollektive Erfüllung bietenden, aber auch befehlenden Groß-Wir findet; auf diesem zweiten Feld darf und soll das gesellschaftliche und staatliche Fördern konkrete Ziele und Verfahrensrichtlinien geben, — wobei aber das politische Denken immer wieder selbstkritisch zu prüfen hat, ob nicht das Kollektive überschätzt und zu weit getrieben, das Individuelle dagegen ungebührlich beeinträchtigt werde. Unter dem dritten Typus haben einigermaßen freie, autonome individuelle Verwirklichungen kollektiven Gehalt und werden anderseits für das erstrebte Gemeinschaftliche die individuellen Verwirklichungskräfte in Anspruch genommen; Förderung richtet sich hier darauf, die letzteren auszubauen und zugleich die Einsicht der Einzelnen und Kleingruppen in die kollektiven Notwendigkeiten und Nützlichkeiten zu erweitern und zu vertiefen. Natürlich ist Kritik nicht nur im zweiten Fall, in dem sie allerdings am wichtigsten ist, zu üben, sondern auch im ersten und dritten, denn möglicherweise übersteigert man das Individuelle gegenüber dem Kollektiven oder wählt den Verbindungstypus, wo einer der beiden andern vorzuziehen wäre; solche Kritik wird auch auf die Grundsätze der Spiritualpolitik abstellen, also auf die ideologische oder philosophische Theorie, — vielleicht begegnet man dabei neuen Problemen, welche die Umbildung der bisherigen theoretischen Auffassung und also die philosophische Neubesinnung (die sich auf die Ideologie auswirken wird) erfordern.

Innerhalb des Kollektiven sind das Staatliche und das Private gegeneinander abzugrenzen (das Private umfaßt somit das Individuelle und das Privat-Kollektive); jedoch gibt es einen Großbereich, den man weder als staatlich noch als privat, vielmehr als nichtstaatlich-öffentlich bezeichnen wird: die Kirche, — Großgebilde ähnlichen Typus mögen in Zukunft entstehen oder sind im Ansatz bereits vorhanden (etwa die Gewerkschaften mit den ihnen angeschlossenen Sonderorganisationen). Als Reintypen ergeben sich das notwendig-staatliche und das notwendig-private Kollektive; in der modernen Welt ist aber nur das erste klar herauszuarbeiten (so gehören die Rechtsetzung, das Militär, die Währungspolitik zum Notwendig-Staatlichen, — auch wenn mit besondern rechtlichen Regelungen Berufsverbände und mit der Praxis des Währungswesens die Notenbank betraut werden), wogegen über das zweite daraus Unklarheit besteht, daß zwar die liberalen Demokratien dem privaten Kollektiven breiten Raum lassen, aber die totalitären Staaten es sehr einschränken. Auch hier ist als drittes ein breites Zwischenfeld, in dem Momente der beiden Extremtypen miteinandergehen: Kollektives, das vom Staat mitbestimmt und in den großen Zügen geregelt wird, dessen fachliche Ausgestaltung und praktische Durchführung aber privaten Organisationen übertragen wird. Je nach dem Typus des kollektiv zu verwirklichenden Zieles muß die Spiritualpolitik entweder die rein-staatliche oder die Privatkollektives unterstützende staatliche Förderung oder im Gegenteil den Verzicht auf staatliche Maßnahmen und die volle Selbständigkeit des Privatbereiches postulieren, — auch im letzten kann sie eine wertvolle Leistung erbringen.

4.14 Die politische, und zwar vorwiegend die theoretisch-politische und noch enger gefaßt die philosophisch-theoretische, Geistesmenschlichkeit, die Individuelles und Kollektives, Privates und Staatliches, je als Reintypen und zugleich die Verbindungstypen einbeziehend, ins richtige Verhältnis zu bringen trachtet, muß davon ausgehen, daß Geistigkeit als einzelmenschliche, kleingruppenhafte, größer- oder großgesamtheitliche Soseinsart verstanden werden, die Geistigkeitsförderung sich entsprechend auf Einzelne, Kleingruppen, größere oder große Gesamtheiten beziehen kann. Dabei bestehen Ziel- und Wirkungszusammenhänge vom Einzelnen zum Gesellschaftlichen, und umgekehrt, und vom kleineren zum größeren Gesellschaftlichen, und umgekehrt: der Einzelne wird von sozialen Zielen und Aktionen beeinflußt, kann aber anderseits seine persönlich-geistige Erfüllung in Sozialem suchen; die Gruppen und Gesamtheiten haben ihren letzten spiritualen Sinn im Sein von Einzelnen (aber oft kommt es ihnen mehr auf den allgemeinen und typischen Einzelnen an als auf den persönlich besonderen), müssen jedoch die Einzelnen zum Dienst am Kollektiven bringen, schon um des jetzt oder in Zukunft fortzuführenden Dienstes an andern Einzelnen und noch mehr um der überindividuellen Gesellschafts- und Kulturzwecke willen; die Kleingruppe und die nicht-große Gesamtheit stehen in übergreifenden großgesellschaftlichen Beziehungen, aus denen sie sowohl berechtigt als verpflichtet sind (sie geben beides an die durch sie verbundenen Einzelnen weiter). Solcher Ziel- und Wirkzusammenhang braucht nicht auf ein An-sich-Geistiges beschränkt zu sein, auch nicht unter den spiritualpolitischen Gesichtspunkten, denn es hat manches Nichtgeistige spiritualen Wert, weil es auf ein zeitlich oder wesenhaft nachgeordnetes Geistiges hin nützlich ist; überdies sind in Gesellschaft und Staat vielfach nichtspirituale Ziele durchzusetzen, — um des Gemeinwohles willen, das freilich für das Spirituale grundlegend ist, aber von den meisten Politikern und Politikbeurteilern als das oberste Sozialerreichnis aufgefaßt wird.

Diese Einsichten relativieren und komplizieren die spiritualpolitischen Stellungnahmen. Das individuelle Sein erscheint nicht ausschließlich als endzielhaft und seine eigenwerten Gehalte werden zum Teil durch gesamtheitliche Ansprüche bestimmt. Hauptwesen des Kollektiven ist nicht nur das Einzelnen-Dienen; vielmehr gibt es Gesamtheitliches von selbständig-hohem Rang, — weil die Einzelnen so zahlreich sind, daß sie, bei all ihrer philosophisch herausgestellten Wichtigkeit, fürs Praktische oft nur statistische Einheiten sind. Privatheit ist zwar die gesellschaftliche Wesensart vieler wertvoller Verwirklichungen, aber sie bedarf des schützenden und fördernden Staates und ihre Träger wissen sich in manchem zur Beteiligung am Staat und insbesondere zur Politik verpflichtet, — wobei das verfolgte Konkrete vielleicht vom Privaten zum Staatlichen oder zumindest Halbstaatlichen führen soll, vor allem unter dem Zwang der modernen Komplizierung von Wirtschaft und Technik. Und die Staatlichkeit, in manchem aus der Idee des rechtlich organisierten Zusammenlebens der Einzelnen, Gruppen, Gesamtheiten und Organisationen von vornherein unentbehrlich und durch die erwähnte Komplizierung ihren Bereich ständig erweiternd, auch hiezu durch mannigfache Einflüsse aus dem Privaten gedrängt, muß bei ihren Vertretern im Wissen um die Wichtigkeit, ja Unentbehrlichkeit des, kollektiven und individuellen, Außerstaatlichen gewollt werden. Aus alledem verbietet sich simplifizierender Schematismus hinsichtlich jener vier Haupttypen, — auch in der Spiritualpolitik und insbesondere der spiritualen Ideologie (die wie alle Ideologie der Schematismusgefahr stark ausgesetzt ist); aber daraus soll nicht Unsicherheit kommen, in der man die Entscheidungen allzulange verzögert: zu fordern ist sachlich hochrangige Aktionsfähigkeit, gepaart mit Selbstkritik und Umstellungsbereitschaft.

4.15 Das von den Einzelnen und Kleingruppen (auch die zweiten wird man in der aufs Praktische gehenden Überlegung dem individuellen Bereich zurechnen) zu verwirklichende Geistige, damit ihre besondere, eben die individuelle Geistigkeit sind aus der Idee des richtigen, guten individuellen Menschseins zu bestimmen: aus ihr, also aus einem Allgemeinen und Abstrakten, ist abzuleiten, was jene als Besonderes und Konkretes zum Ziel setzen und verfolgen sollen. Die Spiritualpolitik unterstellt sich damit nicht nur politischem Allgemeinem, hier demjenigen der politischen Geistesmenschlichkeit, sondern auch außer- und überpolitischem, nämlich lebensphilosophisch zu begründendem (obwohl es oft zunächst als religiöser oder ideologischer Glaubensinhalt oder einfach als konformistisch anerkannte Verhaltensmaxime gegeben ist und somit der philosophischen Formulierung noch entbehrt), hier den allgemeinen Geistesmenschlichkeitsprinzipien. Der Träger der auf die Förderung der Einzelnen gerichteten politischen Ziellehre denkt zwar vorwiegend an das, was im Staat gewollt und ausgeführt werden soll, und er hat das Recht zu dieser Beschränkung, — aber voll überzeugend ist sein Postulieren nur dann, wenn er es in einer allgemeinen Auffassung von Möglichkeiten und Zielen des Menschseins, dem die Politik zu dienen hat, begründet; der Träger der politischen Geistesmenschlichkeit befindet sich hierin in einer Vorzugsstellung, da er aus dem Wesen dieses Gedankensystems das Politische von Anfang an mit übergeordnet-bestimmendem Lebensphilosophischem verbinden muß (daraus mag er in der politischen Auseinandersetzung oft als dringlich verstehen, die Meinungsgegner zur Herausarbeitung des für sie bisher maßgebenden und zukünftig maßgebend-sein-sollenden Überpolitischen zu veranlassen). Indessen genügt auch die klarste Einsicht ins Überpolitisch-Allgemeine für sich allein nicht: es müssen aus ihr die richtigen sozialpraktischen und insbesondere politischen Folgerungen gezogen werden, und zwar in fachmännischer Sonderkenntnis des zu berücksichtigenden, zu benützenden und zu lenkenden, zu bewahrenden oder zu verändernden Gesellschaftlich-Tatsächlichen, — dieses Anwenden stellt ans lebensphilosophische Denken und Können andere, praktischere Ansprüche.

Aber auch das von größeren und großen Gesamtheiten zu verwirklichende und damit kollektive Geistige ist in seinem spezifischen Wesen aus der Idee des, hier allerdings großgemeinschaftlich oder in anderer Weise gesamtheitlich, richtigen Menschseins abzuleiten. Das Kollektive kann dabei auf drei verschiedenen Sonderfeldern gesehen werden: erstens darin, daß die Einzelnen und Kleingruppen in ihrem Geistigen großgesamtheitlich bedingt sind; zweitens darin, daß sie großgesamtheitlich-wertvolle geistige Erfüllung suchen; drittens darin, daß in der Gesellschaft Geistiges hauptsächlich großgesamtheitlichen Wesens entweder bereits besteht oder zu erstreben ist (so: Ausbreitung eines Ideensystems um seiner selbst willen, Schulaufbau in den Entwicklungsländern, Förderung der modernen Musik um der in ihr gegebenen Sonderweise des Künstlerischen willen). Wiederum sind sozialpraktische

Notwendigkeiten bewußtzumachen und allenfalls theoretisch zu begründen; neben die Durchdringung des Menschseins als solchen tritt die speziellere Befassung mit den Tatsachen und Möglichkeiten der Gesellschaft.

Dies leitet über zur Besinnung auf die sozialpraktische Frage, welcher Teil des individuellen oder kollektiven Geistigen und Geistigkeitlichen richtigerweise im privaten Bereich zu belassen und somit außerhalb der staatlichen Einwirkung oder jedenfalls in ihren Grenzbereichen zu halten sei. Die Soziallehre erweist, daß einiges aus Sachzwang staatlich zu ordnen, nicht aber, daß anderes ebenso notwendig privat bleiben müsse, — ist da überhaupt vertretbar, daß die Spiritualpolitik als solche und die sie betreffende Lehre einen Bereich abgrenzen, für den die Privatheit des Wollens und Verwirklichens, und zwar insbesondere des kollektiven, zu postulieren ist? Es läßt sich bejahen, und maßgebend werden für die konkrete Stellungnahme einerseits das Wissen um das Geistige, seine Bedingtheiten und Möglichkeiten, anderseits die Kenntnis der Gesellschaft in ihrem Allgemeinwesen und gegenwärtig-besondern Sosein.

Das Nichtprivate aber ist das Staatliche: hinsichtlich des Geistigen, für das nicht dringend die Privatheit zu fordern ist, läßt sich die Überleitung in den staatlichen Handlungsbereich zumindest empfehlen, und oft wird sie sich als dringlich erweisen. Wo und wann das erste, — wo und wann das zweite? Das hängt sowohl von der Eigenart des zu fördernden Geistigen als auch von den im konkreten Fall gegebenen gesellschaftlichen Tatsachen ab, und während jene Eigenart einigermaßen dauernd ist, sind diese Tatsachen wandelbar, so daß es eine endgültige Festlegung nicht gibt (möglich sind immerhin auch hier Aussagen über wahrscheinliche Zukunftsentwicklungen, welche die Verstärkung oder Abschwächung der Staatlichkeitskomponente erwarten lassen). — In diesem Zusammenhang wird man zweier praktisch sehr wichtiger Offenheits- und Freiheitsaspekte gewahr: bezüglich des Sachlichen, indem sich Privates wie Staatliches, jedes im Bereich, für den es sich als günstig erweist, offen und frei entfalten sollen, und bezüglich des spiritualpolitischen Denkens, indem es sowohl dem Geistigen als auch dem Sozialen offen und frei begegnen muß.

4.16 Ideologie ist vielfach auf Bejahung des Individuellen oder aber des Kollektiven, des Privaten (auch des privaten Kollektiven) oder aber des Staatlichen festgelegt — und in jedem dieser Fälle umgekehrt auf die Ablehnung des Kollektiven und insbesondere des Staatlichen oder aber des Privaten und insbesondere des Individuellen. Der politischen Geistesmenschlichkeit und damit der spiritualen Ideologie ist das nicht erlaubt, denn hier muß maßgebend sein, was aus der Idee der geistigen Erfüllung des Menschen, und zwar der prinzipiellen und idealen wie der praktisch erreichbaren oder wenigstens sinnvollerweise postulierbaren geistigen Erfüllung, hinsichtlich des zu erstrebenden Seinsaufbaues der Einzelnen und Kleingruppen, der größeren und großen Gesamtheiten, der Völker und schließlich der Menschheit (womit das Denken sich wiederum dem Einzelnen zuwendet) abzuleiten ist; freilich geht es immer um den Menschen, aber »der Mensch« ist nicht nur der Einzelne, sondern auch die Gemeinschaft und Gesellschaft, und er ist nicht nur Gemeinschaft und Gesellschaft, gar nur die Menschheit (als Globalkollektiv), sondern auch der Einzelne: der Einzelne ist so gleichzeitig nicht mehr als ein Seins-, Kraft- und Bewegungsteilchen im großgesellschaftlichen Ganzen und im Gegensatz dazu der Sinn dieses Ganzen, jedes Kollektive ist das große Dauernde gegenüber dem kleinen und kurzlebigen Individuellen und unter anderem und vielleicht wichtigerem Aspekt doch nur Rahmenwerk für dieses. Aufgabe der spiritualpolitischen Theorie wird hieraus, prinzipiell und aufs Praktisch-Konkrete gehend herauszuarbeiten: welche Selbständigkeit dem Individuellen zukommt; wie dieses Individuelle richtigerweise kollektiv zu fördern ist; zu welcher Teilhabe am Gesellschaftlichen die Einzelnen und Kleingruppen berechtigt sein sollen; welches kollektive Zielhaben und -verwirklichen das individuelle ergänzen soll; welche auch in ihrem Inhalt überindividuellen Kollektivziele als spiritual-wichtig anzuerkennen sind, besonders dann, wenn sie von Einzelnen abgelehnt werden (aber das geistige Sein von Zukünftigen vorbereiten wollen). Und wird so das Kollektive diskutiert, so ist, wenn immer sachlich geboten, zwischen dem privaten Kollektiven und dem Staatlichen zu unterscheiden.

4.2 Sachbezogene Allgemeinpostulate

4.21 Nachdem klargeworden ist, daß es Sachbereiche erstens des ganz oder weitgehend individuellen, zweitens des zwar individuellen, aber gesellschaftlich und vielleicht staatlich zu fördernden, drittens des privat-kollektiven, viertens des staatlichen Zielsetzens, -habens und -verwirklichens gibt, wird man sich eingehender mit dem Allgemeinen des vom Staat gewollten und direkt verwirklichten oder indirekt geförderten Spiritualen befassen, dabei aus jenem Gesamtüberblick folgernd, daß die getroffene Einteilung auch für dieses speziellere Staatliche beizubehalten ist, — nämlich so: Wie wird durch auf spirituale Ziele gerichtete Staatsaktivität und insbesondere durch Spiritualpolitik Geistigkeitliches bewirkt oder beeinflußt, vor allem ausgebaut und gefördert, und wie wird Geistigkeitsungünstiges abgebaut und wenn möglich beseitigt: erstens mit Bezug auf das selbständige, selbstbestimmende Verwirklichen der Einzelnen und Kleingruppen, das in Inhaltswahl, Zielsetzung und Vollzug keiner Hilfe von der Gesellschaft her bedarf; zweitens mit Bezug auf das Verwirklichen der Einzelnen und Kleingruppen, für das sich die gesellschaftliche Unterstützung aus sachlichen Gründen empfiehlt; drittens mit Bezug auf das private Kollektive; viertens mit Bezug auf den Bereich des Staatlichen an sich, als des vom privaten Kollektiven zu unterscheidenden Gesellschaftlichen? (Diese Gliederung hat vor allem systematischen Sinn, sie dient der Bildung abstrakter Handlungstypen; sobald man ins Praktische geht, wird man gewahr, daß sich die vier Kategorien nicht scharf trennen lassen, weil Sachzusammenhänge vom Nur-Staatlichen ins private Kollektive, von diesem ins sozial zu fördernde und mitunter ins voll selbständige Individuelle reichen, und umgekehrt Wirkungslinien vom Individuellen über das Kollektive zum Reinstaatlichen gehen.)

4.22 Daß der Staat sich mit den rein-individuellen geistigen Verwirklichungen der Einzelnen und Kleingruppen befaßt, wäre dann widersprüchlich, wenn es in positiver Einflußnahme bestünde: für das Rein-Individuelle ist ja wesentlich, daß sein Träger den Zielinhalt und die Verwirklichungsweise selbst bestimmt.

Aber gerade auf das letztere kann sich das staatliche Handeln beziehen, und zwar in dem Sinne, daß in der Gesellschaft die Freiheit zum Individuellen gewahrt und ausgebaut werden soll. Natürlich ist es theoretisch nicht angängig und wäre überdies praktisch ausgeschlossen, auf die Einzelnen und Gruppen Druck auszuüben, damit sie diese Freiheit wollen, — was aber möglich ist und praktisch sinnvoll werden kann, ist, daß sich der Staat aktiv gegen die Behinderung der Selbstgestaltungsfreiheit der Einzelnen und Gruppen wendet und darum die Politik den Staat und die Öffentlichkeit in diese Richtung zu bringen sucht. Verlangt ist dabei vor allem, daß der Staat als solcher jene Freiheit respektiert, also strengst vermeidet, sie durch staatliche Maßnahmen zu beeinträchtigen; Schutz bieten in dieser Hinsicht nicht nur die verfassungsmäßigen (oder in anderer Art als Grundprinzipien anerkannten) Bürgerrechte, sondern die rechtsstaatlichen Grundsätze überhaupt und noch allgemeiner die Achtung der Einzelnen in allem, was der Staat mit Bezug auf sie beschließt und ausführt. Aber der Staat hat auch dahin zu wirken, daß die Freiheit der Einzelnen und Gruppen nicht durch außerstaatliche Organisationen behindert werde, weder durch Parteien und Verbände, noch durch Unternehmungen, noch durch Medien (zumal durch Hörfunk und Fernsehen, die auf Grund einer staatlichen Konzession arbeiten), noch durch Kirchen und andere Religionsgemeinschaften; freilich läßt gerade diese Aufzählung erkennen, daß die Einzelnen und Gruppen in vielerlei materiellen und ideenmäßigen Abhängigkeiten stehen, — doch darf keine von ihnen so weit führen, daß Zwang auf das rein persönliche Werten und Zielsetzen ausgeübt wird, und der Staat hat dies, wo er genügend Einfluß hat, zur Geltung zu bringen. Der individuellen Freiheit kann schließlich ein allgemeiner Konformismus entgegenwirken, Meinungs- und Verhaltenszwang, aus großgesamtheitlichem Fürrichtighalten kommend: ist solches in der Gesellschaft stark ausgebildet, so wird es der überlegen-denkende Spiritualpolitiker als eine seiner Aufgaben verstehen, durch tatsächliche Freiheitlichkeit den allgemeinen Nichtkonformismus zu fördern.

4.23 Richtet sich, zweitens, die gesellschaftliche und insbesondere staatliche Förderung des individuellen Geistigen nicht, oder nicht nur, auf die Selbstgestaltungsfreiheit, sondern (auch) auf die Selbstgestaltungsinhalte, das heißt auf das Materiale der Ziele und das Konkret-Praktische ihrer Verwirklichung, so ist von den hierin Aktiven, und insbesondere von den Spiritualpolitikern, verlangt, daß sie auf dieses Inhaltliche sachkundig und zugleich seiner Bedeutung fürs Geistige bewußt eingehen, um von ihm aus oder auf es hin soziales und, in engerem Sinne, staatliches Handeln zu planen: was der Spiritual-Wollende erstrebt, wird, wenn es nicht gesellschaftsstörend ist (aber in dieser Hinsicht muß die Beurteilung sehr zurückhaltend sein), von vornherein als berechtigt anerkannt, und aus der Leitidee der politischen Geistesmenschlichkeit (somit der spiritualpolitischen Philosophie oder einfacher der spiritualen Ideologie), daß der Staat für die als Höchsterfüllung des Menschseins verstandene geistige Selbstverwirklichung der Einzelnen zu wirken habe, muß der im Staat Aktive materiale kollektive Vorkehrungen treffen, um diejenigen, welche sich in ihrer Freiheit unter ein solches Ziel stellen, bei dessen Erreichung zu unterstützen.

Das beginnt allerdings schon mit Beistand bezüglich der Zielfindung, was als Widerspruch zum allgemeinen Freiheitspostulat verstanden werden kann, aber daraus berechtigt ist, daß im Staat und in den vom Staat geschaffenen oder beeinflußten autonomen Leistungsgebilden Leute sind, die über das beste Menschsein nachdenken und aus der Idee der sozialen Kultur nicht nur berechtigt, sondern verpflichtet sind, ihre Einsichten und Auffassungen in die Öffentlichkeit zu bringen, um denen, die im Lebensphilosophischen weniger Vorkenntnis und -erfahrung haben, Anregung zu geben (Anregung zu letztlich selbständiger Stellungnahme, nicht gehorsamfordernden Befehl, —Anregung aber kann unentbehrlich sein, weil es ohne sie eine aus der Idee des wertvollen Menschseins richtige Stellungnahme nicht gibt). Für den sozialaktiven Träger der Geistesmenschlichkeit ist es vielleicht die wichtigste Leistung, möglichst viele Zielsuchende zur Auseinandersetzung mit den — allgemeinen und sachgebietlich-speziellen — Ideen der Geistesmenschlichkeit zu veranlassen. (Ein Anwendungsfall: zu kritisieren ist hieraus die „kulturdemokratische“ Tendenz, die für die staatlichen oder vom Staat überwachten Medien maßgebenden Ziele einfach nach dem Anspruch der Benützermehrheit, der auf

Unterhaltung geht, zu fassen: es muß denen, die sich um die hochrangigen und vielleicht elitären Weisen des Geistig-Teilhabens bemühen, erlaubt sein, ihre »elitären« Auffassungen darzulegen und für die gleichdenkende Minderheit zu verwirklichen, gestützt auf die auch von der Mehrheit anzuerkennende Maxime, daß es Freiheit für diejenigen geben muß, welche das Mehrheitlich-Bevorzugte ablehnen; jedoch genügt dieses Erlaubtsein nicht, es muß von Aktionsfähigen ausgenützt werden: einige müssen den Mut haben und sich die Mühe geben, für kulturell höchst-anspruchsvolle Medienpolitik und -leistung nachdrücklichst einzustehen.)

Von größerer Vielfalt sind die gesellschaftlichen oder gesellschaftlich-beeinflußten Dinge, von denen es materiell abhängt, ob und wie, auch in welchem Ausmaß und Grad, die Einzelnen und Kleingruppen das von ihnen in ihrem Freiheitsbereich gewollte Geistige tatsächlich verwirklichen können: die spiritualpolitische Theorie (und zwar vor allem die philosophische, denn nur sie hat die volle Freiheit, alle Sachmomente zu prüfen; die ideologische Theorie ist da nur nachfolgend) muß herausarbeiten, welche Kategorien dieses geistigkeitfördernden Gesellschaftlichen ins Staatshandeln und damit ins praktisch-politische Postulieren und Zurgeltungbringen aufzunehmen sind. Noch im Formalen bleibend, wird man hier zwischen drei Typen unterscheiden: Unmittelbar-Geistigkeitswichtiges, Nahmittelbar-Geistigkeitswichtiges und Entferntmittelbar-Geistigkeitswichtiges (auch hier lassen sich keine scharfen Grenzen ziehen, vielmehr sind zwei breite Übergangsfelder anzunehmen). Der erste Typus, Unmittelbar-Geistigkeitswichtiges, bezeichnet das gemeinsame Wesen all der Dinge, die ein geistiges Sein oder Verwirklichen in dem Sinne bedingen, daß es durch ihr Fehlen verunmöglicht oder jedenfalls stark erschwert würde: staatliches Handeln dieser Art kann sich auf Geistiges als solches richten, nämlich auf Bewußtheit, Leistung oder In-Gemeinschaft-Sein (alle drei entweder selbstzweckhafter oder nicht-selbstzweckhafter Art, aber vielleicht besteht die von außen kommende Förderung auch darin, daß der Eigenwert des Geistigen erkannt wird), oder es besteht in der Schaffung und im Betrieb von Leistungsgebilden mit unmittelbar geistigkeitlichem Auftrag (wichtigst sind hier die Schulen, denn die moderne Vielfalt des Geistigen setzt sehr hohen Leistungsstand des, reich differenzierten, Schulwesens voraus; dazu kommen die von Bibliothek, Museum, Ausstellung, Theater, Konzert, usw., weiter die von der staatlich unterstützten Kirche oder der Staatskirche zu erbringenden Leistungsbeiträge), oder es verschafft den Verwirklichungswilligen Sach- oder Geldmittel, deren sie für die Erreichung ihrer Ziele individuell bedürfen (von Studienhilfe bis zu Organisation und Finanzierung von Medien), und dazu kommt die Rechtsnormen setzende und anwendende Staatstätigkeit, von der abhängt, ob im Individuellen ein konkretes Zielverwirklichen ohne oder nur mit beträchtlicher Schwierigkeit möglich ist (Rechtskritik zu üben und Rechtsreform zu postulieren ist auch unter individuell-geistigkeitlichen Aspekten). Der zweite Typus, Nahmittelbar-Geistigkeitswichtiges, charakterisiert die Dinge, von denen das, hier zunächst das individuelle, Geistige zwar nicht unmittelbar wie vorstehend beschrieben, aber doch inhaltlich-speziell abhängt, in dem Sinne, daß ihr Gegebensein oder Fehlen das geistige Verwirklichen positiv oder negativ erheblich beeinflußt, wobei solche Wirkung entweder auf Unmittelbar-Geistigkeitswichtiges (so: Effizienz der Schulorganisation ist Voraussetzung für die in Hinsicht auf Geistesmenschlichkeit beste Lehrtätigkeit, aber natürlich dient sie auch andern Lehrzielen) oder direkt auf die geistigen Möglichkeiten der Einzelnen (so: verfassungsmäßiges Recht auf freie Information und Meinungsäußerung) geht; aus dem Wesen dieses Typus ergibt sich, daß diejenigen, welche sich für solche Dinge einsetzen, ihr persönliches spiritualpolitisches Interesse nicht herauszustellen brauchen, denn das hier postulierte Konkrete läßt sich immer auch aus anderer Zielabsicht begründen (so: Schulausbau auch aus dem Interesse an der Stärkung der technisch-wirtschaftlichen Leistungskraft des Landes). Der dritte Typus, Entferntmittelbar-Geistigkeitliches, schließlich betrifft die Dinge, von denen das Geistige, zunächst wiederum der Einzelnen und Kleingruppen, zwar abhängig und vielleicht stark beeinflußt ist, bei denen aber keine sachspezifische Beziehung zu diesem besteht: das trifft schon für den Staat mit seinen allgemein-gesellschaftsnützlichen Einrichtungen zu (so: Rechtsstaatlichkeit, ein hohes politisches Ziel, dient auch dem Geistigen, aber ihre Beziehung zu ihr ist eher untergründig), weiter für die Volkswirtschaft, die Technik, das Verkehrswesen, usw., die alle leistungsstark und dabei wohlgeordnet sein sollen, was aber immer auch, und meistens vorherrschend, unter andere als die geistigkeitlichen Endzwecke, zumal die individuellen, gestellt wird.

4.24 Das kollektive Geistige ist vom individuellen durch den Wesenszug verschieden, daß es in einer größeren oder großen Gesamtheit wirklich ist oder als Ziel verstanden, erstrebt und soweit als möglich verwirklicht wird, — wobei freilich immer die inhaltliche Beziehung besteht, daß das, was kollektiv sinnvoll ist, auch von Einzelnen und Kleingruppen als hochrangig verstanden werden kann, dies aber das Kollektivwertvollsein nur ergänzt, nicht aufhebt. Kollektives Geistiges ist Bewußtheit, Leistung oder Gemeinschaft, jede für sich allein oder mit einer oder beiden andern verbunden; in allen drei Fällen ist es sowohl als (kollektives) subjektives Verwirklichen wie als objektives Erreichnis zu verstehen. Bewußtheit ist als Verwirklichen das Sichvergegenwärtigen, allenfalls das Spontanbewußtwerden (so: Empfinden, Fühlen, spontaner Einfall), und das Gegenwärtighaben, als Verwirklichtes die Wahrnehmung, die Empfindung, das Gefühl, die Einsicht, der Gedanke, die Idee, der Glaube, auch das Urteil, die Wertüberzeugung, je als entstandener oder geschaffener, einige Dauer habender und aus dem objektiven Wesen auf andere Subjekte übertragbarer Inhalt, der als ein Ideelles selbständig ist (nachdem er im subjektiven Bewußtwerden und -sein verselbständigt wurde oder sich verselbständigt hat). Drei verschiedenartige Kollektivmomente können hier bestimmend sein: durch Sozialprozeß bewirkte Gleichheit im Bewußtwerden und -sein der beteiligten Einzelnen und Kleingruppen (etwa aus der Macht der Religion, aus ständischem Denken, aus sozial hochgeschätzter und durch leistungsfähige Schulen verbreiteter Wissenschaftlichkeit, aus eingewurzeltem und durch Propaganda lebendig gehaltenem Nationalismus); Arbeit vieler Einzelner am kollektiven Bewußtwerden und -sein, das damit in Bewußtheitsreichtum und -komplexität ausmündet, durch welche die Vergegenwärtigungsmöglichkeiten auch der Denkstärksten überfordert werden (das gilt nicht nur fürs Ganze aller Wissenschaften und nicht nur für die, natürlich viel weniger umfangreichen, Gruppen verwandter Wissenschaften, etwa der Bio- oder der Wirtschaftswissenschaften, sondern auch für jede größere Einzelwissenschaft und für viele ihrer Unterdisziplinen); Bestand an objektiviertem Wissens- und Werkgut, als Dauerndem, dem die Schöpfer, die Benützer oder Teilhabenden und die andern Interessierten als Kurzlebige und Raschvergängliche gegenüberstehen, und das so sehr, daß die kollektive Kultur reich ist aus dem nationalen und übernationalen Besitz an den von den Wissenschaften erarbeiteten Erkenntnissen (rein-wissenschaftlichen und praktisch-anwendbaren), an religiösen, philosophischen und ideologischen Lehren, an Kunstwerken, dazu (hier zunächst nur in ihrem Bewußtheitsgegenstandsein zu sehen) an Typen von Nützlichkeitsgütern und -verfahren, an Großanlagen, an Institutionen und Organisationen. Kollektive Leistung ist als Verwirklichen die von einer größeren oder großen und aus den Sachanforderungen notwendigerweise organisierten Personengesamtheit zielbewußt und planmäßig vollzogene Arbeit auf ein gesellschaftliches (nur selten auf ein in anderer Weise kulturobjektives) Wertvolles hin, als Verwirklichtes eben dieses Wertvolle in seinem objektiven Wesen und Gehalt; bestimmend sind wiederum drei Momente: Arbeitsteilung, das heißt Aufgliederung des kollektiven Gesamthandelns in viele spezialisierte Einzelhandlungen (vom höchstanspruchsvollen Entwerfen, Planen und Leiten bis zum einfachsten Ausführen und Zudienen) und die entsprechende sachliche Zerlegung des zu erreichenden Objektiven in Bestandteile oder Einzelvorgänge, und zwar dort wie hier Arbeitsteilung zunächst innerhalb des einzelnen Betriebes oder der einzelnen Unternehmung, sodann zwischen ihnen; Arbeitsvereinigung, Zusammenwirken spezialisierter Einzelner und Gruppen in Betrieb und Unternehmung (auch von Betrieben innerhalb der großen Unternehmung), von Betrieben und Unternehmungen in der nationalen oder übernationalen Gesamtwirtschaft, entsprechende Herausbildung von hochkomplexem Gesamthandeln und -erreichnis; gesellschaftlicher Bestand an Leistungswissen, -modellen, -regeln und -normen, an Einrichtungen und Anlagen. Für die als Kollektives zu sehende Gemeinschaft ist wesentlich das Einbezogen- und Verbundensein vieler Einzelner oder Kleingruppen, Kleingemeinschaften; das Subjektive liegt im Sicheinordnen, sei es aktiv, vom Willen zur Gemeinschaft angetrieben, sei es eher passiv, Eingeordnetsein hinnehmend, Einbezogenwerden geschehen lassend; und drei Bestimmungsmomente auch hier: durch das menschliche Grundwesen und dazu durch Sozialgeschehen bewirkter Wille zur Großgemeinschaft; Postulierung und werbende und vielleicht organisierende Förderung der Gemeinschaftsbildung durch Lehrende und Führende; sozialobjektives Gegebensein von Großgemeinschaft, und zwar entweder nicht-organisierter (Hauptbeispiel: Gemeinschaft aus Gemeinsamkeit von neuen Ideen und Werthaltungen, etwa solchen der neuen Philosophie oder der modernen Kunst) oder organisierter (so: Kirche, durch politischen Glauben bestimmte Partei).

Das kollektive Geistige ist, wie erwähnt, entweder privat-kollektiv oder staatlich-kollektiv; charakteristisch fürs erste ist die Staatsunabhängigkeit, fürs zweite die Staatsabhängigkeit oder -bestimmtheit, beides nur relativ aufzufassen, denn das Private steht doch immer in dem vom Staat geschaffenen Normen- und Möglichkeitenrahmen, und auch das stark staatsbestimmende Kollektive hat Bereiche, in denen die ihm angehörenden Einzelnen und Gruppen autonom sind. Aber selbst wo das Kollektiv-Geistige ganz privat ist, kann es Gegenstand von staatlichem Wirken und insbesondere von spiritualer Politik sein: indem der Staat eben die Privatheit der betreffenden Verwirklichungsbereiche befürwortet, verlangt und vielleicht durchzusetzen sucht, somit allenfalls denen beisteht, die dieses Staatsfreie wollen; das hat auf Grund von prinzipieller Stellungnahme zu Wesen und Aufgaben des Staates zu geschehen und verlangt also staatstheoretische Besinnung: hier muß die theoretisch-politische Geistesmenschlichkeit mitwirken, und vielleicht gewinnt sie von ihren besonderen Denkvoraussetzungen aus ein Verstehen des Kollektiv-Geistigen und der Stellung des Staates zu ihm, das dem nichtspiritualen politischen Wollen bisher fremd war. In manchem ist das private Kollektive vom Individuellen aus zu beleuchten, denn daß die Einzelnen und Kleingruppen in Geistigem selbständig sein sollen, läßt Selbstbestimmung und Staatsfreiheit auch für die im Ideenwesen verwandten Großgemeinschaften verlangen (hat etwa der Einzelne die volle Freiheit im Religiösen und somit das Recht zum Atheismus zu beanspruchen, so darf der Staat sich nicht gegen die alle Atheisten umfassende Ideengemeinschaft wenden, vielmehr müßte er sie als den Ausdruck der lebendigen Geistigkeit von Kultur und

Gesellschaft bejahen und um dieser willen sogar fördern, zumindest durch wohlwollende Tolerierung einer atheistischen Organisation, durch welche die religiöse und philosophische Diskussion angeregt wird). Meistens wird man aber sogleich aufs Kollektive an sich gehen, das heißt auf die Verwirklichungen gesamtheitlichen und damit überindividuellen Wesens, insbesondere auf solche, deren Ergebnis in nach geistesmenschlicher Auffassung eigenwertem sozialem Sosein bestehen wird: geistigkeitsgünstigen Sozialzustand überhaupt und in den einzelnen Kulturbereichen (sich ausprägend vor allem in Freiheit und Wohlstand, dazu in der hohen Leistungskraft des technischen Apparates, der Wirtschaft, der kulturellen Organisationen im engeren Sinne), hohen Wissens- und Könnensstand als kollektive Gegebenheit, intensive Arbeit der Kirchen, Lebendigkeit von Wissenschaft, Philosophie (auch in ihrer ideologischen Anwendung) und Kunst, volles Zurwirkungkommen der Sprache als des wichtigsten Mittels der geistigen Kommunikation (der anspruchsvollst ausdrucksstarken Hochsprache wie der alltagsnahen Regional- und Standessprache; besondere und mitunter schwierige Probleme stellen sich von den Minderheitssprachen her), geistigkeitlich befriedigende Leistung von Presse und elektronischen Medien (bei aller Rücksichtnahme auf Unterhaltung und Information niedrigeren Ranges). In Ländern mit starker, gar mit totalitärer Kulturlenkung werden der Staat und damit die Politik vielfach das Konkrete bestimmen, was von vornherein den Nachteil hat, daß das ideologie-nichtkonforme Geistige behindert, ja nur ideologiekonformes zugelassen wird, somit das von Regimegegnern vertretene Geistige sich nicht voll und auf etlichen Inhaltsfeldern gar nicht entfalten kann, und daß wahrscheinlich im geförderten Geistigen das mittelhafte vorherrscht, zumal das technisch und wirtschaftlich, enger das militärisch nützliche; immerhin darf man es sich in beiden Fällen mit der Kritik nicht zu leicht machen, denn was Staat und Partei ideologiekonform durchsetzen, können nichtkonforme Einzelne und Gesamtheiten später ins allgemeinere Spirituale wenden, — diese Chance liegt in aller Steigerung von Wohlstand und wissenschaftlich-technischem Können. Aber selbst in autoritären Staaten, sogar in Diktaturen braucht das Ideologiegut nicht starr festgelegt und insbesondere nicht unbedingt antispiritual-verhärtet zu sein und wird man annehmen dürfen, daß die Führenden nicht hauptsächlich das Ziel haben, die Geistigkeit ihres Volkes vollständig zu unterbinden, — das mag einigermaßen praxisfernen Theoretikern oder aber ideologietheoriefernen Praktikern erlauben, ins herrschende Prinzipiensystem neue Gesichtspunkte einzubringen. Voll gesichert ist die Ideenoffenheit dort, wo die Staatsführung und die für sie maßgebenden Parteien pluralistisch-liberal eingestellt sind (nicht immer alle Parteien, denn autoritäre Gesinnung gibt es auch in den liberalen Staaten, und das mag sogar nützlich sein, indem es eine die freiheitlichen Ideen klärende und verstärkende Diskussion auslöst); jedoch ist nicht schon dadurch das Geistigkeitliche der Gesellschaft problemlos gemacht, aus zwei Gründen nicht: weil pluralistisch-liberale Toleranz leicht zu Gleichgültigkeit im Prinzipiellen und damit zu Beschränkung aufs Praktisch-Nahe, wie sie den Pragmatismus der westlichen Demokratie kennzeichnet, führt, — und weil es für die demokratische Politik empfehlenswert erscheinen und zugleich recht bequem sein kann, im Ideenhaften, zumal kontroversem, „das Volk als Souverän“ entscheiden zu lassen, wodurch natürlich die Tendenz zum Nurpraktischen verstärkt wird. Gerade der Anhänger von Liberalismus und Pluralismus muß erkennen, daß die politischen Führer immer wieder vor Probleme gestellt sind, welche die staatsphilosophische und damit auch, weil die den Staat betreffenden Ideen letztlich aus den allgemein das Menschsein deutenden und ihm Ziel gebenden abzuleiten sind, die menschseinsphilosophische — hier zu postulieren: die spiritualphilosophische — Besinnung verlangen; besondere Wichtigkeit hat das im Zusammenhang mit dem vielbezirkigen, vielschichtigen Bereich des privaten Kollektiven, da er manches für den Einzelnen bestimmende, Möglichkeiten eröffnende und Schranken aufzwingende, damit sogar schicksalshafte Sozialkulturelle in sich birgt (mit dem sich am intensivsten die Sozialwissenschaftler und -philosophen auseinandersetzen müssen).

Spiritualpolitik und durch sie bestimmtes Staatshandeln, die sich auf privat-kollektives Spirituales richten, haben wiederum die drei Ebenen des Zielsetzens, -verfolgens und -ausführens: das Unmittelbar-Geistigkeitswichtige, das Nahmittelbar-Geistigkeitswichtige und das Entferntmittelbar-Geistigkeitswichtige. Das erste: Gegenstand der Politik ist Geistiges der privat-kollektiven

Sphäre, auf das einzuwirken sich der Politisch-Handelnde berechtigt und sogar verpflichtet hält, weil er ein eigenwertiges Geistiges, hier kollektiver Art, als gesamtgesellschaftlich zu erreichendes Ziel entweder selbständig gesetzt oder aus der Kultur übernommen hat (ein konstruiertes und unwahrscheinliches Beispiel: in der Spiritualpolitik wird postuliert, daß an den Universitäten und durch akademische Gesellschaften die Wirklichkeits- und Ziellehren der christlichen Religion und der andern Hochreligionen unter Berücksichtigung aller einschlägigen Erkenntnisse nicht nur der Naturwissenschaften, sondern auch, und mit stärkerer Gewichtung, der Religionsgeschichte und -psychologie unvoreingenommen kritisch geprüft werden, kritisch auch gegenüber der Auffassung, daß die Grundthesen der Religion von vornherein außerhalb der Wissenschaften seien; unter den gewöhnlich angewandten politischen Maximen wäre ein solches politisches Bemühen höchst inopportun, weil gegen Mehrheitsmeinung und altverankerte Institutionen verstoßend,—aber ist nicht die Tabuierung der religösen Wahrheits- und Führungsansprüche mit ein Grund der weitverbreiteten, das spirituelle Wollen hemmenden lebensphilosophischen Unklarheit und haben hieraus nicht die Spiritual-Denkenden eine gesamtgesellschaftliche wichtige Aufklärungspflicht?). Das zweite: die Spiritualpolitik setzt sich dafür ein, daß Gesamtheiten und Organisationen das Recht zur Setzung und Verfolgung privatkollektiver geistigkeitlicher Ziele haben und in einigem Umfang auch die Mittel zu ihrer Verwirklichung bekommen (im aufgeführten Beispiel: Recht auf Auseinandersetzung mit der Religion im allgemeinen und mit den christlichen Glaubenssätzen und -annahmen im besondern, Unterstützung einer Forschungsstelle für Religionskritik). Das dritte: die Spiritualpolitik versteht es als allgemeine Staatsaufgabe, daß durch Freiheitlichkeit, Rechtsstaatlichkeit, Sicherung und Erhöhung des Volkswohlstandes, Einkommensreform, Vervollkommnung des Schulwesens (usw.) eine breite und feste Grundlage für alles Geistige und damit auch das privatkollektive zu schaffen sei.

4.25 Das staatlich-kollektive Geistige, vereinfachend: das Staatlich-Geistige (weil vom Staat getragene, in ihn eingebildete Geistige), ist jedenfalls im modernen, säkularistisch-sozialkritischen Staat überwiegend leistungsbezogen (es mag vormoderne Staaten gegeben haben, wo das Kontemplative und die Gemeinschaftserfüllung einigermaßen großes Gewicht hatten, in den Renaissance-Fürstentümern, im Sizilien Friedrich II., unter Akbar und Ashoka, in der T'ang-Dynastie); daraus sind seine Träger erstens der Staat als kollektiv-geistiges Ganzes, zweitens die einzelnen Staatsorgane als mit Machtbefugnis ausgestattete Leistungsgebilde, drittens autonome Sonderorganisationen außerhalb des Staatsapparates. Der Gesamtstaat hat geistiges Wesen schon daraus, daß er unter Ziel-, Wert- und Ordnungsideen aufgebaut wurde und tätig ist, weiter daraus, daß er durch konkretes Wirken Gesamtheiten und Einzelne in ihrem geistigen Sein fördert und dabei wahrscheinlich inhaltlich beeinflußt; geistigkeitlich ist er hiebei in dem Sinne, daß von Staatsaktiven und Politikern dieses Wirken als eine höchstrangige Staatsfunktion verstanden wird, — was weitgehend durch von ihnen vertretenen Staats-, Gesellschafts- und Kulturauffassungen und damit durch die diese prägenden philosophischen und ideologischen Lehren bestimmt ist. Innerhalb des Staatsganzen sind die einzelnen Staatsorgane, das heißt praktisch die je besonderen Behörden, geistigen Wesens ebenfalls schon daraus, daß sie in bewußtem Planen geschaffen wurden und selbst zielbewußt tätig sind, weiter und stärker daraus, daß ihr Handeln bewußt ins geistige Wesen der Sozialstruktur eingreift (deutlichst sichtbar, wo sie Unmittelbar-Geistigkeitswichtiges bewirken wie allgemein in der Gestaltung und Anwendung der bürgerlichen Grundrechte und in der Stellungnahme zu den leitenden Kulturideen, spezieller in der Erziehungs- und Medienpolitik), und sie sind geistigkeitlich daraus, daß dieses Geistige bewußt als ein zielhaftes Staatliches gewollt wird; wiederum sind theoretisch fundierte und gefaßte Zielideen maßgebend, hier jedoch zum Teil fachspezielle (etwa auf das in der Erziehung zu erreichende Beste gehend). Den vom Staat eingesetzten autonomen Leistungsorganisationen sind zumeist sachbesondere Leistungen aufgetragen, die immerhin vielfältigen Inhaltes sein können (so: Organisation zur Förderung des künstlerischen und dichterischen Schaffens, Wissenschaftsakademie), oft aber nur ein enges Themenfeld betreffen (so: Organisation zum Studium einer Minderheitssprache, Denkmalschutzkommission). Natürlich ist solches Staatliches letztlich auf Außerstaatliches bezogen, steht unter Ideen der kollektiv- oder individuell-privaten Verwirklichung; aber es ist in ihm auch spezifisch staatliches Wesen, insbesondere von spiritualem Typus, also staatlich-spirituales, und dieses letztere ist in der politischen Geistesmenschlichkeit sowohl untersuchend als auch postulierend herauszuarbeiten. Welches Staatlich-Geistige ist gegeben; welches gegebene Staatlich-Geistige ist spiritualen Wesens im Sinne der politischen Geistesmenschlichkeit oder könnte es werden? Welche noch nicht genützten Möglichkeiten des Staatlich-Geistigen, zumal des spiritualpolitisch zu befürwortenden, liegen im gegebenen Staat; wie ist allenfalls der Staat in Hinsicht auf die Erweiterung dieser Möglichkeiten zu reformieren? Gibt es Sozialbedürfnisse, neue oder seit längerem vorhandene, von denen aus neues Staatlich-Geistiges zu postulieren ist? Das sind einige der Fragen, mit denen sich insbesondere die Theoretiker der politischen Geistesmenschlichkeit zu befassen haben, unter ihnen am intensivsten die Staatszielphilosophen.

Welchen Inhalt ein konkretes Staatlich-Geistiges hat und welche Bedeutung ihm im Staatsganzen zukommt, hängt von Funktion und Befugnis der betreffenden Behörde oder Organisation ab. Von größter Inhaltsweite und höchstem Befugnisrang ist dasjenige von Regierung und Parlament: diese bestimmen nicht nur die Ausführung dessen, was dem Staat aufgetragen ist, sondern auch, was ihm neu aufgetragen werden soll, — wobei freilich in den autoritären Staaten das Parlament gegenüber der Regierung kaum gleichgeordnet, vielmehr untergeordnet ist und ihm manchmal kaum anderes zusteht als die formelle Gutheißung von Regierungsanträgen (was sogleich einen Mangel an möglichem Staatlich-Geistigem erkennen läßt). Das geistige Wesen dieser Aufgaben und Kompetenzen besteht vor allem in der Prüfung der Staatsprobleme, in der Auseinandersetzung mit Ansprüchen und Kritik, in der Setzung von Haupt- und Großzielen, in der Festlegung des Planens und Ausführens; man kann sich die Regierungsfunktion in einem Führenden (Monarch, Diktator, auch demokratischer Präsident mit sehr weitgehenden Vollmachten) personifiziert vorstellen, jedoch ist Personbezogenheit kein notwendiges Element und tatsächlich herrscht die, nach Regeln gebildete und handelnde und hieraus in spezifischer Weise kollektive, Personengesamtheit vor; das Parlament ist der Idee nach immer kollektiv, jedoch fragt sich, wie weit es gegenüber den Mächtigen als eine tatsächlich selbständige Gesamtheit zu handeln vermag, — seine wesensbesondere staatlich-kollektive Geistigkeit läßt sich nur dann voll ausbilden, wenn es im gesamtstaatlichen Machtgefüge mit den andern Hauptkomplexen im Gleichgewicht steht (hieraus kann folgen, daß ein konkretes Parlament zu stärken oder aber in seiner allzugroß gewordenen Macht zu beschränken ist, beides entweder durch Umorganisation oder aber nur, was oft genügen wird, durch anderes Verhalten der im Parlament Führenden und der Regierenden). Spezieller und nach Befugnisrang beschränkter sind die Funktionen der Verwaltungsbehörden, — aber letztlich hängt es von der Verwaltung ab, ob und wie im Staat das Spirituale verwirklicht wird: sie hilft die Regierungs- und Parlamentsbeschlüsse vorbereiten, ja regt sie oft an, und ihr ist die Ausführung der Staatsmaßnahmen, dabei oft auch die Fassung der Einzelbestimmungen, anvertraut; das verlangt von den in der Verwaltung tätigen Chefs und Experten vor allem die umfassende Sachkenntnis auf ihrem besonderen Leistungsgebiet, überdies jedoch die Sicht aufs Spirituale, das für den Staat verpflichtend ist oder werden soll und das sie unter den Leitideen der politischen Geistesmenschlichkeit in ihr Handeln aufzunehmen haben. Gleiches gilt für das Sachliche der Leistungen von autonomen Gremien und Körperschaften, und es gilt für die Rechtsprechung, die Funktion der Gerichte (und damit der Richter als Einzelner: aber gerade bei ihnen wird erkennbar, daß im Staat die leistende Person unter objektiver Norm steht, die das Überpersönliche zur Geltung bringt). — Nach diesem Überblick läßt sich das Spirituale des Staates als Ganzes zusammenfassend so formulieren: es ist das kollektive Geistige und zugleich das geistigkeitswichtige Kollektive, das entweder nur oder doch praktisch am besten in der staatlichen Ordnungs- und Machtstruktur gewollt, geplant, ausgeführt, gewahrt werden kann. Was hier gesagt wird, ist material hauptsächlich mit Bezug auf das Geistige, dessen Wesen sich, auch wenn man im Allgemeinen bleibt, konkret bestimmen läßt, hingegen kaum im einzelnen Sachlichen, denn dieses ist von den Gegebenheiten und den aktuellen Problemen abhängig (die zu ziehenden sachlichen Folgerungen können verschieden sein, wenn sich unter gleichbleibenden Gegebenheiten verschiedenartige Probleme stellen oder wenn gleiche Probleme unter verschiedenen sachlichen Voraussetzungen zu lösen sind); die spiritualpolitische Lehre muß immer so allgemein bleiben, daß sie wohl über das Geistige und Geistigkeitliche, nicht aber über deren staatspraktische Verwirklichung konkrete Aussagen macht, — und von hier aus wird man sich wiederum den außerstaatlichen Spiritualbereichen zuwenden, erkennend, daß auch in ihnen das Sachlich-Konkrete weitgehend offen zu lassen ist.

Besondern Inhalt bekommt hier die Unterscheidung von Unmittelbar-, Nahmittelbar- und Entferntmittelbar-Geistigkeitswichtigem, besondersartig, weil das Staatliche hier nicht außerstaatliches Geistiges beeinflußt, sondern das Geistige ein spezifisches staatliches Wesen hat (aber natürlich strahlt es sekundär, im Inhalt des verwirklichten Staatsspiritualen auf das kollektive oder individuelle private Geistige aus). Unmittelbar-geistigkeitswichtig ist vor allem das Sein des Staatlich-Spiritualen als solchen: hat der Staat als Ganzes, haben Regierung, Parlament, Verwaltungsbehörden und Gerichte geistiges Eigenwesen und geistigkeitlichen Eigenwert, so liegt Eigen-Sinn eben auch darin, daß sie bestehen, tätig sind, weiter darin, daß sie unter ihrer Spiritualidee allenfalls ausgebaut, verstärkt, vervollkommnet werden, — womit verlangt wird, daß eine sie betreffende Leitidee oder ein Komplex von solchen Ideen anerkannt ist und angewandt wird, oder aber, bei Unklarheit und Meinungsverschiedenheit, postuliert wird und geprüft werden soll; diesem Feld zuzurechnen sind sodann die Bemühungen in Hinsicht auf die Schaffung dieses besondern Staatlichen, das Recht, das für es gilt, die Mittel, deren es bedarf, — darum erweisen sich auch außerstaatliche Kräfte als fürs Staatlich-Spirituale unmittelbar wichtig, nämlich die auf dessen Ausbau oder Umformung gerichteten privat-kollektiven und individuellen, unter ihnen die von Einzelnen vertretene politische Geistesmenschlichkeit, die eine sachlich besondere Staatsgestaltung durchsetzen will. Nahmittelbar-Geistigkeitswichtiges findet sich ebenfalls sowohl innerhalb des Staates als auch im den Staat bedingenden nichtstaatlichen Sozialen: Zielhaben, Wollen und Macht von Einzelnen, Gruppen, Gesamtheiten und Organisationen, Geltung von Grundsätzen und Normen, auch technische und wirtschaftliche Gegebenheiten, die das Staatlich-Spirituale in konkretem

Hauptinhalt ermöglichen oder verunmöglichen, erleichtern oder erschweren. Und entsprechend ist das einschlägige Entferntmittelbar-Geistigkeitswichtige teils staatlichen, teils außerstaatlichen Wesens.

4.26 Die Felder des Individuellen, Privat-Kollektiven und Staatlichen lassen sich nicht scharf trennen. Erstens gehen sie sachlich ineinander über, so daß nicht nur die genaue begriffliche Trennung schwierig ist, sondern Zwischenzonen bestehen, in denen sich Hauptfeldmomente vermischen (so in staatlichen und halbstaatlichen Unternehmungen, in der Staatskirche, in Staatsparteien und -gewerkschaften). Zweitens besteht vielfach Wirkungszusammenhang: der Staat regelt und fördert oder unterbindet Privat-Kollektives und Individuelles, teils von sich aus und teils auf Anregung, ja zwingende Forderung aus dem Privaten; Einzelne und Gruppen stellen Thesen über den richtigen Staat und die von ihm zu entfaltende Tätigkeit auf, und das erhält politische Wirkungskraft; gesamtheitliche Auffassungen geraten in Widerspruch, ihre Träger nehmen den Staat in Anspruch und dieser wird zu vermittelndem oder die eine Seite bevorzugendem Eingreifen veranlaßt. Drittens, und wichtigst, ist das oberste Ziel der Politik ein als gut gewertetes und darum erstrebtes gesellschaftliches oder zugleich gesellschaftliches und einzelmenschliches Soseiendes, das, selbst wenn es vorzugsweise ein innerstaatliches Handeln erfordert, auch auf die andern Politikfelder zu erstrecken ist. Darum sind die bisher beschriebenen Verschiedenheiten zwar bei den weiteren Überlegungen zu bedenken, wo immer sie praktische Bedeutung haben oder erhalten können, jedoch nicht als in dem Sinne erstrangig aufzufassen, daß man sie der im folgenden zu treffenden Differenzierung nach Sachgebieten zugrunde legen müßte. Zweckmäßig ist vielmehr, Kategorien nach den Gegenstandstypen zu bilden: Staatsgestaltung, Gestaltung des Rechtes, Wirtschaftspolitik, Kulturpolitik im engeren Sinne, übrige Innenpolitik, Außenpolitik und Tätigkeit der internationalen Organisationen, — wobei für jede dieser Kategorien die Gesichtspunkte der politischen Geistesmenschlichkeit und damit die spiritualpolitischen Maximen und Postulate herauszuarbeiten sind, das freilich in der Bewußtheit, daß Träger und Nutznießer der Spiritualpolitik teils Einzelne und

Kleingruppen, teils größere oder große private Gesamtheiten (oder: Gesamtheiten in ihrem privaten Wesen, neben diesem gibt es vielleicht ein staatliches oder staatsähnlich-öffentliches), teils der Staat oder staatliche Sondergebilde sind.

4.3 Staatsgestaltung

4.31 Staatsgestaltung ist Aufgabe der Politik und des durch sie bestimmten staatspraktischen Verwirklichens nur selten in dem Sinne, daß der Staat von Grund auf neu zu errichten und einzurichten ist; immerhin ist dies möglich, so nach Kriegskatastrophen und Revolutionen, und das staatstheoretische und praktische Denken ist dann vor Probleme gestellt, deren Lösung für Land und Volk vielleicht Wohlstand, Freiheit und Kulturblüte zur Folge hat, vielleicht im Gegenteil Armut, Unterdrückung und kulturelle Einengung, vielleicht, zwischen den Extremen, einen einigermaßen befriedigenden, aber unter dem möglichen Besseren bleibenden Zustand von Gesellschaft und Kultur. Gerade in solchen Ausnahmesituationen kann die staatsgestaltende Politik von Ideen bestimmt werden, praktisch in erster Linie von Ideologie, in der sich aber wahrscheinlich eine philosophisch begründete Auffassung von Menschsein, Gesellschaft und Staat ausdrückt, was die Träger der philosophischen Ideen verpflichten sollte, diesen auch ideologische Form zu geben, und was bei Ungenügen des Erreichten zur Frage berechtigt, ob nicht auch, und sogar an entscheidender Stelle, das philosophische Ideologieschaffen mangelhaft gewesen sei. Diese Überlegungen betreffen insbesondere die politische Geistesmenschlichkeit in ihren sozial- und staatsphilosophischen und damit in ihren spiritualideologischen Ausprägungen: sie muß in der gegenwärtigen Kultur eine staatsbestimmende Kraft sein und hieraus bei jeder grundlegenden Staatsgestaltung prinzipienschaffend mitwirken, — und sie hätte (natürlich unter anderer Terminologie) schon bei früheren Staatsgestaltungen, bis zurück zu antiken, diese Kraft sein müssen; hieraus ist erlaubt, kritisch zu prüfen, ob und wieweit im Anschluß an, neuere oder ältere, Staatsumwälzungen das Spirituale gewollt und durchgesetzt worden ist, das unter geistesmenschlichem Anspruch in der gegebenen Situation richtigerweise zu vertreten war (etwa: in der Französischen Revolution, in der Russischen Revolution, nach dem Zusammenbruch der Monarchie in Deutschland und Österreich). — Auch die weniger weitgehende Umgestaltung des Staatlichen, wie sie ein Regimewechsel (so: Übergang von der parlamentarischen Demokratie zum autoritären Präsidialregime, oder umgekehrt) mit sich bringt, muß von den Philosophisch-Denkenden als Herausforderung verstanden werden, sich auf das Richtige von Staat, Gesellschaft und Kultur zu besinnen und die so erkannten Ziele und Grundsätze öffentlich zu vertreten (beides, vor allem aber das zweite, auch dann, wenn es Unannehmlichkeiten verursacht). Ist aber in einem nach politisch-geistesmenschlicher Beurteilung nachteiligen Regime, eher in einem autoritären als in einem parlamentarisch-demokratischen, die Änderung, konkret die Liberalisierung der allzu starren Ordnung, noch nicht in Sicht, so ist es Aufgabe der spiritualen Politik, sie vorzubereiten und zu fordern.

Meistens erfolgt die Gestaltung des Staatlichen, damit die Staatsgestaltung, insofern jedes erhebliche Eingreifen in einzelnes Staatliches eine solche ist, innerhalb einer im großen ganzen nicht wesentlich zu verändernden Staatsstruktur; sie ist dann einer der vielen, häufig kleinen und nur selten großen, Schritte, durch die über lange Zeit gesehen der bestehende und in seinem Gesamtwesen gutgeheißene Staat den sich neu stellenden Bedürfnissen und auch den sich wandelnden prinzipiellen Auffassungen allmählich angepaßt wird: praktisch ist die Staatsgestaltung überwiegend Staatsreform oder, bescheidener, Reform von einzelnem Staatspraktischem, und darum muß in der auf sie bezüglichen Politik das staatsreformerische Denken — unter den Zielen der politischen Geistesmenschlichkeit: das in diesem Reformerischsein von den spiritualpolitischen Prinzipien ausgehende und immer wieder auf sie zurückgreifende — eine zentrale Kraft sein. Verlangt ist von den so Denkenden zweierlei: erstens die positive Einstellung zum gegebenen Staat, die Einsicht in sein Gutes (ohne deswegen das Weniger-Gute abzustreiten) und in dessen mögliche Gefährdung durch übereilte Reformmaßnahmen, zweitens Fähigkeit und Wille (jene ist ohne diesen, dieser ohne jene ungenügend: beide sind gleichgewichtig auszubilden), das im Überlieferten, Geltenden vorherrschende Ideengut immer wieder auf seine sozial- und lebensphilosophische Richtigkeit hin zu prüfen, die gesellschaftlichen und geistigen Wandlungen zu verfolgen, die in ihnen neu auftretenden Ideen und Bedürfnisse zu erkennen, sich mit ihnen auseinanderzusetzen; im zweiten wirkt notwendigerweise die subjektive Ziel- und Werthaltung des Urteilenden, aber dieser muß bereit sein, sich von der Einsicht ins neue Objektive zu neuem Persönlich-Eigenem anregen und damit allenfalls sein bisheriges Fürguthalten gesamthaft in Frage stellen zu lassen, — solche Selbstkritik ist für den Träger politischer Geistesmenschlichkeit selbstverständliches Gebot schon daraus, daß die allgemeine Geistesmenschlichkeit Offenheit jeglichem Neuen gegenüber in sich schließt.

4.32 Gegenstand der Staatsgestaltung ist die Staatsorganisation; diese aber ist enger als das Staatliche überhaupt, denn staatlich, und damit vom Staat und durch die Politik (die entsprechendes Staatshandeln postuliert und durchzusetzen trachtet) zu gestalten, ist manches Öffentliche, für welches die Staatsorganisation den tragenden Rahmen bildet (so: die von der staatlichen Verwaltung auszuführenden wirtschaftspolitischen Sachbeschlüsse der Regierung) oder welches nach seinem Sachwesen außerhalb ihrer zu verwirklichen ist (so: gesetzliche Vorschriften über die Mitbestimmung der Arbeitnehmer in Privatunternehmungen): in der Diskussion des Sachlichen der Politik überhaupt und der Spiritualpolitik im besondern ist allenfalls die Staatsorganisation als solche von den andern Bereichen des Staatshandelns genau zu unterscheiden, — was freilich mitunter schwierig ist, wenn aus der Natur der zu lösenden Aufgaben Organisation und Ausführung ineinander übergehen (wie etwa im Schul- und Kirchenwesen). Ist die umzubildende oder neuzuschaffende Staatsorganisation sehr umfangreich, ja umfassend, so ist von den Handelnden, damit auch von den postulierenden Politikern, dreischichtige Einsicht ins Staatsganze verlangt: erstens in dessen sachliches Wesen, in die allgemeinen Struktur- und Funktionsgesetze des Staates, vor allem natürlich des modernen, von den jetzigen gesellschaftlichen und kulturellen Gegebenheiten aus aufzubauenden (und inskünftig auf sie zurückwirkenden), aber auch des unter andern Voraussetzungen stehenden geschichtlichen (es kann denkpraktisch sinnvoll sein, das allgemeine Staatliche auch im Zusammenhang mit dem Ottomanischen Reich, mit dem Römischen Reich und mit der griechischen Polis zu untersuchen, — man mag dabei aktualisierbare kritische Einsicht gewinnen); zweitens ins gesamthafte Seinsollende des Staates, zu beurteilen zunächst wiederum vom jetzt gegebenen Wesen von Gesellschaft und Kultur aus (der jetzigen wissenschaftlich-technisch-wirtschaftlichen Kultur, — oder aber, in den »Entwicklungsländern«, von der Kultur, die erst früh- oder noch vorindustriell ist und nach dem Willen der Führer diesen Rückstand aufholen soll) und vielleicht auch von Geschichtlichem aus (so: Was war das Seinsollende im Viktorianischen England, im Frankreich der Bourbonen, im Rom der Kaiser, im Athen des Perikles?), was anschließend fragen läßt, ob das tatsächliche geschichtliche Seinsollende das richtige Seinsollende gewesen sei, womit in die sachlich-historische Betrachtung ein jetziger Wertmaßstab eingebracht und so ein auf das politische Seinsollen bezügliches zielphilosophisches Seinsollen postuliert wird (so: Waren die Seinsollensauffassungen, welche Perikles bestimmten, die besten unter dem — jetzt vertretenen — Ziel der spiritualen Vervollkommnung, soweit diese unter den damaligen Sozialgegebenheiten möglich war?); drittens in die in ihrem Allgemeinwesen und ihren vielfältigen Sonderinhalten zu erhellende Praxis der gesamthaften Staatsgestaltung, denn hier geht es um die Verwirklichung des Befürworteten, nicht nur um Darlegung (wiederum besteht stärkste Abhängigkeit vom Jetztgegebenen, doch kann es auch hier Sinn haben, Früheres auf seine Richtigkeit hin zu prüfen: Worin handelte Cäsar richtig, worin unrichtig?). Forderung solcherweise dreischichtiger Einsicht insbesondere gegenüber den Spiritualpolitikern, die den vollständigen oder wenigstens den inhaltlich sehr umfassenden Umbau des Staates postulieren oder sogar konkret vorbereiten: Einsicht ins spirituale Wesen und die spiritualen Möglichkeiten des modernen, oder des sich modernisierenden, Staates im allgemeinen, Einsicht in die entsprechenden spezielleren Gegebenheiten des umzubauenden und die Möglichkeiten des neuzubauenden Staates (verlangt ist dabei auch das sachlich umfassende Wissen vom Wesen, den Voraussetzungen und den Möglichkeiten des, individuellen und kollektiven, Geistigen: der Spiritualpolitiker, dessen Denken auf Staatsreform oder gar -neubau geht, bedarf der theoretischen, zumal philosophischen Durchbildung seiner Zielideen; jedoch wäre dieses philosophische Wissen für sich allein bei weitem ungenügend, weil sich die spiritualen Möglichkeiten des Staates immer auch aus dem Staatswesen als solchen und dem zeitgeschichtlich-konkreten Gesellschaftlichen bestimmen); Einsicht in die nach spiritualpolitischer Auffassung für den Staat zu setzenden und in ihm zu verwirklichenden Ziele (die Kenntnis von Wesen, Voraussetzungen und Möglichkeiten des vom Staate zu fördernden Geistigen ist hier durch Wertbewußtheit zu erweitern, und dies ausgehend von den allgemeinen und staatsbesonderen Zielen der Geistesmenschlichkeit, seien sie als philosophische Idee gefaßt oder einfach praktisch anerkannt), wobei aber auch die auf ihn bezüglichen Ziele und Werte andern Inhaltes zu berücksichtigen sind, vor allem so, daß verstanden wird, welches an sich Nichtgeistige als einem Geistigen, oder dem Geistigen überhaupt, dienend wertvoll ist, und auch so, daß der Geistigkeitsbejaher den Andersgesinnten die Freiheit des eigenen Ziel- und Werthabens zugesteht (wohl immer in der Hoffnung, daß der solcherweise Freie sich allmählich dem Geistigen zuwenden und seine Ziele und Werte selbständig, wenn auch durch Lehre und Vorbilder beeinflußt, umbilden werde); Einsicht in die Verfahrensbedingungen und -möglichkeiten der spiritualpolitischen Staatsgestaltung.

4.33 Gestaltung des Staatsganzen, also des Staates in seinem gesamthaften Wesen, hat den Sinn, ihn zu einem unter den richtigen Zielen rationell strukturierten und funktionierenden, dabei aber nicht auf die außerhalb des Staatswirkens zu haltenden Sachbereiche hinüberwirkenden Organisationskomplex auszubilden, und dies in zweckmäßigstem staatsaktivem und auch politischem Vorgehen. Maßgebend sind hier drei Hauptaspekte und ein ergänzender Nebenaspekt; sie sind genauer darzustellen. Richtigkeit der Ziele des Staatsganzen: der Staat, allgemein aufgefaßt, hat allgemeine Ziele, die ohne weiteres auch für sein Ganzes gelten (so: ist Wohlfahrtssicherung und -erhöhung allgemeine Staatsaufgabe, so natürlich auch, und in erster Linie, für den gesamthaften staatlichen Organisationskomplex); dazu kommen auf ihn zu beziehende konkrete Sonderaufgaben, die das Staatsganze als solches verpflichten, indessen nicht unbedingt auch den »Staat« nach seinem Allgemeinbegriff und nicht alle einzelnen Staatsorgane, Aufgaben, die dem Staatsganzen als dem umfassenden Macht- und Leistungsgebilde gestellt sind: Schutz des Staatsvolkes auf allen Ebenen möglicher Gefährdung, Sicherung der Rechtsstaatlichkeit, Sicherung des Leistenkönnens und -dürfens für die innerstaatlichen Leistungsgebilde, Sicherung von Entfaltungsfreiheit und -recht für den außerstaatlichen Bereich, also für die Einzelnen, Kleingruppen, größeren und großen Gesamtheiten und privaten Organisationen. Rationelle Struktur und Funktion des Staatsganzen: Struktur- und Funktionsrationalität ist für den Staat nach seinem Allgemeinbegriff und für die einzelnen Staatsorgane zu fordern, — und dazu kommt diejenige, die vom Gesamtkomplex des Staates zu erfüllen ist, nämlich seine organisatorische Systemrichtigkeit, seine optimale Leistungsfähigkeit und überdies sein optimales Relativgewicht im gesellschaftlichen Ganzen. Die letzte Forderung leitet über zum dritten Hauptaspekt: es gibt innerhalb der Gesellschaft (des betreffenden Landes und damit Staatsgebietes) einen Großbereich, der richtigerweise außerhalb des Staates bleiben soll und von dem aus somit das Gesamtfeld des Staates einzugrenzen ist (wäre der Staat das Zentralgebiet der Gesellschaft, so müßte ihn ein breiter Außenbereich von privatem Kollektivem und Individuellem umgeben); denkbare Mängel wären da, daß das Staatsganze entweder zu groß oder zu klein ist (das erste ist wohl häufiger politisch aktuell als das zweite, und am stärksten dann, wenn ein überdimensionierter Staat nicht einmal die Leistungskraft hat, die sich von einem rationell arbeitenden kleineren erwarten ließe, wobei erst noch am Leistungsmanko die Übergröße schuld sein kann). Schließlich der Nebenaspekt, daß die richtige Gestaltung des Staatsganzen rein als zielgerichtetes Handeln zweckmäßig sein soll: auch hier gibt es den optimalen Einsatz der geistigen Kräfte und der organisatorischen, technischen und finanziellen Mittel, und er ist von den Handelnden als ein vom verfolgten Ziel her an sie selbst gerichteter Anspruch zu verstehen, — ob der richtige Staat zustande gebracht wird, kann auch davon abhängen, daß diejenigen, die ihn zustande bringen wollen, wirkungsvoll arbeiten.

Diese Gesichtspunkte sind auf die unter der politischen Geistesmenschlichkeit gewollte Staatsgestaltung anzuwenden und entsprechend in die, philosophische und ideologische, spiritualpolitische Theorie einzubeziehen. Richtigkeit der Ziele: der Staat soll als konkretes Organisationssystem das Spirituale, das heißt das An-sich-Geistigkeitliche oder Geistigkeitswichtige strukturhaft enthalten und funktionshaft ständig neu verwirklichen; daraus sind staatstheoretische und praktische Prinzipien abzuleiten in Hinsicht auf: das spirituale Wesen der gesamtstaatlichen Leistung und die sich hieraus ergebenden Anforderungen an Systemaufbau und -tätigkeit, die Differenzierung des Gesamtsystems auch nach spiritualpolitischen und, insbesondere, spiritualpraktischen Gegebenheiten und Bedürfnissen (die sich ändern können und unter der Idee, daß in Gesellschaft und Kultur das Geistesmenschliche zu erweitern sei, ändern sollen, woraus die grundsätzliche Wandelbarkeit des Systems zu fordern ist), die Verpflichtung des Gesamtsystems und der Gesamtbereiche auf die allgemeine Menschlichkeit und das Selbstverwirklichungsrecht der Einzelnen, Gruppen und Gesamtheiten (beschränkt lediglich durch unumgängliche Rücksichtnahme aufs Gemeinwohl), die Freiheit der staatspraktischen Innovation und in diesem Zusammenhang die Offenheit gegenüber der den Wesenskern der modernen Kultur ausmachenden schöpferischen Intellektualität. Die Rationalität von Struktur und Funktion ist im Zusammenhang mit den spiritualpolitischen Zielen und ihrer Verwirklichung zu beurteilen: das Staatsganze muß so eingerichtet sein und arbeiten, daß für die Gesamtheit dieser Staatstätigkeiten die günstigsten, jedenfalls die optimalen Bedingungen gegeben sind; negativ ausgedrückt: es dürfen im Staatsganzen nicht Hemmnisse gegen die Durchsetzung des Spiritualen vorliegen, weder bürokratische, noch aus politischen Ängsten kommende, noch traditionalistische und insbesondere religiös-politische, noch solche aus mangelhafter Ausstattung des Staates mit spezialisierten Leistungsapparaten, noch solche aus mangelhafter Kompetenzfestlegung und -ausscheidung, noch solche aus persönlichem Ungenügen von Sachbearbeitern, — und wo man sie antrifft, muß man sie beseitigen. Daß ein großer Verwirklichungsbereich außerhalb des Staates und in diesem Sinn staatsfrei (als frei zumindest von der konkret-lenkenden staatlichen Einwirkung) zu halten ist, erhält unter der politischen Geistesmenschlichkeit spezifischen Inhalt:

Träger, Verwirklicher, Nutznießer des selbstzweckhaften, Menschseinserfüllung bildenden Geistigen sind vor allem die Einzelnen, Gruppen und privaten Gesamtheiten, — obgleich auch dem Staat ein spiritualer Eigenwertbezirk zuzuerkennen ist; somit muß die Spiritualpolitik in eben dieser die Bereiche der geistigkeitlichen Verwirklichung unterscheidenden Gesamtsicht das zu gestaltende Staatsganze von Anfang an gegenüber dem, viel weiteren, Privaten abgrenzen, hiebei bedenkend, daß aus neuen Bedürfnissen und Möglichkeiten eine neue Grenzziehung nötig werden kann (etwa zwischen den privaten und staatlichen Schulen oder zwischen der von der Privatindustrie und der von staatlichen Instituten betriebenen Forschung). Und viertens müssen die sich um die Gestaltung des Staatsganzen postulierend oder konkret eingreifend bemühenden Spiritualpolitiker die spezifisch spiritualpolitischen Momente solchen praktischen Handelns erkennen: Welche Vorgehensweisen sind in diesem besondern Sachzusammenhang am ehesten erfolgversprechend und zweckmäßig?, — wahrscheinlich hängt ihre Auswahl davon ab, daß es darum geht, zunächst einmal Minderheiten zu überzeugen, die geistigkeitlich gesinnt sind oder fürs Geistigkeitliche interessiert werden können (auch hier darf man nicht vor Elitarismus zurückschrecken: ist für den Erfolg etwa wichtig, daß man die Professoren für eine neue Auffassung gewinnt, so muß man sich an die Professoren wenden und nicht an die breite Öffentlichkeit); aber in der Demokratie betrifft das immer nur ein Anfängliches und Vorläufiges, denn den Ausschlag gibt schließlich die Zustimmung oder wenigstens die Toleranzbereitschaft eines ausreichend großen und mächtigen Teiles der Wähler, der somit wenigstens von der allgemeinen Vertretbarkeit, wenn nicht von der vollen Richtigkeit, der das Staatsganze betreffenden spiritualpolitischen Gestaltungsideen überzeugt werden muß (man wird das durch die staatsmoralischen Maximen der allgemeinen Menschlichkeit, der Toleranz und der, individuellen und kollektiven, Autonomie unterstützen, die sich grundsätzlich ans Volksganze richten).

Zur besten Gestaltung des Staatsganzen gehört die Schaffung der unter den bestehenden sozialen Voraussetzungen besten Organisation des Regionalen und Lokalen; in diesem Zusammenhang stellen sich spezielle spiritualpolitische Fragen daraus, daß ein den Zentral- und Gesamtstaat, die Gliedstaaten oder Provinzen und allenfalls die (staatsrechtlich organisierten) Regionen, die Gemeinde und Gemeindeverbände umfassendes Systemganzes zu entwerfen und zu postulieren ist. Welcher Typus des Staatsganzen erweist sich unter diesem speziellen Organisationsgesichtspunkt als der beste, und zwar allgemein in bezug auf die Leistungsfähigkeit des Staatsganzen und speziell in bezug auf das von der politischen Geistesmenschlichkeit gewollte Spirituale? Welcher Typus ist der beste in Hinsicht auf das gesamtkulturelle und damit insbesondere auch für das privatkollektive Verwirklichen? Welcher Typus ist für die als Freie ihre geistesmenschliche Verwirklichung suchenden Einzelnen der beste? Mit diesen Fragen muß sich in erster Linie die theoretisch-politische Geistesmenschlichkeit befassen.

4.34 Das Parlament ist in der freiheitlichen Demokratie das oberste Staatsorgan, jedenfalls der staatstheoretischen Idee nach, wenn auch nicht immer auch in der Praxis, denn tatsächlich steht es vielfach, und wegen der Komplizierung der staatlichen Aufgaben zunehmend, unter dem bestimmenden Einfluß von Regierung und Verwaltung. In der staatsgestaltenden Spiritualpolitik mag daraus in erster Linie gefragt werden, welche Stellung im Staatsganzen dem Parlament zu geben sei; je nach der Antwort bestimmt sich der Typus, auf den hin das bestehende Parlament umgebildet oder das neuzuschaffende ausgebildet werden soll. Als Prinzip wird gelten müssen, daß die hohe Stellung der gesetzgebenden und Regierung und Verwaltung kontrollierenden Behörde zu wahren und vielleicht auszubauen ist: dies schon darum, weil in ihr alle Auffassungen, die im Volk ausreichendes politisches Gewicht haben, vertreten sind, in der Regierung dagegen nur diejenigen der herrschenden Partei oder Parteienkoalition und in der Verwaltung oft ein noch beschränkterer Teil des Ideenganzen (daraus folgt aber, daß die Wähler von allen Auffassungen, die politisch wirksam zu werden beanspruchen, erfahren sollen, was die entsprechende Aufklärungsarbeit von Organisationen und Medien erfordert); weiter darum, weil neue Ideen oft am besten von Leuten vertreten werden, die nicht mit Ausführungsmühen belastet sind (leicht lehnt der Staatspraktiker neue Ideen als wirklichkeitsfremde Theorie ab, vergessend, daß das Zentralwesen aller Kultur ideegeschaffen ist); drittens darum, weil das Parlament das unter den Bedingungen der modernen Gesellschaft bestgeeignete Forum der Ideendiskussion ist: groß genug, um die Darlegung aller politisch gewichtigen Auffassungen, und klein genug, um die Konzentration auf das Wesentliche zu ermöglichen, zudem so organisiert, daß die Diskussion klaren Regeln folgen muß (für solche Auseinandersetzung wäre die Regierung zu klein, eine Parteien- oder Volksversammlung zu groß und wahrscheinlich zu undiszipliniert); viertens darum, weil die Medien über das Parlament berichten und damit die von ihm behandelten Themen zu breiterer Diskussion bringen (das wäre nicht einmal bei einer von allen Parteien veranstalteten Großversammlung in gleicher Zuverlässigkeit gegeben); fünftens darum, weil im Parlament auch anregender und kritisierender Sachverstand zu Wort kommt und dazu Sachgefühl in Gestalt von Mißtrauen gegenüber den allzu selbstsicheren Sachbearbeitern der Verwaltung (die um so mächtiger sind, je weniger konkrete Sachkenntnis die Mitglieder der Regierung haben); schließlich darum, weil es auch außerhalb von Idee und Sachargument sozial nützlich, ja unentbehrlich ist, daß die Ausführungsmacht ihr Wollen und Tun in organisierter Weise öffentlich darlegen und, wenn nötig, rechtfertigen muß. — Das Parlament erweist sich unter jedem dieser sechs Aspekte und unter ihrer Gesamtheit als ein Staatsorgan von spezifischer Funktion und damit von spezifischer Denk- und Aktionsweise, letztere sowohl des Parlamentariers als Einzelnen wie auch des Parlamentes als Behörde und Körperschaft: und das bedeutet, daß hier ein sowohl individueller als auch überindividueller, kollektiver Geistigkeitstypus besteht, der als solcher Gegenstand der Spiritualpolitik sein kann, praktisch in Hinsicht auf Erweiterung, Vertiefung und Zurwirkungbringen.

Die genannten Funktionen des Parlamentes betreffen in der Hauptsache nicht das Spirituale: viel wichtiger sind Wohlstandssicherung und -erhöhung, Machtbewahrung und -steigerung, Abbau oder Austrag von Klassenspannungen, Sachnotwendigkeiten, -wünschbarkeiten und -bedürfnisse, Reform von Institutionen, Schaffung von Organisationen, Behebung von Schwierigkeiten und Nutzung von Möglichkeiten in den Beziehungen zum Ausland, Zusammenarbeit innerhalb von übernationalen Organisationen. In alledem sind vielerlei indirekt-spirituale Elemente, doch werden sie als solche nur selten herausgearbeitet, und selbst wenn das geschieht, von den meisten Parlamentariern nicht für sehr wichtig genommen, — das darf den Spiritualpolitiker nicht daran hindern, diejenigen, welche die von ihm befürworteten Sachziele aus andern als spiritualpolitischen Gründen anerkennen, zu unterstützen.

Zu sehen ist das Parlament auch als Kulturerreichnis spezifischen Wesens, als ein an sich wertvolles kollektives Gebilde, dessen Wert um so ausgeprägter ist, je freier die parlamentarische Ideenschaffung und -vertretung und je selbständiger die sachbezogenen Stellungnahmen und Beschlüsse sind.

4.35 Die Regierung ist das oberste ausführende, dazu aber auch das die Gesetzgebung vorbereitende Staatsorgan; sie soll daraus unter der Idee bester Staatsgestaltung möglichst leistungsstark sein, ohne aber die Zuständigkeit des Parlamentes und die Privatsphäre der Einzelnen, Gruppen, Gesamtheiten und Organisationen, auch nicht der Parteien und staatsbezogenen Verbände in Sozialpraktisch-Wesentlichem einzuengen. Vom spiritualpolitischen Standpunkt ist als besonderes Wesensmoment zu postulieren, daß in der Regierung die politischen Ideen politisch wirksam werden können, nicht nur die spiritualpolitischen, vielmehr alle Ideen, und unter ihnen auch die anti-spiritualpolitischen, — daß also die Regierungsarbeit nicht bloß sachbedingt pragmatisch sei. Der Regierung einerseits hohe Leistungskraft zu geben, sie aber anderseits in ihrer Macht doch auch zu beschränken ist zunächst Aufgabe der den Staat organisierenden Politik und damit der die richtige Staatsorganisation betreffenden Lehre: in beiden muß die politische Geistesmenschlichkeit ihren Beitrag leisten, im zweiten insbesondere durch die entsprechende Fassung der spiritualen Ideologie, in welcher sowohl unter allgemeinen staatsphilosophischen Gesichtspunkten wie auch bezüglich der maßgebenden speziellen Bedingungen des einzelnen Staates der zu verwirklichende (oder wenigstens spiritualpolitisch zu befürwortende) Regierungstypus einigermaßen konkret beschrieben werden soll. Zu ergänzen ist dies aber durch ständige Wachsamkeit gegenüber Erlahmung und Mißbrauch, die sich auch auf der Regierungsebene einstellen können, weiter durch das ebenso zähe Bemühen, die die

Regierungsarbeit beeinflussende oder sogar bestimmende parlamentarische und öffentliche Diskussion durch Ideen zu bereichern, denn an Ideenmangel einer Regierung sind meistens nicht nur die Minister schuld, sondern auch diejenigen, welche sich mit bloßer Sachpolitik zufriedengeben und denen vielleicht eben daraus die politischen Ideen verdächtig sind. Das Ideal wäre, daß in jeder Regierung einige zugleich ideenfreudige und -offene Politiker eine starke Stellung haben, — zur Ideenfreudigkeit muß immer die Ideenoffenheit kommen, denn Ideenenge und gar Ideenfanatismus sind zu vermeiden; nicht nötig ist dagegen, daß alle Regierungsmitglieder erheblich ideenbestimmt sind, gibt es doch Ministerien, die am besten rein pragmatisch denkenden und dabei höchst sachkundigen Fachleuten, sogar „Technokraten", anvertraut werden. Aber dieses Ideal läßt sich nicht durch staatsrechtliche Institutionenkonstruktion allein verwirklichen, sondern verlangt überdies die ihm gemäße konkrete Politik innerhalb der richtig konzipierten Institution „Regierung".

Auch die Funktionen der Regierung betreffen nur selten ein Spirituales, das als solches das bewußt postulierte Hauptziel von Staatstätigkeit und damit der entweder von der Regierung selbst konzipierten oder auf Regierungsaktion hin von Parlament und Parteien vertretenen Politik wäre; im Vordergrund stehen vielmehr Sachprobleme, die in pragmatischem Staatshandeln zu lösen sind. Darauf muß die Spiritualpolitik in ihren Vorschlägen zur Staatsgestaltung Rücksicht nehmen: für die Durchsetzung der geistigkeitlichen Ansprüche vor allem wichtig ist, daß die Regierung hinsichtlich der fürs gesellschaftliche Ganze zu befriedigenden Wohlfahrts- und Sicherheitsbedürfnisse leistungsstark gemacht wird, denn meistens ist der staatliche Beitrag ans Geistige, zumal ans Geistesmenschliche, indirekt, — jedoch ist bei dieser Bevorzugung des Pragmatischen gegenwärtig zu halten, daß hinter und über ihm Ideenhaftes steht, dem es dienen soll und dem somit die Möglichkeit des Einflusses auch auf der Regierungsebene gegeben werden muß.

Daß Regierungsleistung eine sachlich besondere, hochrangige geistige Leistung und die Regierung eine besondersartige Institution der kollektiven Geistigkeit ist, entbehrt zwar im auf die Staatsgestaltung gerichteten Denken eines größeren Gewichtes (welches bedeuten würde, daß das Volk sich der Regierung um eben dieser Besonderheit, um des Regierens als eigenwertem spiritualen Tuns willen zu unterstellen habe, was verwischte, daß in diesem Tun gerade das Das-Volk-Fördern das wesentliche Element ist), ist jedoch eine an sich interessante sozio-kulturelle Tatsache und kann wenigstens die eine praktische Nebenwirkung haben, daß die Regierung als Gremium und ihre Mitglieder als Einzelne sich dank dieser Wertbewußtheit als mit höherer Verantwortung betraut erfahren. Es würde so das selbstische Moment, das in allem Streben nach geistig selbstzweckhafter Erfüllung auch beteiligt ist, ins Altruistische gewandt, erfahrbar deutlichst darin, daß Regierung und Regierende jenem Selbstzweckhaften den Inhalt geben, die Selbständigkeit, Freiheit und Verwirklichungsfähigkeit der Regierten zu fördern.

Das spiritualistische Bemühen zu bester Gestaltung der Regierung geht notwendigerweise in erster Linie auf die staatsrechtlich durchzubildende Institution »Regierung«: auf das Prinzipien-, Normen- und Methodenganze, das für Einsetzung und Tätigkeit jeder konkreten Regierung des betreffenden Landes maßgebend ist. Die für dieses Allgemeine bestimmenden Ideen sind aber auch als spezielle und praxisnahe Maximen zu aktivieren, und zwar dann, wenn über die beste Zusammensetzung und das Arbeitsprogramm einer neuen Regierung zu entscheiden ist: staatsphilosophische und insbesondere staatsziel-philosophische Richtigkeit ist nicht nur eine abstrakte — und gerade in ihrer Abstraktheit höchst wichtige — Forderung, sondern auch eine konkrete, von jeder einzelnen Regierungsformation und in allen Bereichen des Regierungshandelns zu erfüllende; daraus ergeben sich philosophisch begründete (und wahrscheinlich ideologisch vereinfachte) Gesichtspunkte zur sachlichen Kritik von Regierungsprogramm und -arbeit, überdies zur persönlichen Kritik an den Regierungsmitgliedern (die persönliche Eignung eines Regierenden ist jedenfalls dann zu bezweifeln, wenn er sich gewollt oder ungewollt-tatsächlich gegen die von der Spiritualpolitik befürworteten Staatsleistungen wendet, — das ist zwar ideologisch bedingt und einseitig, aber es muß um der ideenhaften Klärung willen unternommen werden, wie natürlich auch die Gegner des Spiritualen zu persönlicher Kritik berechtigt sind und mit ihr klärend wirken können).

4.36 Auf die Staatsverwaltung bezogene Staatsgestaltung muß gleicherweise den Ansprüchen einerseits auf Zweckmäßigkeit und anderseits auf ideenhafte Richtigkeit entsprechen, wobei freilich die erste eine allgemeinere und praktisch wichtigere Forderung ist als die zweite, die zumindest in ihrer engeren spiritualpolitischen Fassung nur fachlich besondere Abteilungen (etwa des Erziehungswesens, der Pflege von Wissenschaften und Künsten, des Informationswesens) betrifft. Beste Einrichtung der Verwaltung erfordert die Planung einer optimal leistungsfähigen Gesamtorganisation und damit eines Gefüges, das viele optimal leistungsfähige Teil- und Unterorganisationen in sich vereinigt; optimale Leistungsfähigkeit der Verwaltung ist ein Hauptziel allgemeinst darum, weil sie die rationellste Anwendung der dem Staat verfügbaren materiellen, personellen und institutionellen Mittel ermöglicht, spezieller darum, weil von ihr die Erreichung manches Sozialwichtigen abhängt: es gibt Dinge, die nur eine schärfst rationell arbeitende Verwaltung zustande bringt, eine leistungsschwache dagegen nicht einmal bei großem Mittelaufwand. Der Spiritualpolitiker wird das Hauptgewicht auf die von der Verwaltung zu leistende Staatsarbeit legen, die in je sachspezieller Art dem Gesamtziel »Gemeinwohl« dient, denn Gemeinwohl ist Fundament und Rahmen für das Geistigkeitliche, das in der Spiritualpolitik spezieller gewollt wird, und ohne Gemeinwohl ist das politische Wirken für das Geistigkeitliche fast immer sehr erschwert und oft ohne Erfolgsaussicht. Daß die Verwaltung der modernen Rationalität zu genügen hat, stellt an sie als Organisation und damit an die in ihr tätigen Einzelnen scharfe Anforderungen, die oft die asketische Beschränkung auf Spezialaufgaben einschließen (asketisch in dem Sinne, daß die Leistenden auf die befriedigendere Beschäftigung mit umfassenderen Aufgaben verzichten); für solche Leistungsgesinnung einzutreten ist Teil des staatsgestaltenden Bemühens der politischen Geistesmenschlichkeit, — aber natürlich auch anderer politischer Grundeinstellung, sofern sie nur auf optimale Leistungskraft des Staates im allgemeinen und der Verwaltung im besondern gerichtet ist, und das macht die Zusammenarbeit zwischen den ideenhaft verschiedenen, aber in diesem Praktischen gleichgestimmten politischen Lagern wünschbar.

Beste Organisation der Verwaltung läßt sich theoretisch als

Erstorganisation einer Gesamtverwaltung denken, in dem Sinne, daß diese neuzuschaffen und dabei nach den besten Prinzipien aufzubauen wäre; praktisch ist das aber nie verlangt, denn selbst nach Krieg und Revolution schließt die Verwaltungsarbeit an Früheres an und bedient sich der noch vorhandenen Leistungsgebilde (die zu beeinträchtigen gerade in Notsituationen gefährlich wäre). Das braucht nicht auszuschließen, daß man sich die beste, das heißt unter allen politisch wichtigen Zielsetzungen optimal leistungsfähige Verwaltung so ausdenkt, als sei sie gesamthaft neu: man wird so Leitvorstellungen gewinnen, von denen aus sich Teillösungen konzipieren und überdies die richtigen Maßstäbe zur Kritik sowohl des gegebenen Staatlichen als auch von Änderungsvorschlägen ableiten lassen; immerhin müßte man sich hiebei bewußt sein, daß derartiges Konstruieren leicht ins Wirklichkeitsfremde führt, und daraus die denkerische Verpflichtung erkennen, vorzugsweise das Ideal-Allgemeine herauszuarbeiten, das sich in Reform und Ausbau des Bestehenden anwenden läßt und ohne welches diese der ideenhaften Begründung entbehrten. Meistens aber wird man sich mit spezielleren Problemen von Verwaltungsorganisation und -tätigkeit befassen: neue Aufgaben erfordern den Einsatz neuer administrativer Mittel und Verfahren, oft auch die Schaffung neuer Büros, Sektionen oder, bei großen Leistungskomplexen, Abteilungen, — in jedem Falle sind da Überlegungen über das Richtige und Beste anzustellen. Auch das spiritualpolitische Denken muß da seinen Beitrag leisten, allgemeiner hinsichtlich des Prinzips, daß alle Leistungen des Staates wenigstens indirekt dem Spiritualen dienen sollen, und spezieller auf den durch das zur Diskussion stehende Administrative zu leistenden konkreten Dienst am Spiritualen gehend, — hier wie dort auch in Hinsicht auf die Vermeidung von direkter oder indirekter Benachteilung von Geistigem und Geistigem-Dienendem; selbst wenn der Spiritualpolitiker mit letzterem bloß in eine breite Diskussion über mögliche oder tatsächliche Mängel der Bürokratie eintritt, haben seine Argumente, eben weil sie auf das in der Gesellschaft zu verwirklichende Geistige zielen, ihr besonderes Gewicht: das Geistige steht unter höherem Anspruch als das übrige Menschliche, und daraus ergeben sich höhere Anforderungen an die Administrationsgestaltung.

Die dem Geistigen von Einzelnen und Gesellschaft dienende Staatsverwaltung ist ihrerseits ein kollektiv-spirituales Gesamtgebilde, gegliedert in zahlreiche Teilkomplexe, je mit vielen Unterkomplexen und Zellen, und das gibt den in ihr Tätigen Gelegenheit, die eigene Leistung als persönliche und gruppenhafte geistige Erfüllung zu verstehen. Hierin liegt ein berechtigtes und dabei hochrangiges egoistisches Element, das aber unmittelbar mit altruistischem Für-andere-Handeln verbunden ist.

4.37 Gesichtspunkte ähnlich wie für die Verwaltung gelten für Organisation und Leistungstechnik der Gerichte, die ja ebenfalls den Anforderungen der Zweckmäßigkeit, des optimalen Verhältnisses von Aufwand und Ergebnis, der sachlichen und fachlichen Kompetenz entsprechen müssen. Dazu kommt das Spezifisch-Richterliche: Auslegung von Rechtsvorschrift und Vertrag, die Entscheidung in Konflikten, der Schutz vor unzulässiger Beeinträchtigung, das Strafen; gefordert ist hiebei vor allem ein meisterliches juristisches Wissen und Können, aber dieses erhält seine beste Anwendung erst aus der Einsicht ins Sozialphilosophisch- und, allgemeiner, Menschseinsphilosophisch-Richtige. Wird nicht damit der Ideologisierung der Gerichte, der richterlichen Parteilichkeit das Wort geredet? Nein, was das Juristische als solches und die Ansehung der Rechtsuchenden oder zu Richtenden anbelangt: die Rechtsstaatlichkeit verpflichtet hier den Richter zu strengster Objektivität und Neutralität. Ja, was die Sicht des gesellschaftlichen und individuellen Guten anbelangt, welche das Rechtanwenden des Richters immer begleiten und oft, nämlich im Widerstreit von Wertprinzipien, beeinflussen soll: politische Geistesmenschlichkeit ist Stellungnahme zugunsten einer bestimmten Wert- und Zielauffassung, nämlich derjenigen, daß der Staat in den Dienst am Geistesmenschlichen zu bringen sei, und einer dieser entsprechenden Ideologie, nämlich der spiritualen Ideologie, — daraus ergibt sich als Sonderausprägung das Postulat der richterlichen Geistesmenschlichkeit. Hier ist eine begriffliche Klärung nötig: die politische Geistesmenschlichkeit darf und soll sich mit Konkretem der Regierungs-, Parlaments- und Verwaltungsleistung, allenfalls auch mit der organisatorischen und administrativen Seite des Gerichtswesens befassen, jedoch nicht, oder höchstens nachträglich kritisierend, mit dem Konkreten, nämlich Juristischen, des richterlichen Entscheidens, — die konkrete spiritualpolitische Forderung geht auf die richterliche Geistesmenschlichkeit als Prinzip. Diese Auffassung läßt als allgemeingültig erkennen, daß vom Richter grundsätzlich das Sichverpflichten auf das, was in der Gesellschaft als das Gute anerkannt wird, zu verlangen ist, und damit die Parteilichkeit für eben dieses Gute; das ist bei unbestrittener Geltung des Gesellschaftlich-Guten spannungs- und problemlos, bedeutet jedoch Konflikt, wenn unterschiedliche Wertideen um Einfluß kämpfen, — die politische Geistesmenschlichkeit muß sich dem stellen, sie muß in die Ideenauseinandersetzung und damit in den Widerstreit der Parteilichkeiten, oder wenigstens der Forderungen nach Parteilichkeit, eintreten: es muß eines ihrer konkreten Ziele sein, daß die Gerichte im Rahmen der von ihnen als selbstverständlich-allgemeinverpflichtend durchzusetzenden allgemeinen Menschlichkeit das dieser erst ihren vollen Sinn gebende Geistig-Menschliche prinzipiell und einzelfallhaft zu seinem Recht kommen lassen.

4.38 Zur Staatsgestaltung, sei sie neubeginnend oder ein Übernommenes reformierend, gehört die richtige Bemessung des Zentralstaatlichen gegenüber dem Gliedstaatlichen, der Provinzautonomie und dem Kommunalen, und umgekehrt, nachgeordnet auch diejenige des Regionalen gegenüber dem Kommunalen, und umgekehrt. Man wird hiebei in erster Linie auf die das Staatspraktische gesamthaft betreffende Zweckmässigkeit abstellen und die Lösungen, welche das optimale Arbeiten der gesamten Staatsorganisation sichern, befürworten. Aber ergänzend sind speziellere spiritualpolitische Gesichtspunkte zu berücksichtigen, formuliert in Fragen nach dem spiritualen Wert und Rang dessen, was unter jedem der drei Gebietstypen besser verwirklicht werden kann als unter den beiden andern. Und jedenfalls in Zweifelsfällen wird man dem Regionalen und Lokalen zusätzliches Gewicht geben, weil sie in reichlicherem Maße als der Gesamtstaat die nebenamtliche politische Mitarbeit und das zugleich betrachtende und konkret-stellungnehmende Sichbefassen mit unmittelbar erfahrenem Politischem und Allgemeiner-Staatlichem ermöglichen, die manchem selbstzweckhafte geistige Erfüllung bieten.

Indessen darf die aus Zweckmäßigkeitsgründen erwünschte Dezentralisierung des Gesamt- und Zentralstaatlichen nicht nur in der Verlagerung auf Gliedstaat, Provinz oder Departement, Gemeinde und Gemeindeverband gesucht werden, und natürlich ist die durch diese ermöglichte Erweiterung des Selbstzweckhaft-Geistigen nicht ausschlaggebend. Oft wird, zumal unter neuauftretenden und damit modernsten Sozialbedürfnissen, die Leistungskraft des staatlichen Handelns eher durch Schaffung neuer oder Ausbau bereits bestehender autonomer Organisationen zu verstärken sein, — und dies gerade im Zusammenhang mit spiritualpolitischen Aufgaben, denn hier sind großenteils Anforderungen gestellt, denen nur hochfähige Fachleute und spezialisierte Leistungsapparate gerecht werden können: die beste Gestaltung des Staates muß darum die überlegene Planung und Verwirklichung eines umfangreichen und vielfältigen Netzes von solchen Sonderorganisationen einschließen, und das stets unter dem Vorbehalt, daß das Bisherige unter zukünftigen neuen Bedürfnissen allenfalls umgebildet werden muß. Die vom Zentralstaat einzusetzenden autonomen Leistungsgebilde sind der Idee nach für das gesamte Staatsgebiet zuständig, wenn das auch in manchem Einzelfall ihre Tätigkeit kaum anders beeinflußt, als daß Fachkräfte aus allen Regionen beizuziehen sind; handelt es sich um Probleme von eher regionaler oder gar nur lokaler Wichtigkeit (sie können trotzdem große grundsätzliche Bedeutung haben wie etwa die Naturlandschaftserhaltung in einem Industriegebiet oder die Freizeitbeschäftigung der Jugendlichen in einer Großstadt), so ist Entsprechendes im regionalstaatlichen oder kommunalen Rahmen zu schaffen, — denkbar ist hiebei auch die Gebietsorganisation in dem Sinne, daß eine gesamtstaatliche Körperschaft (etwa zur Wahrung des Kunstgutes) durch regionale und lokale Untergebilde, die unter gleichem Hauptauftrag, aber in relativer Autonomie tätig sind, ergänzt wird. Es hat einige Wahrscheinlichkeit, daß in der hochindustrialisierten Gesellschaft mit der Zeit etliche schwierige Sachfelder aus der allgemeinen Verwaltung herausgenommen und Sonderkörperschaften zugewiesen werden, und das auf allen Stufen des Allgemeinstaatlichen, weiter, daß regionalstaatliche und kommunale Befugnisse allmählich auf gesamtstaatlich-autonome Leistungsgebilde zu übertragen sind, schon weil die moderne Kulturentwicklung mehr und mehr die landesweite Durchsetzung einheitlicher Anforderungen und Maßstäbe nötig macht (so: Ersetzung regionaler Schultypen und -programme durch gesamtstaatlich-vereinheitlichte, jedoch unter Leitung einer autonomen Sonderorganisation stehende).

In manchem macht das Vereinheitlichungsbedürfnis nicht an den Staatsgrenzen halt: stellen sich in zwei oder mehreren Staaten, oder in Teilgebieten von ihnen, von gleichen Gegebenheiten aus gleiche Probleme, so empfehlen sich gleichartige Lösungen und ist für diese das gemeinsame Vorgehen der betreffenden Staaten verlangt. Auszuarbeiten sind sie unter der gewöhnlichen Form der internationalen Beziehungen durch zwischenstaatliche Verhandlung (diplomatische Verhandlung, Treffen von Experten, Verwaltungschefs und Ministern, internationale Konferenz), auf höherer Stufe durch internationale Organisationen allgemeinen oder speziellen Auftrages (jetzt vor allem im Rahmen der Europäischen Gemeinschaft, des Europarates, der Vereinten Nationen und ihrer Unterorganisationen, etwa der spiritualpolitisch besonders wichtigen UNESCO), auf erst in Zukunft zu erreichender noch höherer Stufe durch neue Bundesstaaten, in welchen sich die jetzt noch voll souveränen Staaten zusammenschließen (so durch Ausbau der EG zu eigener Staatlichkeit). Die in der modernen Kultur liegende Tendenz zum Übernationalen steht natürlich nur selten in unmittelbarem Zusammenhang mit Geistigkeitlichen (etwa den Erziehungsideen und -zielen der UNESCO), vielfach aber in mittelbarem, sei er nah-, sei er entferntmittelbar: insbesondere kann der von mehreren Staaten gemeinsam oder von einer übernationalen Organisation betriebene Aufbau von großräumigem Rechtlichem, Wirtschaftlichem und Technischem die Voraussetzungen des Geistigen für alle im Geltungs- oder Anwendungsraum lebenden Einzelnen und der Sozialgebilde, in die sie einbezogen sind, verbessern. Daraus kann zu fragen sein, ob man nicht den Zentralstaaten empfehlen müsse, ihre Ergänzung jetzt vorzugsweise im Übernationalen zu suchen, ja sich auf Souveränitätsverzichte zugunsten kontinental- und sogar weltstaatlicher Souveränitätsträger einzustellen, und nur nachgeordnet in der durch innere Dezentralisierung zu erweiternden und hiebei mit größerer Autonomie auszustattenden Regional- und Lokalorganisation oder in neuzuschaffenden autonomen Körperschaften mit nationsweit zu erfüllendem Spezialauftrag. Mit Bezug auf manche, und unter ihnen sehr wichtige, Inhaltsgebiete wird man dies bejahen: dort, wo man die Entwicklung vom Kommunalen und Regionalen zum Nationalen als tendenziell ins Übernationale weitergehend sehen muß (nicht als sich umkehrend, das heißt auf höherer Zivilisationsstufe zum Kleingebietlicheren zurückkehrend), so in allem, was den Übergang zu rechtlichem, wirtschaftlichem, technischem, pädagogischem oder wissenschaftlichem Modernem betrifft; in anderm wird man es verneinen, so in allem, was stark von regionalen oder lokalen Gegebenheiten bestimmt ist oder bestimmt werden sollte (so: Regionalsprachliches, Konfessionelles in stark regionaler Ausprägung, Landschaftsbedingtes, Spezifisch-Dörfliches oder -Städtisches), wobei die ausschlaggebenden Momente vielleicht bisher zuwenig beachtet wurden, vielleicht aber erst in jüngster Zeit hervorgetreten sind (Beispiel: Sonderansprüche von sehr großen Industriestädten und von mehrere solche Städte umfassenden Größtagglomerationen sind erst dann politikwirksam, wenn die Industrie- und Bevölkerungsentwicklung den entsprechenden Sozialzustand hat entstehen lassen); drittens gibt es Modern-Kulturelles, für das man es zugleich bejahen und verneinen muß: Sachspezifisches, das aus seinem inhaltlichen, gesellschaftlichen und politischen Wesen zugleich innernational-dezentralisierend und übernational auszubauen ist (so: Produktivitätssteigerung und Ertragssicherung in der Landwirtschaft, großräumige Leistungssteigerung in den technischen Schulen, großräumige Angleichung von Arbeitsrecht und Sozialversicherung, Umweltschutz), — bejahen, insofern übernational-großräumiger Ausbau verlangt ist, verneinen, insofern dieser richtigerweise mit der Stärkung des innerstaatlichen Teilgebietlichen oder Sonderkörperschaftlichem einhergehen muß (in einigem kann sich das Zusammenwirken von dezentralisierten Leistungsgebilden zweier oder mehrerer Länder empfehlen, etwa zur gemeinsamen Lösung großräumiger Umweltprobleme).

Die den Gesamt- und Zentralstaat ergänzende — und aus dessen Wesen von den zentralistischen Behörden vorzuschlagende, zu planende und durchzusetzende — Staatsgestaltung ist unter den tatsächlich maßgebenden modernen Sozialbedingungen und -ansprüchen ein Aufgabenkomplex, für den es einen einheitlichen Lösungstypus nicht gibt: für manches empfiehlt sich, innerstaatlich-geographisch zu dezentralisieren, für anderes, eine nationale Körperschaft mit autonomer Handlungsbefugnis zu schaffen, für drittens — Bisher-Nationales oder nach seinem Inhalt Neues —, die Lösung im Inter- oder Übernationalen zu suchen; und überdies ist oft ungewiß, welches Vorgehen sich schließlich als das zweckmäßigste erweisen werde. Vielleicht auch wird man es mit der Wahl nur einer Ergänzungsweise nicht bewenden lassen, sondern nachträglich eine zweite und sogar die noch verbleibende dritte heranziehen: Ergänzung des Gesamt- und Zentralstaatlichen durch Regional- und Lokalautonomie, diese aber unterstützt durch nationale Sonderorganisationen, die ihrerseits in internationaler Zusammenarbeit stehen; durch nationale Sonderkörperschaften, die mit ihrer fachlichen Leistung sowohl ins Regionale und Lokale als auch ins Übernationale ausstrahlen; durch überstaatliche Gebilde, deren Vorschläge zwar in erster Linie durch die zentralstaatlichen Behörden, nachgeordnet aber auch durch Spezialorganisationen und regionale und lokale Stellen ins Nationale zu übertragen sind. Dies muß gerade die Spiritualpolitik, wegen der Spezialisiertheit ihrer Postulate, veranlassen, in jedem nicht von vornherein klaren Fall die Eignung der drei Ergänzungstypen und ihrer möglichen Verbindungen sachkundig und unvoreingenommen zu prüfen, — und ist in einer Sache der nationalen Sonderkörperschaft oder der übernationalen Organisation der Vorzug zu geben, so kann doch vom Regionalen und Lokalen die zweckmäßige Verbindung zwischen Staatlichem und Privatem abhängen.

4.39 Die das staatsgestalterische Wollen und Handeln bestimmenden Vorstellungen vom richtigen, besten Staat, ideal: vom Guten Staat, sind eingebettet in umfassendere Vorstellungen von der richtigen, besten Gesellschaft, ideal: von der Guten Gesellschaft (Gesellschaft im weitesten Sinne verstanden und alle Bereiche der sozialen Kultur einschließend): die Richtigkeit des Staates ist somit auch unter dem Aspekt zu prüfen, ob er in der Gesellschaft den ihm richtigerweise zuzuweisenden Raum einnehme, also unter den nur von ihm oder von ihm am besten zu lösenden Aufgaben stehe und dabei weder zu breit noch zu schmal ausgebildet, weder zu mächtig noch zu schwach sei, — und zu beantworten ist das teils aus allgemeiner, langedauernde Gültigkeit beanspruchender Idee, teils auf momentan-aktuelle und kaum mehr als mittelfristig einschätzbare Bedürfnisse abstellend. Ein Ideenganzes der ersten Art ist mit der politischen Geistesmenschlichkeit verbunden, — sei es spiritualpolitisch-philosophische Lehre, sei es spirituale Ideologie, sei es, der begrifflichen Schärfe entbehrend, eher idealbildhaft; sein Kerninhalt ist, daß erstens die Geistigkeitsfähigen in ihrem geistesmenschlichen Verwirklichen und zweitens die andern (die noch nicht oder erst gering geistigkeitsfähig sind) in ihrem Geistigkeitsfähigwerden zu fördern seien. Geistigkeitsfähigkeit aber ist grundlegend Qualität von Einzelnen, ergänzend und mit mehr oder weniger stark abgewandeltem Wortsinn auch Qualität von Gruppen und Gesamtheiten und von Organisationen, zwar auch staatlichen, doch vorzugsweise privaten; entsprechend ist das geistesmenschliche Sein vorzugsweise privates Sein. Schon aus diesem Prinzipiellen folgt, daß die spiritualpolitisch anzustrebende Staatsgestaltung auch darauf gerichtet sein muß, um des zu fördernden Geistigen willen den Staat gegenüber dem Privaten, das heißt praktisch: gegenüber vielen besonderen Verwirklichungsbereichen, die richtigerweise, nämlich aus der Idee der besten Gesellschaft und Sozialkultur, privat bleiben sollen, abzugrenzen und notfalls in die Schranken zu weisen. Dazu kommt, praktisch wichtiger, daß das Geistige inhaltlich von seinen Trägern selbst, in autonomem Zielsetzen und Wählen, somit großenteils von privaten Wollenden und Handelnden zu bestimmen ist: der Staat kann das Geistige nur vorbereitend fördern, — was daran anschließend tatsächlich verwirklicht wird, liegt bei den Geförderten. Prinzipiell wichtig ist dabei, daß die Privaten über die Ausnützung der vom Staat eröffneten geistigen Möglichkeiten selbständig entscheiden sollen, weil Selbständigkeit und Freiheit höchste Qualitäten des geistigen und insbesondere des geistesmenschlichen Seins sind. Überdies ergäben sich inhaltliche Einengungen, wollte der Staat das Geistige der Bürger bestimmen: maßgebend würde die persönliche Sicht der Anordnenden, die natürlich nie alle Aspekte enthält, und sie erst noch unter Rücksichtnahme auf machtpolitisch einflußreiche Meinungen und Interessen (auch eine geistig sehr aktive und dabei liberale Staatsführung müßte sich wahrscheinlich hüten, mit ihren

Anregungen gegen traditionell-religiöses Fürrichtighalten zu verstoßen, — und in einem sozialistisch geführten Staat wäre es den Chefs des Erziehungswesen kaum möglich, für ausgeprägt elitäre Erziehungsziele einzutreten: im ersten Fall können sich die antireligiösen, ja atheistischen, im zweiten Fall die aus dem Anspruch des zu verwirklichenden Geistigen elitären Tendenzen nur in privatem Freiheitsraum entfalten). Aus alledem ist bei der Staatsgestaltung dem Geistigen, aber natürlich nicht nur ihm, ausgedehnte Freiheit-vom-Staat zu gewähren und institutionell zu sichern: dem individuellen wie dem kollektiven Geistigen, also demjenigen der Einzelnen und Kleingemeinschaften, demjenigen der größeren und großen Gesamtheiten und demjenigen der Organisationen, auch der sich mit Politik oder anderem Staatswichtigem befassenden und Einfluß auf den Staat suchenden, der politischen Parteien vor allem.

Die hier unter spiritualpolitischer Begründung befürwortete Privatheit erstens des Individuellen und zweitens weiter Bereiche des Kollektiven ist aus eben dieser Verbindung mit Geistigem besondern Wesens: sie ist geistige Privatheit, Privatheit des Geistigen und Privatheit zum Geistigen. Geistige Privatheit: Privatheit von besonderer Qualität, nämlich geistbezogene, geistgeprägte, geistiges Hauptwesen, wenn auch vielleicht in erheblichem Umfange ergänzendes nichtgeistiges Nebenwesen habende (so kann religiöse Privatheit, die im Hauptwesen intensiv geistig ist, im Nebenwesen Momente der sozialen Ein- und Unterordnung aufweisen und diese behindern vielleicht die volle privatgeistige Aktivität: der staatliche Förderer der geistigen Privatheit mag es daraus als Pflicht verstehen, die Privaten zur vollständigen Vergeistigung ihrer Privatheit anzuleiten), in Geistigem ihre Erfüllung findende, unter geistige Ziele gestellte oder zu stellende; diese Privatheit ist in Wesen und Zielen von der nichtgeistigen verschieden (etwa von derjenigen bloß oder hauptsächlich triebbestimmten Seins, auf Geld- und Machterfolg gerichteten Seins, auch der mentalen Trägheit, die ja bis zur bewußten Ablehnung des Geistigen gehen kann), — welches die richtige Privatheit sei, ist zu überlegen, lebensphilosophisch zu beschreiben, zu diskutieren, und die politische Geistesmenschlichkeit hat auch hierin ihre Beratungsaufgabe. Privatheit des Geistigen: Geistiges ist und entfaltet sich außerstaatlich, Freiheit vom Staate ist für es wesentliche Seinsweise (so für den religiösen Glauben, die Meditation, das religiöse Darlegen, das wissenschaftsbegründete An-der-Welt-Teilhaben, die wissenschaftliche Forschung, das philosophische Lehren); aber nicht alles Geistige ist privat, denn es gibt Geistiges auch im Staat, staatsspezifisches Geistiges, dessen Entstehen nur innerhalb der Staatsorganisation, nämlich in den staatlichen Gremien und Behörden möglich ist, und auch solches, das die im Staate Tätigen für sich aus ihrer Staatstätigkeit gewinnen (oft ist das letztere dem von Privaten verwirklichten gleich oder sehr ähnlich), — vielleicht ist es spiritualpraktisch und damit spiritualpolitisch wichtig, das private Geistige gegenüber dem vorhandenen staatlichen zu verstärken, vielleicht umgekehrt das staatliche gegenüber dem bereits umfangreich ausgebauten privaten, vielleicht sind richtigerweise beide Typen zu fördern (wahrscheinlich ist gesamthaft dem dritten der Vorrang zu geben, dies schon wegen der ständigen Erweiterung der konkreten Gelegenheiten zum Geistigen). Privatheit zum Geistigen: Ideen und Interessen streiten in der pluralistischen Kultur über den letzten Sinn der Privatheit, der in ihr tatsächlich möglichen oder erst zu ermöglichenden individuellen und kollektiven Verwirklichungen, und in diesen Auseinandersetzungen darf und soll sich die politische Geistesmenschlichkeit beteiligen, natürlich in voller Achtung für Freiheit und Entscheidungsrecht der Einzelnen, Gruppen, Gesamtheiten und Organisationen, in voller Bewußtheit des Menschlichbedingtseins und der Relativität alles Wertens, Zielhabens und Zielsetzens, somit ohne jeden Anordnungs- oder gar Befehlsanspruch; ihr dabei zu helfen, schon weil sie andern Auffassungen machtmäßig unterlegen ist und noch mehr wenn sie von Staatsaktiven persönlich vertreten wird, darf und soll als — in der spiritualpolitischen Staatsgestaltung zu berücksichtigende — Staatsaufgabe verstanden werden.

4.4 Gestaltung des Rechtes

4.41 Recht ist das Ganze der das gesellschaftliche Zusammenleben bestimmenden, ordnenden oder regelnden Zwangsnormen: bestimmende Normen gebieten oder verbieten ein Verhalten, ordnende setzen Institutionen hinsichtlich der zweckmäßigsten Organisations-, Instrumental- und Verfahrenstypen, regelnde umschreiben Weisen der Befriedigung oder Abgrenzung von Ansprüchen, des Ausgleichs von Interessen, der Behebung von Konflikten, der einfachen und sicheren Führung von Sozialvorgängen. Da die rechtlichen Normen in ihrem Inhalt, selbst wenn er auf eng gefaßte Tatbestände geht, allgemein sind und da sie oft zu Meinungsverschiedenheiten Anlaß geben, da auch vielfach versucht wird, aus ihnen Vorteil zu ziehen oder ihnen ihm Gegenteil auszuweichen, gehört zur Rechtsordnung immer auch die wohlausgebaute, zuverlässige, gegenüber Sonderinteressen überlegen-neutrale Rechtsanwendungsorganisation, vor allem diejenige der Gerichte, aber auch die administrative. Für das Zielsetzen und -verwirklichen der Einzelnen und der Kollektivgebilde bedeutet das Recht zumindest das Rahmenwerk, durch das festgelegt ist, was zulässig ist und offensteht oder aber nicht zulässig ist und also vermieden werden muß; in einigem ergeben sich aus dem Recht genaue Hinweise auf das, was zu tun oder zu lassen ist. All dies steht unter mehr oder weniger klar gefaßten Ideen vom Gesellschaftlich-Richtigen, wobei als richtig einerseits das rein Zweckmäßige, anderseits das soziale Gute verstanden wird; maßgebend sind beim ersten die sozialtechnischen Kenntnisse und Möglichkeiten, im zweiten die sozialmoralischen Auffassungen und Möglichkeiten, — Denken der ersten Art ist auf das Objektive gestützt, dem im rechtlich normierten Verwirklichen Rechnung zu tragen ist, Denken der zweiten Art ist weitgehend werthaft und als solches entweder individuell und persönlich subjektiv oder Ausdruck von Gesamtheitsmeinungen und -neigungen, damit subjektiv in überindividueller Art, kollektiv-subjektiv (aber gerade aus diesem Kollektivcharakter ergibt sich oft für die beteiligten Einzelnen eine quasi-objektive Geltung des Sozialen). Meinungsverschiedenheit über das Sozialrichtige und damit über das richtige Recht kann von beidem ausgehen: die eine politische Richtung hält ein inhaltlich spezielles Recht (etwa über Arbeitszeit und Arbeiterschutz oder über die allgemeine Schulpflicht) für zweckmäßig, die andere bestreitet dessen beste Eignung und schlägt eine abweichende Fassung der zu erlassenden Normen oder den Verzicht auf die Normierung vor; aus der einen sozialmoralischen Idee (etwa der freiheitlichen oder der egalitären) wird ein rechtspolitisches Postulat abgeleitet, das von einer andern Idee aus als verfehlt erscheint (etwa von der nationalistisch-totalitären oder von der durch Kastentradition bestimmten ständestaatlichen aus). Soweit solche Meinungsverschiedenheiten Objektives betreffen, ist dieses der richtigen Entscheidung zugrunde zu legen; fachmännisches Denken ist da vorausgesetzt. Soweit es in ihnen dagegen um Werthaftes und um Ziele geht, gibt letztlich Subjektives, individuelles und kollektives, den Ausschlag, über das man zwar diskutieren und sogar sich einigen kann, in bezug auf welches es jedoch nicht den auf das Objektiv-Richtige zurückgehenden Beweis oder Erweis gibt (so etwa im Konflikt zwischen individualistischer und kollektivistischer Grundauffassung).

Die politische Geistesmenschlichkeit muß in ihrem das Recht gestaltenden oder zumindest die Rechtsgestaltung zu beeinflussen suchenden Postulieren und Handeln ebenfalls zweischichtig sein, nämlich zugleich das Zweckmäßige und das (von ihrem Standpunkt aus) Sozialmoralisch-Gute erstreben. Sie muß dabei alles Konkrete der zweiten Art mit solchem der ersten verbinden, denn Politik soll praktische Ergebnisse zeitigen und diese erfordern die Einsetzung des Zweckmäßigen; beim Konkreten der ersten Art jedoch ist die Verbindung mit solchem der zweiten Art nicht immer notwendig, denn manches Sozialpraktische steht unter ganz allgemeiner und selbstverständlicher Zielidee (wie störungsfreies Zusammenleben der Nachbarn, Klarheit in den Vertragsbeziehungen), die von niemand bestritten wird und also auch nicht in der spiritualen Politik herausgestellt zu werden braucht: es gibt im Wert- und Zielhaften der Politik vielerlei Selbstverständliches, das sie vereinfacht und das in Frage zu stellen sie unnötig komplizierte. Folglich prägt sich das spirituale Wesen der Spiritualpolitik in erster Linie und stärkst darin aus, daß Wertauffassungen wirksam und Ziele gesetzt werden, denen die andern politischen Lager nicht zustimmen, — und im hier betrachteten Sachzusammenhang ist verlangt, daß sie sich auf das Spiritualpolitisch-Besondere besinne, das in der geistigkeitlich-sozialmoralischen Begründung und Fassung von Rechtsnormen besteht, welche im Privaten und Öffentlichen die Möglichkeiten des geistigkeitlich wichtigen Wollens und Tuns sowohl eröffnen und sichern als auch begrenzen. Hiebei ist aber weiter gefordert, daß sie sich nicht auf das offenkundig unmittelbar-geistigkeitswichtige Recht beschränke, sondern immer auch nach der nur mittelbaren — vor allem der nahmittelbaren und oft auch der entferntmittelbaren — Geistigkeitswichtigkeit der Sonderfelder des Rechtes und einzelner Rechtstatsachen und -probleme frage: möglicherweise enthält ein bloß sozialpraktischer Normenkomplex Momente, von denen eine erhebliche indirekte Auswirkung auf Geistiges zu erwarten ist (so: Familienrecht, Vereinsrecht, Arbeitsrecht). Zurückhaltung üben kann die Spiritualpolitik hingegen in den rechtsgestalterischen Erörterungen, die nicht wenigstens einen erheblichen mittelbaren Bezug zu Geistigem haben.

4.42 Unmittelbar-geistigkeitswichtig sind erstens die Rechtsnormen, von denen es abhängt, ob — im Privaten — die Einzelnen, Gruppen, Gesamtheiten und Organisationen, und — im Öffentlichen — der Staat gesamthaft und die einzelnen Staatsorgane, die regionalen und lokalen Staatsgebilde, die autonomen öffentlichen Körperschaften, allenfalls die übernationalen Organisationen eine Aktivität (diese im weitesten Sinne verstanden, nicht nur als Tun, sondern auch als Sichbesinnen, Wollen, Zielsetzen, Kritisieren und Diskutieren, Sichzusammenschließen, usw.) zu entfalten berechtigt oder, in Sonderfällen, sogar verpflichtet sind, die an sich geistigen Wesens ist oder auf Geistiges, zumal Geistig-Selbstzweckhaftes, sehr nah bezogen ist. Unmittelbar-geistigkeitswichtig sind, zweitens, aber auch die Sozialprobleme, die richtigerweise durch die Schaffung solcher Normen zu lösen sind; letzeres gibt Anlaß zu zweifacher Überlegung: Ist das gestellte Problem durch Rechtsgestaltung zu lösen, oder auf andere, nichtjuristische Weise? — und wird der juristische Weg gewählt: Welches ist hier das richtige Recht? Unmittelbare Geistigkeitswichtigkeit von Rechtsnormen ist darin begründet, daß diese sich inhaltlich auf Freiheit zum Geistigen innerhalb der Gesamtgesellschaft, auf geistiges Können und Bereitschaft zum Geistigen und auf Befugnis zu geistigkeitlichem Handeln innerhalb eines Sozialgebildes beziehen, somit in jedem Falle auf subjektive Momente, diese aber im weiteren, neben dem Individuellen auch das Kollektive einschließenden Sinne verstanden; die genannten juristischen Bezüge sind entweder positiv, nämlich das geistigkeitliche Zielsetzen, Wollen und Verwirklichen erleichternd, unterstützend und fördernd, oder negativ, nämlich dieses Subjektive erschwerend, behindernd oder sogar verhindernd.

Freiheit zum Geistigen innerhalb der Gesamtgesellschaft bedeutet, daß die Einzelnen, Gruppen und Gesamtheiten, privaten und staatlichen Leistungsgebilde (also auch Sozialgebilde, die man juristisch nicht als »Rechtssubjekt« bezeichnen würde, so die Freundesgruppe, die nichtorganisierte Glaubensgemeinschaft, die Gesamtheit der an Staatstheorie Interessierten) sich nach eigenem Ermessen mit Geistigem befassen dürfen, dies zunächst nur für sich selbst, aber im weiteren Vollzuge auch nach außen Verbindung aufnehmend, sei es sich informierend, fragend, sich belehren lassend, sei es diskutierend und allenfalls die Richtigkeit der Auffassungen und Leistungen anderer bestreitend, sei es die Ergebnisse des eigenen Bemühens bekanntmachend. Dem entspricht die dreistufige Stellungnahme des Rechtes im allgemeinen und der juristischen Normierung dieser Freiheit im besondern: Stellungnahme erstens zum subjekteigenen (bei den Einzelnen: individuellen, persönlichen, bei den Sozialgebilden: gruppen-, gesamtheits-, organisationsinternen) Sichbefassen, zweitens zur einigermaßen passiven (höchstens bis zu Meinungsstreit gehenden) Verbindung nach außen, drittens zum Nach-außen-Aktivwerden. Im liberalen Staat ist das Recht auf allen drei Ebenen erlaubend, gewährend; im autoritären Staat auferlegt es dem geistigkeitlichen Tun Beschränkungen auf der dritten und der zweiten Stufe (jedenfalls soll man nichts Regimewidriges in die Öffentlichkeit tragen, und vielleicht auch nicht den Zugang zu derartigem suchen); im totalitären Staat wird unterhalb des regimewidrigen Tuns auch das die bestehende Herrschaft und ihre Ideologie ablehnende, ja nur kritisierende Denken unterbunden (der totalitäre Staat, der mehr als nackte Tyrannei sein will, muß sich mit einer Ideologie bekleiden, und diese wird vielleicht erst auf diesen Zweck hin zurechtgeschneidert). Hieraus ist in Hinsicht auf die geistigkeitliche Freiheit dem liberalen Staat grundsätzlich der Vorrang zu geben: nur in ihm läßt sich die spiritualpolitisch als ein staatliches Hauptерfordernis zu postulierende Vollständigkeit der Freiheit zum Geistigen gefahrlos (jedenfalls ohne vom Staat her drohende Gefahr) vertreten und, wenn nötig, im Kampf gegen politische Widersacher durchsetzen; aus diesem Konkret-Politischen folgt weiter, daß es eine spiritualpolitische, genauer: spiritualideologische Aufgabe ist, das liberale Ideengut und damit die liberale Ideologie, die nach langer Anerkanntheit nicht mehr wie in ihrer Anfangszeit ein stark ausstrahlendes Energiezentrum haben, unter der Leitidee »Freiheit zum Geistigen« neu zu aktualisieren, ja ihnen staats- und rechtstheoretischen Sinn zu geben, der ihnen bisher zumindest nicht ausdrücklich zugeschrieben worden ist, — Neuaktualisierung, auch darin bestehend, daß jenes Liberale als Vorstufe der politischen Geistesmenschlichkeit verstanden wird. Das führt zu einer spiritualpolitisch aktualisierenden und aktivierenden Sicht nicht nur des Liberalismus als eines Gesamtsystems, sondern auch der einzelnen liberalen Ideen, vor allem der verfassungsmäßigen Bürger- und Freiheitsrechte, aber auch des übrigen öffentlichen Rechtes, dazu des Zivilrechtes und Strafrechtes; von der spiritualpolitischen Theorie herauszuarbeiten sind in erster Linie die schon bisher richtigen wie die neuzupostulierenden Ideengehalte der Meinungs- und Gewissensfreiheit (damit der Freiheit des Glaubens oder Nichtglaubens, beides mit Bezug auch auf Parteidoktrin und politische Ideologie, auf wissenschaftliche Lehre, auf konformismusfordernde Werthaltungen), der Rede- und Diskussionsfreiheit (damit der Freiheit, im eigenen gesellschaftlichen Umkreis die subjektiv für richtig gehaltenen Auffassungen zu vertreten und andere, zumal diejenigen der Mächtigen und Führenden, zu kritisieren und anzugreifen, — oder aber auf jenes zu verzichten), der Presse- und Medienfreiheit, dazu der Lehrfreiheit (damit der Freiheit, einerseits Auffassungen, die in der Gesellschaft Gewicht haben und vielleicht von den Mächtigen für die einzigrichtigen gehalten werden, öffentlich-kritisch in Frage zu stellen, anderseits neue Ideen darzulegen und für sie Anhängerminderheiten zu gewinnen, — wobei man sich fragen mag, ob jenes Negative oder dieses Positive primär sei: vielleicht ist das erste tatsächlich vermeidbar oder zumindest beschränkbar, möglicherweise muß es aber den Raum fürs zweite freimachen), der Vereinigungs- und Organisationsfreiheit (die den Zusammenschluß bestimmenden Ideen und die Organisationsziele müssen frei gewählt werden können), der Versammlungsfreiheit (in ihr verbinden sich Organisations-, Meinungs- und Redefreiheit: die Auffassungen, für die Organisationen gebildet oder die in ihnen gefaßt werden, erhalten ihre stärkste soziale und insbesondere politische Wirksamkeit durch Herausstellung an Versammlungen), der Freiheit zum wirtschaftlichen und technischen Handeln (auf dem vom Handelnden gewählten Leistungsgebiet, jedoch immer unter Beachtung des Vertragsrechtes, der Bestimmungen über die Handelsgesellschaften, der arbeitsrechtlichen Normen, der Bestimmungen über den Umweltschutz, der Vorschriften über Außenhandel und Währung, und dazu der einschlägigen fachgebietlichen Regelungen, usw., — was fragen lassen kann, ob nicht Beschränkungen angeordnet sind, die der grundsätzlich zu fordernden Freiheit des wirtschaftlichen und technischen Handelns, praktischer formuliert: der Handels- und Gewerbefreiheit, in unzulässiger Weise widersprechen). Für all dies ist Bedingung, daß die öffentliche Sicherheit nicht gestört werden darf; aber man soll hier nicht zu ängstlich sein und solche Störung nicht schon darin sehen, daß sich jemand gegen das Bisherige wendet.

Es gibt Thesen, vor allem traditionalistisch oder modern autoritäre, welche die Freiheitsrechte gesamthaft oder jedenfalls in einzelnem ablehnen; denkbar ist, daß dies aus Interesse an der Kultur und damit dem Geistigen geschieht, so wenn die Verteidigung einer stark religiösen oder traditionell-elitären Kultur als Staatsaufgabe verstanden wird, oder wenn es im Gegenteil darum geht, Kulturelles ganz neuen Wesens zu schaffen, das zwar die Führenden, als modernistische Elite, postulieren, die Traditionalisten und damit auch die mittleren und unteren Volksschichten dagegen ablehnen oder zumindest nicht gutheißen, — und denkbar ist, hier wie dort, daß so auch aus an sich wertvoller spiritualpolitischer Absicht statt Freiheit gewährt Zwang ausgeübt wird. Ist das grundsätzlich und in jedem Fall verfehlt, oder gibt es dafür Rechtfertigungsmomente? Zu überlegen ist da erstens der Fall, daß die alten Denk- und die von ihnen getragenen Machtstrukturen so breite Geltung haben und so verhärtet sind, daß sich neue neben ihnen nicht nur nicht durchsetzen, sondern nicht einmal als Variante anbieten und zur Diskussion bringen können (sie brauchen dazu von den Mächtigen nicht ausdrücklich zurückgewiesen zu werden, das Totschweigen genügt durchaus); der Spiritualpolitiker muß das für Zwingende wie Gezwungene Gefährliche des Zwanges einsehen, aber er muß auch wissen, daß manche entscheidende Wendung der Geistesgeschichte, der älteren wie der neueren, ja neuesten, das Ergebnis von Zwang-zum-Neuen war, ist oder sein wird. Dabei ist zwischen zwei in ihrem prinzipiellen Wesen verschiedenen Schichten der Spiritualpolitik und auch der politischen Geistesmenschlichkeit zu unterscheiden: derjenigen des Spiritualen als des inhaltlich besondern Seins- und Zielhaften, das hier die Politik bestimmt, und derjenigen der das Spirituale erstrebenden und soweit möglich durchsetzenden Politik als solcher: es gibt Eigengesetzlichkeit des Politischen, die anders ist als die des Spiritualen, und vielleicht entsteht Widerspruch zwischen den beiden, der dazu führen mag, daß der theoretisch-politische Träger der Geistesmenschlichkeit zwar die Ziele, aber nicht das Vorgehen des praktisch-politischen gutheißt und umgekehrt der Praktiker zwar vom Theoretiker Ideen annimmt, aber über ihre politische Verwirklichung selbständig entscheidet, — in der Rechtsgestaltung: daß der politische Praktiker die theoretisch-richtigen Normen auf einem Wege zu schaffen bereit ist, der von ihnen aus als rechtswidrig erscheint, was dann den Theoretiker veranlassen muß, auf die möglichst rasche Herstellung der vollen Rechtsstaatlichkeit zu dringen (Aber erlauben das die mächtig-gewordenen Praktiker? Vielleicht werfen sie ihre Ideengeber ins Gefängnis und müssen diese gegen sie den Kampf aufnehmen). — Zweitens ist der Fall zu bedenken, daß die Gesellschaft zwar offen und freiheitlich ist, aber stark im praktischen Materialismus (vor allem westlich-bürgerlicher Prägung, denn die Westliche Welt bietet ihm die günstigsten Voraussetzungen) steht und darum das anspruchsvollere Menschseins- und Sozialphilosophische nur wenig Interesse findet, was insbesondere den Verzicht auf freiheitspolitische Stellungnahmen und die praktische Inanspruchnahme der Freiheitsrechte mit sich bringen kann: Entsteht hier nicht Leerlauf? Das mag zutreffen, — aber dann soll man sich nicht von den, hier spiritualpolitisch zu begründenden, Prinzipien des besten Rechtes und von den Aktionen zu ihrer Durchsetzung abwenden, sondern vielmehr der Gesellschaft zuwenden, damit sie ihnen volle Bedeutung beimißt. — Möglich ist drittens, daß die Freiheit zum Geistigen mißbraucht wird, durch interessenbedingte und ideologische Einseitigkeit in Tatsachendarstellung und ideenhafter Stellungnahme, durch das Überborden von Geschäftsreklame, durch allzustarke Betonung des Aktuellen, zumal des sensationellen (oder sensationalisierbaren), und des bloß Unterhaltenden, appelliere es an naive Schau- und Hörfreude, an die Lust am robusten Geschehen (Flut der Abenteuer- und Kriminalgeschichten in Trivialliteratur, -film und -fernsehen) oder an die Neugier: aber nicht Beschränkung der hiefür grundlegenden Freiheiten ist gegen solches die richtige Lösung; vielmehr liegt diese in der kultur- und geistigkeitsbewußten Freiheitsanwendung von Verantwortlichen der Medien, Organisationen und Behörden und in der von kulturzielbewußten Sachkundigen zu übenden Kritik. — Und außerhalb der Diskussion über günstiges oder ungünstiges Soziales kann der Fall eintreten, daß die Freiheit zum Geistigen und der Inhalt des erstrebten Geistigen einander wesensfremd sind, indem das zu verwirklichende Geistige die scharfe Disziplinierung des, individuellen oder kollektiven, Denkens, Wollens und Tuns verlangt und somit das freie Sichentscheiden verbietet. Solches trifft in einigem Umfang immer schon dort zu, wo eine Gesamtheit oder Organisation ein kollektives Ziel erreichen soll: alle Kräfte sind dann diszipliniert auf das Ziel zu richten (der Einwand, daß so die Freiheit beschränkt werde, ist berechtigt, — aber diese Beschränkung ist sachnotwendig, was nicht heißt, daß sie immer so bleiben müsse, wie sie jetzt konkret ist, denn mitunter läßt sich bisherige Starrheit ohne Schwächung der Leistungsfähigkeit lockern, ja aus der größeren Beweglichkeit zusätzliche Kraft gewinnen). Wohl noch mehr gilt es im Persönlichen, das objektiven Prinzipien gehorchen muß: keine Meinungs-, Rede-, Lehr-, Vereins- oder Gewerbefreiheit würde dem Wissenschaftler gestatten, gegen besseres Wissen etwas Unrichtiges zu behaupten, denn oberste Pflicht ist immer die objektive Richtigkeit sowohl im Materialen als auch im Formalen der wissenschaftlichen Aussagen (freilich: Was ist Objektivität? Das ist wissenschaftstheoretisch zu untersuchen und zu diskutieren, wiederum unter Objektivitätsanspruch, was zeigt, wie sehr die Wissenschaft in ihrem innersten Wesen einerseits menschlich-subjektiv ist und sich anderseits in die objektiven Weltgehaltszusammenhänge stellt, welche die Überwindung jenes Subjektiven als wertvoll verstehen lassen). Aber damit wird keineswegs die sozialphilosophische und politische, zumal spiritualpolitische Berechtigung der Freiheitsprinzipien und -postulate widerlegt, sondern einfach eine Typusverschiedenheit (in übertragenem Sinne: Inkommensurabilität) festgestellt, und wissenschaftspraktisch haben die Freiheiten immer das Positive, daß dank ihnen die Themen frei gewählt, die Arbeit ungehindert betrieben, die Meinungsverschiedenheiten gefahrlos diskutiert und die Ergebnisse ohne Rücksicht auf das bisherige gesellschaftlich-mächtige Fürrichtighalten veröffentlicht werden dürfen. Alles in allem: es gibt Gründe, die Freiheitsrechte und insbesondere ihre Anwendung kritisch zu betrachten, sogar in ihrer Wichtigkeit zu relativieren, aber es gibt keinen Grund, aus dem ihr prinzipieller Höchstrang widerlegt werden kann.

Die Rechtsnormen, die geistigkeitliches Tun und die, speziellere, Bereitschaft zum Geistigen betreffen, konnten in stark religiös geprägten Gesellschaften und können neuerdings in ideologisch-autoritären Staaten allgemein-verpflichtend sein (oder wenigstens zu sein behaupten, denn gerade hier ist das Ausweichen ins Lippenbekenntnis sehr leicht). Geistigkeitliches Wesen ergab oder ergibt sich hier aus der Verpflichtung auf konkret umschriebene Inhalte und Verfahrensweisen des geistigen Seins und Verwirklichens (so: auf theologische und kirchliche Gebote gemäß Staatsreligion, auf philosophische und parteiideologische Auffassungen gemäß staatlich allein-anerkannter Sozialdoktrin); solche Festlegung bedeutet den Ausschluß von nicht anerkannten Ideen, die entweder bereits ausgebildet sind und darum verboten und sogar verfolgt werden oder die sich in einem offeneren Regime ausbilden könnten, — aber trotz dieser Beschränkung kann Geistig-Wertvolles erreicht werden, und vielleicht wirkt sie sogar konzentrierend (am deutlichsten sichtbar im Handeln aus patriotischer Überzeugung). Dagegen ist der freiheitlich-moderne Staat mit Bezug auf die Ideen, Ziele und Bestrebungen sehr weitgehend pluralistisch, und das beschränkt seine Bemühung um positive geistigkeitliche Rechtsnormen auf die Herausarbeitung von für die staatlichen Schulen geltenden Erziehungszielen (diese gehören aber eher in die Schulpolitik oder die »Kulturpolitik im engeren Sinne«, — so zu präzisieren, weil in weiterem Sinne alles Staatliche kulturhaft ist). Kaum als Rechtssätze über geistiges Tun und Bereitschaft zum Geistigen sind die Ideenbekenntnisse der freiheitlichen Staatsverfassungen zu deuten; zumindest ergeben sich aus ihnen keine konkreten Pflichten für die Einzelnen und die privaten Sozialgebilde.

Die Befugnis zu geistigkeitlichem Handeln innerhalb der Sozialgebilde wird teils in der allgemeinen Rechtsgestaltung und teils im Zusammenhang mit sachspeziellen Maßnahmen juristisch formuliert. Im ersten Fall ist sie aus dem Wesen des allgemein umschriebenen Rechtes nur formal festgelegt: sie gibt Entschließungsrecht, dessen materialer Gehalt vom Berechtigten bestimmt wird. Unter dem zweiten Typus ist denkbar, daß sich der Befugte gemäß Organisationsauftrag mit Spiritualem zu befassen hat (so: Leiter von Schulen, Akademien, Kulturinstituten); richtungweisend hiefür sind weniger die allgemeinen rechtspolitischen Gesichtspunkte als die sachgebietlich-speziellen.

4.43 Nahmittelbar-geistigkeitswichtig ist das Recht, welches Voraussetzung der Schaffung, Geltung und Wirksamkeit von unmittelbar-geistigkeitswichtigem Recht ist. Hiezu gehören vor allem die Rechtsnormen über Gesetzgebung und -anwendung, die rechtsstaatlichen Prinzipien überhaupt: es braucht den modernen freiheitlichen Rechtsstaat mit vollem Ausbau der staatsrechtlichen Institutionen, damit insbesondere die Freiheitsrechte umfassend verwirklicht und geschützt sind. In zweiter Linie wichtig sind die vielen rechtlichen Bestimmungen, die das Rahmenwerk für das freie Verwirklichen der Einzelnen und Sozialgebilde festlegen: meistens beziehen sie sich auf die Abgrenzung gegenseitiger Berechtigungen und Ansprüche (dem einen wird gewährt, dem andern auferlegt, und was für den einen vorteilhaft ist, mag den andern belasten), — wichtig auch im Geistigen, denn auch in ihm gibt es Interessengegensätze, die rechtsstaatlich zu mildern und soweit möglich auszugleichen sind. Unter den zweiten sind hier wichtigst die drei Rechtsgebiete Ehe- und Familienrecht, Recht betreffend Leistung der Einzelnen und Gruppen, Recht betreffend die Organisationen. Ehe und Familie sind aus dem Naturhaften entstanden und noch immer mit ihm verbunden, zugleich sind sie sehr alten Wesens als Zellen der (nicht mehr naturhaften, sondern immer kulturhaften) Gesellschaft, und hier gibt es, relativ selten, hohes Spirituales aus religiösem oder bildungselitärem Ideengut; soziale Zellen bleiben sie aber auch, obwohl sich wandelnd, für die moderne Kultur, und in dieser Sicht läßt sich spiritualpolitisch postulieren, daß das Ehe- und Familienrecht unter geistigkeitlicher Zielvorstellung zu reformieren sei, dies in zweifachem Sinne, nämlich mit Bezug auf die beste Entfaltung der Eheleute und die beste Erziehung der Kinder. Das die Leistung der Einzelnen und Gruppen betreffende Recht hat vor allem die beruflichen, also die einkommenschaffenden und hierin für den Einzelnen wirtschaftlichen Leistungen zum Gegenstand, dazu auch die außerberuflichen, und hier sowohl die rein oder vorzugsweise im Privaten bleibenden als auch die in die Öffentlichkeit wirkenden; grundlegend sind die verfassungsmäßigen Freiheitsrechte, jedoch sind sie vielfältig zu ergänzen durch Normen und Vorschriften über Vertrag, Dienstverhältnis, Arbeiterschutz, Handelsgesellschaften, Verein, Medien, usw.: hiedurch wird die Leistung erleichtert oder erschwert und der Leistende geschützt oder in Gefahr belassen, — dies ist natürlich zumeist für Leistungen ohne geistigen Eigenwert wichtig, mitunter aber für solche mit diesem. Das die Organisationen betreffende Recht hat nahe, wenn auch nicht unmittelbare Beziehung erstens zum Geistigen der in ihnen tätigen Einzelnen und Gruppen, zweitens zum organisationseigenen kollektiven und drittens zu demjenigen der Gesellschaftsfelder, die von ihnen beeinflußt oder sogar geprägt werden; auch hier sind die verfassungsmäßigen Rechte (so: Organisationsfreiheit, Handels- und Gewerbefreiheit, Rechte der Parteien und Verbände, der Kirche, der Medienorganisationen) grundlegend, aber dazu kommen die spezielleren organisationsrechtlichen Normen einerseits des Zivilrechtes, für den privaten (und auch den in privatrechtlicher Form organisierten halb- oder ganzstaatlichen) Bereich, anderseits des öffentlichen Rechtes, für die staatlichen Behörden und Körperschaften, allenfalls auch für die Kirche. Bei der Rechtsgestaltung auf diesen Hauptfeldern wirken richtigerweise immer zwei verschiedene Arten der rechtsgestalterischen Überlegung: Herausarbeitung des Sachoptimalen, das heißt der Ordnung, welche sich von der sachlichen Zweckmäßigkeit aus als günstigst empfiehlt, und Postulierung des dem sozialen Guten Dienenden, — sozialtechnische Gesichtspunkte sind dort maßgebend, sozialmoralische hier. Beides kann auch die politische Geistesmenschlichkeit verpflichten: Herausarbeitung des Sozialtechnischen, das sich auf das Spiritualpolitische hin als optimal erweist, und des speziell-spiritualen Sozialmoralischen, — anschließend Ableitung der entsprechenden rechtspolitischen Postulate.

Als Sonderfall ist herauszuheben, daß ein Recht, das für einige Einzelne oder Sozialgebilde unmittelbar-geistigkeitswichtig ist, für andere nur einen mittelbaren Bezug zu ihrem Geistigen hat. Dies gilt vor allem für die Freiheitsrechte, deren praktische Inanspruchnahme ein höheres Leistenkönnen voraussetzt, also nur wenigen zugänglich ist, jedoch Verwirklichungen auf unterer, geringere Schwierigkeiten bietender und so viel allgemeiner offener Seinsebene fördert: in den Dienst von neuer Lehre gestellte Meinungs-, Rede- und Diskussions-, Lehr- und Veröffentlichungsfreiheit, oder die gleichen Freiheiten angewandt zur Vertretung von sozialreformerischen Forderungen, — daß solches gestattet ist, kann das Denken und Wollen derer, die nicht in die Öffentlichkeit wirken, beeinflussen, ja für es eine unerläßliche Bedingung sein (so ist für die betrachtende Teilhabe an der modernen Philosophie verlangt, daß Philosophen, also eine kleine Minderheit, modern-philosophische Werke schaffen und veröffentlichen, auch ihre neuen Doktrinen lehren und verbreiten dürfen, und das mit voller Öffentlichkeitswirkung, etwa durch Zeitungsartikel, Radio- und Fernsehvorträge, Taschenbücher: für die Selbstverwirklichung der Philosophisch-Interessierten kann entscheidend sein, daß die lehreschaffenden Philosophen das Recht zum freien Philosophieren haben, — freilich bedürfen manche Philosophisch-Interessierte dessen nicht, weil sie sich in alter oder in der vom Staat befürworteten Philosophie halten und vielleicht sogar den philosophischen Modernismus ablehnen: sie sind dazu berechtigt, nur sollen sie nicht daraus die gegenteiligen Auffassungen behindern). Ebenfalls gegeben ist solche Abhängigkeit zwischen den Technisch- und Wirtschaftlich-Leistenden einerseits und den Nutznießern des technischen und wirtschaftlichen Aufbaues: nahmittelbar-geistigkeitswichtig ist dieser dort, wo Nachfolgenden und Untergeordneten neue Gelegenheiten zu geistig-wertvoller Arbeit gegeben werden oder wo die Wohlstandsverbesserung ein Unmittelbar-Geistigkeitswichtiges direkt fördert (so: verbesserte

Schulungsmöglichkeiten dank höherer Familieneinkommen und Schulgemeindeeinnahmen). Hieraus ergibt sich eine besondere Sicht der Rechte der produktiven und, noch enger, der schöpferischen Minderheiten: sie sind zwar zu einem erheblichen Teil Eliterechte und damit für die Nichteliten nicht unmittelbar wichtig; aber sie bestimmen weitgehend das Soziokulturelle, von dem auch das Sein der Nichteliten abhängt, und darum besteht ein allgemeines Interesse an ihrer Sicherung und Vervollkommnung.

4.44 Entferntmittelbar-geistigkeitswichtig ist das Recht, das in Hinsicht auf das Geistige Einzelner oder von Sozialgebilden nicht unmittelbar oder nahmittelbar wichtig, jedoch in allgemeinerem und unbestimmterem Sinne bedingend ist. In sehr weiter Auffassung wird man solche Beziehungen in allem Recht feststellen, denn jede Rechtsnorm kann sich auf Geistiges von Rechtssubjekten auswirken: es ist somit eine allgemeine rechtspolitische Frage, wie das konkrete Recht, werde es als ein bestehendes geprüft oder als ein neues postuliert und diskutiert, das geistige Sein der von ihm Betroffenen oder sonstwie an ihm Interessierten beeinflusse, und zwar auch dann, wenn zunächst keine Verbindung zu Geistigem erkennbar ist (etwa bei der Diskussion über Normen des Verkehrsrechtes: Welche Auswirkung auf das geistige Sein der Verkehrsteilnehmer — und jeder ist ein Verkehrsteilnehmer, auch der Fußgänger und das Schulkind — hat a) die sehr freiheitliche, b) die sehr einschränkende, c) die mittelgradig einschränkende Verkehrsnormierung?; wahrscheinlich werden dabei nicht Hauptmomente festgestellt, doch immerhin Momente von einigem Sekundärgewicht). Vorzuziehen ist aber wohl die Befassung mit Rechtlichem, und mit der es betreffenden Rechtsgestaltung, bei dem der Bezug zu Geistigem bei aller Indirektheit ein erhebliches Gewicht hat: das Interesse richtet sich dann auf Hauptzusammenhänge zwischen dem Recht und den Seinsmöglichkeiten der berechtigten und verpflichteten Einzelnen und Kollektive (etwa: Welche Auswirkung auf das, gesamthafte und insbesondere geistige, Sein der durchschnittlichen Arbeiterfamilie hat eine postulierte spezielle Regelung des Arbeitsvertragsrechtes?).

4.45 In der modernen, hochkomplizierten und sich ständig weiter komplizierenden Kultur kommt den Organisationsnormen große und zunehmende Bedeutung zu: dem für die sozialen — und zwar privaten, staatlichen (»staatlich« wiederum im weitesten Sinne verstanden) und halbstaatlichen — Leistungsgebilde vorgeschriebenen oder empfohlenen Institutionellen. Sie sind dann unmittelbar-geistigkeitswichtig, wenn von ihnen ein organisationseigenes Spirituales (so: das Kollektiv-Geistige einer obersten Forschungskörperschaft), ein anderes kollektives Geistiges (so: Wissen und Denken der Teilnehmer an Volkshochschulkursen) oder das persönliche Geistige-Erfüllung-Finden der Organisationsangehörigen abhängt. Nahmittelbar-geistigkeitswichtig sind die Organisationsnormen, die zwar nicht direkt, aber immerhin einzelfallhaft-konkret Geistiges beeinflussen, dies wiederum auf den drei genannten Ebenen (so wirkt sich der juristisch fixierte Modus der Auslese der Mitglieder einer Wissenschaftsakademie auf das organisationseigen-kollektive, auf das durch die Akademiearbeit beeinflußte soziale und auf das den Akademiemitgliedern persönlich zugänglich gemachte Geistige aus); bei den entferntmittelbar-wichtigen besteht solcher Zusammenhang ebenfalls, ist aber weniger scharf abgrenzbar.

Die rechtlichen Organisationsnormen beziehen sich zunächst auf die Organisationstypen in ihrer je besonderen Struktur: die Spiritualpolitik muß den gegebenen Typenbestand kritisch auf seine spirituale Eignung hin prüfen und allenfalls neue Formen entwerfen und vorschlagen (etwa: neue juristische Formen für öffentliche und halböffentliche Kulturorganisationen, für im Gemeineigentum der Mitarbeitenden stehende Produktionsunternehmungen, für spezielle Fernsehdienste), wobei die geforderten neuen Wesenselemente klar bewußt aus den Ideen der politischen Geistesmenschlichkeit zu konzipieren sind, freilich immer unter voller Berücksichtigung der sozialpraktischen und fachlichen Zweckmäßigkeit (auch solcher, die an sich dem Spiritualen fern ist, z.B. militärischer oder kriegswirtschaftlicher). Geboten ist allgemein, daß die im Recht gesetzten Organisationsformen die unter den gegebenen sozialen und sachlichen Voraussetzungen vollständigste und werthöchste spirituale Verwirklichung ermöglichen und fördern, im spezielleren, daß sie nach Sachgebieten und Aufgabenarten differenziert seien; beides ist praktisch wichtig vor allem für diejenigen, die Spirituales bewußt verfolgen, aber auch dort, wo solche Absicht vorläufig fehlt, — sie mag sich später einstellen und daß dies geschehe, ist eines der Ziele der das Sozialrichtige lehrenden Geistesmenschlichkeit. Natürlich schließt die reformierende oder neuesfordernde Spiritualpolitik in diesen Dingen immer an Vorhandenes an, das in der modernen Gesellschaft sicherlich einen hohen Stand haben wird, und zwar auch hinsichtlich des möglichen Aufbaues von individuellem und kollektivem Geistigem: meistens ist darum die Frage gestellt, wie das Bestehende, das wahrscheinlich wertvolles und zu bewahrendes Wesen enthält, verbessert oder ausgebaut werden könne.

Sodann beziehen sich die Organisationsnormen auf die innere und äußere Tätigkeit der gemäß institutionellem Typus aufgebauten Sozialgebilde, auf die Ausübung der rechtlich umschriebenen Funktionen durch die Berechtigten und Verpflichteten. In spiritualpolitischer Sicht ist im allgemeinen die Befugnis zu allem Geistigkeitlich-Wichtigen zu verlangen; indessen läßt diese sich nicht in einem allgemeinen Rechtssatz vorschreiben, — die juristisch präzisierten Bestimmungen müssen spezielleren Inhaltes sein, wobei aus Sachnotwendigkeit das konkretisierte Normhafte meistens auch auf Nichtspirituales anwendbar wird (Beispiel: damit die Leiter von kulturellen Vereinigungen die Befugnis haben, eine geistigkeitlich wertvolle Kollektivtätigkeit anzuregen und zu führen, muß der Verein als juristische Institution entsprechend gestaltet sein, und dies praktisch in allgemeinem, auch Entschließungen nichtspiritualen Inhaltes gestattendem Sinne, — schon weil das Geistige sich nicht, zumal nicht staatlich, in allen seinen Varianten festlegen oder auch nur vorstellen läßt, vielmehr vom freien Zielsetzen und Wegefinden der Privaten ausgeht, weiter weil der Handelnde zumeist das erstrebte Geistige als ein Konkretes will und nicht nach dessen abstrakterer Spiritualqualität fragt, schließlich weil sich ein auf bestimmtes Geistigkeitliches beschränktes Freiheitspostulat politisch nicht durchsetzen ließe). Demnach sind auch vom geistigkeitlichen Standpunkt aus allgemeine rechtspolitische Forderungen bezüglich der besten Gestaltung der Organisationen und, im engeren Sinne, der Organisationsnormen zu vertreten: weitgehende Zielsetzungsfreiheit, jedoch immer durch die

Gebote der allgemeinen Menschlichkeit und der öffentlichen Ordnung und Sicherheit eingeschränkt, weitgehende Freiheit in der Bestimmung der Zielverwirklichungsweisen und -mittel, insbesondere in der Beschäftigung von Mitarbeitern (Recht, Mitarbeiter anzustellen, ihnen Arbeit zuzuweisen, sie zu entlassen), sind primäre Postulate auch für die politische Geistesmenschlichkeit und Hauptinhalte der spiritualen Ideologie. Jedoch kommt es hier nicht nur auf die beste Leistung der Organisationschefs an, sondern auch auf diejenige der Organisationsangehörigen, die ihre Aufgaben von den Chefs erhalten, und auf diejenigen der nichtmitarbeitenden Organisationsmitglieder; den ersten muß im Rahmen des Sachlich-Zweckmäßigen geistig-wertvolle Berufsarbeit (hie und da auch außerberufliche Leistung) ermöglicht werden, den zweiten zumindest die freie Diskussion der Organisationsangelegenheiten und vor allem die kritische Stellungnahme zu diesen: in den Unternehmungen, Verbänden, Parteien und kulturellen Vereinigungen gibt es immer wieder Führende, die zwar für ihre Organisation und damit für sich selbst die volle Entscheidungs- und Aktionsfreiheit fordern, in deren Ausübung aber zu Tyrannei neigen, — solches ist durch richtige Rechtsgestaltung einzudämmen (soweit unter Rücksichtnahme auf die unbedingt zu wahrende Leistungskraft der Organisationen angängig). — In alledem sind letztlich die Ideen über das richtige Gesellschaftliche entscheidend: gerade auf diesem Feld hat die politische Geistesmenschlichkeit die Aufgabe, das zielsuchende Denken anzuregen, auch dadurch, daß sie selbst das von ihr für richtig Erachtete mutig und klar vertritt.

Gibt es Organisationstypen, -funktionen und -tätigkeiten und ihnen entsprechende rechtliche — bestehende oder neuzupostulierende — Normen, die ihren Grund ausschließlich oder stark überwiegend in geistigkeitlichem Wollen haben? Das ist schon für Geschichtliches zu bejahen, vor allem für rechtlich geregelte religiöse Organisationen stark spiritualen Wesens (natürlich ist manches organisierte Religiöse vorwiegend sozialpraktisch und nur wenig geistig-selbstzweckhaft), so für religiöse Orden, für Klöster und religiöse Schulen, in allgemeinerer Auffassung für die Kirche als übernatürliche Gemeinschaft, immer soweit sie Gegenstand staatlicher Rechtssetzung waren, sodann für weltliche Organisationen wie die Universitäten in ihren nichttheologischen Aspekten und die wissenschaftlichen Gesellschaften und Akademien, je soweit Erkenntnis an sich Ziel des geistigen Bemühens war. Nicht alles derartige Geschichtliche gehört jetzt der Vergangenheit an, denn manches besteht in sozialer Lebendigkeit auch jetzt noch, — es ist von der das Recht gestaltenden politischen Geistesmenschlichkeit zu schützen und, soweit nötig, durch neue Normen zu aktivieren, dies im Falle der religiösen Organisationen auch durch die Spiritualpolitiker, die selbst nicht auf religiösem Boden stehen (sie müssen sich bewußt sein, daß das Geistig-Selbstzweckhafte auch andern als des von ihnen bevorzugten Wesens sein kann). Geistigkeitliches Bestimmtsein ist sodann für Organisationen möglich, die unter erst in der jüngsten Zeit entstandenen Zielen tätig sind, und diese Möglichkeit ist teils bereits zu Wirklichkeit gebracht, teils erst der Gegebenheitsrahmen des Institutionenausbaues. Zu denken ist da an modernes Religiöses und Religiös-Philosophisches, an Wissenschaftliches und wissenschaftsbegründetes Philosophisches, an Künstlerisches, und zwar je mit Bezug auf die Schöpferischen, Darlegenden, Lehrenden einerseits und die Aufnehmenden anderseits, beide Kategorien erfaßt in ihren erst in unserer Zeit entwickelten Sichtweisen, Zielen und Methoden; allenfalls zu diskutieren sind da neue Institutionen etwa im Zusammenhang mit speziellen Schulungsaufgaben, mit Forschung und Lehreausbildung (zur zweiten: Wie läßt sich in unserer Zeit das philosophische Schaffen, etwa die Wissenschaftsmoral betreffend, kollektiv betreiben?, — es gibt Philosophiegebiete, welche die gemeinschaftliche Arbeit vieler Spezialisten erfordern), mit betrachtender Teilhabe: Meditation ist, außerhalb der religiösen und religiös-philosophischen, auf der Grundlage von Wissenschaft, wissenschaftsbegründeter Philosophie und Kunst möglich, ja sie ist ein oberster, wenn auch nicht einziger oberster, geistigkeitlicher Sinn der menschheitlichen Leistung auf diesen drei Kulturfeldern (wissenschaftliches und wissenschaftsbegründet-philosophisches Mitwissen und Mitdenken, miterlebender Nachvollzug des Künstlerischen sind höchstmenschliche Bewußtheit), aber Sinnverwirklichung dieser Art wird vorläufig vom Institutionellen her kaum unterstützt. Im Anspruch höchstgesteigerte, elitäre Schulen (ihr Höchstanspruch könnte fachspeziell sein oder auf die philosophische Vereinigung der Einzelwissenschaften gehen), institutionalisierte Leistungsgebilde, in denen Wissenschaftler, Philosophen oder Künstler zugleich frei und sich gemeinsamem Ziel unterordnend zusammenwirken, Meditationsgemeinschaften (sogar für Atheisten können Formen, wie sie vorwiegend für moderne Religiös-Gläubige ausgebildet werden, in Betracht kommen): in unserer zwar im Materiellen überaus erfolgreichen, im Spirituellen dagegen unsicheren Kultur ist es zumindest anregend, wenn solche institutionellen Neuerungen zur Diskussion gestellt werden.

4.46 Durch die Verfahrensnormen werden die in der Gesellschaft anzuwendenden Verfahren festgelegt, und zwar mit Bezug auf bestimmte, geregelte Sachangelegenheiten (z.B. Erteilung eines Patentes, Schutz des Autorrechtes), auf das Zusammenwirken von Rechtssubjekten (z.B. Dienstvertrag, Auftrag), auf das Tun und Lassen von privaten Rechtssubjekten (z.B. Neugründung einer Firma, Bestimmung der konkreten Geschäftsziele in der Aktiengesellschaft, — im zweiten berührt sich Verfahrens- mit Organisationsrecht), auf das Handeln von Behörden (z.B. allgemeine und spezielle Bestimmungen über die Tätigkeit der Zentralverwaltung oder eines Regionalgerichtes), — und dies entweder so, daß zwingende Vorschriften gegeben werden oder aber solche, die einzuhalten sind, wenn nicht Abweichendes vereinbart ist. Für das Geistigkeitliche sind die Verfahrensnormen zumeist eher mittelbar als unmittelbar wichtig: es kommt vor allem auf den gerechten Ausgleich der Interessen der Beteiligten, den Schutz der Interessen von Rechtsbetroffenen und überdies auf die Zweckmäßigkeit der einzelnen sozialen Prozesse an, also auf Dinge, die zwar alle ihre Bedeutung fürs Geistige, von denen aber nur wenige einen speziellen spiritualen Inhalt haben. Und für die freie Entfaltung des Geistigen wäre es wohl insgesamt eher ungünstig, wenn der rechtsetzende und -durchsetzende Staat durch konkrete Verfahrensregeln stark in die Sozialprozesse eingriffe, von denen das geistige Sichverwirklichen der Einzelnen, Gruppen, Gesamtheiten und Organisationen abhängt: ein in allgemeinerem Sinne gutdurchgebildetes Recht ist da vorzuziehen, schon weil es für neugewolltes Geistiges offener ist, — darum ist dieses allgemeine Gutdurchgebildetsein des

Rechtes ein Hauptziel der von politischer Geistesmenschlichkeit verfolgten Rechtsgestaltung.

4.47 Daß der Staat die unter seinem Recht stehenden Einzelnen und Kollektivgebilde wirtschaftlich, durch Sachbestimmungen und durch persönliche Inanspruchnahme belastet, ergibt sich notwendigerweise daraus, daß er seine Ziele verfolgt und verwirklichen muß; natürlich bedeutet es in jedem Falle eine, bald allgemeine und bald spezielle, Beschränkung dessen, was dem Unbelasteten möglich wäre, — sofern er im wohlgeordneten Staat handeln könnte, was indessen unmöglich wäre, wenn die Staatslasten auch für alle andern Belasteten wegfielen. Daß der Staat seinen Bürgern und den übrigen Bewohnern des Staatsgebietes Beschränkungen und Belastungen auferlegt, ist von allen hinzunehmen, läßt aber trotzdem die Frage offen, welches die besten Bemessungs- und Ausführungsweisen seien. Vom geistigkeitlichen Standpunkt aus: Sind die vorhandenen oder vorgeschlagenen Behinderungen des Geistigen unvermeidlich oder lassen sie sich durch andere Belastungsart verringern, ohne daß darunter das Gemeinwohl litte? Vor allem auszuschließen sind Eingriffe, welche die geistige Freiheit beschränken, ohne daß dies aus wirklich zwingendem Grund (etwa in Kriegszeiten) nötig wäre: Rücksicht auf öffentliche Ordnung und Moral muß geübt werden, aber immer nur in möglichst weitem Toleranzrahmen, — die an sich gebotene administrative und gerichtliche Verhinderung von Ordnungsstörung und von Verstoß gegen die moralische Auffassungen ist ihrerseits beschränkt durch die Freiheitsrechte, und außerdem ist, jedenfalls von den politischen Führern, zu bedenken, daß es vielerlei heilsame, weil anregende und vorwärtstreibende Störung des Fürrichtiggehaltenen gibt, ja oft um eines gegenwartsgerechteren Neuen willen diese zu wünschen ist. Weiter sind für das Geistige und darüber hinaus für das allgemeinere Kulturelle, wenn man ihre möglichst große Vielfalt befürwortet, alle Eingriffe zumindest hinderlich und vielleicht schädlich, welche das Handeln der Einzelnen und Sozialgebilde als solches unnötig, das heißt in nicht aus zwingendem Gemeinwohlanspruch nötiger Weise, erschweren: dem Gemeinwohl dient am besten die möglichst ungehinderte Leistungskraft aller Aktionsfähigen, — droht ihm aber Gefahr seitens

Allzuselbstsüchtiger, so ist sie eher durch gezielte Sonderauflagen abzuwehren als durch gesamthafte, alle Leistenden treffende Einschränkung, und bei jenem Speziellen ist meistens die bloße Überwachung zweckmäßiger als die staatseigene Ausführungstätigkeit; in solchen Dingen mag gerade durch die Spiritualpolitik zu betonen sein, daß neben der sachgebietlichen Zweckmäßigkeit auch die prinzipielle Richtigkeit zur Diskussion steht und insbesondere bei der Ausarbeitung von aktionslenkenden Normen maßgebend sein soll. Vermeidbar belastet wird das Geistige sodann oft durch die Steuerpolitik: wenn die Steuerlast die berufliche Aktivität lähmt, so leiden darunter allgemein der technische und wirtschaftliche Ausbau und spezieller die Güterversorgung, von welcher das individuelle und kollektive geistige Verwirklichen abhängt, und wenn der Staat allzuviel vom Einkommen der Privaten beansprucht, so bleibt diesen vielleicht nicht genug für die anspruchsvollere geistigkeitliche Bedürfnisbefriedigung außerhalb des Lebensunterhaltes; jedoch gilt anderseits, daß der Staat auf einen großen und zunehmenden Anteil des Volkseinkommens seine Hand legen muß, um die Gemeinschaftsaufgaben zu lösen, Aufgaben, in denen die Förderung des gesellschaftlichen Geistigen zentral wichtig ist. Aus dem letzten läßt sich das allgemeine Postulat ableiten, daß die das private Geistige einschränkende Belastung gesamthaft (natürlich nicht in jedem Einzelfall) durch Erweiterung des geistigkeitlichen Öffentlichen kompensiert werde, — Maxime für die spiritualpolitische Einflußnahme auf die Gestaltung von Belastungsrecht.

4.48 Schutz- und Strafnormen haben gemeinsam, daß bestimmte Weisen des gesellschaftlichen Verhaltens (dieses im weitesten Sinn verstanden, insbesondere als Organisationen und Einrichtungen einschließend) verhindert werden sollen, und das einerseits durch Gebote oder Verbote, anderseits durch Strafandrohungen gegen die Nichtbefolgung jener oder gegen Handlungen, deren Verwerflichkeit selbstverständlich ist (so gibt es kein Diebstahlsverbot, nur die strafgesetzlichen Bestimmungen gegen Diebstahl). Auch solches Recht kann sich auf Geistiges auswirken und wird hieraus Thema der rechtsgestaltenden Spiritualpolitik. Mitunter besteht unmittelbare Geistigkeitswichtigkeit, positive, wenn ein geistiges Gut oder Tun geschützt wird, negative, wenn ein solches verboten und mit Strafe bedroht wird, — dieses Negative um des von den Mächtigen beanspruchten Positiven willen, daß ein von ihnen Bejahtes (es kann geistig und sogar geistigkeitlich sein, ist aber in der modernen Welt viel eher nichtspiritual und nicht selten antispiritual) vor gegnerischer Einwirkung oder auch nur Kritik geschützt werden müsse: solche Haltung ist nicht von vornherein unrichtig, ist aber mit großer Skepsis zu prüfen, und im Zweifel wird das Freiheitlichere vorzuziehen sein. Nahmittelbar-geistigkeitswichtig sind Bestimmungen dieser Art dann, wenn sich ihr Gegenstand mit erheblicher Wahrscheinlichkeit auf konkretes Geistiges auswirkt: beim Schutz der Arbeiter im Sozialrecht, der Ehefrau im Eherecht, der Kinder im Familienrecht, — in jedem dieser Fälle ermöglicht der Schutz geistiges Verwirklichen, das ohne ihn zumindest erschwert wäre. Denkbar sind aber auch negative nahmittelbare Wirkungen auf Geistiges, indem die durch Vorschrift und Strafandrohung in ihrem freien Tun Beschränkten auf wertvolles Geistiges, und insbesondere auf gesellschaftlich wertvolles, verzichten müssen; es gibt sozial bestgemeinten Schutz, der sich auf kulturell wichtige Seinsfelder lähmend auswirkt. Und zu prüfen ist drittens die entfernt-mittelbare Geistigkeitswichtigkeit solchen Rechtes: oft liegt sie im einzelnen, das sich über mehrere Zwischenstufen positiv oder negativ auf das befürwortete Geistige auswirkt, manchmal eher in der allgemeinen rechtspraktischen Grundeinstellung.

Der moderne Sozialstaat, der mehr oder weniger stark unter Wohlfahrts- und Fürsorgeideen steht, hat wesensnotwendig die Tendenz zum Ausbau der Schutznormen, er ist immer auch der Schutzstaat. Daraus ergeben sich spezielle spiritualpolitische Stellungnahmen: geistigkeitsgünstiger Schutz ist zu befürworten, geistigkeitsungünstiger abzulehnen, — aber natürlich muß sich der Spiritualpolitiker der Begrenztheit seines Urteilens bewußt sein.

Und der moderne Sozialstaat hat seine besondere Einstellung zu den Strafnormen (die in ihrer Gesamtheit weiter sind als das Strafrecht, denn manche von ihnen sind Strafandrohung im Wirtschafts-, Verkehrs-, Steuerrecht, usw. und werden großenteils von Verwaltungsbehörden angewandt). Einerseits werden mehr Verhaltensarten als früher mit Strafe bedroht, weil das moderne Leben viel komplexer ist und jetzt sehr viel mehr Sachfelder rechtlich geregelt sind (insbesondere durch Schutzbestimmungen). Das heißt aber auch, daß manche Strafart weniger als früher die Persönlichkeit des Bestraften in Frage stellt (etwa Strafen aus dem Verkehrsrecht); zudem ist das Verständnis für die Sozialbedingtheit des strafbaren Tuns und damit für die moralische Relativität der Strafe und des Bestraftseins gewachsen. Beides ist geistigkeitlich wertvoll: es erleichtert das soziale Eingegliedertbleiben der Bestraften, und in seltenen Sonderfällen mag es einem Außenseiter den Mut geben, einen eigenen Weg zu beschreiten.

4.49 Die ein konkretes Verhalten festlegende Rechtsnorm ist beschränkend in dem Sinne, daß das, was ihr zuwiderläuft, ausgeschlossen werden soll und, wenn es trotzdem geschieht, mit Wiedergutmachungspflicht und allenfalls mit Strafe belegt wird. Aber innerhalb der so gezogenen Grenze und gerade durch die konkrete Festlegung schafft sie die Berechtigung, unter Beachtung der Norm zu handeln, — darin liegt ein Freiheitsmoment. Das ist unter drei wesensverschiedenen Aspekten zu sehen: erstens unter demjenigen, daß die Rechtsgestaltung, und hier besonders die von der politischen Geistesmenschlichkeit gewollte, möglichst viele solche konkreten Einzelfreiheiten schaffen soll, wobei in allen wichtigeren Sonderfällen auf die spiritualphilosophischen und -ideologischen Prinzipien abzustellen ist, über die man vielleicht erst in diesem rechtspolitischen Zusammenhang die volle, und aktuelle, Klarheit gewinnt; zweitens unter demjenigen, daß das Rechtlich-Festgelegte unbedingt gestattet sein muß: zu wenden hätte man sich hieraus sowohl gegen Rechtsunsicherheit (die Rechtsnorm, auf die man sich einstellen muß, soll wenigstens gesicherte Geltung haben und somit die weitergehende Beschränkung ausschließen) als auch gegen konformistischen Druck, der auf weitere Einengung hinzielt; drittens unter demjenigen, daß es immer von den einzelnen Rechtssubjekten abhängt, ob Freiheit zum — wertvollen — Handeln erkannt und genützt wird.

4.5 *Wirtschaftspolitik*

4.51 Zwischen der Rechtsgestaltung und der Wirtschaftsgestaltung besteht eine prinzipielle Verschiedenheit: jene liegt in allem Wesentlichen — mit Ausnahme etwa des Erlasses juristischer Fachnormen durch Verbände — in der Befugnis des Staates (der immerhin nach Möglichkeit das Gewohnheitsrecht in die Gesetzgebung aufnehmen wird), diese dagegen ist großenteils Sache von Privaten, Einzelner und von Kollektivgebilden, und nur im Restbereich Sache des Staates. Dabei gibt es kein einheitliches Verhältnis zwischen den beiden Bereichen, denn in manchen Staaten ist die private, in andern die staatliche Wirtschaft vorherrschend und in wiederum andern stehen die beiden Typen einigermaßen im Gleichgewicht; zudem bleibt ein jetzt gegebenes Verhältnis zwischen den beiden vielleicht nicht lange erhalten, denn in der Tat ist hier viel Wandel, allerdings vor allem einseitiger, als Ausdehnung des Staatlichen. Für die staatliche Wirtschaftsgestaltung stellt sich damit immer auch die Vor- und zugleich Hauptfrage, wie die private Wirtschaft einerseits und die staatliche anderseits richtigerweise zu bemessen seien, konkreter, wofür sich jede der beiden am besten eigne, — und anschließend: welche Wirtschaftsfelder, gesamthaft und ins einzelne gehend gesehen, dem privaten und welche dem staatlichen Gestalten zuzuweisen seien: zur staatlichen Wirtschaftspolitik gehört also auch die Abgrenzung ihrer eigenen Gestaltungskompetenz. Diese fürs weitere entscheidende oder es zumindest nachhaltig beeinflussende Frage ist von mehrschichtigen Überlegungen aus zu beantworten: erstens von Zweckmäßigkeitserwägungen aus, und zwar solchen, die sich auf die Wirtschaft an sich, und andern, die sich auf den Staat und insbesondere seine wirtschaftspolitischen Möglichkeiten beziehen; zweitens von sozialphilosophischen, vielleicht zu Ideologie vereinfachten, Ziel- und Wertauffassungen aus: es kann ein Bild von Gesellschaft und Kultur wirksam sein, aus dem primäre wirtschaftsgestalterische Forderungen (denen die wirtschaftliche Zweckmäßigkeit sich unterordnen soll) abgeleitet werden; drittens aus Standes- und Klassenhaltungen, interessenbedingten und andern, die nicht philosophisch oder ideologisch begründet sind. Aber wiederum gibt es keine scharfen Grenzen zwischen den drei Überlegungsarten:

Zweckmäßigkeit kann Inhalt von Staatsphilosophie und Ideologie sein oder diese anerkennen sie aus rein praktischen Gründen als übergeordnet; Standes- und Klassenhaltung ist zwar nicht stark, aber doch spürbar zumindest religiös und damit indirekt religiösphilosophisch und -ideologisch beeinflußt, möglicherweise wird sie auch durch Einsicht in Zweckmäßigkeiten, zumal neuentstehende, verändert; Sozialzielphilosophie und -ideologie, hier auf die Wirtschaft gerichtet, nimmt Rücksicht auf Standes- und Klassenhaltung, paßt sich ihr an (entsteht Gegensatz zwischen Klassenideologie und tatsächlicher Klassenhaltung, so muß sich die erste der zweiten anpassen, wenn die Ideologievertreter ihren politischen Einfluß behalten wollen).

Jene Vor- und zugleich Hauptfrage nach der richtigen, ja besten Bemessung der privaten und der staatlichen Wirtschaft ist auch von der Spiritualpolitik aufzunehmen, und damit von der politischen Geistesmenschlichkeit, in aktiverem Sinne: von ihren Trägern, also den sie vertretenden Einzelnen, Gruppen, Gesamtheiten und Organisationen. Zu beantworten ist sie dann vor allem aus der sozial- und staatsphilosophischen Idee: gesamthaft ist die Wirtschaft so zu gestalten, daß sie dem politisch zu verwirklichenden Spiritualen (das Enderfüllung oder Mittel zu dieser sein kann) aufs beste entspricht; ergänzend zu berücksichtigen ist aber auch die wirtschaftliche Zweckmäßigkeit, und das gerade mit Rücksicht auf die ihr an sich übergeordnete Zielidee: diese läßt sich am besten durchsetzen, wenn das Wirtschaftliche gemäß seinen eigenen Bedürfnissen und Gesetzen so geordnet wird, daß die in ihm wirkenden Absichten günstigste Erfolgschancen bekommen (und das heißt eben: sich auf das Zweckmäßige besinnen und es zur Richtlinie der Praxis machen); mit großer Aufmerksamkeit zu beobachten und ins politische Wollen einzubeziehen sind schließlich die in den verschiedenen Volksschichten wirkenden Haltungen (seit langem gegebene, neuere, neueste, erst vermutete, für die nähere oder fernere Zukunft vorausgesehene), denn auch die politische Geistesmenschlichkeit braucht, soll sie nicht allzu außenseiterisch werden, die Fühlung mit dem Denken und Wollen gewichtiger Volksteile, stärkst wohl der jüngeren Geschulten, da diese am ehesten für das Geistigkeitliche offen sind, weniger der älteren, arrivierten Intellektuellenelite. Daraus aber, daß die, erstrangige, sozial- und staatsphilosophische Idee die Wirtschaftsgestaltung unter die übergreifende Idee des Spiritualen stellt, ist der Verzicht auf eine die Wirtschaftsreform als solche festlegende Ideologie zu folgern: entscheidend ist, daß die Wirtschaft dem Geistigen optimal entspreche, jedoch nicht, daß sie staatlich oder privat sei, — letzteres gehört zu einem Problemkreis, der von der wirtschaftlichen Zweckmäßigkeit aus zu lösen ist, und das heißt wiederum, daß für den einen Wirtschaftsbereich die eine, für einen andern die andere und für einen dritten eine verbindende Lösungsart angezeigt ist und daß weiter die Beurteilung auf die ändernden Verhältnisse abstellen muß (was bisher am günstigsten privatwirtschaftlich betrieben wurde, wird unter den neuen Gegebenheiten vielleicht besser dem Staat oder einer halbstaatlichen Körperschaft zugewiesen, oder was wegen der staatlichen Führung zu schwerfällig und wegen politischer Rücksichtnahmen zu verlustreich wurde, mag besser privatisiert werden). Somit steht die politische Geistesmenschlichkeit von vornherein außerhalb der ideologisch festgelegten Lager, welche aus politischem Glauben die staatliche oder die private, vielleicht auch die korporative oder genossenschaftliche Wirtschaftsreform fordern; sie darf davon auch dann nicht abweichen, wenn sie auf die Auffassungen der ihr nahestehenden Volksgruppen (vor allem der jüngeren Intellektuellen) einzugehen für politisch angezeigt erachtet, — vielmehr muß sie dann den bloß wirtschaftstechnischen Charakter dieses Fragenkomplexes herausarbeiten.

Ist die Vor- und Hauptfrage nach der richtigen und besten Bemessung der privaten und der staatlichen Wirtschaft beantwortet, was immer nur von den gegebenen Umständen aus und somit auf Zusehen hin möglich ist, so stellen sich der Wirtschaftspolitik-Theorie sogleich zwei Gruppen von anschließenden Fragen: nach den allgemeineren Prinzipien der richtigen, besten Formung einerseits der staatlichen und anderseits der privaten Wirtschaft, — denn die private Wirtschaft ist Teil der Gesellschaft und untersteht damit der allgemeinen Rechtsgestaltung wie der aus dem Sonderwesen der Wirtschaft zu begründenden Überwachung und Einflußnahme, beides, weil es eine Hauptaufgabe der Spiritualpolitik ist, dem Gesellschaftlich-Besten auch die bestgeeigneten wirtschaftlichen Verwirklichungstypen zu sichern.

4.52 Für die politische Geistesmenschlichkeit und damit für die Spiritualpolitik ist die Wirtschaft zweifach Zielgebiet. Erstens daraus, daß vom Volkswohlstand, gesehen als Volkseinkommen und Volksvermögen, bei den Einzelnen vom individuellen Wohlstand, in dem ebenfalls Einkommen und Vermögen zu unterscheiden sind, weitgehend die Möglichkeiten des geistigen Verwirklichens abhängen: dieses hat um so günstigere Voraussetzungen, je größer der — gesicherte — Wohlstand ist; daraus ergibt sich, daß Wohlstandssteigerung und -sicherung, auf Einkommen und Vermögen bezogen, zunächst ein allgemeines, gesamtgesellschaftliches, sodann ein die Gestaltung der Lebensverhältnisse der Einzelnen betreffendes Ziel ist (Allgemeinwohlstand ist Voraussetzung des Individualwohlstandes; aber jener muß zu diesem führen, und solange das nicht zutrifft stehen Wirtschaft und Gesellschaft unter entsprechendem Reformbedürfnis). Zweitens daraus, daß die wirtschaftliche Leistung für viele Leistende die wichtigste oder sogar die einzige selbstzweckhaft-geistige Erfüllung bietet und für viele andere in der Richtung auf größeren Selbstwert verändert werden könnte, — unter den Zielideen der politischen Geistesmenschlichkeit: verändert werden soll (»wirtschaftliche Leistung« ist hier in weitestem Sinne zu verstehen, als jede Leistung einschließend, die eine einigermaßen gewichtige wirtschaftliche Komponente hat, wie etwa diejenige des Maschinenindustriellen, der sich in erster Linie um den technisch hohen Stand seiner Erzeugnisse bemüht, diese aber rentabel verkaufen und sich darum schon in seinem technischen Programm auf den Markt einstellen muß).

Auf beiden Ebenen kann die Wirtschaft unmittelbar geistigkeitswichtig sein oder werden; ist das eher eine Zukunftsmöglichkeit als jetzt gegeben, so hat sich wohl eher die auf die allgemeine Wirtschaftsgestaltung gehende Theorie mit ihm zu befassen als die konkrete Problemlösungen suchende Praxis. Geistigkeitswichtigkeit zunächst in dem Sinne, daß die geistige Verwirklichung durch die Verfügung über Wirtschaftsgüter bedingt ist, ohne die sie unmöglich oder zumindest sehr erschwert wäre: dies bei den Einzelnen, und zwar als Unmittelbarwichtigsein von Wirtschaftlichem einerseits des Individualbereiches, also des eigenen Einkommens und Vermögens des Verwirklichers (so muß man Bücher kaufen können, um sich intensiv mit den Werken Shakespeares zu befassen; man muß das Geld für die Griechenlandreise haben, um sich ins Kunstgut des Athener Nationalmuseums einzuarbeiten; man muß sich mit einigermaßen kostspieligen Geräten ausstatten, wenn man sich als Amateurastronom betätigen will), anderseits des Kollektivbereiches: er muß erstens so ausgebaut sein, daß der durch Geistesziele bedingte Bedarf der Einzelnen gedeckt werden kann (so: es müssen Bücher, Reisen und Apparate angeboten sein), und zweitens so, daß durch staatlich-wirtschaftliche Aufwendungen individuelles Geistiges direkt ermöglicht und gefördert wird (so: wirtschaftliche Seite der staatlichen oder staatlich unterstützten Schulen, Museen, Bibliotheken, Theater, Konzertorganisationen usw.); und ähnlich bei den Gruppen, Gesamtheiten und Organisationen: auch sie erreichen ihre Ziele dann am besten, wenn sie dafür eigene wirtschaftliche Mittel einsetzen können und überdies vom Staat gefördert werden. Unmittelbare Geistigkeitswichtigkeit weiter in dem Sinne, daß das ganz oder teilweise wirtschaftliche Handeln als selbstzweckhafte und zumal geistesmenschliche Erfüllung verstanden ist, und das vor allem in der privaten Wirtschaft, aber auch in der staatlichen (und direkt staatsabhängigen), in beiden Fällen mit Bezug auf die Einzelnen und die Kollektivgebilde: in allen Bereichen der Wirtschaft sollen die Arbeitenden optimale Gelegenheit zu eigenwerter Leistungserfüllung — weniger philosophisch ausgedrückt: zu befriedigender Arbeit, zu Berufsfreude — finden. Unter beiden Gesichtspunkten ist vom Staat verlangt, daß er erstens die staatliche Wirtschaft diesen Forderungen entsprechend gestalte und zweitens in gleichem Sinne normierend, anregend und mitunter gebietend in die private Wirtschaft eingreife, — und das muß von den Trägern der politischen Geistesmenschlichkeit theoretisch begründet und formuliert, in die Öffentlichkeit gebracht und aufs Aktuelle angewandt werden.

In derartiger Spiritualpolitik wird wahrscheinlich meistens eher an einigermaßen allgemeine Geistigkeitswichtigkeit des Wirtschaftlichen gedacht als an die speziellere unmittelbare, denn mögen auch oft konkret-geistigkeitliche Themen zu behandeln sein, so betreffen doch meistens auch die spiritualpolitischen Wirtschaftsgestaltungsideen das für umfassende Kategorien von Wirtschaftssubjekten zu erstrebende Günstige und ist das Interesse an der direkt-geistigkeitlichen Anwendung des Erreichten untergeordnet. Gerade das muß aber den Spiritualpolitiker veranlassen, die Geistigkeitswichtigkeit des Wirtschaftlichen wenigstens, und vorzugsweise, in ihren mittelbaren Formen gegenwärtig zu halten, als einigermaßen nahe oder auch als entfernte Möglichkeit, eben durch das zu fördernde Wirtschaftliche nach freier Wahl ein Geistiges zu erstreben. Was im Zusammenhang mit dem unmittelbar-geistigkeitswichtigen Wirtschaftlichen überlegt wurde, gilt in den Grundzügen auch fürs mittelbar-geistigkeitswichtige: die aufzubauende wirtschaftliche Möglichkeit zum Geistigen betrifft erstens Erwerb und Vermögen, Güterproduktion und -verteilung, also die Geld- und Güterwirtschaft, von deren Gestaltung das geistige Verwirklichen stark beeinflußt wird oder werden kann, zweitens Leistungsmöglichkeit, Leistungsfreiheit und damit Anspruch auf Selbstverwirklichung im Beruf, — und beide Möglichkeiten sind solche erstens der Einzelnen, in ihrem freien oder von außen auferlegten Selbstgestalten, zweitens der Gruppen, Gesamtheiten und Organisationen (Beispiel: vom Ausbau der Industrie eines Landesteiles hängt die Volkseinkommenssteigerung in diesem und von ihr wiederum die Erweiterung der kulturellen Möglichkeiten der Region ab, — welches die letzteren konkret sein werden, braucht den Wirtschaftspolitiker nicht zu interessieren, aber es kann seinem Bemühen tieferen Sinn geben, daß er durch den Wirtschaftsausbau neue Gelegenheit zu, erst von den Verwirklichern zu bestimmendem, Regional-Kulturellem schafft).

4.53 Daß die Wirtschaftspolitik die gesamtwirtschaftliche, das heißt innerhalb des Staates (aber es gibt auch die überstaatliche Wirtschaftspolitik) die nationale und auch die regionale, Wohlstandsförderung zum Ziel haben soll, mag für selbstverständlich gehalten werden, zumal dann, wenn man »Förderung« in sehr weitem, auch Bewahrung und Schutz einschließenden Sinn versteht. »Wohlstand«, auf die Gesellschaft bezogen, bedeutet reichliche Erzeugung von und Versorgung mit Gütern, dies differenzierend einerseits reichliche Bereitstellung von Verbrauchsgütern und anderseits reichlicher Bestand an Gebrauchsgütern, an Volksvermögen, — wobei aber auch zu bedenken ist, daß die Güterproduktion sich in einigem ungünstig auf die Umwelt auswirkt und hieraus in weiterer Sicht der Vermögensaufbau als von Verminderung begleitet erscheint; jenes Selbstverständliche ist hieraus in dem Sinne zu präzisieren, daß Wohlstandsstärkung nach Möglichkeit ohne Wohlstandsschwächung, Wohlstandsaufbau ohne Wohlstandsabbau erstrebt werden soll, oder wenn sich Schwächung und Abbau als unvermeidlich erweisen: optimale Wohlstandsstärkung und optimaler Wohlstandsaufbau, nämlich das günstigste Verhältnis von Stärkung und Schwächung und von Aufbau und Abbau. Auch dies bleibt im Selbstverständlichen und würde von der wirtschaftgestaltenden Spiritualpolitik nichts anderes gewollt, so stünde sie in der allgemeinen wirtschaftspolitischen Linie (denn es gibt keine politische Tendenz von Gewicht, die solche optimale Wirtschaftsförderung nicht im Prinzip bejahte, — die Meinungsverschiedenheiten betreffen die praktische Ausführung und die Verteilung des gesamtwirtschaftlichen Einkommens und Vermögens). Aber gerade von den Leitideen der politischen Geistesmenschlichkeit aus sind hier einige spezielle Postulate zu vertreten und somit, vor der Vertretung, theoretisch auszuarbeiten. Erstens: Der gesamtwirtschaftliche und -gesellschaftliche (zunächst nur im Nationalen und Regionalen zu sehende) Wohlstand und seine Erhöhung werden im allgemeinen als abstrakte Größen gefaßt, nämlich in Geldwert ausgedrückt und nach Sach- oder Bedürfniskategorien unterschieden vorwiegend zur quantitativen Aufteilung; das ist in der nationalökonomischen und gesamthaft-wirtschaftspolitischen Betrachtung richtig, muß jedoch in der spiritualpolitischen Sicht von Wirtschaft und Wirtschaftsausbau ins Qualitative gewandt werden: zu postulieren ist (freilich unter klarem Hinweis auf die Wertbestimmtheit und damit die, allenfalls kollektive, Subjektivität solcher Stellungnahme, die denn auch in erster Linie zur das Zielhafte besser herausarbeitenden Diskussion beitragen soll, — aber eben dieser Beitrag kann für die politische Willensbildung unerläßlich sein), daß jene Wohlstandsbereiche bevorzugt ausgebaut werden, die für das Geistige wichtigst sind, und jene nachgeordnet, die ans soziale Geistige in geringerem Maße beitragen (so mag etwa postuliert werden, daß der Ausbau der Sektoren Buchproduktion und -handel, Schulen, wissenschaftliche Forschung, Medien und kulturelle Veranstaltungen sehr intensiv zu fördern, dagegen derjenige des Großsektors Genußmittelproduktion zu unterlassen sei, letzteres selbst bei Berücksichtigung der Tatsache, daß die Arbeitsplätze vermehrt werden sollten). Zweitens: Wird der Wohlstand allgemein unter geistigkeitliche und im besondern unter spiritualpolitische Perspektive gestellt, so ist die Idee der Wohlstandsmaximierung zu relativieren, denn voll erstrebenswert erscheint die Wohlstandssteigerung dann nur soweit, als durch sie die gesamtgesellschaftlichen Möglichkeiten zum Geistigen erweitert werden und da ist zu vermuten, daß, quantitativ, mit zunehmendem Wohlstand die Einheit der Wohlstandserhöhung nur noch abnehmende Erweiterungswirkung im Geistigen hat: im Praktischen Materialismus, der in unserer Zeit tatsächlich vorherrschenden Lebens- und Gesellschaftsauffassung, bildet der Wohlstandsaufbau eine unbegrenzte oder jedenfalls noch lange nicht zu begrenzende Aufgabe, — in der politischen Geistesmenschlichkeit dagegen werden Grenzen der wachstumspolitischen Dringlichkeiten und Nützlichkeiten erkannt. Drittens: Aus der zwischen Wirtschaftsfortschritt einerseits und Erweiterung der Möglichkeiten zum Geistigen anderseits bestehenden quantitativen Beziehung ergeben sich Folgerungen in Hinsicht auf die regionale Wirtschaftsförderung: ist in der einen Region der Wohlstand bereits so hoch, daß dem Geistigen ein breites Möglichkeitenfeld gesichert ist, in der andern dagegen erst geringer ausgebildet, so ist spiritualpolitisch die nationale Wohlstandssteigerung vor allem in der zweiten anzustreben, — schwächeres und langsameres Wirtschaftswachstum dort, stärkeres und rascheres hier (so: unterschiedlicher Wirtschafts- und damit Wohlstandsausbau im bereits voll industrialisierten Kerngebiet und den industriell noch schwachen Randgebieten). Viertens: Die Zunahme des nationalen Wohlstandes kommt zwar immer dem Volk als Ganzem zugute, den unteren Volksschichten jedoch vielleicht nur indirekt und mit Verspätung: darum ist in der spiritualpolitischen Wirtschaftsförderung der Wohlstandsaufbau zugunsten der bisher benachteiligten Klassen vordringlich, und dies auch mit dem klar bewußten Ziel, dort, wo Geistiges durch wirtschaftliche Schwäche behindert wurde, an deren Stelle wirtschaftliche Stärke zu bringen, die ihrerseits eine kollektive Kraft zum Geistigen sein wird; in diesem Zusammenhang mag gefragt werden, ob nicht in den Entwicklungsländern die spiritualpolitischen Ideen zu einem mehr in die Breite gehenden, stark auf das Dorf gerichteten Wirtschaftsaufbau hätten beitragen können. Fünftens: Der Wirtschafts- und insbesondere Wohlstandsaufbau kann neben seinem Positiven das Negative haben, daß Möglichkeiten bisheriger geistiger Verwirklichung eingeengt werden, vor allem als Folge von Industrialisierung und Verstädterung; Aufgabe der wirtschaftsfördernden Spiritualpolitik ist immer auch, dieses Ungünstige einzudämmen, und das ausdrücklich von ihren geistigkeitlichen Zielen aus. — Was schon beim ersten dieser fünf speziellen Postulate betont wurde, gilt auch für die übrigen vier: die Spiritualpolitik ist wertbestimmt und in diesem Sinne subjektiv und kulturbedingt, ihre Forderungen lassen sich nicht als objektiv-verpflichtend erweisen und darum sind sie von anderm Wertstandpunkt aus bestreitbar, ihre Ideen dürften darum nicht gegen die Ablehnungsfreiheit von Nichteinverstandenen durchgesetzt werden; aber was die Spiritualpolitik erreichen kann und anstreben soll, ist die Bewußtmachung dieser Zusammenhänge und Probleme und ist die politische Diskussion, in welcher die besten Ziele und Verwirklichungswege herausgearbeitet werden.

4.54 Wohlstandsförderung bezieht sich konkret auf Wirtschaftszweige, die als Ausbaufelder entweder von vornherein gegeben oder aber erst zu wählen sind; im zweiten Fall wird der Entschluß vielleicht erst nach langer Auseinandersetzung zwischen Meinungslagern (interessehaften und nationalökonomischen) gefaßt. Auf welche Wirtschaftszweige die Förderung zu richten sei, ist hier wie dort vor allem eine Frage der volkswirtschaftlichen, also der gesamtwirtschaftlichen Zweckmäßigkeit: zu erstreben ist ein hoher Nutzen für die nationale, allenfalls nur die regionale, Gesellschaft, und daß er erreicht werden kann, verlangt daß einerseits in der betreffenden Gesellschaft die sachlichen und sozialen Voraussetzungen für den vorgeschlagenen Ausbau bestehen und anderseits das angestrebte Neue ausreichende Erfolgsmöglichkeiten besitzt; somit ist im einen Land die eine Richtung erfolgversprechend, im andern eine andere, und im einen und gleichen Land jetzt die Förderung der Industrie A (etwa der Textilindustrie oder der kleingewerblichen Herstellung von Geräten für Landwirtschaft und Dorfhandwerke) und in zwanzig Jahren voraussichtlich die Neuaufnahme der Industrie B (etwa der optischen, elektronischen oder pharmazeutischen). Die Spiritualpolitik hat hier ein zweifaches Interesse: ein allgemeineres daran, daß durch das Zweckmäßigste die gesamtwirtschaftliche Produktionskraft auf den optimalen (das heißt den unter Ansehung der Lasten günstigsten) Stand gebracht wird, und ein spezielleres daran, daß der Ausbau in Wirtschaftszweigen erfolgt, denen in Hinsicht auf das Geistige der relativ höchste Rang zuzuerkennen ist. Dieser steht in Zusammenhang vor allem mit den Anforderungen, welche im neuen oder ausgebauten Wirtschaftszweig an die in ihm Tätigen gestellt sind und ihnen wahrscheinlich durch leistungsgerechte Bezüge (Löhne, Saläre und Unternehmergewinne, Linzenzgebühren, usw.) entgolten werden: das Anspruchsvollere ist in geistigkeitlicher Sicht immer schon darum vorzuziehen, weil es den Leistenden, wenigstens einem Großteil von ihnen, ein Arbeiten ermöglicht, das sie als wertvollere Selbstverwirklichung verstehen können, sodann natürlich auch darum, weil es im rein Wirtschaftlichen einen höheren Standard bedeutet und, wirtschaftspraktisch besonders wichtig, eine größere Behauptungs- und Durchsetzungskraft im internationalen Konkurrenzkampf aufbauen hilft. Trotz aller Bedenken wegen Industrialisierung und Mechanisierung, wegen der Ausfüllung von Naturraum mit Siedlungen und Wirtschaftsgebilden, trotz der Einwendungen gegen das Wirtschaftswachstum an sich, ja zum Teil durch sie angeregt, ist das komplexere Wirtschaftliche — meistens ist es auch im Technischen komplexer — prinzipiell zu bevorzugen: der moderne Mensch, individuell und kollektiv sehr weitgehend auf die Wirtschaft angewiesen und zu Leistung in ihr verpflichtet, erhebt mit Recht den Anspruch auf möglichst hohe Ergiebigkeit seines Mühens und überdies auf möglichst hochrangige Leistungserfüllung in der Berufsarbeit, welche für die meisten die wichtigste Tätigkeit ist, — und gerade indem dies möglichst vielen zugänglich wird, lassen sich die langfristig gestellten Probleme besser lösen als auf niedrigerem Niveau.

4.55 Der Volkswohlstand ist bedingt durch die Leistungskraft der einzelnen Wirtschaftsgebilde, damit durch die Rationalität und insbesondere das optimale Verhältnis von Erfolg und Aufwand, im weitesten Wortsinn durch die Produktivität der Betriebe und Unternehmungen und der wirtschaftlich tätigen öffentlichen Verwaltungen, — und der öffentlichen Verwaltung überhaupt, denn jede ihrer Abteilungen erfordert Aufwendungen, die durch möglichst günstige Leistung gerechtfertigt werden müssen. Schon aus reinem Zweckmäßigkeitsdenken ist auf die ständige Produktivitätsverbesserung zu dringen, und in gleiche Richtung gehen die spezifisch geistigkeitlichen Momente, daß der Wohlstandszuwachs, dessen die Einzelnen für die Erweiterung ihres geistigen Verwirklichens bedürfen, allenfalls nur durch solchen Fortschritt möglich wird und daß in der modernen Kultur die kollektiv-spiritualen Bedürfnisse ebenfalls die Steigerung der Produktionskraft der Volkswirtschaft als Ganzen wie der Unternehmungen, Betriebe und Verwaltungen erfordern. Die Spiritualpolitik wird hieraus am entsprechenden Wirtschaftsausbau mitwirken, das heißt praktisch: die ihn tragenden Bestrebungen von Politikern, Regierenden und Verwaltungsleuten unterstützen, — jedoch wird sie kaum aus ihren Auffassungen sachbesondere Thesen ableiten, denn die Wahl des Konkreten ist hier Aufgabe vor allem der Fachleute. Gerade dieser Vorrang des Fachmännischen kann aber das spiritualpolitische Denken, und die politische Geistesmenschlichkeit allgemein, zu Aufgeschlossenheit gegenüber den neuen Denk- und Leistungsweisen, und seien sie auch rein wirtschaftspraktisch oder technisch, und gegenüber den, vielleicht vorläufig ganz und gar ungeistigen, Erfordernissen des modernen Soziallebens bringen, ja zwingen: es muß einsehen und anerkennen, daß auch das Spirituale unter Sachnotwendigkeiten steht und diese keineswegs immer so sein werden, wie sie bisher waren. Das kann Umstellung in bisherigem Geistigem, vielleicht auch in wertvollem, aber eben überholtem, verlangen, — in Auffassungen und Denkweisen, Werten und Wertungen, Zielen und Zielsetzungen: Umstellung darin, daß bisher fremdes Wirtschaftliches und Technisches zunächst einmal bejaht und später bewußt gefördert wird, in weiterer Folge auch die in ihm liegenden oder von ihm aus entstehenden Gelegenheiten zu neuem Geistigem genützt werden: den neuen Erfordernissen der Produktionssphäre entsprechen neue geistige Möglichkeiten, und das erstens, indem die Umgestaltung (Straffung und Optimierung, Produktions- und Produktivitätssteigerung) gewollt und durchgeführt wird, und zweitens, indem das Umgestaltete neue Möglichkeiten des Wollens und Ausführens eröffnet. Das Geistige, und in ihm als Kernbereich das Geistesmenschliche, wird hier von Wirtschaft und Technik in seinen aktuellen Ziel- und Verwirklichungsmöglichkeiten bedingt (als Beispiel sei die enge Abhängigkeit geistig-selbstzweckhafter — betrachtender oder leistender, vielleicht kreativer — Befassung mit Systemtheorie und -mathematik von den Bedürfnissen modernster und ständig auszubauender Großbetriebs- und Großunternehmungsführung genannt). Geradezu als Maxime ist hieraus abzuleiten, daß das Geistigkeitliche in seinen Inhalten und Zielen nicht als außer- oder übergesellschaftlich und somit auch nicht als wirtschafts- und technikfremd zu verstehen ist, vielmehr als mit dem Gesellschaftsganzen und allen seinen Teilbereichen eng verbunden und in ihnen tief verwurzelt, — damit zwar von Nichtgeistigem abhängig, aber auch in Hinsicht auf dieses gestaltungsstark und fähig, neugestaltetes Nichtgeistiges zu neuem Geistigem zu benützen.

4.56 Produktion schafft Wohlstand, Produktionssteigerung bewirkt Wohlstandszunahme; statistisch lassen sich die beiden ersten sogar mit den beiden zweiten gleichsetzen. Indessen bedeutet Produktion zunächst nur die Herstellung und Bereitstellung von Gütern und die Anbietung und Ausübung von Diensten, Produktionssteigerung ist entsprechend die vermehrte Wirtschaftsleistung dieser Art, — damit hieraus Wohlstand und Wohlstandszunahme wird, muß das Produzierte in seinem Sachwesen verbrauchsnützlich sein und der gesamtgesellschaftlichen Bedürfnisbefriedigung zugeführt werden. Daß Verbrauchsnützlichkeit besteht, trifft für einen Großteil der Güter und Leistungen von vornherein zu, da sie für den Markt produziert sind und dieser weitgehend durch Verbraucherbedürfnisse bestimmt wird, ist aber dort fraglich, wo nach verbraucherfernem Staatsauftrag gehandelt wird (so vor allem in der Rüstung); auch der Spiritualpolitiker, zumal der sozialkritische, ist berechtigt, ja gerade er kann sich als verpflichtet verstehen, den Nützlichkeitsgrad, insbesondere denjenigen der spiritualen Nützlichkeit, des Produzierten zu prüfen: vielleicht sind daraus konkrete Produktionsänderungen und -erweiterungen zu postulieren. Und Wohlstand setzt zweitens voraus, daß das Produzierte so verteilt wird, daß alle Gesellschaftsangehörigen ihre wichtigen Bedürfnisse befriedigen können, — wobei darüber, welche Bedürfnisse wichtig seien und welche nicht, bezüglich Qualität und Quantität Meinungsverschiedenheit entstehen kann, in der auch die spiritualpolitischen Auffassungen geltend zu machen sind: unter der politischen Geistesmenschlichkeit geht wichtiges Bedürfnis auch auf das für die geistige Verwirklichung benötigte Wirtschaftliche und dürfte somit der zu sichernde Mindestwohlstand nicht auf die »Befriedigung der dringlichsten Lebensbedürfnisse für alle« beschränkt werden.

Die Verteilung des Produzierten erfolgt in zwei Großbereichen, dem privaten und dem öffentlichen. Somit ist die sich mit ihr befassende Politik dreigebietig: sie muß erstens das richtige Verhältnis zwischen dem privaten und dem öffentlichen Einkommen gesamthaft und für die verschiedenen Gruppen der privaten Wirtschaft, zweitens die richtige Verwendung der öffentlichen Mittel und drittens beste Regeln für die Einkommensgestaltung in der privaten Wirtschaft festlegen und durchsetzen. Im freiheitlichen Staat bestimmt sich das gemäß dem Konsensus über die Staatsaufgaben und, bei Ziel- und Interessenkonflikt, aus den parlamentarischen Machtverhältnissen; hier wie dort sind auch die speziellen spiritualpolitischen Postulate zu vertreten, mit allgemeinem Inhalt in der Öffentlichkeit und aufs auszuführende Praktische konkretisiert in den Behörden. Im autoritären Staat und stärkst in der Diktatur liegt der Entscheid über Ziele und Ausführungsprinzipien bei den Mächtigen von Staatspartei, Regierung, Verwaltung und Militär (wobei die Staatspartei, in der Theorie die den Staat tragende Organisation, teils die Mächtigen stellt, teils aber von ihnen gelenkt wird), und da bilden jene drei Fragenkomplexe erstrangige Politikthemen, denn das Regime fordert in der Regel für den Staat einen großen Volkseinkommensanteil und will ihn zur Stärkung der Staatsmacht einsetzen, zudem begünstigt es die ihm nahestehenden und benachteiligt die übrigen Volksteile; der Spiritualpolitiker ist hier wahrscheinlich außerstande, für wirtschaftspolitische Förderung des Geistigen vor der Öffentlichkeit einzutreten, jedenfalls dann nicht, wenn er Kritik üben müßte, — aber vielleicht kann er seine Auffassung an einflußreiche Experten herantragen: daß es ein gesamtkulturelles Optimum gebe, von dem aus die Stärkung der privaten Wirtschaft und insbesondere der privaten Einkommen und Vermögen, und zwar für alle Volksschichten, dazu die möglichst kulturpositive Verwendung der Staatsmittel (unter Verzicht auf Macht- und Prestigeaufwendungen und im Kampf gegen Bürokratie und Korruption) nachdrücklichst zu fordern seien.

Innerhalb der produzierenden und damit immer auch ertragschaffenden (nämlich geldeinnehmenden) Betriebe, Unternehmungen und Verwaltungen stellt sich die Frage, wie den an der Produktion Beteiligten ihr — persönlicher, sachlicher oder finanzieller — Leistungsbeitrag zu entlohnen sei. Das wird wirtschaftstheoretisch untersucht: Zurechnung des wirtschaftlichen Nutzens des je besondern Beitrages, zumal des Grenzbeitrages, und sicherlich hat diese Überlegungsart ihre Berechtigung, in dem Sinne, daß in der praktischen Wirtschaftsgestaltung gegen das in ihr Erkannte nicht verstoßen werden darf, jedenfalls nicht so stark, daß aus wirtschaftsimmanenter Notwendigkeit Gegenkräfte ausgelöst werden (beispielsweise so, daß wegen politischer Benachteiligung des Kapitals — marktwidrige Beschränkung von Zins und Unternehmergewinn — die Investitionsbereitschaft zurückgeht, was letztlich auch die Arbeitnehmer benachteiligt, indem auf die Gründung neuer Betriebe und die Modernisierung und Erweiterung der bestehenden verzichtet wird); zu warnen ist da sowohl vor allzu weitgehenden politischen Eingriffen ins Wirtschaftsgeschehen als solchen als auch vor die Privatinitiative lähmender Besteuerung. Aber für die tatsächliche Verteilung des Gesamtertrages von Kollektivgebilden — und in jeder höherentwickelten Wirtschaft erbringen sie den Großteil der gesamtwirtschaftlichen Produktion — sind immer auch außerwirtschaftliche Momente maßgebend, allgemein charakterisiert: Macht und Schwäche von gesellschaftlichen Gesamtheiten, seit alters her von Ständen und Klassen (man vergegenwärtige sich die Machtstrukturen der antiken Staaten) und in unserer Zeit von Interessenorganisationen, diese allenfalls durch den Staat unterstützt oder zurückgedrängt. Zu dem, was in diesen ergänzenden Bereichen besteht oder möglich ist, muß auch die Spiritualpolitik von ihrem besondern Standpunkt aus Stellung nehmen: richtigerweise wird sie wirtschaftslenkende Maßnahmen befürworten, die in ihrer gesellschaftlichen Auswirkung spiritualgünstig sind und in der wirtschaftlichen zumindest nicht aufbauhemmend, vielleicht sogar aufbaufördernd, — spiritualgünstig aber ist in erster Linie das auf Wohlstandsverbreiterung gerichtete Gesellschaftliche.

4.57 Der rasche soziale Wandel, die höheren Anforderungen an die Berufstätigen daraus, daß bisherige, eingeübte Produktionsweisen durch schwierigere ersetzt werden, und anderseits die Verdrängung von menschlicher Arbeit durch Maschinenleistung, die zunehmende Lebensdauer und dadurch die Aussicht auf eine lange Pensioniertenzeit, der selbstverständlich gewordene Anspruch auf einen einigermaßen hohen Lebensstandard (und damit die Ablehnung der Armut sogar in religiöser Sicht), die Geldentwertung: alle diese Momente machen der breiten Öffentlichkeit und damit auch den Politikern und andern Staatsaktiven das Problem der sozialen Sicherheit schärfst bewußt. In spiritualpolitischer Beurteilung ist das zu begrüßen, denn es bedeutet Überlegung, von der aus die wirtschaftlichen Grundlagen des Geistigen allgemein und insbesondere für die jetzt oder zukünftig Benachteiligten verstärkt und gesichert werden; daraus folgt vor allem die positive Haltung gegenüber der Sozialversicherung und, als praktisch Wichtigstes, gegenüber der Altersversicherung: diese ist ein Wirtschaftstechnisches, von dem (und damit: von dessen zweckmäßiger, fachmännisch bester Einrichtung und Führung) sehr weitgehend die mögliche geistige Erfüllung der Nicht-mehr-Berufstätigen abhängt. Gerade hier wird aber auch die Schranke des Wirtschaftlichen sichtbar: damit, daß die Sozial-Schwächeren und insbesondere die Alten wirtschaftliche Sicherheit erhalten, haben sie gesicherten Zugang zu Geistigem, aber dieses ist für sie vorläufig nur eine Möglichkeit, die verwirklicht, aber auch nicht verwirklicht werden kann; denkbar ist die weite Verbreitung einigermaßen anspruchsvoller und intensiver Altersgeistigkeit, denkbar ist aber auch, daß sehr viele und sogar die meisten Alten wirtschaftlich gesichert in geistiger Gleichgültigkeit und Trägheit leben, — sie haben dazu die Freiheit und das Recht, aber eine verantwortliche Entscheidung würde voraussetzen, daß ihnen gesagt wird, worauf sie verzichten, und das wiederum ist Aufgabe von Vertretern der Geistesmenschlichkeit, auch der politischen (allerdings eher der kultur- als der wirtschaftspolitischen).

4.58 Wohlstandsschaffung im allgemeinen, Einkommens- und Vermögensschaffung für die wirtschaftlich Aktiven, aber auch die Inaktiven und zumal die Alten, sie sind für die wirtschaftsbezogene Spiritualpolitik zwar das wichtigste, indessen nicht das einzige wichtige Zielhafte. Denn der spiritualen Idee nach soll die Leistung für den Leistenden — und damit für die Gesellschaft — nicht nur Mittel zum Wohlstand sein, sondern auch in sich selbst Sinn haben, eigenwerte Erfüllung bieten. Das ist von der Spiritualpolitik aufzunehmen: sie muß eine wichtige Aufgabe darin sehen, die Wirtschaft so gestalten zu helfen, daß die in ihr Tätigen neben ausreichendem Einkommen vielfältig Gelegenheit zu Leistungserfüllung erhalten. Wie kann der Staat, auf den die Politik ja einzuwirken trachtet oder dessen Ziele sie konkret bestimmt, dazu beitragen? Erstens in seinem eigenen Bereich: der Staat als vorbildlicher Arbeitgeber auch darin, daß die von ihm Beschäftigten zu persönlichem Arbeitsfreude-Finden berechtigt sein und ermuntert werden sollen; das allerdings verlangt, daß im Staat die Bürokratie und der politische Druck, die gerade in den öffentlichen Verwaltungen und auch in den staatlichen Wirtschaftsbetrieben oft hemmend und mitunter eigentlich lähmend sind, beseitigt werden, was immer auch produktivitätssteigernd wirkt und also im Allgemeininteresse geboten ist. Zweitens durch Einflußnahme auf die bestehenden privatwirtschaftlichen Unternehmungen und Betriebe, und zwar vor allem durch Gestaltung des Unternehmungs- und Arbeitsrechtes, welche Arbeitnehmervertretern (Betriebsrat, Vertreter in der Unternehmensleitung) gestattet, bei der Festlegung der Betriebsorganisation mitzuwirken und insbesondere auf spiritual-optimale betriebsinterne Arbeitszuweisung zu dringen. Drittens, wenn auch wohl nur ausnahmsweise, durch Förderung von Betriebsarten, die ausgeprägt auf Leistungswert bezogen sind und darin für die bereits bestehenden Betriebe Vorbild werden können.

Natürlich ist in allen drei Fällen der Leistungswert von den Anforderungen der je besonderen Ebene innerhalb des Leistungsganzen abhängig: dem Leitenden sind höhere Aufgaben gestellt als dem Untergeordneten, und der Eigenwert seiner Leistung bezieht sich entsprechend auf Höherrangiges. Jedoch bezieht sich dies eher auf das Objektive der Leistung als auf das Subjektive, und entscheidend ist das letztere: der Leistende persönlich soll seine Arbeit und sich selbst in ihr als werthabend erfahren, und das setzt vor allem Einsicht und Verantwortung voraus, für viele mehr als hohen Leistungsanspruch, zu dem ja bei weitem nicht alle die fachlichen Fähigkeiten haben. Die Spiritualpolitik hat hieraus die spezielle wirtschaftsgestalterische Aufgabe, dahin zu wirken, daß die Arbeitenden im Rahmen ihres Könnens und auf ihrem notwendigerweise beschränkten Arbeitsfeld möglichst vollständige Einsicht und Verantwortung erhalten, — wobei aber die beiden maßgebenden Momente, Können und Arbeitsfeld, keineswegs als feste Gegebenheiten gelten sollen, vielmehr gerade in Hinsicht auf tieferdringende Einsicht und größere Verantwortung nach Möglichkeit auszubauen sind. In der Regel wird damit eine Reform eingeleitet, die sich früher oder später produktionssteigernd auswirkt; denkbar ist aber immerhin, daß keine solcherweise nützliche Folge eintritt, — auch dann wird man innerhalb des wirtschaftlich Tragbaren um die Erhöhung der Arbeitsfreude und der mit ihr verbundenen Selbstwerterfahrung bemüht sein, in der Bereitschaft, allfällige Zweckmäßigkeitsmängel durch organisatorische und apparative Verbesserung aufzufangen.

4.59 Die nationalen Volkswirtschaften, Hauptfelder der Wirtschaftspolitik in ihren je nach nationalen Gegebenheiten national-besonderen Ausgestaltungen, stehen jetzt zunehmend unter übernationalen und globalen (weltwirtschaftlichen und anderweitig globalen) Faktoren. Nichtglobal-großgebietliche Faktoren sind entstanden und werden verstärkt, oder entstehen jetzt und in naher Zukunft neu, weil führende Großgebilde der Güterproduktion und der Dienstleistung unter so hohem technischem und damit auch wirtschaftlichem Anspruch arbeiten und arbeiten müssen, daß die wirtschaftliche Zweckmäßigkeit, und sei es zunächst auch nur die rein privatwirtschaftliche der einzelnen Unternehmung (die in diesem Fall immerhin zu Konzerngröße angewachsen sein wird), die Betätigung — jedenfalls den Verkauf und vielleicht auch die Produktion (diese besonders dann, wenn Staatsgrenzen den freien Güteraustausch erschweren, oft aber auch aus Arbeitsmarktgründen oder unter dem Gebot von Kostenüberlegungen) — in mehreren Nationalgebieten nahelegen; verstärkend wirkt da die Wachstumseigengesetzlichkeit der Großunternehmung. Großgebietliche, wenn auch nicht globale Wirtschaftsbeziehungen ergeben sich weiter, für die Einzelnen erlebbar, aus dem modernen Verkehr und insbesondere aus dem durch ihn ermöglichten Tourismus. Globale Faktoren sind diejenigen, welche sich auf die Gesamtheit der nationalen und großregionalen (das heißt mehrere Nationalgebiete umfassenden) Volkswirtschaften auswirken: rein wirtschaftliche wie Gegebenheiten der Rohstofferzeugung und -versorgung, der Industrialisierung von früher kolonialen Ländern, der Weltschiffahrt, des Weltwährungswesens, und dazu in anderm Sinne soziale wie die weltweite Bevölkerungszunahme: Spiritualpolitik als solche wird kaum je dazu kommen, in die konkrete Lösung von Globalproblemen aktiv einzugreifen, — aber richtigerweise vertritt sie innerhalb der nationalen Wirtschaftspolitik die von dieser aufzunehmenden geistesmenschlichkeitlichen Ziele und Prinzipien großgebietlicher Wirtschaftsgestaltung: Wohlstandsförderung im übernationalen Rahmen und Ausbau der Leistungsmöglichkeiten vor allem in den bisher wenig entwickelten Ländern, — beides kann zurückführen zur allgemeineren Theorie der geistesmenschlichkeitlichen Wirtschaftspolitik.

4.6 Kulturpolitik im engeren Sinne

4.61 Alle Politik ist auf Kulturelles gerichtet, indem sie geistiges Wollen und Tun ist und ihre Erreichnisse somit geistbestimmt sind, — Kultur ist in ihrem Allgemeinwesen die Gesamtheit der geistigen Tätigkeiten und Erreichnisse des Menschen; alle Politik ist somit kulturgestaltend und in diesem weiten Sinne Kulturpolitik. Der Begriff »Kultur« wird aber auch enger gefaßt, nämlich auf das beschränkt, was nach allgemeiner Auffassung das höhere Wesen des Menschen ausmacht (wie: religiöser Glaube, philosophisches Denken, künstlerisches Schaffen und Erleben, wissenschaftliche Forschung und Darlegung, zumal wenn sie nicht unmittelbar zweckgerichtet sind, Interesse an Geschichte und Literatur), oder als objektiviertes Geistiges aus ihm kommt (wie: religiöse, philosophische, wissenschaftliche Lehre als solche, als Ideenganzes und -system, religiöse, philosophische und wissenschaftliche Werke in der je speziellen Konkretheit ihrer Werkgestalt, künstlerische Werke und Veranstaltungen), oder die Fähigkeit zu ihm ausbildet (so: Erziehung, Schulung, Erwachsenenbildung, Information und andere Mediendienste), oder es institutionell unterstützt und fördert (wie: Kirche und Ritual, Schulen aller Stufen, Akademien, gelehrte und künstlerische Gesellschaften, Bibliotheken und Museen, Medien). Und damit ist das Gegenstands- und Zielgebiet der »Kulturpolitik im engeren Sinne« umschrieben (die meistens gemeint ist, wenn einfach von »Kulturpolitik« die Rede ist).

Kulturpolitik im engeren Sinne (wenn nicht genauer zu verdeutlichen oder abzugrenzen ist, soll sie auch hier abkürzend »Kulturpolitik« genannt werden, immer unter dem stillschweigenden Vorbehalt, daß auch alle andere Spiritualpolitik geistig und auf Geistiges gerichtet, also »Kulturpolitik im weiteren Sinne« ist) ist ein Hauptfeld der geistigkeitlichen und insbesondere der geistesmenschlichkeitlichen Politik, — aber sie ist nicht deren einziges oder auch nur wichtigstes Hauptfeld, denn grundlegend sind für das Spirituale die Staats-, Rechts- und Wirtschaftsgestaltung. Ohne sie gibt es keine vollständige Spiritualpolitik, und diese findet in ihr den klarsten Ausdruck und führt am unmittelbarsten zu Geistigem, das sich als ein oberstes Menschseins- und damit auch Sozialziel verstehen läßt. — Zwischen der Kulturpolitik (im engeren Sinne) und der übrigen Spiritualpolitik besteht Wechselwirkung. Einerseits ist die zweite für die erste grundlegend, rahmenschaffend, möglichkeiteneröffnend und ist somit die erste nur dank der zweiten in der Lage, ihre Ziele zu erreichen oder sich diese auch nur vorzunehmen (zumindest müssen für das erstrebte Geistige das Recht und die wirtschaftlichen Mittel, allenfalls auch die wirtschaftlich zu sichernde Freizeit gegeben sein). Anderseits ist die zweite von der ersten dadurch abhängig, daß die Gestaltung von Staat, Recht und Wirtschaft hohe Gestaltungsfähigkeit bei einer Elite verlangt, dazu nur dann kulturell vollen Erfolg haben kann, wenn die breiteren Volksschichten, im Idealfall das ganze Volk, fähig sind, das, was Staat, Recht und Wirtschaft an Verwirklichungsgelegenheit bieten, für ein geistiges Hohes — nach in Freiheit zu setzendem Maß — zu nützen: wenn Kulturpolitik das im engeren Sinne Kulturelle fördert, dann durch eben dieses auch das im weiteren Sinne Kulturelle (und wahrscheinlich wirkt das so gestärkte Allgemeinere wiederum auf das Speziellere zurück, — Beispiel: leistungsfähigere Wirtschaft dank besseren Schulen, intensivere Teilhabe an Kunst und Wissenschaft dank höherem Wohlstand). Der Spiritualpolitiker muß darum die Kulturpolitik und insbesondere sein spezielleres kulturgestaltendes Bemühen immer in gesamtgesellschaftlichem, großkulturellem Zusammenhang sehen.

4.62 Von allen sachgebietlich definierten Politikarten enthält die (im engeren Sinne) kulturpolitische am meisten Unmittelbar-Geistigkeitswichtiges: durch sie wird Geistigkeitliches, das heißt individuelles und soziales Hauptwesen bestimmendes und dabei als selbstzweckhaft verstandenes und gewolltes Geistiges, ermöglicht, gefördert, bekanntgemacht, im Volk zur Anerkennung gebracht. Maßgebend sind hiebei lebens- und sozialphilosophische Zielideen, welche der Spiritualpolitik von ihr übergeordneter Lehre gegeben werden; aber indem der Spiritualpolitiker gesellschaftlich aktiv ist, erkennt er besser als der philosophische oder ideologische Theoretiker die realen Bedürfnisse, Möglichkeiten und Grenzen, — das erlaubt ihm, ja verpflichtet ihn, selbständig zu den aktuellen oder zu aktualisierenden Themen Stellung zu nehmen und mitunter auf neue theoretische Besinnung zu dringen (auch hinsichtlich der Kulturpolitik ist grundsätzlich zu fordern, daß die Beziehung Theorie-Praxis zweiseitig sei, also in manchem die primäre Kraft von der Praxis ausgehen solle). Möglich ist, daß ein schöpferischer Denker sich für seinen Entwurf des besten geistigen Seins auch politisch einsetzt, und das vielleicht sogar politisch führend; vielleicht zieht er gerade aus seinem eigenen Denkertum politische Durchschlagskraft, vielleicht aber legt ihn seine Selbständigkeit allzusehr auf sein Eigenes fest (und das kann bis zu Starrsinn und Fanatismus führen), — die Trennung von Ideenschöpfer und Ideenanwender mag da im Allgemeininteresse liegen.

In manchem ist die Kulturpolitik zwar nicht unmittelbar, aber nahmittelbar geistigkeitswichtig, vor allem in den Bemühungen, das dem Geistigen dienende Institutionelle aufzubauen und leistungsstark zu machen, ohne daß dieses Geistige inhaltlich konkretisiert oder auch nur in allgemeiner Fassung als selbstzweckhafte Erfüllung empfohlen würde: die Politik schafft Grundlage und Rahmen, das zu verwirklichende Konkrete wird außerhalb der Politik gewählt, — aber natürlich gibt es neben dem auf Konkret-Einzelnes gehenden Einfluß der Kulturpolitik auch den allgemeineren, eher ein Typenhaftes nahelegenden und neben starkem auch schwachen, und oft wird sich das nahmittelbare Einwirken auf das Geistige vom unmittelbaren nicht unterscheiden lassen.

In einem dritten Bereich enthält die Kulturpolitik vielerlei Bestrebungen und Verwirklichungen, die wenigstens entferntmittelbaren Bezug zu Geistigem haben, insbesondere zu solchem, das nach der Geistesmenschlichkeit selbstzweckhafte Erfüllung bilden kann und soll, — Hauptbeispiel hiefür ist die Politik, welche die wissenschaftliche Forschung über das dem endzielhaften Geistigen nahmittelbar dienende Institutionelle zum Inhalt hat.

Kulturpolitik — aller drei genannten Arten — stellt immer wieder Anforderungen an Staatsorganisation, Recht und Finanzen: den postulierten Institutionen entsprechend ist die Staatsorganisation umzubilden, sind Organisationsnormen, Bürgerrechte und -pflichten zu fixieren, ist durch öffentliche Beiträge oder durch Sondersteuern die finanzielle Seite des Zuverwirklichenden zu sichern, — und all dies ist ins staatliche Organisationsganze, ins Ganze des Rechtes, ins Ganze der öffentlichen Finanzen und sogar der Volkswirtschaft überhaupt (die finanzielle Belastung des Staates muß gesamtwirtschaftlich vernünftig sein) einzubeziehen. Die Kulturpolitik hat so meistens auch staats-, gesellschafts-, rechts-, finanz- und allgemeiner wirtschaftspolitische Aspekte. Anderseits ist bei den allgemeineren Überlegungen über die beste Gestaltung von Staatsorganisation, Gesellschaft, Recht, Finanzen und Wirtschaft immer auch zu bedenken, daß sich kulturpolitische Probleme stellen können und mit großer Wahrscheinlichkeit stellen werden, die — aus oberster Pflicht des Staates und der Politik — zur je besten Lösung gebracht werden sollen.

4.63 Das wichtigste Sonderfeld der Kulturpolitik im engeren Sinne ist die Schulpolitik: Gestaltung des Schulwesens in seiner

Gesamtheit, regionale, anspruchsstufenhafte und sachgebietliche Gliederung der Lehranstalten, Festlegung der Organisationsschemata, der Lehrziele, der Teilnahmepflicht und der Zugangsberechtigung, vielleicht sogar des prinzipiellen Gehaltes der Lehrpläne, Einbeziehung der Privatschulen ins staatlich geordnete Gesamt-Schulsystem, staatswirtschaftliche Organisation der Bereitstellung der Lehrmittel, usw.; all dies ist, wo es praktische Wirklichkeit wird, Handeln — politisches und anderes — von Regierenden und Beauftragten, dagegen wo es praktische Wirklichkeit erst werden soll, Gegenstand kulturpolitischen Postulierens, das seinerseits in kulturpolitischem Denken und insbesondere Doktrinbilden zu begründen ist.

Schulpolitik ist immer auf Geistiges gerichtet: allgemein, indem sie Schulung ermöglicht und verlangt, spezieller, indem sie Lehrziele und -weisen bestimmt. Hieraus kommt eine grundsätzlich positive Einstellung der Träger politischer Geistesmenschlichkeit zur Förderung des Schulwesens als solchen, in all seinen denkbaren Ausprägungen, und insbesondere auch dann, wenn in ihm andere als geistesmenschlichkeitliche Leitideen maßgebend sind: Schulung ist Ausbildung der geistigen Fähigkeit, damit der Kraft zum Geistigen, also Ausbildung in dem, was die Grundlage des geistig-selbstzweckhaften und insbesondere des geistesmenschlichen Verwirklichens ist. Sogleich ist aber von der politischen Geistesmenschlichkeit aus zu fragen, ob die durch Schulung aufzubauende Kraft zum Geistigen auch Freiheit zum Geistigen ist: denkbar ist Kraft zum Geistigen, deren Zielinhalte beschränkt und sogar aufgezwungen sind, — bedingt durch Schulung, die in einem Hauptpunkt ideologische Ausrichtung der Geschulten ist, also Freiheit zum Geistigen weder erreicht noch auch nur erstrebt. Jedenfalls hier muß der Vertreter der politischen Geistesmenschlichkeit sich berechtigt halten, von seinem besondern Standpunkt aus zu den geltenden, oder fehlenden, Erziehungszielen kritisierend und fordernd Stellung zu nehmen.

Die Freiheit zum Geistigen, für die einzutreten eine der Aufgaben spiritualer Schulpolitik — und im weiteren Sinne der spiritualen Kulturpolitik — ist, schließt ein, daß der Einzelne über seine persönliche Geistigkeit oder Nichtgeistigkeit und, wählt er die erste, über ihren Inhalt und die Verwirklichungsweisen selbst entscheiden soll. Daß dieses sein Recht hochgehalten wird, zeugt von tiefem Respekt für die Freiheit und die in ihr zum Ausdruck kommende Geistigkeit des Menschen, — aber trotzdem wird man fragen müssen, ob es in der jetzigen kulturellen Situation richtig sei, die Bestimmung der erfüllungbietenden Menschseinsziele ganz den Einzelnen zu überlassen: denn weiß der Einzelne, worauf es bei dieser Wahl ankommt, und kennt er die Möglichkeiten, die ihm offen sind? Ist nicht die moderne Kulturwelt so komplex und auch in ihren Teilgebieten so kompliziert, sind nicht die an sich zugänglichen Arten des individuellen und kollektiven Verwirklichens so verwirrend vielfältig, daß in den Schulen auch Lebensauffassungen vermittelt werden müßten (zumindest als Rat, der angenommen werden kann, aber nicht beachtet zu werden braucht)? Ist nicht, was das Geistig-Selbstzweckhafte anbelangt, das Zielhaben und -verfolgen so sehr Sache der Älteren, ja der Alten, daß schon aus rein erziehungstechnischer Erwägung nicht auf das Fürrichtighalten der, noch jungen, Lernenden abgestellt werden darf, vielmehr Zielideen zu lehren sind, die wahrscheinlich erst in einigermaßen ferner Zukunft zu aktivieren sein werden? Und ist das letztere nicht geradezu unentbehrlich geworden, weil die früher selbstverständlichen religiösen Seins- und Ziellehren für viele nur noch beschränkt verpflichtend und für andere inexistent sind? Jede dieser Fragen kann Anlaß werden, aus der politischen Geistesmenschlichkeit die erziehungspolitische Maxime abzuleiten, daß in Schulen und Medien lebensanschaulicher Rat auch in Hinsicht auf Erfüllung-in-Geistigkeit zu geben sei, unter strenger Respektierung der geistigen Freiheit, ja auf diese hin. — Daran mag man die mehr aufs Bildungspraktische gehende Frage anschließen, wie denn die Seinsziele eingesehen und verstanden, als richtig anerkannt und als verpflichtend angenommen werden. Da gibt es erstens Menschen, die darin selbständig sind, auch und gerade Junge, denn jugendliche Intellektualität freut sich, Wissen zu erweitern und zu vertiefen, Auffassungen zu prüfen und sich mit ihnen auseinanderzusetzen, das Richtige vom Unrichtigen zu trennen (wobei es oft mehr auf die Denkleistung als auf das Ergebnis ankommt): sogar für sie kann es sehr anregend sein, von Zielideen zu erfahren, für die zwar keine absolute, wohl aber eine relative, auf die Wertauffassung von subjektiv urteilenden Denkern gestützte Geltung beansprucht wird. Viele hingegen sind auf Empfehlung angewiesen, die sie auf einen besten Erfüllungsweg bringt oder ihnen wenigstens eine klar umschriebene Gruppe von Zielen und Verwirklichungsarten zeigt, unter denen sie auswählen können und sollen, — und sei das auch erst in späteren Jahren sinnvoll. In beiden Fällen muß der Kulturpolitiker den Mut aufbringen, für konkrete Menschseinsweisen einzutreten und zu verlangen, daß sie für die Volksbildung bestimmend werden sollen: insbesondere gilt das für denjenigen, der aus politischer Geistesmenschlichkeit kulturpolitisch tätig wird (doch wird gerade dieser sich auch bewußt sein, daß er nur eine von mehreren möglichen Grundauffassungen vertritt und mit seinem Besonderen an einer ideenpluralistischen Diskussion beteiligt ist).

4.64 Zu unterscheiden ist, und genauest in den das Zielhafte betreffenden Überlegungen, zwischen den allgemeinbildenden Schulen der Unter- und Mittelstufe und den aufs speziellere Fachliche ausgerichteten Hoch- und Fachschulen. Auch in der ersten Kategorie ist weitgehend die Absicht bestimmend, daß Fähigkeiten zu vermitteln sind, die entweder direkten praktischen Nutzen haben oder aber für die höhere berufliche Ausbildung grundlegend sind, — jedoch ist in ihr das Allgemeinbildende relativ (im Verhältnis zum Beruflichen) wichtiger als in der zweiten. Was läßt sich aus den allgemeinen Ideen der Geistesmenschlichkeit in Hinsicht auf die von den unteren und mittleren Schulen (bis zur Gymnasialstufe) zu vermittelnden Allgemeinbildung ableiten? Was die Ziele anbelangt: daß die Schüler sich in Wesen und Wert des individuellen und kollektiven Geistigen einfühlen und dieses auch als für sie selbst richtungweisend verstehen sollen; zu betonen ist hiebei die inhaltliche Vielfalt des zielhaft Geistigen, insbesondere seiner sozialen Bereiche, zu warnen ist vor der Beschränkung aufs Nurindividuelle. Was die Verwirklichungsweisen anbelangt: daß die Schüler zur Selbständigkeit des Denkens erzogen werden, daß sie im Geistigen mutig sein, daß sie durch Selbständigkeit und Mut nach Möglichkeit, und sei es auch nur in Alltäglichem, schöpferisch werden sollen. Was die Schulungsmethoden anbelangt: daß die Schüler das Geistigkeitliche sowohl in einfühlbaren, nacherlebbaren Bildern und Zustandsbeschreibungen als auch in begrifflicher Darstellung kennenlernen sollen. Das letztere läßt weltanschaulichen Konflikt erwarten, denn die geistigkeitlichen und insbesondere geistesmenschlichkeitlichen Bilder und Ideen werden mit Sicherheit auf Gegnerschaft stoßen, und zwar seitens der Religiösgesinnten wie auch der Vertreter von — mehr oder weniger deutlich theoretischem, vielleicht auch bloß erfolgspraktischem — lebensanschaulichem Materialismus. Und trotzdem ist die erziehungspolitische Geistesmenschlichkeit in einer starken Stellung: sie kann an das anschließen, was, jedenfalls im Abendland, seit der Antike als kulturell-wertvoll erfahren wurde. Aber gerade hieraus ergibt sich auch die Bejahung der modernen Ausbildung zur technisch-wirtschaftlichen Leistungsfähigkeit, denn diese ist es vor allem, die jetzt weitgehend das Sozialaktivbleiben jenes Kulturell-Wertvollen verbürgt.

Die Hoch- und Fachschulen stehen hauptsächlich unter den Anforderungen von Fachgebiet und Beruf: der Leistende soll, je nach Schulungsziel der von ihm gewählten Lehranstalt, Fachmann werden. Darum sind in erster Linie die fachlichen, beruflichen Fähigkeiten auszubilden, viel eher als lebensanschauliche oder politische Einsicht und Zielklarheit (auch viel eher als Geistesmenschlichkeit): wichtigst ist, daß erstklassige Wissenschaftler, Ingenieure, Techniker, Ärzte, Rechtsanwälte, Verwaltungsbeamte, Spezialmechaniker, Bauhandwerker, usw. ausgebildet werden, — wie diese hochqualifizierten Spezialisten lebens- und sozialphilosophisch eingestellt sein werden, ist für ihre Lehrer eine untergeordnete Frage. Aber wenn auch nur eine untergeordnete, so doch nicht notwendigerweise eine inexistente: wer auf hoher Stufe lehrt, sollte auch hinsichtlich des Zielhaften eine voll ausgebildete Persönlichkeit und daraus für seine Schüler beispielgebend sein, sie eben dadurch zum Verstehen des persönlich und sozial Besten führend. Einen weiteren Besinnungsweg erschließt die allgemeine Wandlung der modernen Kultur zu größerer Offenheit und Beweglichkeit: Wissenschaft, Philosophie, Kunst, Politik, andere Sozialaktivität, auch die Religion, sie alle sind jetzt so vielschichtig und vielgebietig, stehen unter so verschiedenen Zielen und Werten, werden auch so stark durch immer wieder neue und häufig unerwartete Entwicklungen umgestaltet, daß sich in ihnen und ihnen gegenüber nur behaupten kann, wer auf das, was er bisher nicht kannte oder zumindest nicht für richtig hielt, einzugehen fähig ist, — das aber auferlegt dem zu hohem Denken ausgebildeten Einzelnen die Pflicht zu autonomem Das-Richtigere-Suchen jedenfalls in seinem Fachgebiet und darüber hinaus bezüglich des Allgemeinen, das richtigerweise von moderner, aktueller Philosophie darzulegen wäre, — und das wiederum bedeutet, daß der Einzelne zu Geistigkeit auszubilden ist, die Grundlage geistesmenschlichen Seins werden kann.

4.65 In bezug auf die Wissenschaften hat die Kulturpolitik das Hauptziel, das Lehren und Forschen jedenfalls soweit durch Schaffung von Organisationen und Bereitstellung von Finanzmitteln zu fördern, als das im Interesse des sozialen Ganzen — insbesondere aus Bedürfnissen der Volksgesundheit, der Wirtschaft, des Wehrwesens — geboten ist; überlegene Politik wird dabei neben den jetzigen, politisch aktuellen Bedürfnissen auch diejenigen herausarbeiten, die wahrscheinlich in näherer oder auch erst in fernerer Zukunft wichtig sein werden, und es als eine Hauptaufgabe verstehen, vorbereitendes Wissen gewinnen zu helfen. Dieses Bemühen deckt sich zum Teil mit demjenigen um die beste Führung und den Ausbau der Hochschulen, für welches die Gesichtspunkte der optimalen Unterrichtsorganisation maßgebend sind; es hat aber dadurch einen selbständigen Bereich, daß die Forschung — Forschen als solches und anschließende Kenntnisverbreitung — eine hochanspruchsvolle geistige Leistung ist, oft eine so weitläufige und schwierige, daß es sich empfiehlt, sie von der Lehre zu trennen: Forschungsorganisationen außerhalb der Hochschulen. Die Wissenschafts- und insbesondere die Forschungspolitik muß hieraus zweischichtig sein: erstens auf die Forschungsgegenstände und zweitens auf die beste Organisation gerichtet; das kann, da der Kulturpolitiker kaum eine zugleich umfassende und genaue Kenntnis der Wissenschaftsbedürfnisse hat, als zweckmäßig erscheinen lassen, daß mit der Ausarbeitung der konkreten Programme ein weitgehend autonomes oberstes Wissenschaftsgremium betraut wird (außerhalb der Zuständigkeit der Politiker und auch eines solchen Gremiums sind die anzuwendenden wissenschaftspraktischen Verfahren zu halten; hier sollen ausschließlich die verantwortlichen Fachwissenschaftler entscheiden).

Wissenschaftsförderung »im Interesse des sozialen Ganzen«: Ist denn von vornherein klar, was im Interesse der Gesellschaft liegt? Wenn auf Bedürfnisse der Volksgesundheit, der Wirtschaft, des Wehrwesens, hingewiesen wird: Sind sie in Inhalt und Rangordnung immer ausreichend deutlich erkannt, damit das Wissenschaftsprogramm konkret umrissen werden kann? Das sind Fragen, die sich zunächst ebenfalls an die Wissenschaft richten: es gibt Bedürfnisse und sie sind fachwissenschaftlich festzustellen; vorausgesetzt ist dabei, daß die diesem Praktischen übergeordneten, also die Bedürfnisse auslösenden Ziele keiner weiteren Diskussion unterliegen (also keine Zweifel bestehen über das Grundsätzliche des Gesundheitswesens, der Wirtschaftsgestaltung, des Militärs), — und das wiederum wird zum Teil als richtig anzuerkennen sein (etwa bezüglich der allgemeinen Ziele des Gesundheitswesens und damit der Gesundheitspolitik), zum Teil aber fragen lassen, ob da nicht Selbstverständlichkeiten wirken, die kritisch geprüft werden sollten (so bezüglich etwa einer nationalistischen Militär- und Wirtschaftspolitik). Trifft letzteres zu, so werden die den Forschungsausbau nahelegenden Sozialbedürfnisse richtigerweise zum Thema der Besinnung auf die neuzukonzipierende beste Politik, — dieses Denken aber ist in seinem Grundwesen nicht mehr wissenschaftlich, sondern wertend und zielsetzend, damit, wenn es theoretisch wird, zielphilosophisch, und das wiederum heißt: in Lebens- und Gesellschaftsphilosophie, allgemeinst in Menschseinsphilosophie begründet. Und in diesem Ideenhaften kann und soll auch die politische Geistesmenschlichkeit ihren Beitrag leisten: Auf welche Menschseinsziele, damit auf welche Ziele des Einzelnen (oder der verschiedenen Typen des Einzelnen), des Staates und der Gesellschaft hin soll die Wissenschaft als Ganzes und sollen die einzelnen Wissenschaften ausgebaut werden? Diese Frage ist prinzipiell wichtig nicht nur im Zusammenhang mit der Wissenschaftsförderung als solchen, die nur ein verhältnismäßig kleines Feld der Kulturpolitik ist, sondern auch in dem Sinne, daß die Herausarbeitung der in den ersten Rang zu stellenden Wissenschaftsziele ein allgemeines Kulturverständnis bewirken soll, ist doch das wissenschaftlich begründete Denken die zentrale Kraft der modernen Geistigkeit, — die Klärung der Wissenschaftsziele erstreckt sich damit immer auch auf Schulungsziele und oft auf

Ziele der Medienpolitik. Spiritualpolitik, zumal in von den Gegebenheiten der modernen Kultur geprägten Auffassung, bejaht wertend und zielsetzend das Wissen, damit die Wissenschaft und die Wissenschaftsförderung, und zwar nicht nur im Hinblick auf Nützlichkeiten, vielmehr aus der Hochschätzung der im Wissen und wissenschaftlichen Denken verwirklichten Bewußtheit.

Aus dieser Hochschätzung und um der hochgeschätzten Bewußtheit willen muß die politische Geistesmenschlichkeit in der politischen Diskussion Wert und Würde des Wissens und der Wissenschaft darlegen und zur Anerkennung bringen. Sie wendet sich dabei an Einzelne, Gesamtheiten und Organisationen, die bereits wissenbejahend sind: an solche, die Wissen und Wissenschaft an sich und grundsätzlich bejahen, aber gerade darin noch zuwenig entschieden Stellung nehmen und somit zu klarerer und auch schärferer Betonung ihres Standpunktes veranlaßt werden sollten, — und an solche, denen die Wissenschaften zwar viel Nützliches (das meistens gemäß einer aktuellen Nützlichkeit zur Anwendung, die entweder privatwirtschaftlich gewinnbringend oder gesellschaftlich wohlfahrtsfördernd sein soll, herausgegriffen wird), jedoch kaum Anlaß zu selbstzweckhaftem Denken bieten. Sie wendet sich zweitens an Leute, die zur Wissenschaft vorläufig keine positive und allerdings auch keine negative Beziehung haben, — Nichtinteresse für die Wissenschaft und Gleichgültigkeit ihr gegenüber sind weitverbreitet: hier Interesse und Beteiligtheit schaffen zu helfen wäre eine wichtige Leistung der spiritualen Kulturpolitik. Sie wendet sich drittens an, und mitunter auch gegen, diejenigen, welche die Wissenschaft, oder beschränkter die wissenschaftliche Rationalität als das die moderne Weltauffassung bestimmende Prinzip, ablehnen, geschehe dies aus Religiosität, Bildungstradition oder Erlebenssuche; politische Geistesmenschlichkeit wird sie darauf hinweisen, daß es zwar manchen Erfüllungsbereich außerhalb der Wissenschaft gibt, aber diese trotzdem das Zentralfeld der modernen Kultur ist und als solches in ständigem Bemühen feiner durchgebildet und erweitert werden muß.

4.66 Die Künste sind Gegenstand der Kulturpolitik schon im Rahmen der Schulpolitik: ein zwar nicht großes, aber kulturell eigenständiges Sonderfeld des staatlichen oder vom Staat geförderten außerstaatlichen Unterrichtswesens betrifft die Ausbildung zur — beruflichen oder amateurhaften — künstlerischen Betätigung (bildende Künste, Musik, Schauspiel und Oper, Ballett). Sodann muß die Kulturpolitik die Schaffung von Veranstaltungsorganisationen (Theater, Konzertgesellschaften, Ausstellungsorganisationen), Museen und Spezialbibliotheken unterstützen; grundlegend hiefür ist die Einsicht in die kulturelle Bedeutung der künstlerischen (werkschaffenden oder darbietenden) Leistung an sich, ihrer Ergebnisse (also der Kunstwerke, aber auch, und trotz ihrer kurzen Dauer, der Darbietungen) und der Kunstbetrachtung (die gesellschaftlicher Sinn, aber damit nicht der einzige kulturelle Sinn des künstlerischen Schaffens und Darbietens ist), — aus dieser Einsicht muß die spirituale Kunstpolitik allgemeine Handlungsprinzipien und spezielle sachbezogene Postulate ableiten. Drittens ist der Staat Auftraggeber, der über die Gestaltung von öffentlichen Gebäuden und Anlagen zu entscheiden hat, weiter untersteht ihm die Orts- und Landesplanung: Welche künstlerischen Gesichtspunkte sollen da maßgebend sein? — das ist auch politisch zu diskutieren, und vielleicht vertreten die Spiritualpolitiker da ihre besonderen Auffassungen. Und viertens gibt es staatlich Eingriffe ins private künstlerische Schaffen und Gestalten: Zensur, Verbot von Anstößigem, Rat oder Befehl betreffend Inhalt und Form von Künstlerischem; auch aus geistesmenschlicher Einstellung kann solches verlangt werden (zumal aus religiöser oder bildungstraditionalistischer), — aber die voll in der kulturellen Gegenwart stehende Geistesmenschlichkeit ist immer auch die Bewußtheit, daß die jetzigen ästhetischen Werthaltungen (selbst wenn sie moralisch fundiert sind) kulturrelativ und daß vielerlei neue Auffassungsmöglichkeiten berechtigt und darum ernstlich zu beachten sind: Offenheit in allem Künstlerischen wird daraus Pflicht und Freiheitlichkeit des künstlerischen Tuns und Teilhabens ein oberstes kunstpolitisches Ziel.

Alle diese Überlegungen werden davon ausgehen, daß Kunst, sei sie schaffend (das Darbieten eingeschlossen) oder aufnehmend, ein Hauptfeld des geistigen Seins ist, und insbesondere des geistesmenschlichen Seins, welches zu fördern die politische Geistesmenschlichkeit als ihre zentrale Aufgabe versteht, ein kleineres Hauptfeld allerdings neben demjenigen der Wissenschaft, aber ein mit diesem gleichrangiges: moderne Geistigkeit ist nur dann voll verwirklicht, wenn in ihr auch die künstlerische und insbesondere die modern-künstlerische Bewußtheit, bei wenigen sich ins Tätige wendend und bei vielen im betrachtenden (aber dabei innerseelisch aktiven) Teilhaben bleibend, voll ausgebildet ist, — und daraus wird deutlich, daß Thema des entsprechenden Bewußtwerdens immer auch die jetzt geschaffene Kunst, die Gegenwartskunst mit all ihrem Befremdlichen (befremdlich auch darum, weil es schwierigem neuem Denken, wie es von der wissenschaftlichen und philosophischen Avantgarde rational formuliert wird, künstlerischen Ausdruck gibt) sein muß. Anderseits kann die Herausarbeitung der richtigen, ja besten Kunstpolitik die allgemeinere Besinnung anregen: darauf, was die Künste für die zielhafte Geistigkeit überhaupt und die moderne Geistigkeit insbesondere tatsächlich bedeuten — und das Tatsächliche erweiternd bedeuten können und sollen; sich mit spiritualer Kunstpolitik zu befassen, kann hieraus einen über die Klärung praktischer Fragen hinausgehenden Sinn bekommen.

4.67 Die meisten modernen Staaten sind mehr oder weniger religionsfern, jedenfalls in der Weise, daß die Kirche oder ihr entsprechende religiöse Körperschaften (man denke dabei auch an die nichtchristlichen Länder) keinen starken Einfluß auf das Ganze der Staatstätigkeit haben. Vielleicht aber besteht schwacher religiöser Einfluß auf dieses Ganze oder starker auf einzelne Sachfelder, am wahrscheinlichsten auf solche der Kulturpolitik. Die kulturpolitisch interessierte Geistesmenschlichkeit kann sich hieraus zweifach mit politisch aktiver Religion zu befassen haben: erstens mit den religiös-politischen Kräften, die in der Politik bereits am Werke sind, zweitens mit Religion, aus der sie selbst religiöspolitisch aktiv wird, — zwischen beiden ist verbindend, daß die religiösen Tendenzen, welche die Geistesmenschlichkeit in der Politik vorfindet, zum Teil geistesmenschlichen Gehalt haben und damit die politische Geistesmenschlichkeit zu Unterstützung auffordern. Zu bedenken ist beim letzteren, daß die Zeit nicht weit zurückliegt, in welcher die Religion nicht nur politisch sehr einflußreich war (und in der sozialen Oberschicht, in Regierung und Parlament — in den Monarchien auch beim Herrscher und seinem

Umkreis —, in den Parteien und der Presse, in den Schulen eine sehr starke, die nichtreligiösen Auffassungen zumindest zurückdrängende und oft behindernde Machtstellung besaß), sondern auch einen Großteil der Möglichkeiten des geistigen, und geistesmenschlichen Verwirklichens bestimmte (zumal die wissenschafts-, technik- und wirtschaftsbegründeten oder -bezogenen Verwirklichungen gibt es in großer Vielfalt und Anzahl erst seit einigen Generationen). Ist auch die moderne Geistesmenschlichkeit in der Weltsicht nicht primär religiös (immerhin schließt sie Gottesannahmen nicht notwendig aus) und steht sie sogar zur religiösen Menschseinslehre in Gegensatz, indem sie die Pflicht zur Selbstgestaltung und allgemeiner die Diesseitigkeit des Menschen betont, so darf sie doch nicht die Religion überhaupt ablehnen: vielmehr muß sie anerkennen, daß noch immer religiöses Geistiges hohen Ranges verwirklicht werden kann, anerkennen schon darum, weil jeder die Freiheit haben soll, sich um Wissenschaft nicht zu kümmern oder neben ihr einen Raum des Metaphysischen, vielleicht des Mystischen, zu bewahren, und noch mehr darum, weil der religiöse Glaube von den Gegebenheiten der modernen Kultur aus neugefaßt werden und so für Geistigkeitsbejaher, auch Spiritualpolitiker, die Grundlage zu anspruchsvoller Verwirklichung bleiben oder werden kann. Richtigerweise ist also die Spiritualpolitik der Religion gegenüber mehr als nur tolerant (das heißt gewährenlassend), nämlich darauf bedacht, daß das zielbildende Geistige auch in seinen religiösen Erscheinungsweisen erstrebt, verwirklicht und, insbesondere, politisch geltend gemacht werden soll. Aber anderseits wird sie sehr entschieden die volle Freiheit für das nicht- und sogar das antireligiöse geistigkeitliche Verwirklichen verlangen — und darum eine voll-tolerante Haltung der Religiösgegenüber den Nichtreligiös-Gesinnten (unter praktischem Verzicht auf die Forderung, die Gläubigen müßten den Wert des Nichtglaubens einsehen und Nichtglaubens-Verwirklichung befürworten: der Glaube legt allzusehr auf eine konkret-materiale Wirklichkeitsauffassung fest, — ins Tiefste reichende Bejahung von Ideenpluralismus setzt die Anerkennung von Ideenrelativismus voraus und dieser widerspricht dem religiösen Die-letzte-Wahrheit-Besitzen).

Der Kulturpolitik stellen sich Aufgaben religiösen Inhaltes vor allem im Zusammenhang mit den Kirchen und religiösen Gemeinschaften, mit den Schulen und den Medien. Die Kirche, als die aus dem Glauben gebildete, ihm entsprechende, die Gläubigen unter ihm vereinigende Organisation nimmt im gesellschaftlichen Ganzen dann eine einflußreiche, mächtige Stellung ein, wenn der sie bestimmende Glaube im Volk eine breite Anhängerschaft hat, die ihm durch lebendige Überzeugung oder wenigstens durch Anhänglichkeit ans Alte (nicht selten verstärkt durch konformistischen Druck) verbunden ist; herrscht im Volk ein Glaubenstypus vor (eine einzige Religion in einer einzigen Konfession), so auch eine Großkirche, bei zwei oder mehreren Glaubenstypen (Konfessionen der einen Religion oder verschiedene Religionen) stehen zwei oder mehrere Großkirchen nebeneinander, und hier wie dort finden sich wahrscheinlich einige oder mehrere kleinere Kirchen, die, auch wenn ohne erhebliches politisches Gewicht, von den Kulturpolitikern als möglicher Gegenstand von Politik zu beachten sind. Die religiöse Gemeinschaft ist die Gemeinschaft der Gläubigen als solche, gekennzeichnet durch gleichen Glauben, — Gemeinschaft, die an sich der Organisation nicht bedarf, aber durch sie gefestigt wird und darum meist die Form der Kirche oder einer kirchenähnlichen Körperschaft besitzt (jedoch grenzt die Organisation die Glaubensgemeinschaft oft allzu starr ab, nimmt ihr die Offenheit und Beweglichkeit, die für einen fruchtbaren Kontakt mit Andersdenkenden nötig wären); wiederum sind Einheitlichkeit und Vielfalt möglich: im einen Staat ist nur eine einzige Großgemeinschaft, im andern gibt es deren zwei oder mehrere, im dritten neben großen einige kleinere, im vierten keine großen, aber mehrere mittelgroße und viele kleinere. Gegenstand von Kulturpolitik werden Kirche und Religionsgemeinschaft, indem ihnen Ziele gesetzt, Rechte und Freiheiten gewährt, Pflichten und Normen auferlegt werden: unter jedem diese Aspekte bezieht sich das politische Handeln auf Dinge, die entweder als solche geistig sind oder sich einigermaßen direkt auf Geistiges auswirken; die politische Geistesmenschlichkeit muß diesem Themenkreis ihre volle Aufmerksamkeit zuwenden, und das sowohl in positivem Interesse, Wert und Recht des Religiös-Geistigen betonend und auf seine Förderung bedacht, als auch in negativem, der Einseitigkeit des Religiösen bewußt und dessen möglichen Übergriffe gegen das

Nichtreligiöse verhindernd. — Ähnlich wird sich die modern-freiheitliche Spiritualpolitik zu den religionspraktischen Problemen einstellen, die Schulen und Medien betreffen und von ihnen einerseits durch Entsprechung und Gewährung, anderseits durch Nichtentsprechung und Abweisung zu lösen sind: es ist eine der Aufgaben der politischen Geistesmenschlichkeit, sowohl prinzipiell wie auch aufs einzelne Konkrete gehend klar herauszuarbeiten, in welchem Ausmaß die Religion ihren alten Anspruch auf absolute Geltung auch in diesen modernen Sozialgebilden vertreten solle oder dürfe (dabei ist wohl eher das Dürfen zu prüfen als das Sollen).

4.68 In der modernen wissenschaftlich-technischen und durch allgemeine Wohlstandssteigerung gekennzeichneten Kultur haben die Informations- und Teilnahmemedien große und ständig zunehmende Bedeutung: Presse, Film, Hörfunk und Fernsehen, — besonders die beiden elektronischen Medien bestimmen einen Großteil dessen, was für den modernen Menschen der Zugang zur Welt (sowohl der weiten und fernen als auch der engeren und nahen) und die Teilhabe an Kunst, Wissenschaft und sogar an der Religion ist, aber natürlich haben auch die andern beiden, da sie differenzierter sind und manchem Qualitätsanspruch besser genügen können, ihre sehr wichtige soziale Funktion. Durch das Medienangebot ist die Welt, der sich jeder jetzt lebende Einzelne als zugehörig erfährt, von derjenigen der Früheren so sehr verschieden, daß es uns kaum noch möglich ist, uns die Erweiterung und Vertiefung des allgemeinen Informiertheits- und Teilhabebestandes konkret zu vergegenwärtigen, selbst dort, wo der angebotene Stoff früherem im Wesentlichen gleich ist (wie etwa bei Berichten über Politik, Kunst, Reisen oder bei der Darbietung von Musik, Theater und Ballett), und natürlich noch viel mehr dort, wo der Informations- und Darbietungsinhalt neuartig ist (wie bei vielem Wissenschaftlichen und Technischen). Und eben weil die Geistesmenschlichkeit auch umfassendes, tiefstdringendes, klarstes Von-der-Welt-Wissen zum Ziel hat, sind die Medien positiv zu werten und in ihren Funktionen zu unterstützen. Das wirft die Frage auf, welche Funktionen konkret die wertvollen seien, — denn es gibt auch Medienleistung, die lediglich Sensations- und

Unterhaltungsbedürfnisse befriedigt und bei der zumindest klar ist, daß ihr in geistesmenschlicher Beurteilung andere, inhaltlich und auch formal anspruchsvollere vorzuziehen ist. Und zweitens ist zu fragen, wie die nötige Unterstützung staatspraktisch am besten erfolge.

Zum Inhalt des Medienangebotes. Wenn es nach geistesmenschlicher Zielauffassung (auf deren Menschlichgesetztsein und damit Subjektivseins wiederum hingewiesen sei) Inhalt des zu erstrebenden Menschseins — und zwar des individuellen wie des kollektiven — ist, daß die Welt in heller Bewußtheit eingesehen, erfahren, in betrachtender, aber auch ständig weiterfragender Bewußtheit vergegenwärtigt werde, und das sowohl als Ganzes wie bezogen auf die gemäß Sachwesen zu unterscheidenden Großbereiche und, innerhalb dieser, auf typische Sonderfelder und Einzeltatsachen, dann muß die politische Geistesmenschlichkeit dahin wirken, daß die Medien auch unter diese geistigkeitliche Allgemeinaufgabe gebracht werden, — natürlich nicht nur unter sie, denn es gibt mancherlei andere Informations- und Teilnahmebedürfnisse (auch Unterhaltung und Sensation sollen ihren angemessenen Platz haben); gerade hier muß klar verstanden werden, daß unter dem Wesens- und Zielpluralismus der modernen Kultur keiner Ideenrichtung die ausschließliche Geltung zukommt, aber jede ihr Eigenes darlegen und für es ausreichenden Entfaltungsraum fordern darf. Auf die Medien als solche und die auf sie gerichtete Spiritualpolitik angewandt: die Medienorganisationen und ihre Leiter sind zu veranlassen, ihre Programme unter drei Gesichtspunkte zu stellen: erstens Informierung, die dem aufmerksamen Teilnehmer ein sachrichtiges, einigermaßen vollständiges und dabei ausreichend vielfältiges Bild des, weltweiten, sozialen Geschehens vermittelt; zweitens Darlegung der Ergebnisse (und wenigstens andeutungsweise auch der sie erbringenden Verfahren) der wissenschaftlichen Forschung, des religiösen und philophischen Denkens, soweit sie allgemeinverständlich und für die Fortbildung des Welt- und Kulturverständnisses wichtig sind (popularisierende Wissenschaftsdarstellung erweist sich hier einerseits als nützlich und sogar unentbehrlich, anderseits als vom Wissenschaftsstandpunkt aus erlaubt, wenn objektive Richtigkeit für sie verpflichtend bleibt); drittens Zugänglichmachung (Veröffentlichung, Abbildung, Aufführung) von Kunstwerken hohen Ranges und von literarischen oder visuell-darstellenden Werken und Darbietungen anderer Art (etwa: Beschreibung von Geschichtlichem, Sozialem, Ethnographischem, Naturkundlichem), aber ebenfalls hohen Anspruchs. Kaum vermeidlich ist, daß derartige spiritualpolitische Forderungen mit populären Auffassungen in Gegensatz geraten, — der Spiritualpolitiker muß das auf sich nehmen, davon ausgehend, daß auch er in der pluralistischen Gesellschaft zur Vertretung seines Eigenen berechtigt ist.

4.69 In der modernen Kultur ist das Ziellehren, das früher vorwiegend Funktion der Religion und der religiösen Organisationen war, großenteils auf Ideologie und ideologisch bestimmte Organisationen übergegangen; neben dem wirtschaftlichen Interesse, das seinerseits ideologiebestimmend wird, ist jetzt das, mehr oder weniger deutlich bewußte, ideologische Fürguthalten die stärkste politische Kraft. Das stellt die politische Geistesmenschlichkeit ebenfalls in den Ideologiezusammenhang: sie ist selbst Ideologie und muß es sein, wenn sie politischen Erfolg zeitigen soll, — und der Träger politischer Geistesmenschlichkeit muß den Mut zur Ideologie haben, auch dazu, die eigene Auffassung in Ideologie, eben in spirituale Ideologie, zu kleiden, und weiter dazu, sich in spiritualideologischem Denken mit den andern Ideologien auseinanderzusetzen. Das letztere braucht sich nicht nur auf Kritik und Abweisung zu beschränken; vielmehr ist es oft dann am fruchtbarsten, wenn Hauptinhalt der andern Ideologie anerkannt, aber mit Spiritualem verbunden, wenn also ein vorerst nicht spirituales Ideenganzes spiritualisiert wird.

Indem der Spiritualpolitiker die, oder eine, spirituale Ideologie ausarbeitet, vertritt und durchzusetzen bemüht ist, sieht er diese als wichtigen Gegenstand seines Denkens und Handelns. Er ist dazu berechtigt, denn in der pluralistischen Kultur darf jedes Ideensystem dargelegt und anhängersuchend vertreten werden. Aber gerade aus den Geistesmenschlichkeitsideen muß dabei bedacht werden, daß alle Ideologie (kollektiv-)subjektiv ist, also keiner ein objektives Verpflichtendsein zukommt; überdies ist die politische Geistesmenschlichkeit in ihrem Grundwesen so ausgeprägt freiheitlich, daß sich ihr jeglicher ideologische Zwang verbietet, — ihre Träger dürfen die spirituale Ideologie zwar an den Staat herantragen und auch verlangen, daß die staatlichen Organisationen sie als eine der in Geltungswettbewerb stehenden Ideensysteme bekanntmachen und berücksichtigen, aber sie dürfen sie nicht zur Staatsideologie erheben wollen.

Dieser Gedankengang kann bis zum Postulat weitergeführt werden, daß sich die mit den im engeren Sinne kulturellen Aufgaben betrauten Staatsstellen auch um Ideologienvielfalt und möglichst lebendige ideologische oder, auf höherer Stufe, zielphilosophische Diskussion bemühen sollen. Sie würden damit erstens das Wissen um Ideologien und Philosophien verbreitern und vertiefen; das wäre erwünscht schon darum, weil jeder Politisch-Interessierte alle politischen Standpunkte genau kennen sollte, auch die gegnerischen: viel Mißverständnis ließe sich vermeiden, wenn man das, was der andere will, im einzelnen nachvollziehen könnte (wenn etwa der Liberale voll verstünde, was die Sozialisten, und der Sozialist, was die Liberalen wollen), — und nützlich wäre oft sogar, daß man die Auffassungen des eigenen politischen Lagers differenziert erfaßte. Zweitens würden sie das ideologische und politisch-philosophische Denken als solches anregen, und damit die geistige Lebendigkeit des politischen Ideenbildungsprozesses. Entsprechend ist es zu kritisieren, wenn staatliche Behörden oder Parteien, und insbesondere: wenn einzelne, zumal führende, Politiker die ideologische Diskussion einschränken wollen.

4.7 Übrige Innenpolitik

4.71 Gestaltung des Staates, des Rechtes, der Wirtschaft, Kulturpolitik im engeren Sinne sind die Hauptfelder der Innenpolitik, deren Allgemeinwesen darin besteht, daß ihre Gegenstände ganz oder doch in der Hauptsache inländisch sind und damit in der Zuständigkeit des Staates stehen oder durch neues Recht in sie gebracht werden können, — im Gegensatz zur Außenpolitik, welche das Zusammenwirken mit ausländischen Staaten oder internationalen Organisationen erfordert (geht man ins einzelne, so wird man allerdings feststellen, daß manches Innenpolitische eine außenpolitische und manches Außenpolitische eine innenpolitische Seite hat). Die Innenpolitik ist nicht auf jene vier Sachgebiete beschränkt, vielmehr in bezug auf alle Themen der nationalen Gesellschaftsgestaltung aktionsfähig und hieraus auch offen, indem der politische Themenkreis ändern kann. Zu diskutieren ist damit gegebenenfalls die beste Fassung des Innenpolitikbereiches als solchen: Was soll zusätzlich Gegenstand der Innenpolitik werden, — welche Dinge sollen, weil minderwichtig oder aber den Staat nicht betreffend, von ihr nicht behandelt werden, nicht einmal auf einem Nebenfeld der Innenpolitik? Zu diskutieren ist zweitens die beste Fassung der zusätzlichen Probleme: Welches ist der Sachgehalt jedes der gestellten, in der ersten Überlegung angenommenen Probleme, — und welche Unzulänglichkeiten verbergen sich im bisherigen Problemverständnis? Zu diskutieren sind drittens die Lösungsvorschläge, die von Experten, Interessierten und andern Diskutierenden vertreten werden: Welches ist die beste Lösung jedes der richtiggefaßten Probleme der in richtiggezogenen Grenzen betriebenen Innenpolitik? Staats- und sozialpraktisches Zweckmäßigkeitsdenken und staatsphilosophische Einsicht müssen bei der Beantwortung der Fragen aller drei Typen zusammenwirken, wenn immer eine, direkte oder indirekte, Beziehung zu menschseinsphilosophischen Ideen oder Problemen besteht. Trifft letzteres zu, so soll auch die politische Geistesmenschlichkeit an der Problemfeststellung, -prüfung und -lösung beteiligt werden, — was heißt, daß ihre Träger verpflichtet sind, von sich aus in die Diskussion einzutreten und dafür zu sorgen, daß sie gehört werden.

4.72 Wird geprüft, ob der Staat sich mit einer innenpolitischen Sache befassen solle, so ist vom geistigkeitlichen Standpunkt aus zu fragen, ob ein unmittelbares oder mittelbares geistigkeitliches Interesse an ihr bestehe, — und das positiv oder negativ: ob das auf sie gerichtete staatliche Handeln Geistiges, zumal Geistig-Selbstzweckhaftes und noch enger Geistesmenschliches, fördern oder aber hindern würde. Prinzipiell ist da zu fordern, daß das dem Geistigen Förderliche unternommen, das Hinderliche dagegen unterlassen werde. Aber vielleicht sind Förderlichkeit und

Hinderlichkeit nicht eindeutig zu erkennen: weil die Auswirkungen der vorgesehenen Maßnahmen unsicher sind oder weil bereits sicher ist, daß sich sowohl Geistigkeitsgünstiges als auch Geistigkeitsungünstiges einstellen wird, Günstiges unter dem einen und Ungünstiges unter dem andern Geistigkeitsaspekt (etwa: Günstiges bezüglich des wissenschaftlich-rationalen und Ungünstiges bezüglich des religiös-metaphysischen Denkens) oder Günstiges in der einen und Ungünstiges in der andern Volksgruppe oder Region (so: Günstiges für die Arbeit der technisch und wirtschaftlich Aktiven, Ungünstiges für die mehr kontemplative Erfüllung). Wie wäre in solchem Zwiespalt zu entscheiden? Vielleicht wird eine Priorität anerkannt, — für den einen Typus des Geistigen, die eine Volksgruppe, die eine Region; mitunter wirkt in diese Richtung ein Sachzwang, dem man sich nicht entziehen kann (Beispiel: Schutz von Erholungsgebieten durch Eingriff in ihre Wirtschaft, insbesondere durch Industrieverbot, — die Erholungsuchenden, unter ihnen die Naturfreunde, die in der möglichst ursprünglichen Natur selbstzweckhaftes Erleben und damit ein Geistiges besonderer Art zu finden hoffen, erhalten Vorrang gegenüber den am Industrieaufbau Interessierten). Oder es mag ein Kompromiß das Gewollte durchzusetzen erlauben, ohne daß ein anderes ausgeschlossen zu werden braucht (im vorigen Beispiel: Anlage des Erholungsgebietes so, daß im Interesse der Regionalwirtschaft eine Industriezone ausgespart wird, für die aber besonders strenge Immissionsbeschränkungen gelten sollen); oft wird sich das in der spiritualpolitischen Beurteilung als die beste Lösung erweisen, selbst dort, wo es vordergründig um sehr geistigkeitswichtige Dinge geht: auch bei diesen ist oft zu bedenken, daß nicht die wirtschaftlichen und technischen Grundlagen des, jetzigen und zukünftigen, Geistigen beeinträchtigt werden dürfen.

4.73 Gibt es Innenpolitisches von anderer als der bisher betrachteten Art, das unmittelbar geistigkeitswichtig ist? Wahrscheinlich sind alle Hauptinhalte, soweit staatliche Förderung zu verlangen sinnvoll ist, Thema der Kulturpolitik im engeren Sinne und der Wirtschaftspolitik (die letztere insbesondere bezogen auf erfüllungbietende Leistung), dazu, vorwiegend in Hinsicht auf Freiheitsgewährung und -schutz, der Rechts- und der gesamten

Staatsgestaltung; jedoch ist offenzuhalten, daß man früher oder später neue Aufgaben dieser Kategorie wird aufnehmen müssen, und bereits sind solche Sachbereiche erkennbar: Gesundheit und geistige Aktivität der Alten, Freizeitbetätigungen, Begegnung mit der, staatlich zu schützenden, Natur, Volkssport; einiges davon läßt sich in die Kulturpolitik einbeziehen, anderes erfordert eigenständig-neue Maßnahmen.

Daneben betrifft die »übrige Innenpolitik« manches Nahmittelbar-Geistigkeitswichtige: Dinge des Gesundheitswesens, des Verkehrswesens, der Orts- und Landesplanung, des Umweltschutzes, der Bevölkerungspolitik. Und entferntmittelbar-geistigkeitswichtig ist alles andere hier Unternommene, denn jedes geht ins Rahmenwerk des möglichen Geistigen ein. Aufgabe der Spiritualpolitik ist es, solche oft nicht bedachte Zusammenhänge herauszustellen und darauf zu dringen, daß in jedem Falle ein Optimum an Geistigkeitswert oder an Nützlichkeit in Hinsicht auf Geistiges erreicht werde (und erweist sich dieses Ziel als unerreichbar, so wird es wenigstens zur Diskussion gestellt).

4.74 Da alles Geistige ein Menschliches ist, hängt es immer auch vom Physischen der Einzelnen ab: daraus wird die beste Ordnung des Gesundheitswesens, als Ganzen und in allen seinen Teilbereichen, eine der großen Sozial- und damit in erheblichem Umfange auch eine der großen Staatsaufgaben. Doch bewegt sich das spiritualpolitische Denken hier so stark auf allgemein gutgeheißenen Wegen, daß von ihm kaum konkrete Ziele zu postulieren sind.

Im Zusammenhang mit dem Physischen des Menschen mögen sich aber bevölkerungspolitische Fragen stellen, die spiritualpolitische Aktualität daraus bekommen können, daß sich aus den geistigkeitlichen Ideen spezielle bevölkerungspolitische Auffassungen ergeben. Daß zunächst ein Bevölkerungsstand, der ein mehr als nur eben lebenserhaltendes Sein erlaubt (wobei immer die mögliche Wohlfahrtserweiterung zu bedenken und auch aktiv zu verfolgen ist) Ziel bilden soll, bedarf bei uns des Postulierens lediglich mit Bezug auf allfällig drohenden Bevölkerungsrückgang: dieser widerspräche der Hauptidee der politischen Geistesmenschlichkeit, daß im Volk das Geistige auf möglichst hohen Entfaltungsstand zu bringen sei (»Entfaltungsstand« hat hier eine durchaus quantitative Seite), und gefordert wäre hieraus eine kindergünstige Familienpolitik, wahrscheinlich stark bezogen auf die Bevölkerung mit angestammter Staatsangehörigkeit (zwar würden die entstehenden Bevölkerungslücken leicht durch ausländische Zuwanderer ausgeglichen, aber vielleicht soll gerade das verhindert werden, — auch von spiritualpolitischem Standpunkt aus). Praktisch-politisch sehr viel wichtiger ist jetzt das nicht oder kaum gehemmte Bevölkerungswachstum in der »Dritten Welt« (oder »Vierten Welt«), in den Ländern, die zwar bereits unter sehr starker Auswirkung der modernen Medizin und Hygiene stehen, dagegen in Staat, Gesellschaft, Wirtschaft, Technik und Religion vormodernes Altes weiterführen, das die Beschränkung der Familiengröße verhindert oder jedenfalls erschwert; will man möglichst alle Aspekte der politischen Geistesmenschlichkeit herausarbeiten, so muß man auch auf diese besonders schwierigen Probleme der nicht-westlichen Welt eingehen. Daß der Kulturausbau und damit die Förderung des Geistigkeitswichtigen durch ein starkes Bevölkerungswachstum erschwert werden, erweist sich in einer einfachen nationalökonomischen Überlegung: jene erfordern Investitionen und laufende Aufwendungen, die beide nicht ausreichend geleistet werden können, wenn die verfügbaren Mittel vorwiegend für die Befriedigung einfachster Lebensbedürfnisse der den Bevölkerungszuwachs ausmachenden Menschen eingesetzt werden müssen (solange die Slumsanierung dringlichst ist, fehlen die Mittel für manche der Schulen, Bibliotheken und Museen, deren man an sich bedürfte). Beschränkung des Bevölkerungswachstums wird so zu einer gesamtgesellschaftlichen Notwendigkeit und, da das Gesellschaftswichtige politisch zu postulieren und durchzusetzen ist, ein erstrangiges Politikziel. Und sogleich geht die politische Frage weiter zum praktischen Wie: Aufklärung, Propaganda, wirtschaftliche Anreize für die kleinen und Benachteiligungen für die großen Familien, Heraufsetzung des Heiratsalters (rechtlich oder durch tatsächlich befolgte Empfehlung), Schwangerschaftsabbruch, Sterilisierung auf Empfehlung hin oder unter Zwang?, — vielleicht genügen die sanfteren Methoden, vielleicht muß zu härteren gegriffen werden, und zu entscheiden ist nach den Gegebenheiten des einzelnen Landes.

Wer spiritualpolitisch denkt, wird diesen Problemkomplex nicht leicht nehmen, sondern sich vergegenwärtigen, daß hier die Gestaltung des Sozialen in einen Grenzbereich gelangt, in welchem die Geistigkeitsbejahung und sogar die Humanität überhaupt zu Verzicht auf volle Prinzipientreue gezwungen werden: auch die Menschen, deren Geborenwerden verhindert werden soll, wären Aus-Menschlichkeit-Berechtigte und insbesondere Geistigkeitsträger. Hiegegen ist sogleich darauf hinzuweisen, daß in der Westlichen Welt die Geburtenbeschränkung längst im Gange ist und sich auf den Kulturausbau günstigst ausgewirkt hat; die Frage, ob weniger Menschen auf höherem Menschseinsniveau oder mehr Menschen auf niedrigerem leben sollen, ist in den zivilisatorisch fortgeschrittensten Ländern längst zugunsten der ersten Lösung entschieden, und das geistigkeitsphilosophisch zu Recht. — Man mag in diesem Zusammenhang, mehr aufs Grundsätzliche als aufs Praktische gehend, die katholische Opposition gegen die wirksameren der bevölkerungsbeschränkenden Maßnahmen diskutieren. Ihre Basis ist die Auffassung, daß der Mensch in seiner Naturgegebenheit, und damit in seinem naturgegebenen Fortpflanzungsverhalten, dem göttlichen Willen entspreche und sich darum nicht von diesen vorgegebenen Bahnen entfernen dürfe; auch wirkt darin der Glaube an die Gotteskindschaft des Menschen, jedes Menschen und insbesondere derjenigen, denen das Geborenwerden verweigert würde, — träten wegen der Bevölkerungszunahme wirtschaftliche und allgemeiner kulturelle Schwierigkeiten ein, so müßten sie, bei allem Bemühen sie zu lösen, um der ewigen Bestimmung des Menschen willen hingenommen werden. In diesem Religiösen finden sich auch spirituale Momente, denn Gotteskindschaft und Jenseitsbestimmung sind wertvoll aus ihrer geistigkeitlichen Qualität; denkbar ist auch politische Geistesmenschlichkeit, die allgemein und bezüglich der Bevölkerungspolitik so eingestellt ist. Aber gerade das läßt erkennen, daß die politische Geistesmenschlichkeit, soll sie im staatlichen und, weiter gefaßt, im gesellschaftlichen und kulturellen Hier-und-Jetzt aufbauend wirken, das Geistige und die geistigkeitliche Bestimmung des Menschen (sofern man die letztere aus dem Glauben postuliert, — säkularistische Auffassung geht eher auf ein menschlich gewolltes, menschlich gesetztes Ziel als auf eine von außen kommende Bestimmung) als eine im

Diesseits zu verwirklichende individuelle und kollektive Menschseinserfüllung verstehen und sich daraus entschließen muß, keine sozialen Nachteile hinzunehmen, die sich nur mit Jenseitshoffnung rechtfertigen lassen. Man wird darum die religiösen Argumente zwar soweit gutheißen, als sie, sich im Rahmen des Diesseitsrealen haltend, zu stärkerer Bemühung um die nicht-bevölkerungspolitische Lösung der Entwicklungsprobleme antreiben, — aber man wird sich von ihnen distanzieren (und das allenfalls in aktivem Meinungskampf), wenn sie Maßnahmen hindern, die unter säkularistischer Zielsetzung erwünscht sind.

4.75 Zur politisch zunehmend wichtigen Sicherung des physischen Seins der Einzelnen und Gesamtheiten gehört jetzt mehr und mehr die weitplanende Organisation der technischen Seite der modernen Zivilisation. Mit dem Wohlstand wächst die technische Ausrüstung, wegen des größeren Verbrauchs und damit des Produktionszuwachses, verstärkt durch die größere Kapitalintensität von Industrie und Dienstleistungsbetrieben, — all das wirkt sich dort am schärfsten aus, wo eine größere Anzahl von Menschen in größerem Wohlstand lebt, also in den industriellen Ballungsräumen, deren Bevölkerung durch Zuwanderung anwächst; Verbreiterung und Intensivierung der technischen Ausrüstung aber bedeutet zumindest die Veränderung und wahrscheinlich auch die mehr oder weniger tiefgreifende, die Bewohner belastende Schädigung der Umwelt. Daraus stellen sich Sozialaufgaben von einer Art, die in den fortschrittsgläubigen Anfangszeiten des modernen Wirtschaftsaufbaues noch nicht gesehen wurden (und in den stark auf die Industrialisierung angewiesenen Ländern noch immer nicht voll erkannt sind): Ausstattung der Betriebe so, daß von ihnen eine möglichst geringe Umweltbelastung ausgeht, — praktisch ist da meistens das optimale Verhältnis von Produktionserfolg und Umweltschutz zu suchen. Technisch zu lösen ist das in den Unternehmungen und Betrieben, seien sie privat oder staatlich, und maßgebend sind dabei die Vorschläge bester Fachspezialisten; was aber die Politik leisten muß, ist, die Probleme herauszustellen, den Bürgern und Behörden nahezubringen und in die aktuellen Programme aufzunehmen. Dabei muß ein Prinzipielles sehr klar eingesehen und betont werden: die technisch verursachte Umweltbelastung kann, geht man aufs Ganze, nicht durch Einschränkung, sondern nur durch Ausbau der Technik gemildert und schließlich beseitigt werden (beides notwendigerweise im Rahmen des bei Erhaltung der Wirtschaftsmodernität Möglichen), — durch ein Mehr an Technik, das eine höhere Technikqualität sichert.

Diese Tatsachen und Probleme mögen für die politische Geistesmenschlichkeit, welcher sie ja ebenfalls mit aktueller Dringlichkeit gestellt sind, Anlaß sein, auf die letztlich für das politische Postulieren entscheidenden menschseinsphilosophischen Prinzipien zurückzugehen und sie vom neuen Sozialen aus neuzuüberlegen. Ändern die jetzt erkennbaren Nachteile der technisch-wirtschaftlichen Zivilisation etwas in Hinsicht auf das zu erstrebende individuelle und kollektive Sein und die bisher für richtig gehaltenen lebens- und sozialpraktischen Ansprüche? Erweist sich die Beschaffung eines Bishergewollten für so nachteilig und das erwartete Positive so sehr mindernd, daß man besser auf es verzichtet: bedeutet das, philosophisch gewertet, wirklich einen Verlust; läßt es sich nicht durch ein Weniger-Technisches ersetzen, das gleichrangige oder sogar höhere Erfüllung bietet (dann wäre das, was zunächst Askese aufzuerlegen schien, die erwünschte Anregung zu einem Höheren)? Und vielleicht wird man, selbstkritisch, auch erkennen, daß man den Wert dessen, was jetzt bedroht ist und geschützt werden soll, bisher kaum richtig erkannt hat: aus der Abwehr der Umweltgefährdung kann dann eine, auch das Geistesmenschliche fördernde, bewußter-positive Beziehung zur Umwelt entstehen.

4.76 Bauliche und organisatorische Gestaltung der Ortschaften, vor allem der Städte und besonders der Großstädte, Planung für Großagglomerationen und Regionen stellen sich als eine weitere Gruppe modern-aktueller innenpolitischer Probleme; verursachend sind auch hier die Bevölkerungszunahme, die Technisierung und Industrialisierung, die steigenden Konsumansprüche, — und wiederum wird man zumindest die zweite Entwicklung für unumkehrbar halten müssen, auch nicht von sich aus ihre Rückbildung wünschen (die moderne, wissenschaftlich-technisch-wirtschaftliche Kultur bietet gesamthaft sehr viel mehr Positives als die vormoderne, — und im rein-tatsächlichen Sozialen käme ihre

Rückbildung einer Katastrophe gleich: diese kann freilich als Folge etwa eines globalen Rassenkrieges eintreten, darf aber nicht ein gewolltes Politikziel sein). Wo mehr Menschen als früher leben, dabei in komfortablen, geräumigen Häusern und erst noch im Grünen wohnen wollen, sich täglich über eine weite Strecke an ihren Arbeitsplatz, an Einkaufs-, Kultur- und Geselligkeitsplätze begeben müssen, da sind die Methoden und Mittel der Ortsgestaltung, die sich früher schlecht und recht bewährt haben, durch neuartige zu ersetzen; wo große Städte zu einer sehr ausgedehnten Stadtregion, einer Megalopolis zusammenwachsen, aber auch schon, wo eine Großstadt die sie umgebende Landschaft verstädtert, zwingen sich überkommunale Gesamtanlagen und -regelungen auf; und landesweite Maßnahmen werden nötig im Zusammenhang mit der ständig fortschreitenden Ausweitung von Industrie und Verkehr. In Hinsicht auf solches Neue sind zunächst die technisch und wirtschaftlich möglichen Lösungen zu studieren und unter ihnen die geeignetsten, nämlich hohe Zweckmäßigkeit unter tragbarem Aufwand erreichenden, festzustellen; das erfordert in erster Linie die fachlich hochqualifizierte Arbeit von Experten (die immerhin genug Phantasie haben sollten, auch in Vorschlägen von Nichtfachleuten Anregung zu suchen), anschließend aber die Aufnahme und Vertretung des Fachlich-Besten durch Politiker. Vielleicht beteiligen sich daran auch Spiritualpolitiker, und das aus allgemeinem sozialpragmatischem Interesse (das jedoch immer auf das Entferntmittelbar-Geistigkeitswichtige geht) oder aber unter einer im engeren Sinne geistigkeitlichen Idee, etwa derjenigen, daß Kunstzentren geschaffen werden müßten.

Freilich können selbst die klügsten Planungen und die aufwendigsten Verwirklichungen nicht alle Nachteile der modernen Zivilisation beseitigen. Die Bevölkerungsdichte ist unaufhebbar größer als früher, für die meisten Städter gibt es keine Rückkehr ins Dorf oder auch nur in die behagliche, gemeinschaftfreundliche Kleinstadt, erst recht ausgeschlossen ist der Verzicht aufs Auto. Auch hier ist viel eher die modernistische Vervollkommnung des Bestehenden als seine Entmodernisierung anzustreben.

4.77 Infolge der ständig vorwärtsschreitenden Technisierung und Industrialisierung werden unersetzliche Rohstoffe so abgebaut, daß national und global ihre Erschöpfung voraussehbar ist, wird auch der Verbrauch ersetzbarer Rohstoffe so stark ausgedehnt, daß zu befürchten ist, er nähere sich auf etlichen Feldern der, ebenfalls nationalen und globalen, Reproduktionsgrenze; zu überlegen ist da, ob nicht die Kultur- und sogar die Lebensgrundlagen künftiger Geschlechter gefährdet werden. Betrifft auch manches dieses Problemkreises ausländische Dinge, so hat er doch seine, zunehmend wichtig werdende, innenpolitische Bedeutung: im Lande selbst ist wenigstens dafür zu sorgen, daß Material- und Energievergeudung vermieden, Abfall in den technisch-wirtschaftlichen Prozeß zurückgebracht, neue Stoff- und Energiegewinnungstechnik entwickelt wird. Zu leisten ist das auf bereits behandelten Sachfeldern wie Wirtschaftsgestaltung und Förderung der Wissenschaften (beide hier als auf die Lösung von Rohstoff- und Energieproblemen spezialisiert zu verstehen), — aber es ist sicherlich angezeigt, in diesem Zusammenhang ein eigenständiges Neugebiet der Innenpolitik zu definieren, auch der Spiritualpolitik, selbst wenn sie sich nur mit Entferntmittelbar-Geistigkeitswichtigem zu befassen hätte. Jedoch ist das letztere unwahrscheinlich, denn obwohl es im Endzweck um Rohstoff- und Energieversorgung geht, ist doch viel An-sich-Geistiges und Geistig-Selbstzweckhaftes gefordert: gestellt sind wissenschaftliche, technologische, technikpraktische, organisatorische, finanzielle und andersartig wirtschaftliche, oft auch juristische Aufgaben, die sich dann am besten, ja vielleicht nur dann, lösen lassen, wenn überragendes Fachmannskönnen zu erfüllungbedeutendem Schaffen gebracht wird. (Dies ist ein besonders instruktives Beispiel für die geistesmenschlichkeitliche These, daß Leistung, und zwar aus ihrem sachlichen Gehalt und wegen ihres gesellschaftlichen Nutzens, für den Leistenden eigenwert sein kann und soll, weil sie eine wesensmäßig höchste Erfüllung menschlicher Seinsfähigkeit ist.)

4.78 Ein jedenfalls in seiner modernen Breite neuartiges Innenpolitikthema ist die, vorstehend schon mehrfach erwähnte, Arbeit für die Alten. Es bezieht sich auf mehrere Sachfelder: Wirtschaft, — Einkommenssicherung für die Nicht-mehr-Erwerbenden; Volksbildung, — Vermittlung von Einsicht und Wissen bezüglich der Möglichkeiten der Alterserfüllung; Ortsplanung, —

Bereitstellung von Wohnungen, die den Bedürfnissen der Älteren und Alten entsprechen; Fürsorge, — Bereitstellung von Heimen, in denen die Alten ein ihre persönliche Würde wahrendes Leben führen können; Medien, — Programme, die den geistigen Bedürfnissen der Älteren und Alten gerecht werden; Stätten für Geselligkeit, Hobby und Sport, — Hilfe, die drohende Vereinsamung und Inaktivität zu vermeiden; schließlich, und das sowohl im Zusammenhang mit dem genannten Sachkonkreten als auch für sich allein, als übergeordnetes, bestimmendes Abstraktes: menschseinsphilosophische Postulierung des richtigen, besten Älterwerdens und Altseins, — entsprechende religiöse, aber auch außerreligiöse Doktrinbildung (die zweite schon darum, weil viele Einzelne der Religion entfremdet sind, weiter darum, weil auch manchem Gläubigen für sein verbleibendes Hier-und-Jetzt modern-diesseitiger Rat zu geben ist). In alledem sind immer auch die spiritualpolitischen Aspekte herauszuarbeiten und nachdrücklichst zu vertreten, denn gerade die Alterserfüllung ist auf das Geistigkeitliche hin offenzuhalten — oder neu zu öffnen.

4.79 Hochrangige — unter der politischen Geistesmenschlichkeit: geistigkeitliche und insbesondere geistesmenschliche — Alterserfüllung ist, bei all ihrer individuellen und kollektiven Wichtigkeit, doch nur Sonderbereich eines viel weiteren Zieleganzen, nämlich desjenigen, das jetzt, ungenau und oft schlagworthaft, »Lebensqualität« genannt wird. Daß dieser Ausdruck in die politische Alltagssprache eingegangen ist, hat seinen Grund in erster Linie in weitverbreitetem Unbehagen aus Zwängen und Beschränkungen des modernen Lebens: es sind jetzt sehr viele Menschen, für welche das als wertvoll und erwünscht vorgestellte und das tatsächlich mögliche Leben auseinanderklaffen, was eben das Tatsächlich-Erreichbare als minderen Wertes erscheinen und die Forderung nach einem Qualitativ-Höheren entstehen läßt. Dazu kommt aber bei manchen wohl noch ein zweiter Grund: Unklarheit über das, was man richtigerweise wünschen sollte, — man ist zwar mit dem Gegebenen deutlich unzufrieden, vermag aber nicht zu erkennen, was denn die erhoffte innere Zufriedenheit geben könnte. Dieses zweite betrifft letztlich die Wertauffassungen und das Zielhaben; besteht hier Unsicherheit, so ist die Klärung Aufgabe entweder der Religion oder der Menschseinsphilosophie. Das erste hingegen scheint eher sozialpraktische Probleme zu stellen: die Gesellschaft sei so zu gestalten, daß die Verwirklichung des Fürrichtiggehaltenen gesichert wird; aber auch das erfordert vielfach die schärfere Herausarbeitung des Wertvollen, denn gerade die Schwierigkeiten des Verwirklichens und die Unmöglichkeit, alles Als-erwünscht-Vorgestellte zu erreichen, zwingen, zwischen dem, was hoher Anstrengung wert ist, und dem, was keinen Erfolg verspricht, zu unterscheiden. In beidem kann und soll die politische Geistesmenschlichkeit ihren Beitrag leisten, — Lehre schaffend und darlegend, Ziele setzend und vertretend, sich mit andern Auffassungen auseinandersetzend (und das weniger in kämpferischer Absicht als um Denkanstöße zu geben, — denn sie wendet sich ja an Leute, die die Freiheit zur Selbstgestaltung haben). Es sind gesellschaftliche und kulturelle Situationen denkbar, in denen das Thema »Lebensqualität« die aktuellste Herausforderung zu menschseinsphilosophisch-politischem und damit insbesondere zu spiritualpolitischem Denken wird.

»Lebensqualität« als politisches Ziel bedeutet, daß durch staatliches Handeln (das politisch zu postulieren und vorzubereiten ist) werthohes — spiritualpolitisch: in seinem geistigen Eigenwert hohes — individuelles und kollektives Menschsein erreichbar gemacht und in seinen konkreten Gehalten gefördert werden soll. Aber daraus ergibt sich vor allem eine besondere Betrachtungsweise bezüglich der bereits behandelten Problemkomplexe der Innenpolitik (und zwar der Kulturpolitik im engeren Sinne und der andern Innenpolitik), der Wirtschaftspolitik, der das Recht gestaltenden und, umfassendst, der den Staat gesamthaft gestaltenden Politik: bei allem konkreten Fordern, Planen und Ausführen ist letztlich das maßgebend, was als richtiges Menschseinsziel verstanden wird, und für dieses ist »Lebensqualität« im Grunde nur ein anderes Wort, — das immerhin den Vorzug hat, schlagworthaft einprägsam zu sein und damit Leute, die sich sonst um Lebensphilosophie kaum kümmern, auf die Zielfragen hinzulenken. Hieraus hat es zumindest propagandistischen und vielleicht auch sachbestimmten politisch-praktischen Sinn, bei allem, das sich auf das Menschlich-Wertvollsein von Individuellem oder Kollektivem auswirken wird, eben auch die Lebensqualität zu bedenken. Für die politische Geistesmenschlichkeit kann dies einen Ansatzpunkt zur Darlegung ihrer besonderen Ideen geben: wenn das allgemeine Postulat »Hohe Lebensqualität!« berechtigt ist — und daß es berechtigt ist, dürfte allgemein anerkannt werden —, dann ist zu überlegen, was die zu erstrebende Lebensqualität in ihren Zielen und Verwirklichungsweisen gesamt- und einzelinhaltlich sei, und da läßt sich einleuchtend die Wichtigkeit des Geistigen von eben jenem Populäreren her fassen. (Aber stünde es nicht in Widerspruch zu ihrem Wesen, wenn die politische Geistesmenschlichkeit auf Schlagworte eingeht? Das könnte allerdings zutreffen, wenn das spirituale Ideengut verwässert würde, gar wenn sich ihre Vertreter in Propagandaglauben verlören. Wahrt aber das spiritualpolitische Denken die Denkklarheit, zu der es aus seinem Sonderwesen verpflichtet ist, so behält es seine Überlegenheit.)

4.8 Außenpolitik und internationale Organisationen

4.81 Die Außenpolitik eines Staates besteht darin, daß er zu einem oder mehreren ausländischen Staaten, und zunehmend auch zu mehrere Staaten umfassenden internationalen Organisationen Beziehungen aufnimmt, gestaltet, weiterführt und ausbaut, allenfalls beendigt. Sie erfordert das Zusammenwirken einheimischer mit ausländischen (staatlichen oder übernationalen) Stellen: es werden, auf höherer oder niedrigerer Stufe, Vereinbarungen getroffen, die den Interessen der beteiligten Staaten und Großgebilde entsprechen; denkbar ist freilich auch jetzt noch, daß ein mächtiger Staat auf fremdem Gebiet Anordnungen trifft, die dort ohne Einwendungsrecht hingenommen und ausgeführt werden müssen. Bestimmend sind die Interessen des die Außenpolitik führenden Landes, also bei solcher, die Vereinbarung erstrebt, die Interessen beider oder aller beteiligten Länder; zwischen zwei oder mehreren Staaten kann entweder Interessengleichheit oder Interessengegensatz oder Gleichheit in der einen und Gegensatz in der andern Sache bestehen, — deshalb ist das logische Ergebnis im ersten Fall das Zusammenwirken in der einen gleichen Richtung, im zweiten der Kompromiß zwischen Entgegengesetztem, im dritten das Zusammenwirken verbunden mit Kompromiß. Jeder Staat kann in seiner Außenpolitik initiativ oder reaktiv sein, das heißt entweder selbst Anstoß gebend, nach außen Vorschläge richtend, vielleicht sogar Forderungen stellend, oder auf von außen kommende Anstöße, Vorschläge und Forderungen antwortend, vielleicht auch durch eigene Anregung auf eine andere eingehend. Mitunter stehen die außenpolitischen Interessen in großräumig-internationalem Zusammenhang, als durch übernationale, etwa kontinentale, Rassen betreffende, die Gesamtheit der ärmeren Länder erfassende, ja sogar durch globale Entwicklungen bedingt; dann geht das nationale Interesse dahin, daß inter- oder übernationale Aktion das zustande bringt, was durch das übernationale Interesse geboten ist; in unserer Zeit des wirtschaftlichen und technischen Zusammenwachsens der Länder und angesichts der jetzt sehr viel größeren Gefährlichkeit der Kriege werden die übernationalen Entwicklungen und Interessen rasch gewichtiger und vielfältiger,—damit wird die Außenpolitik jedenfalls der hochentwickelten Länder vielfach unter neue Aspekte gebracht.

Das Außenpolitische hat seine spiritualen Momente vor allem darin, daß es sich auf die internen Lebensverhältnisse auswirkt; welche tatsächlichen Möglichkeiten die Einzelnen, Gruppen, Gesamtheiten und Organisationen haben, hängt immer auch davon ab, ob der Staat in seiner Außenpolitik weitblickend, großzügig und klug, oder aber kurzsichtig, kleinlich und unklug handelt. Freilich ist in der Regel eher die entfernt- oder nahmittelbare (häufigst wohl die erste) Geistigkeitswichtigkeit gegeben als die unmittelbare. Aufgabe der Spiritualpolitik ist, unter jeder dieser Wichtigkeitskategorien sowohl das Geistigkeitsgünstige wie das Geistigkeitsungünstige zu erkennen und das erste zu postulieren, das zweite dagegen abzulehnen.

4.82 Das traditionell wichtigste Inhaltsgebiet der Außenpolitik ist jenes, in welchem die Großthemen Friedenserhaltung, Verteidigung und Krieg zusammengefaßt sind. Unter dem wohlfahrtspolitischen wie unter dem, spezielleren, spiritualpolitischen nationalen Interesse ist die Friedenssicherung ein Allerwichtigstes, denn der Friede sichert dem auf Wohlstandsförderung und Kulturausbau gerichteten Bemühen die Mittel, die Freiheit und auch die

Ruhe, die für es unentbehrlich sind. Darin liegt aber auch, daß für den Frieden nicht jeder Preis bezahlt werden dürfte, daß er nicht mit dem Verzicht auf das, was als wertvollst verstanden wird, und vor allem nicht mit Unterwerfung unter fremde Gewalt erkauft werden darf. Gerade die Spiritualpolitik muß herausarbeiten, welches das notfalls in bewaffneter Abwehr zu verteidigende Unaufgebbare ist, — aber auch hier, und hier besonders, gilt, daß das, was sie vertritt, nur ein Beitrag ans gesamtgesellschaftliche Das-Richtige-Finden sein kann.

4.83 Aus den Wesensbesonderheiten der modernen Kultur sind der Außenpolitik der zivilisatorisch hochentwickelten Staaten zahlreiche wirtschaftliche Probleme gestellt (so: Regelung des Außenhandels, der zwischenstaatlichen Zahlungen, des Patent- und Lizenzwesens, Kreditgewährung und -aufnahme). Meistens sind diese Dinge nicht direkt, sondern nur indirekt, und häufig nur entferntmittelbar, geistigkeitswichtig. Ein direkter Zusammenhang besteht praktisch am ehesten in zwei Fällen: wenn sich ein Außenwirtschaftliches unmittelbar auf geistigkeitliches Teilhaben (so: freie Einfuhr von Büchern, Zeitschriften und Zeitungen, Reproduktionen, Filmen) oder auf eigenwerte Leistung (etwa dank höherer Leistungsansprüche in der Exportindustrie) auswirkt; unter beiden Aspekten wird im allgemeinen die Verwirklichungsvielfalt um so größer sein, je reichhaltiger der Wirtschaftsaustausch mit dem Ausland ist. Aber auch die nur mittelbare Geistigkeitswichtigkeit hat erhebliche spiritualpolitische Bedeutung: es ist gesamtkulturell höchst erwünscht, daß die Außenwirtschaftspolitik die nationale Wohlstandsbasis sichert und ausbaut, — und auch die übernationale, diejenige aller zusammenarbeitenden Staaten; daß die nationale Außenwirtschaftspolitik auch übernationalen Sinn haben soll, werden die Spiritualpolitiker mit speziellem Inhalt ausstatten.

4.84 Sodann sind der modernen Außenpolitik technische Aufgaben gestellt, daraus, daß die Länder durch Technisches bereits verbunden sind und sich in Zukunft noch intensiver verbinden werden. Am deutlichsten ausgeprägt ist das im öffentlichen Bereich: Eisenbahnen, Straßen, Luftverkehr (in dem zumindest die Flugplätze öffentlich sind), Post und Fernmeldewesen, Rundfunk (Hörfunk und Fernsehen), und für alle diese Sonderfelder läßt sich unmittelbare — neben breiterer mittelbarer — Geistigkeitswichtigkeit feststellen: es ist für manches geistige Verwirklichen, und damit für einige Typen des geistesmenschlichen Seins (vor allem die mit Einsicht in Fremdes und die mit Arbeit im Ausland verbundenen), zumindest erleichternd, wenn der Verkehr über die Staatsgrenzen auf optimalen technischen Stand gebracht ist. Aber auch Technisches des privaten Bereiches kann Ansatzpunkt zu Außenpolitik werden, vorwiegend solches der privaten Wirtschaft und insbesondere der Industrie, der Verkehrsunternehmungen, der Landwirtschaft, dazu (»Technik« in erweitertem Sinne verstanden) der Medizin und des Gesundheitswesens: hiedurch wirkt inländisches Technisches ins Ausland und nimmt von außen sachlich-höheres auf, anderseits hat es sich gegen ausländisches zu behaupten, was es zu Modernisierung zwingt; auch in diesem Großbereich besteht vielfach Geistigkeitswichtigkeit, meistens mittelbare, aber auch unmittelbare (letztere etwa im Zusammenhang mit der Medientechnik). Spiritualpolitische Leitidee wird sein, daß der Technikaustausch zwischen den Ländern offen und intensiv sein soll, damit jedes Land, und verursache das Anpassungsschwierigkeiten, seine Wohlstands- und Geistigkeitsgrundlagen optimal ausbauen könne. Allerdings sind auch auf diesem Gebiete die Sachanforderungen fast immer so, daß über das Konkrete die Fachleute entscheiden müssen; das soll den Spiritualpolitiker nicht hindern, neben dem Prinzipiellen auch Einzelthemen aufzugreifen, die aus der Sorge für die weitere Kulturentwicklung aufmerksamste Beachtung verdienen.

4.85 Groß ist der Anteil des Unmittelbar-Geistigkeitswichtigen, wenn der Staat durch Zusammenwirken mit andern Staaten oder internationalen Organisationen wissenschaftliche, künstlerische, schulische und andere im engeren Sinne kulturelle Tätigkeiten zu fördern trachtet, und das in der Absicht, das eigene Kulturelle zu vervollkommnen, ausländisches ausbauen zu helfen und zur, zunehmend erwünschten, kulturellen Vereinheitlichung beizutragen. Die Hauptfelder sind da die Forschung (gemeinsame Programme, zu verwirklichen teils durch internationale Organisationen und teils durch bereits bestehende oder neuzuschaffende nationale Stellen), die höheren Schulen (gemeinsame Lehrprogramme und entsprechende Angleichung der Lehrmittel, Austausch von Studenten und Professoren, Vereinheitlichung der Prüfungen), der Sprachunterricht (möglichst viele Gebildete jedes beteiligten Landes sollten die Sprache des andern Landes einigermaßen gründlich kennen; vielleicht erfordert das eine besondere Unterrichtsorganisation), künstlerische Austauschveranstaltungen (Konzert, Theater, Kunstausstellung), Bibliotheken und Informationsstellen. Wahrscheinlich sind unter den Fachleuten, die außenpolitische Aufgaben solcher Art zu lösen haben, Leute von geistigkeitlicher und, spezieller, spiritualpolitischer Einstellung: diese haben hier am ehesten ein Außenpolitikfeld, für das sie auch als Fachexperten kompetent sind.

4.86 Neben dem Technischen und Wirtschaftlichen des grenzüberschreitenden Verkehrs bilden die Auslandsbeziehungen der nationalen Rechtssubjekte ein für sich zu betrachtendes, eigenständiges Themengebiet der Außenpolitik. Jeder Erwachsene kann sich jetzt schon in seinem Beobachten, intensiver in seinem bewußt erstrebten Teilhaben und in seinem analysierenden und urteilenden Denken mit Gesellschaftlichem und Kulturellem des Auslandes beschäftigen; jeder einigermaßen Geschulte steht jetzt der Möglichkeit nach in einem mehrere oder viele Länder umfassenden, kontinentalen oder multikontinentalen, ja globalen geographischen Erfahrungs- und Denkraum, — wenn er auch unvermeidlicherweise zu den ferneren Dingen keinen vollständigen Zugang hat und sich großenteils mit Hinweisen auf Aktuelles begnügen muß. Für viele Höhergestellte schafft der Beruf mehr oder weniger ausgedehnte und intensive Verbindungen mit Ausländern, und für manchen gibt es Gleichinteressierte von vornherein nur im Ausland. Zahlreiche Wirtschaftsunternehmungen stehen in Geschäftsbeziehung mit ausländischen Partnern: durch Export und Import, Verfahrensabtretung und -übernahme, Kreditgewährung und -aufnahme; viele haben ausländische Vertretungen und Filialen, manche, zumal die Multinationalen, haben Großbetriebe in mehreren Ländern. Inländische Vereinigungen arbeiten mit ausländischen des gleichen Fachtyps zusammen: Interessenorganisationen, technische Fachverbände, wissenschaftliche Gesellschaften, dies zum Teil unorganisiert, zwischen gleichgeordneten Gebilden, zum Teil aber im Rahmen einer mehr oder weniger weit ausgebauten und vielleicht selbständig-mächtigen Organisation (wie etwa einer internationalen Industrievereinigung oder Gewerkschaft); jede dieser nationalen Organisationen erfährt vom Ausland her Anregung und wirkt anregend auf Ausländisches. Auch politische Parteien können sich über die Grenzen hinweg miteinander verbinden und dadurch ihren Ideen-, Kenntnis- und Methodenbestand erweitern, was nicht nur ihrer politischen Aktion als solcher, sondern überdies und vor allem der ideenhaften und sachlichen Richtigkeit ihrer Stellungsnahmen zugute kommt. Schließlich die Internationalität der Großkirchen, gegeben von vornherein in übernationaler Gesamtorganisation (katholische Kirche) oder nachträglich geschaffen durch, praktisch eher lockeren, Zusammenschluß (so: ökumenische Bewegung). — Auf allen diesen durch je besondern Aktionsinhalt gekennzeichneten Sozialfeldern ist das Grund- und Haupterfordernis: die Freiheit, internationale Beziehungen aufzunehmen. Sie ist immer, wenn auch nicht in jedem Falle deutlich erkennbar, eine zweiseitige Sache, indem der Sichverbindende einerseits Verbindungsangebot annimmt (und darin eher passiv ist), anderseits selbst Verbindung anbietet (und darin aktiv ist); Aufgabe der Außenpolitik ist, beides zu ermöglichen: durch Öffnung der Grenzen und Sicherung des Austausches sowohl für Fremdes, das im Inland, wie für Eigenes, das im Ausland zugänglich werden soll. Aber natürlich ist die Freiheit hier nicht das einzige außenpolitische Thema, denn es geht immer um inhaltlich mehr oder weniger weites und vielfältiges Konkretes, das nach seinen Sachbesonderheiten fachmännisch einwandfrei gefaßt werden muß.

4.87 Je mehr die politisch selbständigen Länder wirtschaftlich, durch Technisches und allgemeiner kulturell, vorwiegend durch all das Neue der modernen Zivilisation, zusammenwachsen, desto mehr wird es kulturpraktisch nützlich und sogar unerläßlich, die in den verschiedenen Ländern bestehenden Normensysteme, soweit sie Beziehungen mit dem Ausland beeinflussen, einander anzugleichen und dabei zu liberalisieren. So zunächst für das

Recht: es sollen für die Tatsachenbereiche, die der Verkehr zwischen In- und Ausländern betrifft und die sich ihrerseits auf ihn auswirken, einheitliche und dabei tolerante, ihn erleichternde Vorschriften geschaffen werden; unmittelbar oder nahmittelbar geistigkeitswichtig ist das vor allem im Zusammenhang mit dem Reiseverkehr, mit Aufenthalt und Niederlassung von Ausländern, mit den Nachrichtendiensten und elektronischen Medien, mit dem Austausch von Büchern, Zeitungen und Zeitschriften. Weiter für technische Normen, aus Sicherheitsgründen oder in Hinsicht auf die allgemeinere Benützbarkeit; einiges davon kann sich nahmittelbar auf Geistiges auswirken, etwa die international einheitlichen Normen für Rundfunk und Fernsehen. Politische Geistesmenschlichkeit mag auf besondere Themen dieser beiden Sachfelder hinweisen und darauf dringen, daß sie von der Außenpolitik des Staates aufgenommen werden.

4.88 Manche der sich aus dem Zusammenleben der Völker und zumal den neuen Kulturentwicklungen ergebenden politischen Aufgaben stehen internationalen Körperschaften zu, die ihre grundsätzlichen Beschlüsse teils unter der Souveränität der Mitgliedstaaten, teils in eigener Kompetenz fassen und in beiden Fällen für das Ausführungshandeln einen mehr oder weniger breit ausgebauten Leistungsapparat besitzen. Solche inter- oder supranationalen Organisationen haben zum Teil offene und zum Teil geschlossene, und zum Teil inhaltlich umfassende und zum Teil sachspezielle Aufgabenbereiche. Geistigkeitswichtig sind sie soweit, als ihre Tätigkeit Geistiges beeinflußt; spiritualpolitisch sind sie gleich zu beurteilen wie sachverwandte Staatsbehörden (nur muß ihr internationaler Charakter berücksichtigt werden).

Internationale Organisationen, an denen Staaten beteiligt sind, werden — in außenpolitischem Wirken — aus sachlich gewichtigen Gründen geschaffen: weil technische, wirtschaftliche und kulturelle Beziehungen nur so oder so am besten geregelt und weiterentwickelt werden können; weil sich Gefahren zeigen, die von den Bedrohten gemeinsam abgewehrt werden müssen; weil für kontinentale und überkontinentale, ja globale Probleme Lösungen zu entwerfen und zu verwirklichen sind, welche die Mitarbeit von nicht direkt beteiligten Staaten notwendig machen oder jedenfalls als erwünscht erscheinen lassen; und allgemeiner, weil die moderne Welt so komplex und gefahrenreich geworden ist, daß sich die Schaffung einer übernationalen Diskussions-, Planungs- und Entscheidungsorganisation aufdrängt (UNO), — und gebe man ihr vorläufig auch nur eine beschränkte Zuständigkeit. Je geringer die letztere ausgebildet ist, desto mehr ist die tatsächliche Beschlußfassung des internationalen Gremiums Sache der Außenpolitik der Mitgliedstaaten, damit, wo es um geistigkeitswichtige internationale Maßnahmen geht, auch der um die Außenpolitik bemühten Spiritualpolitik; je weiter sie dagegen ist, desto selbständiger ist das internationale Gremium und desto mehr wird sich die Spiritualpolitik auf Spezifisch-Übernationales richten.

Unmittelbar-geistigkeitswichtig sind die inter- und übernationalen Körperschaften, welchen im engeren Sinne kulturelle Aufgaben gestellt sind. Das Hauptbeispiel hiefür ist die Erziehungs-, Wissenschafts- und Kultur-Organisation der Vereinten Nationen (UNESCO), die in vielen (vorzugsweise in weniger entwickelten Ländern) direkt auf das Geistige und damit auch auf das Geistig-Selbstzweckhafte einwirkt; dem Spiritualpolitisch-Interessierten, der in der Förderung des Geistigen eine globale Aufgabe sieht, bieten ihre Tatsachenfeststellungen, Studien, Projekte und Aktionen vielfach Gelegenheit, sich der Kulturaufbau-Problematik unserer Zeit bewußt zu werden, und vielleicht schlägt sich das in Diskussionsbeiträgen nieder, durch die die national-außenpolitische oder die internationale Willensbildung beeinflußt wird, — allgemein muß er für die politische Geistesmenschlichkeit das Recht beanspruchen, doktrin- und ideologiebildend, praktisch-postulierend und kritisch die Arbeit der UNESCO zu diskutieren. Direkte geistigkeitliche Beeinflussung geht sodann von kleineren und im Inhalt spezielleren internationalen Organisationen aus, wobei diese entweder von Mitgliedstaaten oder von privaten Landesorganisationen gebildet sind; im ersten Fall gehört die nationale Mitarbeit zur Außenpolitik und sind in diesem Zusammenhang auch spiritualpolitische Postulate zu vertreten (etwa das Urheberrecht, die technische Organisation des Rundfunkwesens oder die Presseinformation betreffend). Erhebliche spiritualpolitische Bedeutung haben die Aufklärungsorganisationen, welche auf die Einhaltung der geistigkeitlichen Grundrechte dringen und Übergriffe seitens diktatorischer Regime anprangern; darin wirkt die jetzt höchst berechtigte Sorge um die weltweite Wahrung der geistigen Freiheit. — Spiritualpolitiker haben in solchen Organisationen oder auf sie gerichtet vielfach Gelegenheit, sich für die Förderung des Geistigen einzusetzen: in der Mitgliedstaatsvertretung, in der Festlegung der Aufträge für diese, in der Einflußnahme auf die international tätigen nationalen Vereinigungen und Körperschaften, oder aber durch Mitarbeit in der internationalen Organisation oder, weniger direkt, durch theoretische Arbeit an den international zu lösenden Problemen.

Die meisten in internationalen Organisationen gestellten Aufgaben sind jedoch nur mittelbar geistigkeitswichtig: der Spiritual-Politisch-Interessierte wird hier die in der nationalen Politik gewonnenen Einsichten aufs Internationale übertragen, dabei das Spezifisch-Internationale sachgerecht herausarbeitend.

4.89 Die Erweiterung und Vertiefung der Zusammenarbeit zwischen den Staaten, die Schaffung von mehrere Staaten umfassenden Großgebilden, die Tätigkeit der Vereinten Nationen und ihrer Sonderorganisationen bedeuten tatsächlich, wenn auch nicht notwendigerweise bereits formell-juristisch, den Abbau der nationalen und das Entstehen übernationaler Souveränität. Spiritualpolitisch ist das positiv zu werten, wenn es Geistiges fördert, negativ, wenn es Geistiges hindert; wahrscheinlich werden beide Wirkungsarten festzustellen sein. Wo, wie und in welchem Ausmaß die positiven?, die negativen?: das ist von vorzugsweise theoretisch denkenden Spiritualpolitikern zu prüfen, und zwar von den Bedingungen des je besonderen konkreten Falles aus, denn es gibt kein allgemeines Prinzip, aus welchem das Übernationale als an sich geistigkeitsgünstiger vorzuziehen oder als an sich geistigkeitsungünstiger abzulehnen wäre. Gerade hier muß der die Tatsachen untersuchende und die sich bietenden Möglichkeiten wertende Spiritualpolitiker für neues Erkennen offen sein, — für solches, das im Nationalen zu überwindende und im Übernationalen zu verwirklichende, aber auch im Nationalen zu bewahrende und auszubauende, dagegen im Übernationalen zu vermeidende Momente einsichtig macht.

4.9 *Sachfeldtypus als Ideologiethema*

4.91 Ähnlich wie der Gemeinwesenstypus bietet der Sachfeldtypus, auch er als Aktionstypus zu verstehen, dem Politisch-Aktiven besondere Möglichkeiten des Setzens, Befürwortens und Verwirklichens, grenzt jedoch anderseits gegen die Inhalte der übrigen Hauptfelder ab und veranlaßt vielleicht sogar zu Einseitigkeit. Solche Stellungnahme mag von vornherein ideologisch bedingt sein (so: Bevorzugung der Wirtschaftspolitik im Sozialismus und im praktischen Materialismus) oder, zunächst nur pragmatischen Wesens, Ideologie beeinflussen oder sogar begründen (so: von Wohlstandspraxis zu Wohlfahrtsideologie); auch das läßt fragen, ob das Ideologisch-Postulierte zweckmäßig sei und was bei Widerspruch zwischen ideologischem Wert und Zweckmäßigkeit den Vorrang haben solle. Aus spiritualpolitischer Sicht ist darauf zu antworten, daß auf jedem Sachfeld für sich und in der Sachfeldergesamtheit, also im Staats- und Gesellschaftsganzen, das zu erstreben und bestmöglich zu verwirklichen ist, was für die Volkswohlfahrt und zugleich den hohen Stand der Kultur am günstigsten ist: das solcherweise Zweckmäßigste verdient immer den Vorzug, — und diese Maxime ist eine allgemeine Zweckmäßigkeitsidee, die ebenfalls Ideologieinhalt werden kann. Aber das enthebt nicht der Befassung mit den der Zweckmäßigkeit übergeordneten und diese in Dienst nehmenden Ideologiegehalten, die vielmehr in jedem Falle als solche spiritualpolitisch zu prüfen sind.

4.92 Auf den Staat bezogene, ihn betreffende Ideologie ist wirksam unter zwei Aspekten: erstens unter demjenigen der Wertung des Staates als Ganzen, — Hochwertung des Staates, Befürwortung seines weiteren Ausbaues, Vertrauen in den Staat, oder skeptische, kritische Haltung und Mißtrauen ihm gegenüber, oder niedrige Wertung, prinzipielle Ablehnung des Staates (hier wird er nur als »notwendiges Übel« hingenommen); zweitens unter demjenigen der konkreten Ausgestaltung des Staates: Befürwortung der einen Ausgestaltungsweise und Ablehnung der übrigen, — das geht zunächst auf die konkreten Hauptprinzipien des Staates und die durch sie bestimmten konkreten Allgemeintypen, weiter schafft es die Verbindung mit den (im Hauptabschnitt 3 und insbesondere in dessen Unterabschnitt 3.7 behandelten) Gemeinwesenstypen und -ideen, und drittens steht es in mannigfacher Sachbeziehung zu den spezifisch-modernen sozialen und kulturellen Problemen.

Den Staat überhaupt, in seiner grundsätzlichen Berechtigtheit, zu diskutieren hat zwar praktisch kaum Sinn, denn tatsächlich ist er gegeben und unaufhebbar, — wirkt aber trotzdem klärend, wenn man so erkennt, welches Positive er besitzt und der Gesellschaft zugänglich macht oder aber welches Negative in ihm sein und von ihm kulturhindernd ausgehen kann. Festzuhalten ist da sofort, daß der Staat seit den frühen Hochkulturen aus sozialpraktischer Notwendigkeit unentbehrlich war und daß jetzt, unter der hochkomplexen wissenschaftlich-technisch-wirtschaftlichen Zivilisation, viele neue Sach- und Zielmomente seinen Aufgabenkreis ständig erweitern: anzunehmen, der Staat werde allmählich verschwinden oder auch nur abgebaut werden können, wäre wirklichkeitsfremd und folglich dürfte sich der Spiritualpolitiker, schon aus der bloß realistischen Einschätzung des Sozialen und also noch außerhalb des Spiritualen, einer prinzipiell staatsgegnerischen Ideologie nicht anschließen. Aber in der politischen Geistesmenschlichkeit vor allem zu vergegenwärtigen ist, daß der Staat auch als Rahmenwerk des sozialen Geistigen nicht entbehrt werden kann, und das auf allen drei Ebenen der Geistigkeitswichtigkeit, also auf derjenigen des unmittelbaren, auf der des nahmittelbaren und auf der des entferntmittelbaren Wichtigseins; daraus ergibt sich Gutheißung der prinzipiellen staatsbejahenden Ideologien, jedoch ergänzt durch die Forderung, daß der Aufbau des Geistigen ein oberstes Staatsziel sein müsse.

Von diesem Allgemeinen aus wird der Spiritualpolitiker auch zu den inhaltlich spezielleren staatsbejahenden Ideologien Stellung nehmen; dabei kann das zu prüfende Sonderwesen die Gutheißung oder aber Zurückhaltung und sogar Ablehnung nahelegen (im letzten Falle würde die allgemeine Staatsbejahung als richtig anerkannt, dagegen die sie ausgliedernde Fassung eines oder mehrerer staatlicher Sonderziele als unrichtig verworfen). Gutzuheißen ist alle speziellere Staatsideologie, die dem Staat geistigkeitliche Ziele (genauer: Ziele unmittelbar-, nahmittelbar- oder entferntmittelbar-geistigkeitswichtigen Inhaltes) stellt, — wobei verschiedene

Grade des Speziellseins möglich sind, vom noch ziemlich Weitgefaßten bis zum sehr eng umschriebenen Sondergebietlichen: (weit gefaßt) Gemeinwohl, Volkswohlstand, sozialer Friede, soziale Gerechtigkeit, hoher Stand der Kultur, Frieden und Zusammenarbeit zwischen den Staaten, — (eng gefaßt) Gleichberechtigung der Frauen im Arbeitsverhältnis, Erhaltung des Mittelstandes, Schiedsgerichtsbarkeit bei Arbeitskonflikten, Altersversicherung, internationale Zusammenarbeit im Medienwesen. Alle diese Themen und viele andere dazu können Ideologieinhalt sein, und sind sie es, so liegen sie, mehr oder weniger deutlich erkennbar, auf Gedankenlinien der spiritualen Ideologie, — freilich wird es in manchem Einzelfall erwünscht sein, diese Übereinstimmung genauer und vielleicht zwischen Näherem und Wenigernahem unterscheidend herauszuarbeiten, um das Gewicht auf das legen zu können, was den spiritualpolitischen Postulaten am klarsten entspricht. Zurückhaltung oder sogar Ablehnung kommt aus der politischen Geistesmenschlichkeit, wenn, und sei es im Rahmen einer gutzuheißenden Allgemeineinstellung zum Staat, Sonderziele vertreten werden, die denen der Spiritualpolitik zuwiderlaufen (etwa: Beschränkung des Zieles »Gemeinwohl« auf »Wohlstand ohne Sozialreform«), allerdings immer darum zu relativieren, weil der Urteilende seine eigene Auffassung vertritt, die vielleicht von andern Spiritualpolitisch-Denkenden nicht geteilt wird.

Inhalt von Staatsideologie (die im Staat maßgebend ist und vielleicht mit Autoritätsanspruch vertreten wird) oder wenigstens staatsbezogener Ideologie (die zu Trägern auch außerhalb des Staates Tätige und sogar Oppositionelle haben kann) sind insbesondere Ideen, die aus religiöser oder philosophischer Menschseins-, Gesellschafts- und Kulturlehre abgeleitet wurden; so verankert sind vor allem die christliche (katholische oder protestantische), weiter die liberale, die sozialistische, die nationalistische, — die erste begründet in Dogma und christlicher Philosophie, die zweite in philosophischem Individualismus und wohl auch in idealistischen Gedankensystemen, die dritte in Kollektivismus und Materialismus, die vierte in Kollektivismus und Biologismus. Ist das Ideologische fundiert, so muß der prüfende Spiritualpolitiker auch auf die es bestimmenden Grundthesen eingehen, und das vorzugsweise in seins- und zieltheoretischem Denken.

4.93 Staatsideologie, gehe sie aufs Ganze oder auf ein Teilgebiet des Staates, ist meistens auch Rechtsideologie, denn das befürwortete Staatliche muß fast immer in ein juristisches Normengefüge gebracht werden, das damit als solches Gegenstand von Ideologie wird; soweit das zutrifft, muß mit dem ersten Ideologietypus immer auch der zweite diskutiert werden. Jedoch gibt es auch Ideologie, für die das Recht Hauptthema ist und deren Aussagen sich somit in verschiedenartigen Staatssystemen vertreten lassen: das trifft immer dann zu, wenn ein größerer Gesellschaftsbereich rein für sich gefaßt und unter nur für ihn geltenden Richtigkeitsanspruch gestellt wird (so: Familienrecht, Vormundschaftsrecht, Vereinsrecht, Haftpflicht, Dienstvertragsrecht, Verkehrsrecht, Prozeßrecht), – ideologisieren läßt sich jedes einigermaßen sozialwichtige Thema. Somit ist die Ideologisiertheit eines Rechtlichen bedingt erstens durch die Sozialverhältnisse (im einen Land sind vielleicht Probleme des Familienrechtes aktuell, im andern solche des Arbeitsrechtes) und zweitens durch das persönliche oder gruppenhafte Interesse von Ideengebern an bestimmten Lösungen (etwa an der vollen Rechtsgleichheit von Mann und Frau oder an wirtschaftsrechtlichen Maßnahmen zugunsten der Arbeitnehmer). Dem Spiritualpolitiker ist aufgegeben, das je Aktuelle von geistigkeitlich-juristischem Standpunkt aus zu beurteilen; er kann dabei seine spirituale Ideologie sowohl auf das diskutierte Recht anwenden als auch von diesem aus ergänzen.

Zwei rechtsideologische Postulate sind von der Spiritualpolitik als grundsätzlich allgemein-wichtig aufzunehmen und nachdrücklichst zu vertreten: Rechtsstaatlichkeit und Rechtgleichheit. Die erste, hier verstanden als das gesicherte Bestehen eines einwandfrei durchgebildeten Systems von in einwandfreien Verfahren anzuwendenden Rechtsnormen, ist eine unentbehrliche Voraussetzung für alles freiheitliche geistige Verwirklichen; die zweite, unter gleichen Voraussetzungen gleiche Rechten und Pflichten der Rechtssubjekte, ist spirituales Postulat aus dem allgemeinen Ziel, daß jeder sein Geistiges voll entfalten solle und keiner darin behindert werden dürfe (letzteres träte ein, wenn dem einen rechtlich verwehrt wird, was in gleichem Fall einem andern zugänglich ist, — dem möglichen Positiven nicht weiteste Verbreitung zu geben bedeutet Werteinbuße fürs Ganze).

4.94 In den modernen Staaten ist unter allen sachgebietlich bestimmten Ideologien die, hier zunächst als ein Ganzes zu fassende, Wirtschaftsideologie die inhaltsreichste und zugleich die politisch wirksamste: ihr allgemeines Ziel ist, die wirtschaftsgestaltenden sozialen und insbesondere staatlichen Kräfte so zu lenken, daß die Volkswirtschaft, vielleicht auch weitergreifend eine übernationale Großwirtschaft und schließlich sogar die Weltwirtschaft, auf das vorgestellte Gute hin ausgebaut und ihm entsprechend durchgebildet werden. Das maßgebende Gute ist Inhalt einer Leitidee, die mehr gedanklich oder mehr bildhaft sein kann, und dieser Entwurf kommt entweder aus philosophischem, also abstraktem Denken, das um die »beste Gesellschaft« bemüht ist und, weil die Wirtschaft als wichtigstes Gesellschaftliches gesehen wird, vor allem die »beste Wirtschaft« postuliert, oder es kommt aus konkreten gesellschaftlich-wirtschaftlichen Gegensätzen, von denen aus Interessenvertreter Gruppenansprüche stellen und, um ihnen größere Durchschlagskraft zu geben, ideologisieren. Aufs Spirituale wirkt sich die allgemeinere Wirtschaftsideologie zweifach aus: erstens dadurch, daß sie das Denken beeinflußt, gewisse Denkinhalte hervorhebt und andere zurückdrängt, und zweitens dadurch, daß sie die Erhaltung oder Veränderung von geistigkeitlich wichtigem Gesellschaftlichem zum Ergebnis hat. Beides kann unter der politischen Geistesmenschlichkeit positiv oder negativ beurteilt werden: der Einfluß aufs Denken ist wertvoll, da die Wirtschaftstatsachen denkend erfaßt, unwert, wenn sie einseitig oder sogar unrichtig gesehen werden; die gesellschaftlichen Wirkungen sind wertvoll oder unwert, je nachdem sie geistigkeitsgünstig oder -ungünstig sind. Und entsprechend ist die spiritualpolitische Stellungnahme zu den wirtschaftspolitischen Ideologien. — So zu prüfen sind vor allem die ideologischen Thesen, die ein gesamtwirtschaftliches Bestes postulieren, weniger solche, die auf ein Sonderthema (etwa: auf Vergenossenschaftlichung der Industrie oder auf Nationalisierung der Banken und Versicherungsgesellschaften) beschränkt sind. Die Spiritualpolitik muß sich auch mit den letzteren befassen, wird aber auf das Ungenügen alles Nur-Speziellen, das im Grundwesen immer nur ein einzelnes Wirtschaftstechnisches zur Diskussion bringt, hinweisen.

4.95 Kulturpolitik im engeren Sinne ist Themenfeld von Ideologie einerseits dadurch, daß überliefertes Gedankengut ideologisiert wird, um es aktiv halten oder reaktivieren zu können (so: bildungsaristokratisches und religiöses Gedankengut, Traditionalismus im Künstlerischen), andererseits durch politisches Eintreten für reformerische und vielleicht sogar revolutionäre Kulturgestaltungsideen (so ebenfalls solche über Schulen und Kunstförderung). Der Spiritualpolitisch-Denkende muß auch hier das Geistigkeitlich-Wertvolle bejahen und unterstützen, jedoch auf das Verfehlte aller Einseitigkeit hinweisen, das Geistigkeitlich-Nichtwertvolle wird er als solches einsehbar machen und vor dem Geistigkeitlich-Unwerten wird er warnen: solche spiritualzielbestimmte Ideologiekritik ist praktisch um so dringlicher, je deutlicher die Geistigkeitswichtigkeit der zu diskutierenden Ideologieinhalte ist.

Derartige Stellungnahmen werden mitunter auch durch Ideologisches gefordert, das eher den Gegenstand der Kulturpolitik als diese an sich betrifft (so: Wesen und Ziele der Erziehung, nicht die Schulpolitik; Wesen und Sinn der Religion, nicht die Religionspolitik): wenn ein fachideologisch zu umschreibender Inhalt in die Kulturpolitik als Ziel oder als zu vermeidender Inhalt aufgenommen wird; eine vollgültige spiritualpolitische Stellungnahme erfordert dann, daß der Urteilende das politisch zu gestaltende Kulturelle in allgemeinerer Geistesmenschlichkeit prüfe.

4.96 Ähnlich wie bezüglich der »Kulturpolitik im engeren Sinne« ist auf dem Hauptfeld »Übrige Innenpolitik« vorzugehen: auch hier wirken Ideologien oder wenigstens Ideologieteile (etwa den Gesundheitsschutz im allgemeinen oder die Krankenversicherung im besondern betreffend), die spiritualpolitisch zu prüfen sind, und das sowohl bezüglich ihres politischen als auch ihres außerpolitischen Gehaltes.

4.97 Ideologien richten sich auf die Außenpolitik: befürwortet werden kann etwa: das eigene Land solle seine Stellung oder bestimmte Interessen gegenüber dem Ausland schärfst verteidigen; das eigene Land solle in mehr oder weniger weitem internationalem Bereich führend werden, ja anschließende oder auch ferne Gebiete unter seine Herrschaft zwingen; der eigene Staat solle mit den andern Staaten eines Großgebietes in freundschaftliche Zusammenarbeit treten, dies jedoch unter bleibender Souveränität der beteiligten Staaten; die jetzigen Staaten sollten ihre Souveränität allmählich beschränken und sich in ein großregionales Staatsgebilde einfügen; aus den Vereinten Nationen solle der Weltstaat werden. Jede dieser Thesen enthält Grundsätzliches, das Fragen auch an den sich mit dem betreffenden Sachgebiet befassenden Spiritualpolitiker, zumal den Theoretiker der politischen Geistesmenschlichkeit stellen läßt: gerade hier müssen die in weite Zukunft hinein zu befolgenden Maximen theoretisch gefaßt werden, das heißt allgemein und abstrakt genug, daß für das jetzt noch nicht bekannte besondere und konkrete Zukünftige die sachrichtigen Postulate abgeleitet werden können, — freilich unter dem Vorbehalt, daß die jetzt aufgestellte Theorie allenfalls von zukünftigem Praktischem aus revidiert werden muß.

Und an die spiritualpolitische Prüfung der zunächst auf den Einzelstaat bezogenen außenpolitisch-ideologischen Thesen schließt diejenige an, deren Gegenstand Ideologie ist, die sich auf die Ziele und Verwirklichungen übernationaler Staatsgebilde und, auf höchster und fernster Stufe, des Weltstaates richtet. Das Ergebnis wird wenigstens in einigem die Bejahung sein; denn das, was unter der politischen Geistesmenschlichkeit gewollt werden soll, verlangt in der jetzigen Kultur vielfach die Überwindung des Einzelstaatlichen und Nationalen.

4.98 Die in der politischen Praxis ideologisch gefaßten Themen, seien sie auf Sachgebietsinhalt oder auf Gemeinwesenstypisches bezogen, stehen oft in einem umfassenden Gedankenganzen, das — vielleicht als Lehre tatsächlich ausgebildet, vielleicht als solche wenigstens auffaßbar — gesamtgesellschaftliche Richtigkeit aufzuzeigen beansprucht und von ihr aus Sozialpraktisches postuliert: Liberalismus, Sozialismus, Kommunismus, rein pragmatische Wohlstandsideologie, Nationalismus, Internationalismus, Weltstaatslehre. Keines dieser Thesensysteme entspricht voll dem, was unter der politischen Geistesmenschlichkeit zu vertreten ist, keines schließt die spirituale Ideologie als Unterideologie ein; anderseits steht keines aus innerer Notwendigkeit in vollständigem und unaufhebbarem Gegensatz zur politischen Geistesmenschlichkeit, denn unter jedem ist zumindest einiges Spirituale erreichbar. Allgemein gilt, daß von der politischen Geistesmenschlichkeit aus jedes dieser Systeme darnach zu beurteilen ist, ob es — in weitestem Sinne — geistigkeitsfördernd sei, wobei sowohl auf das Theoretische als auch auf das Praktische abzustellen ist und mitunter je nach dem maßgebenden Betrachtungsaspekt das eine der beiden bevorzugt werden darf. Der Idee nach verfehlt wäre es, eines oder einige der Systeme für der spiritualpolitischen und spiritualideologischen Kritik enthoben zu halten: in jedem Falle ist sachlich herauszuarbeiten, was gemäß dem theoretischen Gehalt und der praktischen Erfahrung geistigkeitsgünstig oder aber geistigkeitsungünstig ist.

4.99 Aber die politische Geistesmenschlichkeit steht diesen ideologischen Systemen nicht nur betrachtend gegenüber, sondern kann von sich aus auf sie einwirken: erstens durch spiritualpolitische Interpretation des bestehenden Inhaltes und zweitens durch Vorschläge zu seiner Erweiterung. Der Spiritualpolitiker darf innerhalb jedes der Systeme als — geistesmenschlichkeitlich gesinnter — Systemvertreter denken und handeln, und es ist erwünscht, daß in jedem System einige Spiritualpolitiker tatsächlich diese Mühe auf sich nehmen (so: daß sie als Liberale das liberale Gedankengut politisch spiritualisieren, als Sozialisten das sozialistische, usw.). Und wiederum kommt es zu Wechselwirkung: der Spiritualpolitiker beeinflußt die vorgeformten ideologischen Thesen und wird seinerseits von ihnen beeinflußt, — gerade das aber bringt ihn in lebendige Verbindung mit den großen Kraftströmen von Gesellschaft, Staat und Politik.

INHALT

THE QUEEN'S COLLEGE
LIBRARY
OXFORD